コードに対応した
コーポレート・ガバナンス報告書の記載事例の分析
2021年版

森・濱田松本法律事務所　編

はしがき

　本書では，上場企業のコーポレート・ガバナンス報告書におけるコーポレートガバナンス・コードの各原則を実施しない理由や，各原則に基づく開示に関する記載事例を分析するものである。

　開示の傾向の分析については，本年も，TOPIX500構成銘柄（2021年7月20日時点）企業のコード対応のコーポレート・ガバナンス報告書の記載事項を分析・集計し，その結果は，「Ⅰ　開示の状況」にまとめている。これらの集計は2021年7月20日時点のガバナンス報告書の記載内容に基づくものである。

　2021年6月にコーポレートガバナンス・コードの策定後，2回目の改訂がなされた。改訂事項は必ずしも多くないが，新たに開示を求められる事項は比較的多く，しかも，サステナビリティの基本的な方針や中核人材の多様性に関する方針や目標といった，経営上重要な事項が多い。本書作成段階では，多くの上場企業で改訂に対応した記載は検討中であったものの，一部の企業は先行して開示をしていたことから，先行して開示された事例はできるだけ紹介するように努めた。

　コーポレートガバナンス・コードはプリンシプルベース・アプローチで作成されたものであり，その実施・不実施や開示も，他社との差異に過剰に反応する必要もなく，安易に一般的な記載内容を模倣するような対応をすべきでないことはいうまでもないが，他社における多様な取組みやその工夫は，コーポレートガバナンス・コードへの深度ある対応を進めるために参考となる。

　コーポレート・ガバナンスをめぐる環境は引き続き変化を続けており，上場企業におけるコーポレート・ガバナンスに関する情報開示の意義はますます重要性を増している。本書が，コーポレート・ガバナンスの向上に真摯に取り組む企業の参考になれば幸いである。

　2021年11月

澤口　実　　内田　修平　　若林　功晃　　梅村　仁美　　木内　遼　　進　華菜子
立元　寛人　　西村　智宏　　安原　彰宏　　福澤　寛人　　中村　太智　　渡邊　泰尚
岸本　直也　　伊奈　拓哉　　城戸　賢仁

目 次

I 開示の状況 ··· 1
    1　集計方法　3
    2　集計結果（単純集計）　4
      (1)　原則のエクスプレイン・開示状況　4
      (2)　原則1－4　10
      (3)　原則3－1(ii)　11
      (4)　原則3－1(iii)　12
      (5)　原則3－1(iv)　12
      (6)　原則4－9　13
      (7)　補充原則4－10①　14
      (8)　補充原則4－11②　18
      (9)　補充原則4－11③　18
      (10)　原則5－1　22
      (11)　コンプライ・アンド・エクスプレイン　23

II ガバナンス報告書 ··· 27
第一部　実施しない理由 ··· 29
    1　背景・趣旨　29
    2　エクスプレインの対象　29
    3　エクスプレインの要否　30
    4　エクスプレインの状況　30
    5　開示（エクスプレイン）の傾向と事例　31
      (1)　現在検討中である旨述べる例　31
      (2)　当該原則の適用は当該会社に適さない旨述べる例　35
        a　補充原則1－2②に関するエクスプレインの例　35
        b　補充原則1－2③に関するエクスプレインの例　35
        c　補充原則1－2④に関するエクスプレインの例　36
        d　原則1－4に関するエクスプレインの例　36
        e　補充原則2－5①に関するエクスプレインの例　37
        f　原則2－6に関するエクスプレインの例　38
        g　原則3－1(iv)に関するエクスプレインの例　39
        h　補充原則4－1②に関するエクスプレインの例　39
        i　補充原則4－1③に関するエクスプレインの例　39
        j　補充原則4－2①に関するエクスプレインの例　40
        k　補充原則4－3③に関するエクスプレインの例　41
        l　補充原則4－8①②に関するエクスプレインの例　41
        m　補充原則4－10①に関するエクスプレインの例　42
        n　原則4－11に関するエクスプレインの例　43

目 次

　　　　　o　原則5-2に関するエクスプレインの例　44

第二部　各原則に基づく開示事項（必要的開示） 46

第1　原則1-4に基づく開示 46
1　背景・趣旨　46
2　開 示 対 象　47
3　政策保有に関する方針　47
　(1)　縮減の方針を示す事例　47
　(2)　保有意義が乏しい場合に縮減する旨を記載する事例　47
　(3)　売却等のプロセスに言及する事例　48
4　検証の内容　48
　(1)　着眼点や基準を記載する事例　48
　(2)　検証プロセスを記載する事例　48
　(3)　検証結果を記載する事例　49
5　議決権行使についての基準　49
　(1)　一定の議案や場面について慎重な検討を行う旨を記載する事例　49
　(2)　一定の議案や場面について反対すること等を記載する事例　49
　(3)　議案の類型ごとに議決権行使の考え方を開示する事例　49
　(4)　スチュワードシップ・コードや議決権行使助言会社の基準を参照する旨を定める事例　50
　(5)　議決権行使の決定プロセスについて定める事例　50
6　開 示 事 例　50

第2　原則1-7に基づく開示 69
1　背景・趣旨　69
2　開 示 対 象　69
3　開示の傾向　70
　(1)　法令と同様の手続を開示する例　70
　(2)　任意の手続を開示する例　70
　　a　取締役会の承認事項の範囲を広げる例　70
　　b　取締役会への報告事項の範囲を広げる例　71
　　c　取引条件に言及する例　71
　　d　そ の 他　71
4　その他の開示　72
5　開 示 事 例　72

第3　補充原則2-4①に基づく開示 81
1　背景・趣旨　81
2　開 示 対 象　81
3　開 示 内 容　82
　(1)　補充原則2-4①前段に基づく開示事例　82
　　a　多様性の要素　82
　　b　多様性の確保についての考え方，目標等　82
　(2)　補充原則2-4①後段に基づく開示事例　83

(3) エクスプレインの事例　83
　4　開 示 事 例　84
第4　原則2-6に基づく開示 ……………………………………………………… 99
　1　背景・趣旨　99
　2　開 示 対 象　99
　3　開 示 内 容　100
　　(1) 人事面における取組み　100
　　(2) 運営面における取組み　100
　　(3) 利益相反の管理　101
　　(4) 確定拠出年金を導入している場合　102
　4　開 示 事 例　102
第5　原則3-1(i)に基づく開示 …………………………………………………… 109
　1　背景・趣旨　109
　2　開 示 対 象　110
　3　会社の目指すところ（経営理念等）　110
　4　経営戦略，経営計画　110
　　(1) 経営戦略と経営計画の区別　111
　　(2) 経営戦略，経営計画の内容　111
　　　a　収益計画や資本政策の基本的な方針　111
　　　b　収益力・資本効率等に関する目標　111
　　　c　経営資源の配分に関する説明　112
　　　d　事業ポートフォリオに関する基本的な方針や事業ポートフォリオの見直しの
　　　　状況　112
　　(3) 中長期の経営戦略，経営計画を開示している例　112
　5　開 示 事 例　112
第6　原則3-1(ii)に基づく開示 …………………………………………………… 140
　1　背景・趣旨　140
　2　開 示 対 象　140
　3　コーポレートガバナンスに関する基本的な考え方　141
　　(1) 開示の形式　141
　　(2) 開示の内容　141
　4　コーポレートガバナンスに関する基本方針　141
　5　開 示 事 例　142
第7　原則3-1(iii)に基づく開示 ………………………………………………… 146
　1　背景・趣旨　146
　2　開 示 対 象　146
　3　方　　　針　147
　　(1) 報酬制度の理念・目的を開示する例　147
　　(2) 報酬制度の概要を開示する例　147
　　　a　報酬の構成を開示する例　148
　　　b　役員の職責ごとに比較的詳細な報酬体系を開示する例　148

　　　　c　業績連動報酬について詳細な決定方法や指標を開示する例　148
　　4　手　　続　148
　　5　開示事例　149
第8　原則3−1(iv)に基づく開示 ……………………………………………… 161
　　1　背景・趣旨　161
　　2　開示対象　162
　　3　方　　針　162
　　(1)　経営陣幹部の選任，取締役・監査役候補の指名基準を開示する例　162
　　(2)　経営陣幹部の解任に関する基準を開示する例　163
　　(3)　社外役員の独立性の判断基準について言及する例　163
　　4　手　　続　163
　　5　開示事例　164
第9　原則3−1(v)に基づく開示 ………………………………………………… 173
　　1　背景・趣旨　173
　　2　開示対象　174
　　3　開示の傾向　174
　　(1)　開示の方法　174
　　(2)　個々の選解任・指名についての説明の開示事例　174
　　4　開示事例　175
第10　補充原則3−1③に基づく開示 ……………………………………………… 194
　　1　背景・趣旨　194
　　2　開示対象　194
　　3　開示の傾向　195
　　(1)　補充原則3−1③前段第一文に基づく開示（サステナビリティについての取組み）　195
　　　　a　サステナビリティを巡る取組みについての基本方針　195
　　　　b　サステナビリティについての取組み　195
　　(2)　補充原則3−1③前段第二文に基づく開示（人的資本や知的財産への投資等）　196
　　(3)　補充原則3−1③後段に基づく開示（気候変動に係るリスク及び収益機会が自社の事業活動や収益等に与える影響）　196
　　4　開示事例　197
第11　補充原則4−1①に基づく開示 ……………………………………………… 211
　　1　背景・趣旨　211
　　2　開示対象　211
　　3　開示の傾向　211
　　(1)　監査役会設置会社　212
　　(2)　指名委員会等設置会社　212
　　(3)　監査等委員会設置会社　213
　　4　開示事例　214
第12　原則4−9に基づく開示 ……………………………………………………… 251
　　1　背景・趣旨　251

2　開　示　対　象　252
　3　独立性判断基準　252
　　⑴　金融商品取引所の定める独立性基準で掲げられている要件を明確化・具体化するもの　252
　　　a　主要な取引先　252
　　　b　役員報酬以外の多額の金銭の支払いを受けているアドバイザー　253
　　　c　その近親者であっても独立性が否定されない「重要」な者　253
　　⑵　金融商品取引所の独立役員届出書において属性情報として記載が求められる類型に関連する要件を掲げるもの　254
　　　a　多額の寄付　254
　　　b　大株主・主要株主の関係者　254
　　　c　役員の相互派遣・相互就任　255
　　⑶　その他の要件を掲げるもの　255
　　　a　会計監査人の関係者　255
　　　b　主要な借入先　255
　　　c　通算の社外取締役在任期間・年齢　256
　　　d　競合先企業の関係者　256
　　　e　主幹事証券会社の関係者　256
　　　f　近親者に類する者　256
　　　g　そ　の　他　257
　　⑷　金融商品取引所の定める独立性基準と同一であるとするもの　257
　4　NYSE の独立性基準　257
　5　開　示　事　例　258

第13　補充原則4－10①に基づく開示　286

　1　背景・趣旨　286
　2　開　示　対　象　286
　3　開示の傾向　287
　　⑴　委員会の独立性についての考え方　287
　　⑵　委員会の権限・役割　287
　　⑶　そ　の　他　288
　4　開　示　事　例　289

第14　補充原則4－11①に基づく開示　301

　1　背景・趣旨　301
　2　開　示　対　象　301
　3　開示の傾向　302
　　⑴　知識・経験・能力のバランス及び多様性　302
　　　a　社外取締役・非業務執行者の選任割合　302
　　　b　社外取締役の任期制限　302
　　　c　取締役会の構成員の資質・能力　302
　　　d　多　様　性　303
　　　e　そ　の　他　303
　　⑵　規　　　模　303

(3) スキル・マトリックス　303
　　　　a　スキル等の特定　303
　　　　b　スキル等の表示　304
　　　　c　対象となる役員　304
　　(4) そ の 他　304
　4　開 示 事 例　304

第15　補充原則4−11②に基づく開示　　324
　1　背景・趣旨　324
　2　開 示 対 象　324
　3　開示の傾向　324
　　(1) ガバナンス報告書に記載する例　325
　　(2) 事業報告・株主総会参考書類等に記載している旨を記載する例　325
　　(3) 役員の兼任数の上限を記載する例　325
　　(4) そ の 他　326
　4　開 示 事 例　326

第16　補充原則4−11③に基づく開示　　334
　1　背景・趣旨　334
　2　開 示 対 象　334
　3　開示の傾向　334
　　(1) 分析・評価の手法　335
　　(2) 分析・評価の項目・内容　335
　　(3) 結果の概要の開示　336
　　(4) リリース等による開示　337
　4　任意的開示　337
　5　開 示 事 例　337

第17　補充原則4−14②に基づく開示　　363
　1　背景・趣旨　363
　2　開 示 対 象　363
　3　分　　類　363
　　(1) トレーニングの対象事項　363
　　(2) トレーニングの対象者　364
　　(3) トレーニングの方法　365
　　(4) トレーニングの実績　365
　4　その他の開示事項　365
　5　開 示 事 例　366

第18　原則5−1及び補充原則5−1②に基づく開示　　373
　1　背景・趣旨　373
　2　開 示 対 象　374
　3　分　　類　374
　　(1) 経営陣又は取締役のうち株主との対話全般を統括する者の指定　374
　　(2) 対話を補助する社内の各部門が有機的に連携するための方策　375

(3) 個別面談以外の対話の手段の充実に関する取組み　375
　　　(4) 取締役会等へのフィードバックの方策　376
　　　(5) 対話に際してのインサイダー情報の管理に関する方策　376
　　　(6) 社外取締役・監査役の関与　377
　　　(7) そ　の　他　378
　　4　その他の開示事項　378
　　5　開 示 事 例　378

第三部　ガバナンス報告書における新たな開示の動向 …………………………… 404

第1　コンプライ・アンド・エクスプレイン …………………………………… 404
　　1　コードの全原則について開示する例　404
　　2　多くの原則について任意開示する例　407
　　3　特定の原則について任意開示する例　409
　　　原則1－3　409
　　　補充原則1－4①，補充原則1－4②　409
　　　原則2－2，補充原則2－2①　410
　　　原則2－3　410
　　　補充原則4－1③　411
　　　補充原則4－2①　412
　　　補充原則4－3②，4－3③　413
　　　原則5－2　413

第2　上場子会社 ………………………………………………………………… 415
　　1　概　　要　415
　　2　上場子会社に関する開示の内容　415
　　　(1) 上場子会社を有する意義　415
　　　(2) 上場子会社のガバナンス体制の実効性確保に関する方策　418
　　　(3) グループ経営に関する考え方及び方針として記載されるべき内容に関連した契約　423

I
開示の状況

I
開示の枯死

1 集計方法

　TOPIX500構成銘柄企業を対象に，そのコーポレート・ガバナンス報告書の記載事項及び財務数値などの公表情報を集計した。

　集計は，2021年7月20日時点で提出されているコーポレート・ガバナンス報告書の記載事項及び同日時点で公表されている直近の事業年度の財務数値に基づく。なお，コーポレート・ガバナンス報告書の記載事項としては，「コードの各原則を実施しない理由」「コードの各原則に基づく開示」以外の記載事項も集計対象に加えている。

　2021年7月20日時点では，TOPIX100構成銘柄企業は99社存し，当該項目における母数は99社となる。一方，同日時点におけるTOPIX100構成銘柄企業を除くTOPIX500構成銘柄企業は397社であるため，結果としてTOPIX500構成銘柄企業の総数は496社であり，本書の統計においても496社を母数としている。

　なお，いくつかの集計項目については，参考資料として昨年（2020年7月末日時点）のデータを掲載している。昨年のデータを掲載している項目においては，TOPIX500構成銘柄企業のうち，2020年7月末日時点ではTOPIX500構成銘柄企業の総数は499社であったことから，コーポレートガバナンス・コードに関連する集計において該当項目における会社数の割合が挙げられているものについては，特に断りがない限り母数は499社となっている。同時点のTOPIX100構成銘柄企業に関する集計結果を記載している項目においては，TOPIX100構成銘柄企業の総数は100社であったことから，同様の割合については，特に断りがない限り母数は100社となっている。但し，一部の集計項目は，集計方法に若干の差異があり，単純比較が適切でないことから，昨年のデータやその対比は記載していない。

　本書においては，一部に日経バリューサーチから提供を受けたデータを用いている。

Ⅰ 開示の状況

2 集計結果（単純集計）

(1) 原則のエクスプレイン・開示状況

◆エクスプレイン・開示数

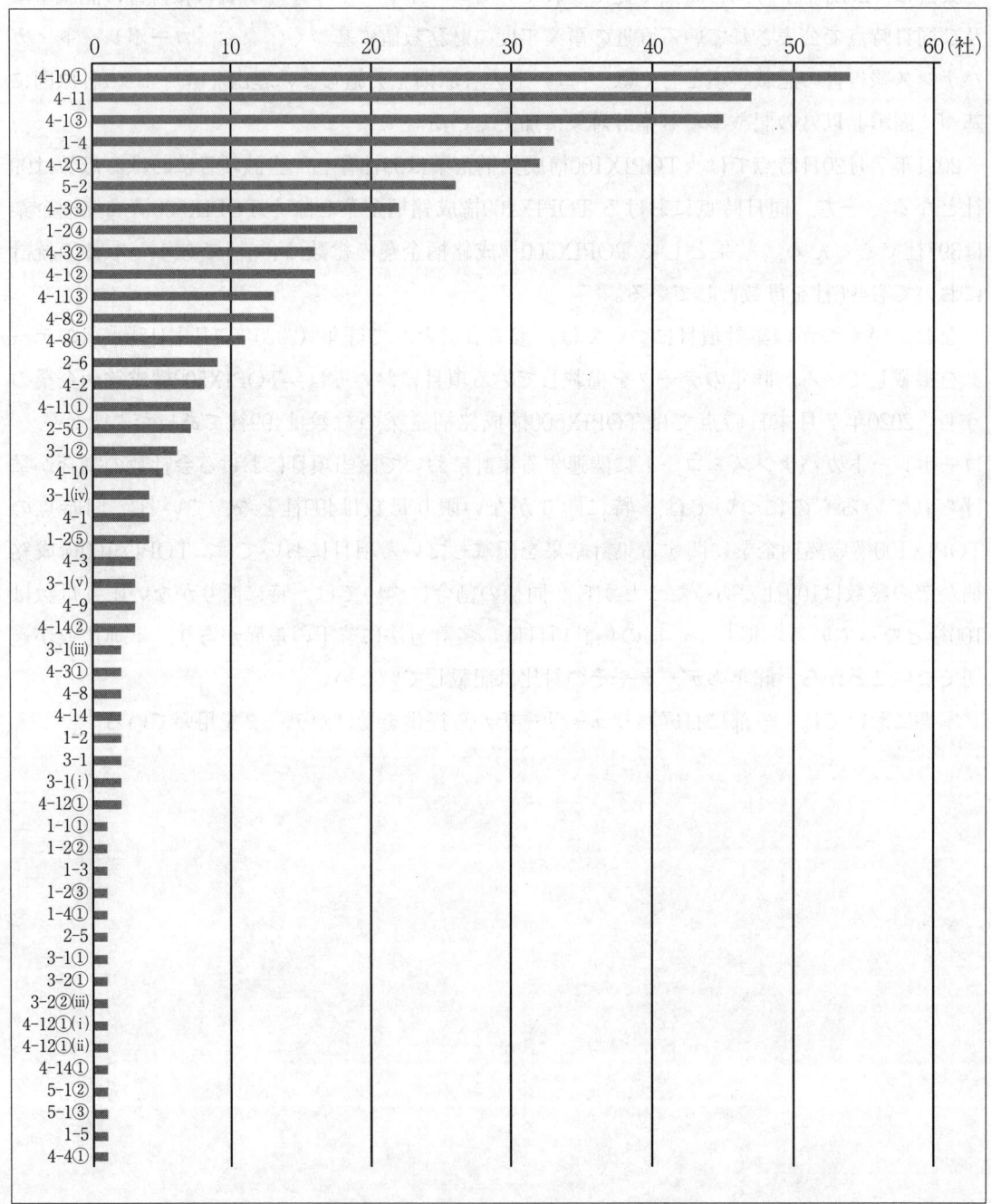

2 集計結果（単純集計）

◆原則のエクスプレイン・開示状況（個社）

※社名は，TOPIX100構成銘柄企業についてコード番号の若い順に記載した後，それ以外のTOPIX500構成銘柄企業についてコード番号の若い順に記載している。社数の項目の括弧書きは2020年7月末時点での集計結果である。

原　則	社数	個　　社
4－10①	54(76)	エムスリー，中外製薬，キーエンス，東京エレクトロン，住友不動産，江崎グリコ，山崎製パン，ヤクルト本社，綜合警備保障，宝ホールディングス，コカ・コーラ ボトラーズジャパンホールディングス，エービーシー・マート，アリアケジャパン，東洋水産，神戸物産，飯田グループホールディングス，コスモス薬品，シップヘルスケアホールディングス，ツルハホールディングス，クスリのアオキホールディングス，ガンホー・オンライン・エンターテイメント，エア・ウォーター，日本パーカライジング，持田製薬，大正製薬ホールディングス，フジ・メディア・ホールディングス，ジャストシステム，大塚商会，日本発条，DMG森精機，SANKYO，ホシザキ，THK，堀場製作所，レーザーテック，スタンレー電気，浜松ホトニクス，全国保証，小糸製作所，エフピコ，岩谷産業，東邦ホールディングス，高島屋，滋賀銀行，アコム，三菱HCキャピタル，山九，上組，日本テレビホールディングス，光通信，北陸電力，松竹，エヌ・ティ・ティ・データ，コナミホールディングス
4－11	47(59)	Zホールディングス，SMC，ユニ・チャーム，ファーストリテイリング，コムシスホールディングス，前田道路，エス・エム・エス，博報堂DYホールディングス，宝ホールディングス，キユーピー，ハウス食品グループ本社，神戸物産，ガンホー・オンライン・エンターテイメント，日本触媒，宇部興産，大日本住友製薬，大正製薬ホールディングス，大塚商会，コニカミノルタ，横浜ゴム，TOTO，大和工業，日本製鋼所，古河電気工業，三和ホールディングス，オークマ，オーエスジー，ディスコ，THK，安川電機，マキタ，ヒロセ電機，日本光電工業，NOK，小糸製作所，アズワン，岩谷産業，クレディセゾン，ケーズホールディングス，ほくほくフィナンシャルグループ，アコム，松井証券，ニッコンホールディングス，TBSホールディングス，テレビ朝日ホールディングス，大阪瓦斯，メイテック

Ⅰ 開示の状況

原　則	社数	個　　社
4－1③	45(51)	Zホールディングス，住友金属鉱山，第一生命ホールディングス，前田建設工業，山崎製パン，綜合警備保障，インフォマート，宝ホールディングス，エービーシー・マート，神戸物産，野村不動産ホールディングス，シップヘルスケアホールディングス，ガンホー・オンライン・エンターテイメント，トクヤマ，エア・ウォーター，日本触媒，積水化学工業，アイカ工業，キッセイ薬品工業，関西ペイント，大塚商会，サワイグループホールディングス，大和工業，日本発条，オーエスジー，THK，アドバンテスト，レーザーテック，九州フィナンシャルグループ，アズワン，ゼンショーホールディングス，コロワイド，凸版印刷，エフピコ，岩谷産業，ゴールドウイン，クレディセゾン，群馬銀行，滋賀銀行，三菱HCキャピタル，リログループ，上組，松竹，日本空港ビルデング，メイテック
1－4	33(39)	Zホールディングス，SMC，村田製作所，日産自動車，SUBARU，西日本旅客鉄道，ANAホールディングス，大成建設，大東建託，ヒューリック，神戸物産，シップヘルスケアホールディングス，ワコールホールディングス，久光製薬，関西ペイント，日本ガイシ，丸一鋼管，日本軽金属ホールディングス，日本発条，オーエスジー，タダノ，ホシザキ，沖電気工業，良品計画，岩谷産業，サンリオ，高島屋，丸井グループ，ふくおかフィナンシャルグループ，西日本鉄道，九州旅客鉄道，テレビ朝日ホールディングス，松竹
4－2①	32(49)	住友金属鉱山，前田道路，きんでん，山崎製パン，ヤクルト本社，綜合警備保障，宝ホールディングス，エービーシー・マート，アリアケジャパン，東洋水産，コスモス薬品，シップヘルスケアホールディングス，日本触媒，日本新薬，大塚商会，住友ゴム工業，日本発条，アマダ，ホシザキ，レーザーテック，全国保証，ゼンショーホールディングス，スギホールディングス，長瀬産業，岩谷産業，イズミ，アコム，山九，北陸電力，松竹，メイテック，コナミホールディングス

2 集計結果（単純集計）

開示の状況

原　則	社数	個　社
5－2	26(32)	Zホールディングス，東海旅客鉄道，ソフトバンクグループ，前田道路，エス・エム・エス，山崎製パン，ディー・エヌ・エー，インフォマート，エービーシー・マート，東洋水産，ツルハホールディングス，SUMCO，ガンホー・オンライン・エンターテイメント，GMOペイメントゲートウェイ，アイカ工業，大塚商会，ホシザキ，沖電気工業，富士通ゼネラル，朝日インテック，セブン銀行，山口フィナンシャルグループ，アコム，テレビ朝日ホールディングス，松竹，メイテック
4－3③	22(26)	山崎製パン，カルビー，インフォマート，宝ホールディングス，アリアケジャパン，シップヘルスケアホールディングス，ツルハホールディングス，エア・ウォーター，アイカ工業，大塚商会，日本発条，SANKYO，ホシザキ，THK，九州フィナンシャルグループ，アズワン，コロワイド，岩谷産業，クレディセゾン，滋賀銀行，上組，メイテック
1－2④	19(19)	エムスリー，住友不動産，エス・エム・エス，山崎製パン，インフォマート，エービーシー・マート，アリアケジャパン，神戸物産，MonotaRO，コスモス薬品，クスリのアオキホールディングス，キッセイ薬品工業，大和工業，丸一鋼管，DMG森精機，ゼンショーホールディングス，コロワイド，ヤオコー，松竹
4－3②	16(22)	宝ホールディングス，アリアケジャパン，シップヘルスケアホールディングス，ツルハホールディングス，エア・ウォーター，大塚商会，日本発条，SANKYO，ホシザキ，THK，コロワイド，岩谷産業，クレディセゾン，滋賀銀行，松竹，メイテック
4－1②	16(17)	エムスリー，本田技研工業，東海旅客鉄道，ソフトバンク，ソフトバンクグループ，山崎製パン，エービーシー・マート，ガンホー・オンライン・エンターテイメント，GMOペイメントゲートウェイ，トレンドマイクロ，日本オラクル，サイバーエージェント，SANKYO，ホシザキ，松井証券，松竹
4－11③	13(16)	エムスリー，ショーボンドホールディングス，エス・エム・エス，神戸物産，飯田グループホールディングス，コスモス薬品，FOOD&LIFE COMPANIES，GMOペイメントゲートウェイ，オーエスジー，ルネサスエレクトロニクス，アズワン，松井証券，光通信

7

I　開示の状況

原　則	社数	個　　社
4-8②	13(13)	東京エレクトロン，江崎グリコ，カルビー，キユーピー，ハウス食品グループ本社，神戸物産，クスリのアオキホールディングス，コーエーテクモホールディングス，昭和電工，久光製薬，アマダ，朝日インテック，ヤオコー
4-8①	11(11)	花王，塩野義製薬，東京エレクトロン，江崎グリコ，カルビー，キユーピー，クスリのアオキホールディングス，コーエーテクモホールディングス，昭和電工，宇部興産，久光製薬
2-6	9(5)	シップヘルスケアホールディングス，GMOペイメントゲートウェイ，H.U.グループホールディングス，楽天グループ，ミルボン，アドバンテスト，レーザーテック，アズワン，光通信
4-2	8(12)	前田道路，きんでん，山崎製パン，宝ホールディングス，エービーシー・マート，日本発条，ホシザキ，松竹
4-11①	7(8)	キヤノン，伊藤園，エービーシー・マート，シップヘルスケアホールディングス，大和工業，住友重機械工業，第一興商
2-5①	7(6)	エムスリー，ユニ・チャーム，関西ペイント，日立建機，コロワイド，トプコン，メイテック
3-1②	6(3)	神戸物産，コスモス薬品，クスリのアオキホールディングス，ゼンショーホールディングス，マニー，松竹
4-10	5(11)	宝ホールディングス，コカ・コーラ ボトラーズジャパンホールディングス，マツキヨココカラ＆カンパニー，日本発条，DMG森精機
3-1(iv)	4(6)	エア・ウォーター，九州フィナンシャルグループ，岩谷産業，メイテック
4-1	4(5)	日本発条，ホシザキ，アズワン，松竹
1-2⑤	4(2)	インフォマート，クスリのアオキホールディングス，日立建機，コロワイド
4-3	3(5)	日本発条，アズワン，松竹
3-1(v)	3(4)	デンカ，岩谷産業，メイテック
4-9	3(3)	エービーシー・マート，ルネサスエレクトロニクス，光通信
4-14②	3(3)	カルビー，MonotaRO，オープンハウス
3-1(iii)	2(3)	アマダ，岩谷産業

2 集計結果（単純集計）

原　則	社数	個　社
4 − 3①	2（3）	エア・ウォーター，アマダ
4 − 8	2（3）	クスリのアオキホールディングス，朝日インテック
4 − 14	2（3）	カルビー，クスリのアオキホールディングス
1 − 2	2（2）	DMG森精機，ホシザキ
3 − 1	2（2）	大和工業，松竹
3 − 1（ⅰ）	2（2）	SUMCO，ホシザキ
4 − 12①	2（2）	オーエスジー，テレビ朝日ホールディングス
1 − 1①	1（2）	オーエスジー
1 − 2②	1（2）	松竹
1 − 3	1（2）	大和工業
1 − 2③	1（1）	大和ハウス工業
1 − 4①	1（1）	ヒューリック
2 − 5	1（1）	関西ペイント
3 − 1①	1（1）	アマダ
3 − 2①	1（1）	エムスリー
3 − 2②（ⅲ）	1（1）	花王
4 − 12①（ⅰ）	1（1）	松竹
4 − 12①（ⅱ）	1（1）	松竹
4 − 14①	1（1）	クスリのアオキホールディングス
5 − 1②	1（1）	松竹
5 − 1③	1（1）	松竹
1 − 5	1（0）	インフォマート
4 − 4①	1（0）	コーエーテクモホールディングス

Ⅰ 開示の状況

◆エクスプレイン原則数の傾向

エクスプレイン原則数	社数	割合
0	319	64.3%
1	91	18.3%
2	32	6.5%
3	14	2.8%
4	15	3.0%
5	5	1.0%
6	7	1.4%
7	2	0.4%
8	5	1.0%
9	3	0.6%
10	2	0.4%
11	0	0.0%
12	0	0.0%
13	0	0.0%
14	0	0.0%
15	0	0.0%
16	0	0.0%
17	0	0.0%
18	1	0.2%
19	0	0.0%
計	496	100%

(2) 原則1-4

【図表1】政策保有株式を保有しない旨開示する企業

	TOPIX500		TOPIX100	
	社　数	割　合	社　数	割　合
記載・該当なし	475社	95.8%	95社	96.0%
記載・該当あり	21社	4.2%	4社	4.0%

参考：昨年（2020年）

	TOPIX500		TOPIX100	
	社　数	割　合	社　数	割　合
記載・該当なし	485社	97.2%	97社	97.0%
記載・該当あり	14社	2.8%	3社	3.0%

図表1は，政策保有株式は保有していない旨を開示する企業の傾向を表す。

【図表2】 グループ会社が保有する政策保有株式に言及する企業

	TOPIX500		TOPIX100	
	社　数	割　合	社　数	割　合
記載・該当なし	443社	89.3%	80社	80.8%
記載・該当あり	53社	10.7%	19社	19.2%

参考：昨年（2020年）

	TOPIX500		TOPIX100	
	社　数	割　合	社　数	割　合
記載・該当なし	442社	88.6%	80社	80.0%
記載・該当あり	57社	11.4%	20社	22.0%

　図表2は，上場会社のみならず，上場グループ会社が保有する政策保有株式にも言及する企業の開示の傾向を表す。

(3) 原則3－1(ii)

【図表3】 コーポレートガバナンス・ガイドラインに相当する基本方針を開示する企業

	TOPIX500		TOPIX100	
	社　数	割　合	社　数	割　合
策定・開示なし	254社	51.2%	40社	40.4%
策定・開示あり[※]	240社	48.4%	59社	59.6%

Ⅰ 開示の状況

参考：昨年（2020年）

	TOPIX500		TOPIX100	
	社数	割合	社数	割合
策定・開示なし	255社	51.1%	36社	36.0%
策定・開示あり※	244社	48.9%	64社	64.0%

　図表3は，基本方針としていわゆるコーポレートガバナンス・ガイドライン（名称は問わない）を作成している企業の開示の傾向を表す。

※コーポレートガバナンス・コードの基本原則に相当する内容のガイドライン又は基本方針を作成している企業については集計においては「策定・開示なし」としている。

(4) 原則3－1(ⅲ)

【図表4】報酬を決定する手続として専門家の起用又はデータの活用に言及する企業

	TOPIX500		TOPIX100	
	社数	割合	社数	割合
記載・該当なし	408社	82.3%	76社	76.8%
記載・該当あり	88社	17.7%	23社	23.2%

参考：昨年（2020年）

	TOPIX500		TOPIX100	
	社数	割合	社数	割合
記載・該当なし	408社	81.8%	73社	73.0%
記載・該当あり	91社	18.2%	27社	27.0%

　図表4は，取締役会が経営陣幹部・取締役の報酬を決定するに当たっての手続に関して，コンサルタント等の専門家の起用や外部調査機関による役員報酬に関するデータの活用に言及する企業の開示の傾向を表す。

(5) 原則3－1(ⅳ)

【図表5】選解任のうち，経営陣幹部の解任固有の方針と手続に言及する企業

	TOPIX500		TOPIX100	
	社数	割合	社数	割合
記載・該当なし	237社	47.8%	58社	58.6%
記載・該当あり	259社	52.2%	41社	41.4%

参考：昨年（2020年）

	TOPIX500		TOPIX100	
	社　数	割　合	社　数	割　合
記載・該当なし	247社	49.5%	58社	58.0%
記載・該当あり	252社	50.5%	42社	42.0%

　図表5は，経営陣幹部の解任を行うに当たっての方針と手続について，一定の言及をする企業の開示の傾向を表す。

【図表6】経営陣幹部の選任又は取締役・監査役候補の指名の手続として専門家の起用に言及する企業

	TOPIX500		TOPIX100	
	社　数	割　合	社　数	割　合
記載・該当なし	493社	99.4%	99社	100.0%
記載・該当あり	3社	0.6%	0社	0.0%

参考：昨年（2020年）

	TOPIX500		TOPIX100	
	社　数	割　合	社　数	割　合
記載・該当なし	486社	97.4%	100社	100.0%
記載・該当あり	13社	2.6%	0社	0.0%

　図表6は，経営陣幹部の選任と取締役・監査役候補の指名を行うに当たっての手続として，人事に関するコンサルタント等の専門家の起用に言及する企業の開示の傾向を表す。

(6) 原則4－9

【図表7】金融商品取引所の独立性基準と同一である旨を開示する企業

TOPIX500		TOPIX100	
社　数	割　合	社　数	割　合
93社	18.8%	13社	13.1%

Ⅰ　開 示 の 状 況

参考：昨年（2020年）

TOPIX500		TOPIX100	
社　数	割　合	社　数	割　合
110社	22.0%	18社	18.0%

　図表7は，自社における独立性判断基準は金融商品取引所が定める独立性基準と同一である旨を定める企業の開示の傾向を表す。

【図表8】在任期間に関する基準を開示する企業（TOPIX500）

基　準	社　数	
	2021年	2020年
8年	23社	20社
6年	2社	1社
10年	2社	1社
取締役10年，監査役12年	2社	2社
取締役5年，監査役8年	1社	1社
取締役8年，監査役8年	0社	0社
取締役8年，監査役12年であるが，実質的に独立性を有すると判断すれば選任可	1社	1社
在任期間が長期にわたる場合，独立性を有しないと判断	0社	1社
再任は8回以内	2社	0社
4年	1社	0社

　図表8は，独立性判断基準において，在任期間に関する基準を要件として定める企業の開示の傾向を表す。

(7)　補充原則4－10①

【図表9】任意の指名委員会の設置状況

TOPIX500		TOPIX100	
社　数	割　合	社　数	割　合
382社／428社	89.3%	73社／77社	94.8%

参考：昨年（2020年）

TOPIX500		TOPIX100	
社　数	割　合	社　数	割　合
374社／443社	84.4%	73社／79社	92.4%

　図表9は，指名委員会等設置会社でない企業（監査役（会）設置会社及び監査等委員会設置会社）における，指名委員会に相当する任意の委員会を設置する旨を定める企業の開示の傾向を表す。

【図表10】任意の報酬委員会の設置状況

TOPIX500		TOPIX100	
社　数	割　合	社　数	割　合
390社／428社	91.1%	74社／77社	96.1%

参考：昨年（2020年）

TOPIX500		TOPIX100	
社　数	割　合	社　数	割　合
385社／443社	86.9%	73社／79社	92.4%

　図表10は，指名委員会等設置会社でない企業（監査役（会）設置会社及び監査等委員会設置会社）における，報酬委員会に相当する任意の委員会を設置する旨を定める企業の開示の傾向を表す。

【図表11】任意の指名委員会及び報酬委員会の委員数

人数	TOPIX500		TOPIX100	
	指名（社）	報酬（社）	指名（社）	報酬（社）
2	0 （ 0.0%）	0 （ 0.0%）	0 （ 0.0%）	0 （ 0.0%）
3	42 (11.0%)	54 (13.8%)	3 （ 4.1%）	5 （ 6.8%）
4	68 (17.8%)	62 (15.9%)	19 (26.0%)	17 (23.0%)
5	144 (37.7%)	140 (35.9%)	31 (42.5%)	30 (40.5%)
6	61 (16.0%)	63 (16.1%)	8 (11.0%)	10 (13.5%)
7	38 （ 9.9%）	43 (11.0%)	9 (12.3%)	8 (10.8%)
8	16 （ 4.1%）	13 （ 3.3%）	3 （ 3.8%）	2 （ 5.5%）

I 開示の状況

人数	TOPIX500		TOPIX100	
	指名（社）	報酬（社）	指名（社）	報酬（社）
9	11 (2.9%)	12 (3.1%)	0 (0.0%)	1 (2.7%)
10	2 (0.5%)	2 (0.5%)	0 (0.0%)	0 (0.0%)
11	0 (0.0%)	1 (0.3%)	0 (0.0%)	1 (1.4%)
12	0 (0.0%)	0 (0.0%)	0 (0.0%)	0 (0.0%)

参考：昨年（2020年）

人数	TOPIX500		TOPIX100	
	指名（社）	報酬（社）	指名（社）	報酬（社）
2	0 (0.0%)	1 (0.3%)	0 (0.0%)	0 (0.0%)
3	43 (11.5%)	54 (14.0%)	4 (5.5%)	5 (6.8%)
4	79 (21.1%)	82 (21.3%)	17 (23.3%)	17 (23.3%)
5	139 (37.2%)	133 (34.5%)	30 (41.1%)	28 (38.4%)
6	51 (13.6%)	56 (14.5%)	9 (12.3%)	11 (11.4%)
7	33 (8.8%)	33 (8.6%)	9 (12.3%)	7 (9.6%)
8	18 (4.8%)	14 (3.6%)	4 (5.5%)	4 (5.5%)
9	10 (2.7%)	9 (2.3%)	0 (0.0%)	0 (0.0%)
10	1 (0.3%)	2 (0.5%)	0 (0.0%)	1 (1.4%)
11	0 (0.0%)	1 (0.3%)	0 (0.0%)	0 (0.0%)
12	0 (0.0%)	0 (0.0%)	0 (0.0%)	0 (0.0%)

　図表11は，指名委員会等設置会社でない企業（監査役（会）設置会社及び監査等委員会設置会社）における，指名委員会及び報酬委員会に相当する任意の委員会の委員数についての開示の傾向を表す。

【図表12】任意の指名委員会及び報酬委員会の委員における社外取締役の比率

社外取締役の比率	TOPIX500		TOPIX100	
	指名委員会	報酬委員会	指名委員会	報酬委員会
過 半 数	78.5%	77.9%	82.2%	77.0%
半 数 以 上	89.0%	87.4%	89.0%	85.1%

参考：昨年（2020年）

社外取締役の比率	TOPIX500		TOPIX100	
	指名委員会	報酬委員会	指名委員会	報酬委員会
過半数	68.3%	66.8%	74.0%	68.5%
半数以上	84.0%	82.0%	84.9%	80.8%

図表12は，指名委員会等設置会社でない企業（監査役（会）設置会社及び監査等委員会設置会社）における，指名委員会及び報酬委員会に相当する任意の委員会の委員のうち社外取締役が過半数又は半数以上である企業の開示の傾向を表す。

【図表13】任意の指名委員会及び報酬委員会の議長の属性

議長の属性	TOPIX500		TOPIX100	
	指名委員会	報酬委員会	指名委員会	報酬委員会
社外取締役	59.7%	61.5%	72.6%	70.3%
社内取締役	36.7%	34.1%	26.0%	25.7%
無　し	2.1%	2.3%	1.4%	1.4%
その他	1.6%	2.1%	0%	2.7%

参考：昨年（2020年）

議長の属性	TOPIX500		TOPIX100	
	指名委員会	報酬委員会	指名委員会	報酬委員会
社外取締役	56.3%	57.7%	65.8%	64.4%
社内取締役	38.7%	36.4%	30.1%	27.4%
無　し	1.2%	1.2%	2.7%	2.7%
その他	3.8%	4.7%	1.4%	5.5%

図表13は，指名委員会等設置会社でない企業（監査役（会）設置会社及び監査等委員会設置会社）における，指名委員会及び報酬委員会に相当する任意の委員会の議長についての開示の傾向を表す。

Ⅰ　開示の状況

(8)　補充原則4－11②

【図表14】役員の兼任数

基　準	社　数	
	2021年	2020年
3社	17社	10社
4社	7社	8社
5社	4社	6社
1社	1社	2社

　図表14は，役員の兼任数に関して，具体的な兼任数に言及する企業の開示の傾向を表す。なお，兼任数に自社を含める企業とそうでない企業が存し，「程度」「以内」「以上」「未満」といった記載方法は企業によって異なる点に留意されたい。

(9)　補充原則4－11③

【図表15】取締役会全体の実効性の評価に関して第三者評価を行う旨開示する企業

	TOPIX500		TOPIX100	
	社　数	割　合	社　数	割　合
記載・該当なし	359社	72.4%	67社	67.7%
記載・該当あり	137社	27.6%	32社	32.3%

参考：昨年（2020年）

	TOPIX500		TOPIX100	
	社　数	割　合	社　数	割　合
記載・該当なし	374社	74.9%	63社	63.0%
記載・該当あり	125社	25.1%	37社	37.0%

　図表15は，取締役会全体の実効性の評価手法として，外部の専門家等の第三者が評価に関与（集計などの関与を含む。）する第三者評価を行う旨言及する企業の開示の傾向を表す。

2 集計結果（単純集計）

【図表16】 取締役会全体の実効性の評価に関してインタビュー又はヒアリングを行う旨開示する企業

	TOPIX500		TOPIX100	
	社　数	割　合	社　数	割　合
記載・該当なし	376社	75.8%	55社	55.6%
記載・該当あり	120社	24.2%	44社	44.4%

　図表16は，取締役会全体の実効性の評価手法に関して，インタビュー又はヒアリングを実施する旨言及する企業の開示の傾向を表す。

【図表17】 取締役会全体の実効性の評価の結果の概要として課題についても言及する企業

	TOPIX500		TOPIX100	
	社　数	割　合	社　数	割　合
記載・該当なし	137社	27.6%	25社	25.3%
記載・該当あり	359社	72.4%	74社	74.7%

参考：昨年（2020年）

	TOPIX500		TOPIX100	
	社　数	割　合	社　数	割　合
記載・該当なし	158社	31.7%	27社	27.0%
記載・該当あり	341社	68.3%	73社	73.0%

　図表17は，取締役会全体の実効性の評価の結果の概要の開示として，課題についても言及する企業の開示の傾向を表す。

【図表18】 取締役会全体の実効性の評価の結果の概要として取締役会の構成を課題とする企業

	TOPIX500		TOPIX100	
	社　数	割　合	社　数	割　合
記載・該当なし	412社	83.1%	80社	89.0%
記載・該当あり	84社	16.9%	19社	21.0%

I　開示の状況

参考：昨年（2020年）

	TOPIX500		TOPIX100	
	社　数	割　合	社　数	割　合
記載・該当なし	422社	84.6%	79社	79.0%
記載・該当あり	77社	15.4%	21社	21.0%

　図表18は，取締役会全体の実効性の評価の結果の概要の開示として，取締役会の構成を課題とする企業の開示の傾向を表す。

【図表19】取締役会全体の実効性の評価の結果の概要として社外取締役（取締役会）への情報提供を課題とする企業

	TOPIX500		TOPIX100	
	社　数	割　合	社　数	割　合
記載・該当なし	386社	77.8%	74社	74.7%
記載・該当あり	110社	22.2%	25社	25.3%

参考：昨年（2020年）

	TOPIX500		TOPIX100	
	社　数	割　合	社　数	割　合
記載・該当なし	386社	77.4%	70社	70.0%
記載・該当あり	113社	22.6%	30社	30.0%

　図表19は，取締役会全体の実効性の評価の結果の概要の開示として，社外取締役（取締役会）への情報提供を課題とする企業の開示の傾向を表す。

【図表20】取締役会全体の実効性の評価の結果の概要として経営戦略への関与を課題とする企業

	TOPIX500		TOPIX100	
	社　数	割　合	社　数	割　合
記載・該当なし	361社	72.8%	61社	61.6%
記載・該当あり	135社	27.2%	38社	38.4%

参考：昨年（2020年）

	TOPIX500		TOPIX100	
	社　数	割　合	社　数	割　合
記載・該当なし	377社	75.6%	69社	69.0%
記載・該当あり	122社	24.4%	31社	31.0%

　図表20は，取締役会全体の実効性の評価の結果の概要の開示として，経営戦略への関与を課題とする企業の開示の傾向を表す。

【図表21】 取締役会全体の実効性の評価の結果の概要として後継者の計画（サクセッションプラン）への関与を課題とする企業

	TOPIX500		TOPIX100	
	社　数	割　合	社　数	割　合
記載・該当なし	455社	91.7%	90社	90.9%
記載・該当あり	41社	8.3%	9社	9.1%

参考：昨年（2020年）

	TOPIX500		TOPIX100	
	社　数	割　合	社　数	割　合
記載・該当なし	448社	89.8%	90社	90.0%
記載・該当あり	51社	10.2%	10社	10.0%

　図表21は，取締役会全体の実効性の評価の結果の概要の開示として，後継者の計画（サクセッションプラン）への関与を課題とする企業の開示の傾向を表す。

【図表22】 取締役会全体の実効性の評価の結果の概要として取締役会付議事項の見直しを課題とする企業

	TOPIX500		TOPIX100	
	社　数	割　合	社　数	割　合
記載・該当なし	440社	88.7%	89社	89.9%
記載・該当あり	56社	11.3%	10社	10.1%

Ⅰ 開示の状況

参考：昨年（2020年）

	TOPIX500		TOPIX100	
	社　数	割　合	社　数	割　合
記載・該当なし	447社	89.6%	93社	93.0%
記載・該当あり	52社	10.4%	7社	7.0%

　図表22は，取締役会全体の実効性の評価の結果の概要の開示として，取締役会付議事項の見直しを課題とする企業の開示の傾向を表す。

【図表23】取締役会全体の実効性の評価の結果の概要としてその他の課題に言及する企業

	TOPIX500		TOPIX100	
	社　数	割　合	社　数	割　合
記載・該当なし	192社	38.7%	31社	31.3%
記載・該当あり	304社	61.3%	68社	68.7%

参考：昨年（2020年）

	TOPIX500		TOPIX100	
	社　数	割　合	社　数	割　合
記載・該当なし	205社	41.1%	30社	30.0%
記載・該当あり	294社	58.9%	70社	70.0%

　図表23は，取締役会全体の実効性の評価の結果の概要の開示として，取締役会の構成，社外取締役（取締役会）への情報提供，経営戦略への関与，後継者の計画（サクセッションプラン）への関与及び取締役会付議事項の見直し以外の事項を課題とする企業の開示の傾向を表す。

(10) 原則5－1

【図表24】社外取締役を株主との対話に関与させる企業

	TOPIX500		TOPIX100	
	社　数	割　合	社　数	割　合
記載・該当なし	478社	96.4%	96社	97.0%
記載・該当あり	18社	3.6%	3社	3.0%

参考：昨年（2020年）

	TOPIX500		TOPIX100	
	社　数	割　合	社　数	割　合
記載・該当なし	472社	94.6%	98社	98.0%
記載・該当あり	27社	5.4%	2社	2.0%

図表24は，株主との対話に関して，社外取締役を関与させる企業の開示の傾向を表す。

⑾ コンプライ・アンド・エクスプレイン

【図表25】各原則のコンプライ・アンド・エクスプレインの実施状況

原　則	実施社数	実施率	対応する対話ガイドラインの項目	「説明」が求められる原則	2021年6月の改訂の有無
1	19	3.8%			
1-1	18	3.6%			
1-1①	16	3.2%			
1-1②	15	3.0%			
1-1③	17	3.4%			
1-2	22	4.4%			
1-2①	17	3.4%			
1-2②	18	3.6%			
1-2③	16	3.2%			
1-2④	20	4.0%			●
1-2⑤	16	3.2%			
1-3	52	10.5%		●	
1-4	9	1.8%	4-2-1		
1-4①	23	4.6%	4-3		
1-4②	21	4.2%	4-4		
1-5	20	4.0%		●	
1-5①	14	2.8%		●	
1-6	20	4.0%		●	
1-7	9	1.8%			
2	18	3.6%			●

Ⅰ 開示の状況

原　則	実施社数	実施率	対応する対話ガイドラインの項目	「説明」が求められる原則	2021年6月の改訂の有無
2−1	21	4.2%			
2−2	22	4.4%			
2−2①	18	3.6%			
2−3	23	4.6%			
2−3①	18	3.6%	1−3		●
2−4	26	5.2%			
2−4①	1	0.2%			●
2−5	22	4.4%			
2−5①	15	3.0%			
2−6	10	2.0%			
3	21	4.2%			
3−1	10	2.0%			
3−1①	20	4.0%			
3−1②	21	4.2%			●
3−1③	4	0.6%	1−3		●
3−2	19	3.8%			
3−2①	19	3.8%			
3−2②	17	3.4%			
4	18	3.6%			●
4−1	24	4.8%			
4−1①	9	1.8%			
4−1②	18	3.6%		●	
4−1③	51	10.3%	3−3		
4−2	23	4.6%			
4−2①	32	6.5%	3−5		
4−2②	1	0.2%	1−3, 2−1, 2−2		●
4−3	21	4.2%			
4−3①	21	4.2%			
4−3②	38	7.7%	3−1, 3−2		
4−3③	36	7.3%	3−4		

2 集計結果（単純集計）

原則	実施社数	実施率	対応する対話ガイドラインの項目	「説明」が求められる原則	2021年6月の改訂の有無
4-3④	17	3.4%			●
4-4	19	3.8%	3-10		●
4-4①	16	3.2%			
4-5	18	3.6%			
4-6	21	4.2%			
4-7	21	4.2%			
4-8	123	24.8%	3-8, 3-9		●
4-8①	20	4.0%			
4-8②	22	4.4%			
4-8③	1	0.2%			●
4-9	9	1.8%			
4-10	24	4.8%			
4-10①	28	5.6%	3-2, 3-5, 3-7参照		●
4-11	30	6.0%	3-6, 3-7, 3-8, 3-10, 3-11		
4-11①	9	1.8%			●
4-11②	10	2.0%			
4-11③	9	1.8%			
4-12	20	4.0%			
4-12①	18	3.6%			
4-13	20	4.0%			
4-13①	16	3.2%			
4-13②	16	3.2%			
4-13③	17	3.4%			●
4-14	25	5.0%			
4-14①	20	4.0%			
4-14②	9	1.8%			
5	16	3.2%			
5-1	9	1.8%			
5-1①	23	4.6%	4-4-1		●

I 開示の状況

原　則	実施社数	実施率	対応する 対話ガイドラインの項目	「説明」が求められる原則	2021年6月の改訂の有無
5-1②	22	4.4%			
5-1③	18	3.5%			
5-2	39	7.9%	1-1, 1-2, 1-3, 2-1, 2-2		
5-2①	2	0.4%	2-1, 2-2		●

図表25は，コード上特定の事項を「開示」すべきとされていない原則に関して，当該原則を項番により特定して何らかの記載を行う企業の開示の傾向を表す。

II
ガバナンス報告書

II
比丘尼と女人禁制

第一部　実施しない理由

1　背景・趣旨

　コードはコンプライ・オア・エクスプレインの手法を採用しているため，各社は自らの個別事情に照らしてコンプライすることが適当でないと考える原則があれば，その理由（実施しない理由）をエクスプレインすることによって，一部の原則をコンプライしないことも当然に許容される。

2　エクスプレインの対象

　東証は，市場区分によって，コンプライしない場合にエクスプレインが求められるコードの原則の範囲を区別している（有価証券上場規程436条の3）。

　すなわち，本則市場（市場第1部及び市場第2部）の上場会社は，コードの「基本原則」，「原則」及び「補充原則」の83原則のすべてについて，コンプライしない場合は，その理由をエクスプレインする必要がある。本則市場以外の市場（マザーズ又はJASDAQ）の上場会社は，5つの「基本原則」のいずれかをコンプライしない場合にその理由をエクスプレインしなければならないにとどまり，「基本原則」以外の「原則」及び「補充原則」については，コンプライしない場合であってもその理由をエクスプレインする必要はない[注1]。

　また，東証以外の取引所において上場する会社にも，コードは適用されているものの，コンプライしない場合にエクスプレインすることが求められるコードの原則の範囲は，各取引所において異なる[注2]。

(注1)　東証の新市場区分への一斉移行日（2022年4月4日）以降は，プライム市場及びスタンダード市場の上場会社は，83原則のすべてについて，コンプライしない場合は，その理由をエクスプレインする必要がある一方，グロース市場の上場会社は，5つの「基本原則」のいずれかをコンプライしない場合にその理由をエクスプレインしなければならないにとどまることとなる。

(注2)　例えば，名古屋証券取引所においては，東証と同様，本則市場の上場会社は，原則としてコードの83原則のすべてについて，コンプライしない場合にはその理由をエクスプレインしなければならない一方で（名古屋証券取引所の上場有価証券の発行者の会社情報の適時開示等に関する規則31条の3），福岡証券取引所及び札幌証券取引所においては，本則市場の上場会社についても，5つの基本原則のいずれかをコンプライしない場合にその理由をエクスプレインすれば足りることとされている（福岡証券取引所の企業行動規範に関する規則6条の2，札幌証券取引所の企業行動規範に関する規則5条の3）。

3　エクスプレインの要否

コードはプリンシプルベース・アプローチの手法を採用しており、コードの適用を受ける各会社は、コードの各原則について、その趣旨・精神に照らして、自らの活動が当該原則に則しているか否か（すなわち、当該原則をコンプライしているか、あるいはエクスプレインを要するか）を、合理的に判断することが求められる。

また、エクスプレインの内容の当否・十分性についても、プリンシプルベース・アプローチの下、法令のように明確な基準があるわけではなく、基本的には株主・投資家などのステークホルダーの評価に委ねられる。エクスプレインはステークホルダーの理解を得るためのものであるため、分量よりも分かりやすさが重要であると考えられる。

このように、各原則の解釈については、自ずと一定の幅があり得ることとなるが、各会社において、各原則の趣旨・精神に照らした自社の取組みの在り方について、自主的に、あるいは、ステークホルダーとの対話を通じて再検討を行い、より適切と考える解釈に基づくものへとガバナンス報告書の記載を見直すことは、当然に想定される[注3]。

なお、エクスプレインの内容の当否・十分性について明確な基準はないことから、コンプライしていないにもかかわらずエクスプレインを一切していない場合やその内容が明らかに虚偽である場合を除けば、説明義務違反を理由とした制裁を受ける場面は想定し難いといえる[注4]。

（注3）　油布志行「コーポレートガバナンス・コードについて」旬刊商事法務2068号（2015）11頁。
（注4）　佐藤寿彦「コーポレートガバナンス・コードの策定に伴う上場制度の整備の概要」商事法務2065号（2015）59頁。

4　エクスプレインの状況

TOPIX500構成銘柄企業のうち、83原則すべてについてコンプライしている企業は319社であり、それ以外の177社は、1つ以上の原則をコンプライせず、その理由をエクスプレインしている。コンプライされず、エクスプレインとされている比率が相対的に高い原則としては、原則1－4（33社、6.6％）、補充原則4－1③（45社、9.0％）、補充原則4－2①（32社、6.4％）、補充原則4－10①（54社、10.8％）、原則4－11（47社、9.4％）が挙げられる。

各原則についてエクスプレインを選択しているTOPIX500構成銘柄企業は前記「Ⅰ　開示の状況　2　集計結果（単純集計）（1）原則のエクスプレイン・開示状況」の「原則のエクスプレイン・開示状況（個社）」に記載のとおりである。

5 開示（エクスプレイン）の傾向と事例

前記のとおり，プリンシプルベース・アプローチの下，コードの各原則における規律の内容をいかに解するかは，各社の合理的な判断に委ねられている。しかし，文言の抽象度が低い等の理由で合理的な解釈の幅が狭い原則については，コンプライせずエクスプレインを選択する会社が相対的に多くなる傾向にあるといえる。

(1) 現在検討中である旨述べる例

エクスプレインの内容としては，まず，現在対応を検討中である旨述べる例がある。特に，改訂がなされた原則については，改訂後しばらくの間，このような趣旨のエクスプレインが増加する傾向がみられる。

上場会社は議決権の電子行使を可能とするための環境作りや招集通知の英訳を進めるべきであるとする補充原則1-2④については，インターネットによる議決権行使について，導入費用等を勘案し，引き続き検討するとする例（**①エービーシー・マート**），機関投資家や海外投資家の比率等を踏まえて，今後検討するとする例（**②山崎製パン**）がある。

2018年6月の改訂で追加された企業年金のアセットオーナーとして期待される役割を発揮するための企業の取組みを定める原則2-6については，アセットオーナーとして期待される機能を発揮できるような人事面，運営面における仕組みを今後検討するとする例（**③ミルボン**）がある。

同様に2018年6月の改訂により修正されたCEOの後継者計画に関する補充原則4-1③についても，策定した後継者計画に係る後継者候補の育成が計画的に行われていくよう，指名報酬諮問委員会にて定期的にモニタリングし，取締役会へ報告するとともに，トレーニング体制・内容の更なる強化を図っていく旨述べる例（**④野村不動産ホールディングス**）がある。

独立社外取締役は独立した客観的な立場に基づく情報交換・認識共有を図るべきであるとする補充原則4-8①，及び，独立社外取締役は経営陣との連絡・調整や監査役又は監査役会との連携に係る体制整備を図るべきとする補充原則4-8②について，独立社外取締役と経営陣との連携体制については，より充実を図るよう検討を行う旨述べる例（**⑤ハウス食品グループ本社**）がある。

取締役の指名・報酬などの重要な事項に関する検討に当たって独立した諮問委員会の設置により独立社外取締役の適切な関与・助言を求める補充原則4-10①について，取締役会をはじめ，必要に応じて独立社外取締役の適切な関与，助言を得ているものの，任意の諮問委員会等の設置については引き続き検討する旨述べる例（**⑥東洋水産**）がある。

2018年6月の改訂で，取締役会の多様性についてジェンダーと国際性を明示した原則4-11

Ⅱ　ガバナンス報告書

については，ジェンダーの面については，現状は男性の取締役だけであり，女性取締役の人材確保を課題として認識している旨開示する例（⑦**ヒロセ電機**），外国人の取締役はいないが，国際面での多様性確保については，当社の取締役会の適正規模や海外事業規模を勘案した上で引き続き検討していくとする例（⑧**日本光電工業**）がある。

2018年6月の改訂で，経営戦略・経営計画の策定・公表に当たって，「自社の資本コストを的確に把握」することが明記された原則5－2については，事業の中心である各種インターネットサービス事業が属する市場は，事業環境の変化のスピードが極めて速く，市場の動きを中長期で予測することが難しいという特徴があることから，経営指標についての具体的な目標時期や目標数値等は定めていないものの，重要な経営課題及びその進捗状況については，株主総会や四半期ごとの決算発表において説明を行うこととしている旨述べる例（⑨**ディー・エヌ・エー**），経営の柱となる鉄道事業においては，安全・安定輸送の確保が最も重要な課題であり，日々の事業運営から，社員教育，設備投資の各面で，この信頼性を高めることを最優先に事業を遂行しており，経営全般にわたる中期経営計画を策定して区切りとなる断面の経営数値を目標として追求する方式は採用していない旨述べる例（⑩**東海旅客鉄道**）がある。

以上に加え，2021年の改訂に関しても，新設されたサステナビリティに関する補充原則3-1③については，サステナビリティに関する取組み，方針については検討中である旨述べる例（⑪**廣済堂**）や，取組みについて開示を検討している旨述べる例（⑫**メイコー**）がある。また，取締役の有するスキル等の組み合わせの開示を求める補充原則4-11①については，スキル・マトリックスを作成・開示する予定である旨述べる例（⑬**加藤製作所**）や，スキル・マトリックスに限定せず取締役の有するスキル等の組合せの開示を今後検討する旨述べる例（⑭**アシードホールディングス**）がある。

ところで，ガバナンス報告書における「コードの各原則を実施しない理由」の内容は，ガバナンス報告書の提出日時点の情報を記載する必要がある。したがって，ガバナンス報告書の提出日時点で実施していないと判断する原則がある場合には，今後実施することを決定している場合であっても，コンプライではなく，エクスプレインの項目の一内容として，今後の取組み予定や実施時期の目途について説明することが求められる[注5]。

（注5）　東証上場第43号「コーポレートガバナンス・コードの策定に伴う有価証券上場規程等の一部改正に係る実務上の取扱い等について―よくあるご質問と回答（FAQ）―（2015年10月更新）」Q4。

①エービーシー・マート

「コーポレートガバナンス・コードの各原則を実施しない理由」

【補充原則1-2-4　議決権の電子行使，招集通知の英訳】
当社は，機関投資家や海外投資家の株式保有比率を踏まえ，招集通知の英訳をしております。インターネットによる議決権行使については，導入費用等を勘案し，引き続き検討してまいります。

②山崎製パン

「コーポレートガバナンス・コードの各原則を実施しない理由」

【補充原則1−2④ 株主総会の議決権の電子行使・招集通知の英訳】
当社は、インターネットによる議決権の電子行使および議決権電子行使プラットフォームの利用は実施しておりますが、招集通知の英訳は実施しておりません。当社の株主における機関投資家や海外投資家の比率等を勘案し、今後検討してまいります。

③ミルボン

「コーポレートガバナンス・コードの各原則を実施しない理由」

【原則2−6】企業年金のアセットオーナーとしての機能発揮
当社は、従業員の退職給付に充てるため、確定給付企業年金制度、確定拠出年金制度並びに退職一時金制度を併用しております。現在、当社の企業年金運営の担当者には、運用機関に対して、スチュワードシップ・コードへの理解等、一定のモニタリング能力を有する担当者の登用・配置を行っております。一方で、そういった資質を持った人材の育成計画や、具体的な登用・配置の仕組みを確立、明示するには至っておりませんので、今後アセットオーナーとして期待される機能を発揮できるような人事面、運営面における仕組みを検討してまいります。

④野村不動産ホールディングス

「コーポレートガバナンス・コードの各原則を実施しない理由」

【補充原則4−1−3】 最高経営責任者(CEO)等の後継者の計画(プランニング)の適切な監督
当社は、当社の企業理念や経営戦略に沿ったCEOを、社外からの候補者も含め、適正に選定することが、持続的な成長を遂げるうえで重要であると考えております。CEOの後継者計画に関しては、役員選任基準及びCEO選任基準に基づき、トレーニング方針及び選任までのプロセスを策定しております。今後は、当該策定した後継者計画に係る後継者候補の育成が計画的に行われていくよう、指名報酬諮問委員会にて定期的にモニタリングし、取締役会へ報告するとともに、トレーニング体制・内容の更なる強化を図ってまいります。

⑤ハウス食品グループ本社

「コーポレートガバナンス・コードの各原則を実施しない理由」

【補充原則4−8②】
当社は、現在4名の独立社外取締役を選任しておりますが、独立社外取締役間で序列意識や上下関係を持たせず、その能力を個々に発揮しやすい体制とすることが、独立社外取締役をより有効に活用できると考えており、筆頭独立社外取締役を選任する予定はありません。なお、独立社外取締役と経営陣との連携体制については、より充実を図るよう検討を行っております。

⑥東洋水産

「コーポレートガバナンス・コードの各原則を実施しない理由」

2. 補充原則4−10(1) 取締役会機能の独立性・客観性と説明責任の強化
現在当社では、取締役・監査役候補の指名及び報酬に関して、取締役会をはじめ、必要に応じて独立社外取締役の適切な関与、助言を得ておりますので、任意の諮問委員会等は設置しておりません。
任意の諮問委員会等の設置については、引き続き検討してまいります。

⑦ヒロセ電機

「コーポレートガバナンス・コードの各原則を実施しない理由」

[原則4−11 取締役会・監査役会の実効性確保のための前提条件]
当社の取締役は、製品開発、営業・マーケティング、生産・品質管理、経営等の各分野において専門知識と豊富な経験を有する者が務めており、豊富な経営経験を有する独立社外取締役を含め、取締役会としての役割・責務を実効的に果たすための多様性と適正規模を両立させる形で構成されております。国際性についても、外国籍の取締役が1名おりますが、ジェンダーの面については、現状は男性の取締役だけであり、女性取締役の人材確保を課題として認識しております。

II ガバナンス報告書

⑧日本光電工業

「コーポレートガバナンス・コードの各原則を実施しない理由」

【原則4-11取締役会の実効性確保のための前提条件】国際性の面を含む多様性
当社は、取締役の員数を17名以内としており、独立性を有する社外取締役を複数名選任すること、専門知識や経験等のバックグラウンドが異なる多様な取締役で構成することとしています。現在、取締役12名のうち1名が女性で、外国人の取締役はおりませんが、国際面での多様性確保については、当社の取締役会の適正規模や海外事業規模を勘案した上で引き続き検討します。

⑨ディー・エヌ・エー

「コーポレートガバナンス・コードの各原則を実施しない理由」

当社グループでは、当社グループの企業価値を継続的に高めていくことが経営上の最重要課題だと認識しており、売上収益、営業利益、EPS等の経営指標を重視しております。当社グループでは、エンターテインメント領域と社会課題領域を両軸に多様な事業を展開していますが、それぞれの事業特性やフェーズに合わせた取り組みを行っております。
なお、現在の当社事業の中心は、各種インターネットサービスでありますが、これら事業の属する市場は、事業環境の変化のスピードが極めて速く、市場の動きを中長期で予測することが難しいという特徴があります。そのため、上記指標についての具体的な目標時期や目標数値等は定めておりませんが、重要な経営課題及びその進捗状況については、株主総会や四半期ごとの決算発表において説明を行うこととしております。また、中期的な企業価値拡大に向けた取り組み方針については、随時各種IR説明会資料等で開示を行っております。詳しくは当社IRページ(https://dena.com/jp/ir/)よりIRライブラリーをご覧ください。

⑩東海旅客鉄道

「コーポレートガバナンス・コードの各原則を実施しない理由」

【補充原則4-1-2】、【原則5-2】
・当社の経営の柱となる鉄道事業においては、安全・安定輸送の確保が最も重要な課題であり、日々の事業運営から、社員教育、設備投資の各面で、この信頼性を高めることを最優先に事業を遂行しており、経営全般にわたる中期経営計画を策定して区切りとなる断面の経営数値を目標として追求する方式は採用しておりません。

・このような中期経営計画を策定し、数値目標を掲げるという形式はとらないものの、当社は、長期的な視点に立って鉄道事業に取り組んでまいりました。具体的には、現在、取り組んでいる中央新幹線の建設のほか、東海道新幹線の大規模改修計画や地震対策、車両更新計画等の長期間を要する設備投資については、いずれも長期的な視点に立って決定し、着実に推進していくこととしております。その他の主要な施策についても、計画及び実績等を適宜公表して、着実に推進しております。また、安全・安定輸送の確保を大前提に、効率的な業務運営により健全経営を堅持していくべく、毎年、足元の経営環境を踏まえて、年度の収支計画、重点施策、設備投資計画について公表し、引き続き着実に経営基盤の強化を実現してまいります。

⑪廣済堂

「コーポレートガバナンス・コードの各原則を実施しない理由」

・補充原則3-1-3、4-2-2
当社グループのサステナビリティに関する方針、取組みについては、現在策定中であります。
また、気候変動に係るリスク及び収益機会が自社の事業活動や収益等に与える影響の開示については、TCFD(気候関連財務情報開示タスクフォース)またはそれと同等の枠組みに基づき実施できるように取組みを進めてまいります。
さらに、事業ポートフォリオに関する基本的な方針の策定も進めてまいります。

⑫メイコー

「コーポレートガバナンス・コードの各原則を実施しない理由」

【補充原則3-1③】
当社は、企業価値の向上の観点から、サステナビリティをめぐる課題対応を経営戦略の重要な要素と認識しております。サステナビリティの取り組みについては、環境に関する要素に加え、人的資本や知的財産への投資等の社会に関する要素の重要性が指摘されている点も踏まえて開示することを検討しております。

⑬加藤製作所

「コーポレートガバナンス・コードの各原則を実施しない理由」

【4-11-1】取締役会機能発揮と多様性の確保
全体のバランス、多様性、規模に関する考え方
当社は、「優秀な製品による社会への貢献」を経営理念とし、法の下に社業を忠実に行い、社会の進歩と発展に寄与していくことを経営の基

第一部　実施しない理由

本方針の1つとしており、当該方針を推進していくために必要な知識・経験・能力等を鑑みて取締役候補者の人選を行っております。取締役会の実効性のさらなる向上と構成バランスを可視化できるよう、今後、独立社外取締役を含めたスキルマトリックスを作成し、開示をいたします。

⑭アシードホールディングス

「コーポレートガバナンス・コードの各原則を実施しない理由」

【補充原則4-11①】
現在、当社の取締役会の構成人員は8名(うち監査等委員である取締役は3名)で、経営全般、経理・財務関係、営業関係、生産関係等の知識・経験・能力に優れたメンバーでバランス良く構成されており、独立社外取締役のうち1名は他社での経営経験を有しております。また、監査等委員である取締役3名も、そのうち2名が独立社外取締役であり、多様性が確保されております。当社の業容等から判断し、現在の取締役会の人員規模や構成が適正と考えておりますが、今後も、当社の持続的な成長と中長期的な企業価値の向上の観点から、取締役会全体としての知識・経験・能力のバランスや多様性および規模が最適となるよう努めてまいります。
スキル・マトリックスをはじめとした取締役の有するスキル等の組み合わせの開示については、今後検討してまいります。

(2) 当該原則の適用は当該会社に適さない旨述べる例

エクスプレインの内容として、当該会社の状況から当該原則の適用に適さない旨述べる例がある。本来のエクスプレインはこの類型ともいえる。

以下、エクスプレインの開示が見られた原則ごとに、開示例を整理する。

a　補充原則1-2②に関するエクスプレインの例

補充原則1-2②は、上場会社は、株主が総会議案の十分な検討期間を確保することができるよう、招集通知の早期発送に努めるべきであり、招集通知に記載する情報は、招集通知を発送するまでに、TDnetや自社のウェブサイトにより電子的に公表すべきとする。同補充原則について、インターネットを利用しない株主における情報提供の公平性への配慮、招集通知発送前に開示した内容に誤謬、訂正の必要が生じた場合、電子的に拡散した情報についての修正ないし取消の万全な方法が確保できないことを理由に、招集通知の発送と同日に自社ホームページ及びTDnetに掲載している旨述べる例がある（①住友不動産）。

①住友不動産

「コーポレートガバナンス・コードの各原則を実施しない理由」

【補充原則1-2-2】
招集通知は、法定期日より1週間以上前の早期発送に努めております。
招集通知の電子的公表については、招集通知の発送と同日に当社ホームページおよびTDnetに掲載しております。
これは、インターネットを利用されない株主様における情報提供の公平性への配慮、ならびに、万が一招集通知発送前に開示した内容に誤謬、訂正の必要が生じた場合に、電子的に拡散した情報についての修正ないし取消の万全な方法が確保できないためであります。

b　補充原則1-2③に関するエクスプレインの例

補充原則1-2③は、上場会社は株主総会開催日をはじめとする総会関連の日程の適切な設定を行うべきであるとする。本補充原則は、基準日や招集通知発送日などの一連の株主総会関連の日程の適切な設定を行うことを求めており、株主総会集中日に株主総会を開催することを

Ⅱ ガバナンス報告書

禁じるものではなく，株主総会集中日に株主総会を開催したからといって直ちに本補充原則をコンプライしないことになるわけではない。しかし，集中日付近に開催することについて明確に理由を述べる例（①**大和ハウス工業**）がある。

① **大和ハウス工業**

「コーポレートガバナンス・コードの各原則を実施しない理由」

> 【補充原則1-2③ 株主総会関連日程の適切な設定】
> 当社は、株主総会が株主の皆様との建設的な対話のための重要な場であることを認識し、招集通知の早期発送など適切な日程の設定に努めておりますが、次の理由から株主総会の開催日は、いわゆる集中日付近での開催（直近5回のうち4回が集中日開催）となっております。
> (1) 決算日程との関係
> 当社は、適正な財務報告と、高品質な監査のための十分な時間確保の観点から、決算日程を設定しています。そのため、現状の体制におきましては、決算業務との兼ね合いにより、株主総会開催日を含む日程の前倒しは困難な状況にあります。
> (2) 会場の問題
> 当社は、多数の株主の皆様に株主総会に出席していただくため、交通アクセスが良く、十分な収容力をもった会場で株主総会を開催することとしております。株主総会シーズンは、同会場を他社も使用されており、他社との日程調整により、当社開催日を決定しております。また、開催日の分散化が進んだこともあり、同地域における同規模かつ、株主の皆様がアクセスしやすい別会場を確保することが困難であり、今後も現在の会場で実施する見込みであります。
> これらのことから、現時点におきましては、現行の集中日付近での開催を継続することが濃厚な状況にありますが、株主の皆様との建設的な対話の充実に向け、中長期的には上記記載の理由を解消させる方向で取り組んでまいります。

c 補充原則1－2④に関するエクスプレインの例

補充原則1－2④は，機関投資家や海外投資家の比率等も踏まえ，議決権の電子行使を可能とするための環境作りや招集通知の英訳を進めるべきであるとする。エクスプレインの例としては，機関投資家や海外投資家の比率を踏まえ，議決権の電子行使や招集通知の英訳については，今後必要に応じて検討していくとする例（①**エムスリー**）がある。

① **エムスリー**

「コーポレートガバナンス・コードの各原則を実施しない理由」

> 【補充原則1－2－4 株主総会における議決権行使】
> 機関投資家や海外投資家の比率を踏まえ、議決権の電子行使や招集通知の英訳については、今後必要に応じて検討していきます。

d 原則1－4に関するエクスプレインの例

原則1－4は，政策保有株式の縮減に関する方針開示，取締役会での個別検証，議決権行使の具体的基準の策定・開示などを求める。

エクスプレインの例としては，政策保有株式の議決権行使については企業の経営方針及び中長期経営計画に鑑みた上で，企業価値の向上，コーポレートガバナンス及び社会的責任の観点から総合的に判断し，適切に行使しており，適切な対応が図れるものと認識していることから，議決権行使に関する基準の具体的な内容について，開示する予定はないとする例（①**SUBARU**）がある。また，政策保有株式に関する取締役会での検証内容については，一般論として

は個別投資先ごとの開示は不要と考えられるが（2018年コード改訂パブコメ回答221番～233番参照），保有・出資先企業との取引の守秘性等を理由に開示しないことをもってエクスプレインする例（②テレビ朝日ホールディングス）もある。

①SUBARU

「コーポレートガバナンス・コードの各原則を実施しない理由」

【原則1-4．政策保有株式】
当社は、政策保有株式として保有する上場株式について、毎年、取締役会において保有目的が中長期的な経営戦略及び事業戦略に資するかどうかを評価し、保有に伴う便益が資本コストに見合っているかなどを個別に精査して、保有の是非を判断しております。
上記方針に基づき当社は、政策保有株式として保有する上場株式の縮減を着実に行ってまいりました。2015年3月末時点で保有していた60銘柄が、縮減の結果、2021年3月末時点では2銘柄となりました。
今後も毎年、取締役会において評価・精査を行ってまいりますが、当社を取り巻く経営状況に鑑み、現時点で当該2銘柄の保有は不可欠であると判断し、原則として保有を続ける予定です。
上記のことから、当社は、保有の適否についての検証内容については開示する予定はありません。
政策保有株式として保有する上場株式の議決権行使については、当該企業の経営方針及び中長期経営計画に鑑みた上で、企業価値の向上、コーポレートガバナンス及び社会的責任の観点から総合的に判断し、適切に行使しています。
上記の議決権行使に関する方針をもって適切な対応が図れるものと認識していることから、議決権行使に関する基準の具体的な内容について、開示する予定はありません。

②テレビ朝日ホールディングス

「コーポレートガバナンス・コードの各原則を実施しない理由」

【原則1-4】
(1)「検証結果の開示」などについて
本原則に基づく出資先の検証について、多面的な検証を定期的に行う体制をとっております。こうした検証は、個別の出資先ごとに対応しており、出資先企業との取引ほかの守秘性や当該企業などに与える影響などを総合的に勘案して、個別の出資先に関する検証内容は開示しないことを原則としております。
なお、今後、保有目的や経済合理性について、定性面及び定量面の検証強化を検討してまいります。
(2)「議決権行使基準の策定・開示」について
出資先株式の議決権行使は、一律に賛否の基準を策定するのではなく、出資検討委員会などを通じて把握している当該出資の意義・目的・規模なども勘案し、企業価値・株主の利益を害するおそれのある議案が上程された場合（具体的には、現経営陣が入れ替わるような取締役選任議案や組織再編議案等）には、その影響を精査しつつ個別に判断しております。

e　補充原則2-5①に関するエクスプレインの例

補充原則2-5①は，内部通報について，経営陣から独立した窓口の設置を行うべき等とする。エクスプレインの例としては，通報をより迅速かつ確実に受け付けるため，相談・通報の受付及び調査を担う部署は内部統制室としている旨述べる例（①**コロワイド**）など，経営陣から独立した窓口の設置がなされていないことを理由とする例が多いが，一部，より適切な体制の整備を行っていく旨述べる例（②**ユニ・チャーム**）もある。

①コロワイド

「コーポレートガバナンス・コードの各原則を実施しない理由」

【補充原則2-5-1】(内部通報)
通報をより迅速かつ確実に受け付けるため、相談・通報の受付及び調査を担う部署は内部統制室としております。尚、内部通報制度の運用状況を適切に監督するため、通報された内容は、監査等委員と共有されております。

Ⅱ ガバナンス報告書

②ユニ・チャーム

「コーポレートガバナンス・コードの各原則を実施しない理由」

> 【補充原則2－5－1】内部通報に関する体制整備
> 当社は、社員が法令等の違反行為等、当社に著しい損害を及ぼした事実又は及ぼすおそれのある事実を発見した場合の内部通報窓口として、「Compliance Hotline」及び「りんりんDial」を設置し、これらの事実を発見した場合には直ちに通報することを社員の義務としています。
> 「Compliance Hotline」及び「りんりんDial」の担当部署である企業倫理室は、内部通報の状況について、通報者の匿名性に配慮しつつ、「企業倫理委員会」を通じて定期的に取締役会に報告しています。
> 当社は、通報された情報や疑念に対する事実確認調査や検証に当たり、経営陣から独立した窓口を設けておりませんが、内部通報制度がリスクの早期発見のために有効であり、組織の自浄作用の向上やコンプライアンス経営の推進に資するものであるという認識に基づいて、継続的に実効性の向上に努めて参ります。

f　原則2－6に関するエクスプレインの例

原則2－6は、企業年金がアセットオーナーとして期待される役割を果たせるように、母体企業としても人事面及び運営面での取組みを求めるものであり、2018年6月の改訂で新たに追加された原則である。

資産運用に関する基本方針を策定し、その方針に従って資産の運用を委託し、担当部署が運用資産を定期的に時価により評価するとともに、企業年金がアセットオーナーとして期待される機能を発揮できるよう、今後は各種研修への参加等により担当部署の人材育成を図り専門性を高めるとともに、年金資産の運用状況を定期的にモニタリングすることを通じて、積立金の適切な運用環境の整備に努めていくことを理由としてエクスプレインとする例（①レーザーテック）がある。なお、確定拠出年金の場合は、母体企業ではなく従業員が判断して投資等するものであることから、そもそも本原則の適用はないと考えられるが、確定拠出型年金と確定給付型年金を併用しているとしてエクスプレインする例がある（②ミルボン）。

①レーザーテック

「コーポレートガバナンス・コードの各原則を実施しない理由」

> ＜原則2-6 企業年金のアセットオーナーとしての機能発揮＞
> 当社は、確定給付型企業年金制度を採用しており、企業年金の積立金の管理及び運用に関して、社外の資産管理運用機関等と契約を締結しております。当社は、資産運用に関する基本方針を策定し、その方針に従って資産の運用を委託するとともに、担当部署が運用資産を定期的に時価により評価しております。
> 企業年金がアセットオーナーとして期待される機能を発揮できるよう、今後は各種研修への参加等により担当部署の人材育成を図り専門性を高めるとともに、年金資産の運用状況を定期的にモニタリングすることを通じて、積立金の適切な運用環境の整備に努めてまいります。

②ミルボン

「コーポレートガバナンス・コードの各原則を実施しない理由」

> 【原則2－6】企業年金のアセットオーナーとしての機能発揮
> 当社は、従業員の退職給付に充てるため、確定給付企業年金制度、確定拠出年金制度並びに退職一時金制度を併用しております。現在、当社の企業年金運営の担当者には、運用機関に対して、スチュワードシップ・コードへの理解等、一定のモニタリング能力を有する担当者の登用・配置を行っております。一方で、そういった資質を持った人材の育成計画や、具体的な登用・配置の仕組みを確立、明示するには至っておりませんので、今後アセットオーナーとして期待される機能を発揮できるような人事面、運営面における仕組みを検討してまいります。

g 原則3−1(iv)に関するエクスプレインの例

原則3−1(iv)は、経営陣幹部の選解任と取締役・監査役候補の指名を行うに当たっての方針と手続を決定して開示することを求める。

エクスプレインの例としては、自由度を失い適時性を損なう硬直的な運用を避けるため、解職・解任に関する基準を設定しない旨述べる例（①**メイテック**）がある。

①メイテック

「コーポレートガバナンス・コードの各原則を実施しない理由」

> 【原則3-1(iv)(v)】
> 選定・選任及び候補の指名に関しては、既に開示している通り、基準並びに独立社外取締役を委員長とする任意の委員会を有効に活用する手続を定めています。
> 解職・解任に関する基準は設定しません。その理由は、自由度を失い適時性を損なう硬直的な運用を避けるためです。
> 解職・解任に関する手続は、独立社外取締役を委員長とする任意の委員会を活用する手続を行うべき、と定めていますが、選任等と異なり必須の手続として設定しません。その理由は、自由度を失い適時性を損なう硬直的な運用を避けるためです。
> なお、任意の委員会を活用せずに法定の取締役会決議のみで解職・解任を行う際は、客観性・適時性・透明性に配慮すると共に、同決議に係る取締役会の実効性を、独立社外取締役を委員長とする任意の委員会における協議を経て通常に比して丹念に分析・評価を行う所存です。

h 補充原則4−1②に関するエクスプレインの例

補充原則4−1②は、取締役会・経営陣幹部に対して、中期経営計画の実現に向けて最善の努力を行うべきとし、中期経営計画が未達に終わった場合、原因や対応を分析し、株主に説明を行うとともに、その分析を次期以降の計画に反映させるべきとする。エクスプレインの例としては、当社は、変化の激しいインターネット業界においては、中長期的予測が困難であることから、中期経営計画の策定・公表を行っていない旨述べる例（①**エムスリー**）がある。

①エムスリー

「コーポレートガバナンス・コードの各原則を実施しない理由」

> 【補充原則4−1−2 中期経営計画に対するコミットメント】
> 当社は、変化の激しいインターネット業界においては、中長期的予測が困難であることから、中期経営計画の策定・公表を行っていません。

i 補充原則4−1③に関するエクスプレインの例

補充原則4−1③は、取締役会は、後継者計画について適切に監督を行うべきであるとする。ここでいう後継者計画の形式は特定されておらず、必ずしも「計画書」といった特定の文書を作成する必要はない。エクスプレインの例としては、計画を策定中であるとする例（①**サワイグループホールディングス**）や、引き続き検討するとする例（②**トクヤマ**）が多いが、中には、コードに定める後継者計画をあえて定めていない旨を開示する例（③**クレディセゾン**、④**山崎製**

Ⅱ　ガバナンス報告書

パン）もある。

①サワイグループホールディングス

「コーポレートガバナンス・コードの各原則を実施しない理由」

【補充原則4-1-3　最高経営責任者等の後継者計画】
　取締役会は、最高経営責任者（CEO）等の後継者計画（プランニング）をできる限り早期に策定するよう、指名・報酬等ガバナンス委員会を通じて指導監督を行います。

②トクヤマ

「コーポレートガバナンス・コードの各原則を実施しない理由」

補充原則4-1-3【最高経営責任者の後継者計画】
　最高経営責任者（社長執行役員）の選任については、経営理念や経営戦略を踏まえ慎重に行っていますが、後継者を計画的に育成するサクセッションプログラムについては、その導入が課題であると認識しており、引き続き検討します。
　手続きについては、公正性・透明性を保証するために、人材委員会で慎重に審議の上、取締役会へ答申し、これを受けて取締役会で決議していきます。

③クレディセゾン

「コーポレートガバナンス・コードの各原則を実施しない理由」

【補充原則4-1③　取締役会の役割・責務(1)】
　当社を取り巻く経営環境はFinTechをはじめとするデジタル革命によって大きく変化していることに加えて、海外における創業等新たな視点が求められる事業が拡大していることから、一時点の議論により当社の最高経営責任者（以下、「CEO」という）等に相応しい知識、経験、能力の基準を設けることが必ずしも適切ではないと考えられ、現時点では具体的なCEO等の後継者計画の策定とそれに対する取締役会での監督を行っておりません。今後、当社の中長期の経営戦略を見据えた後継者計画の指針を指名・報酬委員会で議論するなど、取締役会が後継者計画について適切に監督を行える方法を検討してまいります。

④山崎製パン

「コーポレートガバナンス・コードの各原則を実施しない理由」

【補充原則4－1③　最高経営責任者等の後継者の計画】
当社は、最高経営責任者を含め、経営陣幹部の後継者の育成は、日々の仕事の中で行われるものであると考えており、後継者育成計画は策定しておりません。
最高経営責任者の後継者候補は、取締役に登用したうえで、経営小委員会において事業経営における問題・課題を発表させ、その取組状況を取締役会に報告させ、その中で経営者としての資質を磨いていく方法が最適であると考えております。

ｊ　補充原則4－2①に関するエクスプレインの例

　補充原則4－2①は，経営陣の報酬は持続的な成長に向けた健全なインセンティブの一つとして機能するよう，中長期的な業績と連動する報酬の割合や，現金報酬と自社株報酬との割合を適切に設定すべきであるとする。エクスプレインの例としては，インセンティブ給や株式報酬を導入していない旨述べる例（①**エービーシー・マート**）が多い。中には，業績が市況や為替相場の影響を大きく受けるという事業の特性を踏まえ，連結業績や中長期的な経営戦略に沿った個人目標の到達度等を評価項目とする業績連動報酬及び賞与から成る報酬制度を定めており，現時点では，自社株報酬は経営陣の健全なインセンティブとして有効に機能すると考えていないため導入していない旨述べる例（②**住友金属鉱山**）もある。

第一部　実施しない理由

①エービーシー・マート

「コーポレートガバナンス・コードの各原則を実施しない理由」

【補充原則4-2-1 業績連動報酬、株式報酬の適切な割合設定】
当社では、現在、取締役の報酬は現金による固定報酬制度としており、中長期的な業績と連動する報酬や自社株報酬を導入しておりません。これらの導入によるメリット・デメリットを含めて取締役の報酬に関する方針について検討してまいります。

②住友金属鉱山

「コーポレートガバナンス・コードの各原則を実施しない理由」

【補充原則4-2-1：経営陣の報酬のインセンティブ付け】
当社の業績は、その時々の金属市況や為替相場の影響を大きく受けるため、経営戦略やプロジェクトの達成状況と必ずしも連動しません。また、資源開発や製錬プラント建設に関するプロジェクトは着手から完了まで非常に長い時間を要し、その成果を享受できる時には経営陣の構成が変わっていることも珍しくありません。
このような事業の特性を踏まえ、当社では、報酬が個々の取締役や経営陣に対する健全なインセンティブとして機能することを考慮して、連結業績や中長期的な経営戦略に沿った個人目標の到達度等を評価項目とする業績連動報酬および賞与から成る現在の報酬制度を定めています。報酬の基本方針と手続については後述の【原則3-1：情報開示の充実】(ⅲ)をご覧ください。現時点では、自社株報酬は経営陣の健全なインセンティブとして有効に機能すると考えていないため導入しておりません。

k　補充原則4-3③に関するエクスプレインの例

補充原則4-3③は、CEOを解任するための客観性・適時性・透明性ある手続を確立すべきとする。エクスプレインの例としては、必要な場合は取締役会で解任する手続を行う趣旨の説明をしている例（①上組）が多いが、中には、現時点では、CEO等を解任するための評価基準は定めていないが業績へのコミットメントを社外取締役を議長とし、社外取締役4名を含む5名の取締役からなる任意の指名委員会に対して明確に示し、適切な評価を踏まえた提言を行っている旨を記載する例（②カルビー）もある。

①上　組

「コーポレートガバナンス・コードの各原則を実施しない理由」

【補充原則4-3-3】CEOの解任手続
現時点でCEOの解任に相当する一律の評価基準や要件を定めておりませんが、最高経営者を含む取締役、監査役および経営陣幹部の指名にあたっては、これまでの経験、知識および能力を総合的に判断のうえ、取締役会にて決定しており、明確な法令違反があった場合には直ちに解任することとしております。

②カルビー

「コーポレートガバナンス・コードの各原則を実施しない理由」

＜補充原則4-3-3　CEOを解任するための客観性・適時性・透明性のある手続の確立＞
CEOの解任に関する具体的な評価基準は定めていません。しかしながら当社は、業績へのコミットメントを社外取締役を議長とし、社外取締役4名を含む5名の取締役からなる任意の指名委員会に対して明確に示し、適切な評価を踏まえた提言を行っています。取締役会に対してはこれらの社外取締役による監督を実施することで、企業統治は十分に機能していると考えています。

l　補充原則4-8①②に関するエクスプレインの例

補充原則4-8①は、独立社外取締役は、独立社外者のみを構成員とする会合を定期的に開

Ⅱ ガバナンス報告書

催するなど，独立した客観的な立場に基づく情報交換・認識共有を図るべきであるとする。エクスプレインの例としては，独立社外者同士の自主的な会合が開催されており，コミュニケーションがとれている現状においては，会社が設定した定例的な開催よりも，独立社外者同士の自主的な開催を尊重するほうが適切と考えている旨述べる例（①花王）がある。

　補充原則4－8②は，独立社外取締役は，経営陣との連絡・調整や監査役又は監査役会との連携に係る体制整備を図るべきとし，そのための方策の一例として筆頭独立社外取締役の決定を挙げている。筆頭独立社外取締役を定めていないとした上，その理由として，独立社外取締役間で序列意識や筆頭者への依存する意識を醸成する可能性があり，また，独立社外取締役はそれぞれ卓越した知見を有しており個々にその持ち味を発揮することが求められているため，必ずしも独立社外取締役間で意見が統一される必要はないためである旨記載する例（②ヤオコー）や，社外取締役は，取締役会において積極的に議論に参加し，活発な意見交換を行っており，また，必要に応じて経営陣や監査役と話合いの機会を持つなど，連携が十分図れていると考えているためである旨記載する例（③カルビー）がある。

①花　　王

「コーポレートガバナンス・コードの各原則を実施しない理由」

> 【原則4-8-1　独立社外取締役のみの定期的な情報交換】
> 　独立社外役員は、多様な視点での議論を図るために、独立社外役員のみの会合を自主的に開催し、当社の経営や取締役会の活動に関する課題、将来の経営陣幹部の育成等について、情報交換、認識の共有を図っています。こうしたコミュニケーションがとれている現状においては、会社が設定した定例的な開催よりも、監査役も含めた社外役員同士の自主的な開催を尊重する方が適切と考えています。また、新任の社外役員からは、社外取締役だけでなく社外監査役も含めた社外役員のみの自主会合もあり、そこでの忌憚のない意見交換を通じて、社外役員が会社に対して提言できる安心感を持ったとの所感を受領しています。

②ヤオコー

「コーポレートガバナンス・コードの各原則を実施しない理由」

> 【補充原則4-8-2「筆頭独立社外取締役」の決定】
> 　当社では以下の理由より筆頭独立社外取締役を定めておりません。
> ・筆頭独立社外取締役を定めることで、独立社外取締役間の序列意識、筆頭者への依存する意識を醸成する可能性があります。
> ・独立社外取締役はそれぞれ卓越した知見を有しており個々にその持ち味を発揮することが求められていることから、必ずしも独立社外取締役間で意見が統一される必要はないと考えます。

③カルビー

「コーポレートガバナンス・コードの各原則を実施しない理由」

> ＜補充原則4－8－2　独立社外取締役と経営陣との連絡・調整及び監査役会との連携に係る体制整備＞
> 社外取締役は、取締役会において積極的に議論に参加し、活発な意見交換を行っており、また、必要に応じて経営陣や監査役と話合いの機会を持つなど、連携が十分図れていると考えているため、「筆頭独立社外取締役」を置く予定はありません。

m　補充原則4－10①に関するエクスプレインの例

　補充原則4－10①は，指名・報酬等の特に重要な事項に関する検討に当たり独立社外取締役の適切な関与・助言を得るべきであるとする。エクスプレインの例としては，国内百貨店業を

コア事業とする事業持株会社であるという特性上，取締役が経営監督と業務執行を一定兼務する必要性があり，経営陣の選任にあたっては，業務執行における見識および経験が重要であることから，その妥当性について十分な議論を尽くす為，構成する委員の過半数を社内取締役としているものの，指名委員会における審議においては，個々の選解任理由や当該者の適性など，詳細かつ公正に報告し，その内容を取締役会に答申することで，十分な透明性を確保している旨述べる例（①高島屋）や，重要な事項の意思決定については独立社外取締役が関与している旨述べる例（②飯田グループホールディングス）がある。

①高島屋

「コーポレートガバナンス・コードの各原則を実施しない理由」

> 補充原則4−10①【独立した諮問委員会の活用】
> 当社は、決定プロセスにおける公正性・透明性を確保する目的で、社外取締役をメンバーとする任意の指名・報酬委員会を設置し、それぞれ取締役、執行役員等の人事と報酬に関して審議を行っております。
> 指名委員会について：
> 当社は国内百貨店業をコア事業とする事業持株会社であり、その特性上、取締役が経営監督と業務執行を一定兼務する必要性を有しております。経営陣、とりわけ取締役の選任にあたっては、業務執行における見識および経験が重要であると認識しており、その妥当性について十分な議論を尽くす為、構成する委員の過半数を社内取締役としております。指名委員会における審議においては、個々の選解任理由や当該者の適性など、詳細かつ公正に報告し、その内容を取締役会に答申することで、十分な透明性を確保しております。

②飯田グループホールディングス

「コーポレートガバナンス・コードの各原則を実施しない理由」

> 【補充原則4-10①　独立した諮問委員会の活用】
> 当社は、独立社外取締役の関与・助言をいただきながら、特に重要な事項に係わる取締役会の機能の独立性・客観性と説明責任を強化するための任意の仕組み等に関し検討してまいりました。その結果、現状において、各独立社外取締役が高い専門的な知識と豊富な経験を活かし、取締役会において積極的に意見を述べ、必要に応じて助言を行うなど、特に重要な事項の意思決定においても適切に関与していることを踏まえ、現時点においては、任意の指名委員会・報酬委員会など、独立した諮問委員会は設置しないこととしました。

n　原則4−11に関するエクスプレインの例

　原則4−11は，取締役会について多様性と適正規模を両立させる形で構成されるべきとし，また，監査役については財務・会計について十分な知見を有しているものが1名以上選任されるべきとする。

　2018年6月の改訂では，多様性にジェンダーと国際性の面が含まれることが明示され，また，監査役については，適切な経験・能力と必要な財務・会計・法務に関する知識が求められることが追加された。また，2021年の改訂では，多様性の要素として，職歴と年齢が追加されている。

　女性取締役が存在しないことを理由にエクスプレインする例（①ヒロセ電機）が多い。ジェンダーや国際性の面に関しては，さらに多様性を拡充する観点から重要と認知しており，現時点では，国際経験が豊富な役員を選任すべき，と考えているものの，外国人役員を選任すべき必要性は認知していない旨説明する例（②メイテック）もある。

　また，監査役として財務・会計に関する「十分」な知見を有している者が1名以上選任され

Ⅱ　ガバナンス報告書

るべきことも定められているが，監査役の選任にあたっては，優れた人格並びに取締役の職務の執行の監査を的確，公正かつ効率的に遂行できる識見と高い倫理観を有している人材を候補者とし，特に，社外監査役は法律や財務に関する専門的知見を持つ者を選任している旨述べる例（**③小糸製作所**）がある。

①ヒロセ電機

「コーポレートガバナンス・コードの各原則を実施しない理由」

> [原則4－11　取締役会・監査役会の実効性確保のための前提条件]
> 当社の取締役は、製品開発、営業・マーケティング、生産・品質管理、経営等の各分野において専門知識と豊富な経験を有する者が務めており、豊富な経営経験を有する独立社外取締役を含め、取締役会としての役割・責務を実効的に果たすための多様性と適正規模を両立させる形で構成されております。国際性についても、外国籍の取締役が1名おりますが、ジェンダーの面については、現状は男性の取締役だけであり、女性取締役の人材確保を課題として認識しております。

②メイテック

「コーポレートガバナンス・コードの各原則を実施しない理由」

> 【原則4-11】
> 現時点の取締役会の構成は、多様性を概ね担保した適正な規模にあると認識しています。
> ジェンダーや国際性の面に関しては、さらに多様性を拡充する観点から重要と認知しておりますので、引き続き適切な対処に努めます。なお、現時点では、国際経験が豊富な役員を選任すべき、と考えていますが、外国人役員を選任すべき必要性は認知していません。

③小糸製作所

「コーポレートガバナンス・コードの各原則を実施しない理由」

> 【原則4－11　取締役会・監査役会の実効性確保のための前提条件　－3】
> 取締役会の実効性について分析・評価した結果の概要は、次の通りであります。
> 1. 取締役会を原則月1回開催し、取締役会規程に基づき重要案件を適時・適切に審議しております。
> 2. 事業年度の開始前に年間開催スケジュールを社外を含めた取締役及び監査役へ通知、出席しやすい日程としております。活発な議論を行い、経営課題について十分な検討を行っております。
> 3. 取締役会では、管理・営業・技術・生産部門等の様々な事業部門の経験を持つ取締役に加え、企業経営に関する経験・知識を持つ社外取締役から助言・提言をいただき、法律や財務に関する専門的知見を持つ社外監査役から意見をいただくなど、多角的な視点から経営課題について十分な審議時間を確保し、議論しております。
> 今後、経営に関する最高意思決定機関としての更なる機能強化、経営判断の迅速化等について改善を図り、取締役会の実効性を高めて参ります。

o　原則5－2に関するエクスプレインの例

　原則5－2は，経営戦略や経営計画の策定・公表に当たっては，収益計画や資本政策の基本的な方針を示すとともに，収益力・資本効率等に関する目標を提示し，その実現のため，具体的に何を実行するのかについて，株主に分かりやすい言葉・論理で説明を行うべきであるとする。エクスプレインの例としては，コンテンツ関連の新規性の高い事業を展開しており，短期・中期的な事業環境の変化が激しいことなどから，業績の見通しについて適正かつ合理的な数値の算出が困難であることから，四半期及び通期の決算，事業の概況及びこれらの分析等のタイムリーな開示に努め，短期・中期的な経営計画については開示しない方針であるとする例（**①ガンホー・オンライン・エンターテイメント**），中長期的な成長を実現するための経営戦略は株主総会や決算説明会において社長が分かりやすく説明しているため，収益力や資本効率等に

関する具体的な目標を公表しない旨述べる例（②ソフトバンクグループ）がある。

①ガンホー・オンライン・エンターテイメント

「コーポレートガバナンス・コードの各原則を実施しない理由」

【原則5-2　経営戦略や経営計画の策定・公表】
当社は、コンテンツ関連の新規性の高い事業を展開しており、短期・中期的な事業環境の変化が激しいことなどから、業績の見通しにつきましては適正かつ合理的な数値の算出が困難であります。そのため、四半期及び通期の決算、事業の概況及びこれらの分析等のタイムリーな開示に努め、短期・中期的な経営計画については開示しない方針です。また、当社では、かかる開示に加え、株主総会や決算説明会等を通じて詳細な説明を行い、当社の事業に対する理解の促進に取り組んでおります。

②ソフトバンクグループ

「コーポレートガバナンス・コードの各原則を実施しない理由」

（原則5-2 経営戦略や経営計画の策定・公表）
　ソフトバンクグループ(株)は、グループ全体の財務体質の健全性を保ちつつ、持続的成長に向けた積極的な投資と株主への利益還元を両立させることを資本政策の基本的な方針としていますが、収益力や資本効率などに関する具体的な目標を公表していません。
　中長期的な成長を実現するための経営戦略は、ソフトバンクグループ(株)の定時株主総会や四半期ごとに開催される決算説明会において、代表取締役会長 兼 社長が分かりやすく説明しています。

第二部　各原則に基づく開示事項（必要的開示）

第1　原則1－4に基づく開示

原則1－4

> 　　上場会社が政策保有株式として上場株式を保有する場合には，政策保有株式の縮減に関する方針・考え方など，政策保有に関する方針を開示すべきである。また，毎年，取締役会で，個別の政策保有株式について，保有目的が適切か，保有に伴う便益やリスクが資本コストに見合っているか等を具体的に精査し，保有の適否を検証するとともに，そうした検証の内容について開示すべきである。
>
> 　　上場会社は，政策保有株式に係る議決権の行使について，適切な対応を確保するための具体的な基準を策定・開示し，その基準に沿った対応を行うべきである。

1　背景・趣旨

　いわゆる政策保有株式については，従来，投資先企業の経営から緊張感を奪い，悪影響があるとか，投資企業の資本効率の悪化や財務基盤の不安定化の問題があるとして，主として投資家側から批判がなされていた。2014年6月改訂の政府の日本再興戦略の母体となった，自由民主党の日本再生ビジョンでは，株式持合いや銀行等金融機関などによる株式保有は，長らくわが国における企業経営から緊張感を奪い，産業の新陳代謝が停滞する一因となってきたと指摘して，政策保有株式については単なる保有のねらいだけではなく合理性の検証も求め，また，基本的に政策保有株式の削減を求めていた。

　2015年6月に策定されたコードでは，政策保有株式の削減自体は求められてはいないものの，開示の強化を図っており，結果として政策保有の見直しを間接的に求める内容となった。

　その影響もあり，金融機関を中心に政策保有株式が相応に減少したが，事業会社においては削減が進んでいないという指摘もあり，2018年6月の改訂では，さらに開示対象を拡げる見直しがなされた。

2 開示対象

本原則に基づく開示対象は3つある。本原則第1文に記載される「政策保有に関する方針」，第2文に記載される保有の適否の「検証の内容」，及び，第3文に記載される「議決権の行使についての基準」である。2018年6月の改訂において，「政策保有に関する方針」には，縮減に関する方針が含まれることが明示され，また，「議決権行使についての基準」については「具体的」であることが追記されている。

3 政策保有に関する方針

(1) 縮減の方針を示す事例

まず，保有意義についての分析等と結びつけることなく，端的に保有残高・保有総数の削減・圧縮の方針を記載する例がある。その中には，具体的な削減目標を開示する例（①**三井住友トラスト・ホールディングス**）や，政策保有株式の総額が連結貸借対照表計上額の総資産に占める割合が一定水準以下であることを保有の条件の1つとして開示する例（②**大東建託**）がある。

また，直近の縮減実績を記載している例（③**日清食品ホールディングス**，④**大和証券グループ本社**）もある。

その他，保有の妥当性が認められない場合には縮減を進め，保有の妥当性が認められる場合であっても，市場環境や当社の経営・財務戦略等を考慮し，売却することがある旨を記載する例（⑤**三菱ＵＦＪフィナンシャル・グループ**）もある。

(2) 保有意義が乏しい場合に縮減する旨を記載する事例

自社にとっての保有意義が乏しい場合に，売却等により縮減を図る旨の記載をする例も，引き続き多く見られる（⑥**三菱ケミカルホールディングス**，⑦**鹿島建設**など）。

いかなる観点で政策保有株式の保有意義が認められると判断するかについては，取引先との取引関係，取引先の業績，株価，配当などを考慮する例が多い。これらは，保有の適否の検証に際しての考慮要素と共通することが多いため，保有の適否の検証に関する開示と連続性をもたせ，検証の結果，保有が適切でないと判断する場合には売却するといった開示事例も多く見られる（⑧**ＴＩＳ**，⑨**電源開発**）。この場合にも，併せて直近の縮減実績を記載する例（⑩**東ソー**）もある。

また，改訂後の原則1－4第2文の内容を踏まえ，資本コストに言及する例（⑪**レンゴー**，

⑫**戸田建設**）も見られる。

(3) 売却等のプロセスに言及する事例

政策保有株式の売却等のプロセスについて言及する例もある。例えば，財務部門が毎年1回，取引主管部署（会社）に対して取引状況等を確認し，売却等により縮減を図る旨を記載する例（⑬**サントリー食品インターナショナル**）がある。また，保有意義が認められない場合，相手先企業との対話を行った上で，売却を行う旨を記載する例（⑭**江崎グリコ**，⑮**大王製紙**）もある。

4　検証の内容

(1) 着眼点や基準を記載する事例

毎年の保有の適否を検証する上で，いかなる観点に着眼して検証を行ったか，また，どのような基準を設定したかを記載する例が多い。着眼点・基準としては，取引関係の強化といった政策保有株式の保有意義や保有の経済合理性等が挙げられることが多い（⑯**日本製鉄**，⑰**ANAホールディングス**など）。このうち保有意義については，原則1－4第1文で開示が求められる政策保有に関する方針との整合性が検証されるのが通例である。具体的な着眼点として，役員派遣や事業提携の有無等に言及する例（⑱**積水化学工業**）もある。

他方，経済合理性については，政策保有株式の保有に伴う便益として，検証対象期間に政策保有株式の発行会社との取引や配当等によって得られた利益の水準を確認した上で，これを一定の目標値と比較するといった方法により検証している例が多い（⑧**ＴＩＳ**，⑲**森永乳業**）。政策保有株式の保有に伴う便益としては，上記のほか，簿価からの下落割合（⑳**カプコン**）や含み損益（㉑**大日本住友製薬**）を考慮するなど，株価の上下（キャピタル・ゲイン／ロス）を考慮する旨を明記する例もある。また，投資先企業との関係性によって区別し，顧客であれば事業関連収益を，戦略的な協業先であれば年間取引額を基準とする例（⑧**ＴＩＳ**）もある。

また，目標値については，株主資本利益率（ROE）を挙げるもの（㉒**雪印メグミルク**，㉓**ジェイテクト**），ROE目標を基準とした総合取引RORAを挙げるもの（⑤**三菱ＵＦＪフィナンシャル・グループ**），過去の一定期間の（平均）ROAを挙げるもの（㉔**カゴメ**）などがある。また，明示的に資本コストに言及している例も多く見られる（㉕**日本郵船**）。「資本コスト」の意味については，株主資本コストを用いている旨（㉖**不二製油グループ本社**）やWACC（加重平均資本コスト）を用いている旨（㉗**三和ホールディングス**）を明記する例もある。

(2) 検証プロセスを記載する事例

保有の適否の検証プロセスを記載する例として，特定の取締役会における審議に言及する例

第二部　各原則に基づく開示事項（必要的開示）　第1

(㉘東日本旅客鉄道），政策保有株式検証委員会における検討に言及する例（㉙西松建設）などがある。

(3) 検証結果を記載する事例

毎年の検証により，どのような政策保有株式の保有が適切と判断されたかなど，検証の結果について開示する例がある。

具体的には，保有する銘柄の全部又は一定割合が，自社の保有基準を充足したとするもの（㉚ディー・エヌ・エー）が多い。また，保有の適否の検証の結果，保有が適切なものとして保有を継続する銘柄数・保有残高を開示するもの（⑯日本製鉄）や，売却した銘柄数を開示するもの（㉛アリアケジャパン）も見られる。

検証結果については，個別の銘柄ごとに記載することまでは求められていないが，任意に，個別の銘柄についての検証結果を記載している例もある（㉜セブン＆アイ・ホールディングス）。

5　議決権行使についての基準

(1) 一定の議案や場面について慎重な検討を行う旨を記載する事例

特に重要性の高い議案や企業価値が毀損されるなど一定の場合について，議決権行使について慎重な検討を行う旨を記載する例がある。具体的には，買収防衛策の導入に関する議案（㉝西武ホールディングス），一定の状況下での剰余金処分議案（㉞ひろぎんホールディングス），重大な不祥事があった場合（㉟ホギメディカル）等を挙げる例が見られるほか，昨今のESG投資への注目の高まりを踏まえて，ESG課題への取り組み等に著しく問題がある行為（㊱協和エクシオ）等を挙げる例もある。また，そのような議案や場面における検討過程について，投資先企業との対話を行う旨を開示する例（㊲住友不動産）も見られる。

(2) 一定の議案や場面について反対すること等を記載する事例

企業不祥事の発生など一定の場合に，議案に反対する旨を記載する例（㊳若築建設）がある。また，一定のスクリーニング基準を設けて，そのいずれにも該当しない場合には会社提案議案に原則として賛成する旨を定める例（㊴大塚ホールディングス）もある。

(3) 議案の類型ごとに議決権行使の考え方を開示する事例

議決権行使に関する基本的な考え方として，ガバナンス体制，近年の業績，内部留保と株主還元のバランスの適切性の観点を記載し，取締役の選任など主な議案に対する具体的な議決権行使基準を記載する例（㊵澁谷工業）や，株主還元等の主な議案に対する具体的な精査すべき

Ⅱ ガバナンス報告書

事項を開示し，会社提案に賛成できない場合は売却の要否を検討する旨を記載する例（㊶日本プラスト）もある。

(4) スチュワードシップ・コードや議決権行使助言会社の基準を参照する旨を定める事例

議決権行使に際して，各金融機関が公表しているスチュワードシップ・コードに関する方針を参照する旨を定める例（㊷トーメンデバイス）や，自社のスチュワードシップ・コードに関する方針を開示する例（㊸ＭＳ＆ＡＤインシュアランス グループ ホールディングス）などがある。また，議決権行使助言会社や機関投資家の方針を参照する旨を定める例（⑧ＴＩＳ，㊹ＳＭＫ）も見られる。

(5) 議決権行使の決定プロセスについて定める事例

政策保有株式に係る議決権行使について，社内規程や社内手続などの議決権行使の社内決定プロセスを記載する例（⑬サントリー食品インターナショナル，㊺ＪＦＥホールディングス）がある。

また，議決権行使に当たって，投資先企業との対話を行う旨を記載する例（㊻ＴＯＴＯ）がある。

その他，議案につき自社と利益が相反するおそれがある場合において必要があるときは，独立社外取締役，社外の専門家の意見を踏まえて議決権を行使する旨を記載する例（㊼出光興産）もある。

6 開示事例

①三井住友トラスト・ホールディングス

「コーポレートガバナンス・コードの各原則に基づく開示」

【原則1－4】
＜株式等の政策保有に関する方針＞
・当グループは，2021年度経営計画において，「企業価値の向上による果実を家計にもたらす資金・資産・資本の好循環の構築」を重点取組事項として掲げました。
・その実現に向け，当グループは，投資家としての立場と企業価値向上のソリューション提供を行う立場の双方に立つ信託銀行グループとしての特性に一段と磨きをかけ，従来型の「政策保有株式」（資本・業務提携等を目的とせず，安定株主として保有する取引先の株式等）は原則すべて保有しないという方針へ転換しております。
・当該方針のもと，取引先の取り巻く環境やステークホルダーの動向を踏まえ，各社の持続的な企業価値向上と課題解決に向けた対話を行い，そうした対話を通じて政策保有株式の削減を加速させます。当面の削減目線として，2021年度から2022年度の2年間で，取得原価1,000億円の削減を目指します。
・なお，取引先との合意を得て政策保有株式を削減するまでの期間は，取締役会において政策保有株式の保有に伴う便益・リスクと資本コストとの関係の精査・検証を行います。

＜政策保有株式の削減実績について＞
・2016年度から2020年度までの5年間で，累計1,426億円（取得原価）の削減を行いました。2021年3月末時点の普通株式等Tier1資本（有価証券評価差額除き）に対する比率は28％となっています。

＜保有状況の検証＞
・採算性基準に基づき，下記指標により，政策保有株式の保有に伴う便益・リスクと資本コストとの関係を精査・検証しております。
●採算性指標

第二部　各原則に基づく開示事項（必要的開示）　第1

(信用コスト・経費等 控除後利益)÷(株式リスクアセット＋与信リスクアセット)
・2021年3月末時点では、政策保有株式の簿価残高の2割程度が、採算性基準未充足です。
・2021年度以降は、新たな方針のもとで、採算性基準に基づき政策保有株式の保有に伴う全体及び個社の便益・リスクと資本コストとの関係の精査・検証を継続しつつ、政策保有先各社の持続的な企業価値向上及び課題解決に向けた対話を行い、その中で削減に向けた協議を進めてまいります。そうした協議の状況を踏まえ、政策保有株式の削減が財務目標・顧客基盤等へ与える影響の見通しを精査のうえ、政策保有株式の削減目線・活動の妥当性を検証し、取締役会において定期的に確認いたします。

＜政策保有株式に係る議決権行使基準＞
・当社及び当社の中核子会社たる三井住友信託銀行は、政策保有株式の発行会社(以下、「政策保有先」といいます。)の経営状況等を勘案し、政策保有先及び当グループの中長期的な企業価値の向上の観点から、議案毎に賛否を総合的に判断し、議決権を行使します。
・政策保有先の業績等の長期低迷や組織再編、重大なコンプライアンス違反の発生等の事情により、議決権の行使にあたり特別な注意を要する場合には、政策保有先との対話を含む様々な方法により、十分な情報を収集のうえ、特に次に記載する議案については留意しつつ議案に対する賛否を判断します。
(剰余金処分議案、取締役・監査役選任議案、監査役等への退職金贈呈議案、組織再編議案、MBO議案等)
・政策保有株式に係る議決権の行使にあたり、利益相反のおそれがある場合には、当社が別途定める利益相反管理方針に従い、適切な対応を実施します。
・なお、今般の政策保有株式に関する方針の転換を踏まえて、2022年6月以降の株主総会での適用も視野に入れ、議決権行使態勢の高度化について検討を行い、2021年11月の中間決算発表時を目処に、政策保有株式にかかる議決権行使の考え方について公表する方向で進めてまいります。

②大東建託

「コーポレートガバナンス・コードの各原則を実施しない理由」

(原則1－4 政策保有株式)
　当社は、投資目的以外の目的で保有する株式の保有は、①業務提携、取引の維持・強化及び株式の安定等の保有目的の合理性、②その連結貸借対照表計上額が総資産の5%以下などの条件をすべて満たす範囲で行うことを基本的な方針としています。
　同株式の買い増しや処分の要否は、当社の成長に必要かどうか、他に有効な資金活用はないか等の観点で、担当取締役による検証を適宜行い、年に1回、取締役会で審議することとしています。
　なお、当社は現時点で政策保有株式としての上場株式を保有しておりません。

③日清食品ホールディングス

「コーポレートガバナンス・コードの各原則に基づく開示」

【原則1－4】
■上場株式の政策保有株式の縮減に関する方針
　当社は、配当・キャピタルゲインの獲得以外に、経営戦略上、取引先との良好な関係を構築し、効率的・安定的な取引や業務提携等により事業の円滑な推進を図ることで中長期的な企業価値の向上を実現する観点から、必要と判断する上場企業の株式を保有することがあります。こうした株式の中で、保有の意義が希薄と判断された株式については、可能な限り速やかに売却していくことを基本方針としており、2020年6月25日に公表したコーポレート・ガバナンス報告書において、「今後2～3年内に2019年度末比で20%相当の政策保有株式の縮減を行う方針」を示しておりましたが、2021年5月末までに4銘柄については全額・5銘柄については一部、合計で2019年度末の時価で換算した評価額で13,765百万円を売却することにより、20%を超える縮減を行い、計画を前倒しで達成しております。
　また、毎年4月に開催される取締役会にて、主要なものについては個別銘柄毎に、事業収益への貢献度合や資本コストをベースとする収益目標対比で実際のリターンが上回っているか等の経済合理性、保有目的・保有状況等の要素を総合的に勘案し、継続保有の可否や売却のスケジュールについて、定期的に検証しております。2021年4月7日に開催された取締役会では、今後2年程度で100億円を目処に政策保有株式の縮減を行う方針を決議しております。
　なお、2021年3月末時点で当社が保有する政策保有株式は59銘柄(貸借対照表計上額87,376百万円)ですが、さらに2021年5月末までに1銘柄については全額・2銘柄については一部、合計で2020年度末の時価で換算した評価額で8,155百万円を売却しております。その結果、同5月末時点の政策保有株式の残高は、2020年度末の時価で換算すると、2021年3月末連結純資産421,486百万円の18.8%相当となります。

■政策保有株式に係る議決権行使基準
保有している上場企業の株式の議決権行使にあたっては、当社の中長期的な企業価値向上に資するものであるか、また投資先の株主共同の利益に資するものであるかなどを総合的に判断し、適切に行使しております。

④大和証券グループ本社

「コーポレートガバナンス・コードの各原則に基づく開示」

【原則1－4】政策保有株式
・当社及び大和証券株式会社は、政策保有株式について、保有意義が認められる場合にのみ保有します。また、定期的に保有意義の検証を行い、保有意義が乏しいと判断される場合には、市場への影響やその他考慮すべき事情にも配慮した上で、売却を進めます。
簿価残高の削減実績(※)：2016年3月末以降2020年度末までの累計額66億円(▲11%)
※提携目的による保有株式を除く削減実績
・保有意義の検証については、取引先に関連する収益や受取配当金などのリターンが基準としている資本コストを上回るかという経済合理性の観点や、成長性、取引関係の強化等の保有目的の観点から、当社グループの中長期的な企業価値向上に資するかを確認します。
その上で、取締役会において、定期的に全ての政策保有株式について個別に保有意義の検証を行います。
※2021年3月末基準の検証結果は以下の通りです。
　提携目的による保有株式を除き、個社別には約8割の取引先企業が目標値を上回っております。

51

Ⅱ ガバナンス報告書

　　　目標値を下回る約2割については、今後の取引関係の維持・強化等の定性面における検証も行い、採算改善を目指しますが、一定期間内に改善されない場合には売却を検討します。
・政策保有株式に係る議決権の行使については、政策保有先及び当社グループの中長期的な企業価値向上の観点から、議案ごとに総合的に賛否を判断します。
特に次に記載する議案のうち、企業価値や株主利益に大きく影響を与えうる重要な議案については、必要に応じて取引先企業との対話等を経て賛否を判断します。
　・取締役・監査役選任議案
　・買収防衛
　・組織再編
　・剰余金処分議案　等
・また、議決権の行使にあたり、利益相反のおそれがある場合には、当社が別途定める利益相反管理方針に従い、適切な対応を実施します。

⑤三菱ＵＦＪフィナンシャル・グループ

「コーポレートガバナンス・コードの各原則に基づく開示」

【原則1-4】
■政策保有に関する方針
◇近年、国際金融規制の強化やコーポレートガバナンス・コード導入など、政策保有株式(注1)を取り巻く環境は大きく変化しております。
◇当社及びグループ銀行(注2)では、このような環境変化を踏まえ、株式保有リスクの抑制や資本の効率化、国際金融規制への対応等の観点から、取引先企業との十分な対話を経た上で、政策投資目的で保有する株式(注3)の残高削減を基本方針とします。
◇政策投資目的で保有する株式については、成長性、収益性、取引関係強化等の観点から、保有意義・経済合理性を検証し、保有の妥当性が認められない場合には、取引先企業の十分な理解を得た上で、売却を進めます。また、妥当性が認められる場合にも、残高削減の基本方針に則し、市場環境や経営・財務戦略等を考慮し、売却することがあります。
◇2020年度は約1,370億円(グループ銀行単純合算、取得原価ベース)の政策保有株式を削減しました。2021年度から2023年度の3ヵ年で3,000億円を超える政策保有株式の削減をめざします。

(注1)「政策保有株式」とは、純投資以外の保有株式のうち、「子会社・関連会社株式」を除いた「その他有価証券」です。保有目的により、(1)政策投資、(2)業務戦略、(3)再生支援の3つに分類しており、(1)が大半を占めます。
(注2)「グループ銀行」とは、当社の連結子会社である三菱UFJ銀行と三菱UFJ信託銀行を指します。
(注3)「政策投資目的で保有する株式」とは、取引先企業との総合的な取引維持・拡大を通じた当社及びグループ銀行の中長期的な経済的利益の増大を目的として保有する株式です。

■保有意義・経済合理性の検証
◇グループ銀行では政策投資目的で保有する全ての株式について、個社別に中長期的な視点から成長性、収益性、取引関係強化等の保有意義及び経済合理性(リスク・リターン)を確認しています。当社の取締役会ではコーポレートガバナンス・コード原則1-4に基づき、個別の政策保有株式(注4)についての検証を行います。
◇なお、経済合理性の検証は、MUFGの株主資本利益率(ROE)目標を基準とした総合取引RORA(注5)を目標値として実施します。
◇2020年3月末基準の検証結果は以下の通りです。
・保有意義については、検証対象の大半において、当社及びグループ銀行の中長期的な経済的利益を増大する目的で保有しており、その妥当性を確認しました。
・経済合理性については、検証対象全体を合計した総合取引RORAが目標値の約1.8倍となっております。なお、個社別には社数ベースで86%の取引先企業が目標値を上回っており、その保有株式合計は簿価ベースで94%・時価ベースで89%を占めております(注6)。目標値を下回る取引先企業については採算改善をめざしますが、一定期間内に改善されない場合には売却を検討します。

(注4)2020年3月末基準の保有時価合計は約4.1兆円(簿価:約2.1兆円)。
(注5)総合取引RORA(Return On Risk-Weighted Assets)は、当該取引企業グループとの銀行取引、信託取引、株式配当等から得られる収益から期待損失額や経費等を控除した利益を自己資本比率規制上の内部格付手法に基づくリスク・アセット(与信と株式の合計)で除して算出しております。なお、株式におけるリスク・アセットは時価をもとに算出しております。
(注6)採算については、「グループ銀行合算での、取引先企業グループベースの総合取引RORAが目標値を上回っているか否か」で判定を行っております。

■議決権行使に関する基準
◇当社及びグループ銀行では、政策投資目的で保有する株式の議決権の行使について適切な対応を確保するため、議案毎に以下の2点を確認の上、総合的に判断します。
(1)取引先企業の中長期的な企業価値を高め、持続的成長に資するか。
(2)当社及びグループ銀行の中長期的な経済的利益が増大するか。
◇中長期的な取引先企業の企業価値向上や当社及びグループ銀行の経済的利益に大きく影響を与えうる重要な議案については、必要に応じて取引先企業との対話等を経て賛否を判断します。当社及びグループ銀行が重要と考える議案は以下の通りです。
・剰余金処分議案(財務の健全性及び内部留保とのバランスを著しく欠いている場合)
・取締役・監査役選任議案(不祥事が発生した場合や一定期間連続で赤字である場合、資本利益率が低迷している場合、独立役員が複数選任されていない場合等)
・社外取締役・社外監査役選任議案(出席率が低い場合、独立性基準を満たさない場合等)
・監査役等への退職慰労金贈呈議案
・組織再編議案
・買収防衛策議案
◇主要な政策保有株式(注7)については、議決権行使の状況をMUFG取締役会に報告します。
(注7)主要な政策保有株式の2020年3月末基準の保有時価合計は約2.8兆円(簿価:約1.3兆円)と、グループ銀行が政策投資目的で保有する株式(上場)の合算時価の約7割をカバーします。

⑥三菱ケミカルホールディングス

「コーポレートガバナンス・コードの各原則に基づく開示」

〈原則１－４ 政策保有株式〉

政策保有株式については、中長期的な企業価値向上に資する場合に取得・保有することとしています。また、その保有意義について、当社の取締役会で定期的に検証を行い、保有意義が乏しい株式については、市場への影響等に配慮しつつ売却を進めることとしています。
当社は、2020年9月25日の取締役会にて、2020年3月末における当社グループの全ての政策保有株式について、ROICにもとづいた経済合理性、及び事業上の必要性等の観点から保有意義を検証しました。検証の結果、一部の株式については、保有意義が乏しいことを確認しました。今後、市場への影響等に配慮しつつ、当該株式の売却を進めます。

⑦鹿島建設

「コーポレートガバナンス・コードの各原則に基づく開示」

【原則1-4. 政策保有株式】
(1)政策保有株式に関する方針
上場株式について、発行会社との取引関係の維持・強化を通じて当社の企業価値向上に資すると判断される場合にのみ政策的に保有する方針とし、同趣旨に照らして保有意義の低下した銘柄は、原則として売却いたします。
政策的に保有する株式は、毎年度、個別・全銘柄について、中長期的な視野に立った保有意義や資産効率等を検証した上で、取締役会にて保有の妥当性につき審議いたします。検証においては、各銘柄について、株式の時価と保有に伴う経済的便益との対照等により、資本コストに見合うものか、保有規模が適正か、などを定量的・定性的に精査し、適否を判定いたします。
(2)政策保有株式に係る適切な議決権行使を確保するための基準
政策保有株式に係る議決権行使については、上記保有目的に照らして、個々の議案ごとに、当社ならびに発行会社の中長期的な企業価値向上に資するかどうかを判断の基準として、内容を検討した上で実施しております。

⑧ＴＩＳ

「コーポレートガバナンス・コードの各原則に基づく開示」

(原則1－4 政策保有株式)
【政策保有株式の縮減に関する方針・考え方】
当社グループでは、持続的な成長と中長期的な企業価値の向上に資すると判断した場合に限り、スタートアップやベンチャーを含む企業の株式を保有することがあります。
具体的には、持続可能な社会の実現のために当社グループが解決に貢献する社会課題として選定した「金融包摂」「都市への集中・地方の衰退」「低・脱炭素化」「健康問題」を中心に積極的に事業展開を推進するために、それらの企業との協働・共創活動や安定的な提携・協力関係が、事業機会の継続的創出や技術の活用において必要不可欠な場合があり、当社グループの成長戦略に合致する投資と位置付けています。
出資後は、毎年の取締役会において、個別銘柄毎に保有継続の合理性を検証し、保有意義が希薄と判断した銘柄については縮減を進めることを基本方針としています。
保有継続の合理性の検証にあたっては保有株式を以下の3つに区分し、各々に検証方法を設定しています。
・資本業務提携先
・顧客
・その他

なお、具体的な検証方法は以下となります。

＜資本業務提携先＞
出資後、当社の定めた一定期間は、戦略的提携の土台固めの期間とし、保有を継続します。
一定期間経過後は、協業事業の進捗状況や継続的な取引があるか否かなど定性評価による検証を行います。
検証の結果、保有意義が希薄と判断した株式について、上場株式は市況概況等も踏まえ売却を実施し、非上場株式は発行会社と協議し、売却先が見つかり次第、売却を実施します。

＜顧客＞
各政策保有株式の貸借対照表計上額を基準として、これに対する、各発行会社および発行会社と関連する会社からの事業関連収益、配当金の合算額の割合を算出し、その割合が10%を上回っているか否かを確認します。この確認結果に将来の取引見込み等の定性評価も勘案し、保有意義が希薄と判断した株式について、上場株式は市況概況等も踏まえ売却を実施し、非上場株式は発行会社と協議し、売却先が見つかり次第、売却を実施します。

＜その他(上記区分に該当しないもの)＞
前年度の各発行会社との営業取引規模が過去3年の平均と比較して5%以上上昇しているか否かを確認します。
確認の結果、保有意義が希薄と判断した株式について、事業運営における人材の確保、技術の確保に支障を及ぼす場合を除き、上場株式は市況概況等も踏まえ売却を実施し、非上場株式は発行会社と協議し、売却先が見つかり次第、売却を実施します。

【政策保有株式に係る議決権行使の方針】
保有上場株式の議決権の行使については、議決権行使助言会社の行使助言方針も勘案しながら、当社グループならびに投資先の持続的な成長と中長期的な企業価値の向上に資するものであるか否か、などを総合的に判断の上、適切に行使します。

⑨電源開発

「コーポレートガバナンス・コードの各原則に基づく開示」

原則1-4
当社は、政策保有株式について、その保有意義が認められる場合を除いて保有しません。保有意義が認められる場合とは、保有によるリターン等を適正に把握したうえで収益性を検証し、協働事業の展開や取引関係の維持・強化・構築など保有の狙いも総合的に勘案して、当社の持続的な成長と中長期的な価値向上につながると判断した場合とします。個別の政策保有株式については、毎年取締役会において、保有目的との整合性や収益性と当社の資本コストとの見合い等の観点から保有することの是非や合理性・必要性を確認し、保有意義が認められ

Ⅱ ガバナンス報告書

ないと判断した銘柄については、市場への影響等配慮しつつ売却を行います。
政策保有株式の議決権の行使については、当社および保有先企業の中長期的な企業価値の向上の観点から十分に検討を行ったうえで、保有目的も考慮しながら適切に判断します。

⑩東ソー

「コーポレートガバナンス・コードの各原則に基づく開示」

【原則1-4：政策保有株式】
当社は、取引関係の維持・発展などを目的に取引先の株式を保有しておりますが、毎年、取締役会において、保有目的の適切性及び保有に伴う便益や資本コストに見合っているかなどを確認しております。検証の結果、将来の収益性や取引関係強化等が見込めず、当社の企業価値向上に繋がらないと判断された株式については売却を検討することとしております。2021年度の検証において、一部の銘柄を売却検討することとなり、その結果については翌年の取締役会で報告することとしております。また、2020年度の売却検討銘柄の内、17銘柄の全数、4銘柄の一部が売却されたことを確認しております。
政策保有株式に係る議決権行使については、議決権行使基準を策定し、当該基準に沿った対応を実施しております。具体的には、個々の議案ごとに、当社との取引関係の維持・発展に貢献し、当社及び投資先企業の中長期的な企業価値の向上に資するかどうか等を総合的に勘案し、議決権を行使いたします。なお、みなし保有株式の議決権行使に当たっては、受益者の利益に資するかどうかも考慮いたします。

⑪レンゴー

「コーポレートガバナンス・コードの各原則に基づく開示」

【原則1-4】
当社は、取引先との安定的・長期的な取引関係の構築および強化等の観点から、当社の持続的な成長と中長期的な企業価値の向上に資すると判断した場合は、当該取引先等の株式を取得し保有することができるものとしています。全ての政策保有株式について、中長期的な経済合理性や、取引先との総合的な関係の維持・強化の観点などの保有効果等を検証し、取締役会に報告しています。
なお、検証の過程で保有を継続する意義が失われていると判断される株式については、縮減の対象としたうえで、当該株式の保有に伴う便益やリスクが株主資本コストに見合っているか等を精査し、保有の適否を判断します。
政策保有株式の議決権の行使については、当社の持続的な成長、中長期的な企業価値の向上に資するものであるか否か、ならびに投資先の株主共同の利益に資するものか否かなどを総合的に判断し、適切に行使しています。また、必要に応じ提案内容について投資先に対話を求めます。
コーポレートガバナンス・コードの精神を踏まえ、引き続き政策保有株式についての対応の検討を行っていきます。

⑫戸田建設

「コーポレートガバナンス・コードの各原則に基づく開示」

【原則1-4】政策保有株式
（保有方針）
　当社は、株式保有リスクの抑制や資本の効率性の観点から、取引先企業との十分な対話を経た上で、政策投資を目的として保有する投資株式の残高削減を基本方針としております。政策投資を目的として保有する投資株式については、収益性、取引先企業との関係強化及び当社の中長期的な企業価値の向上に資するかどうかの観点から、保有意義及び経済合理性を取締役会において個別銘柄ごとに検証し、保有継続の妥当性が認められない場合には、取引先企業との十分な対話を経た上で売却を進めます。
（保有の経済合理性を検証する方法）
　年に1回、取締役会にて政策投資を目的として保有する全ての投資株式について、個別に中長期的な観点から、収益性、取引関係強化等の保有意義及び経済合理性を確認しています。なお、経済合理性の検証は、当社の株主資本利益率（ROE）目標及び資本コストを基準とし、次の3つの率の合計を指標として実施しています。
・受注工事粗利益率　過去10事業年度間に当該取引先より受注した工事から得た粗利益の平均を、当該取引先株式の取得価額で除した率
・配当率　過去10事業年度間に受け取った配当の平均を、当該取引先株式の取得価額で除した率
・株価増減率　当該取引先株式の時価変動の下限値として統計的手法（VaR バリュー・アット・リスク）により算出した価格と当該取引先株式の取得価額との差を、当該取引先株式取得価額と保有年数の積で除した率
政策保有株式に係る議決権行使に当たっては、経営成績、社外取締役の人数などガバナンスの状況、適切な配当方針の有無など相手企業の内容を精査し、当該議案が中長期的な企業価値の向上に資するか否かを総合的に判断し、適切に行使することとしております。

⑬サントリー食品インターナショナル

「コーポレートガバナンス・コードの各原則に基づく開示」

【原則1-4. 政策保有株式】
当社方針「14. 当社グループが保有する株式について」

「同社ホームページ　コーポレート・ガバナンス方針」

14．当社グループが保有する株式について

第二部　各原則に基づく開示事項（必要的開示）　第1

原則1-4

当社グループは、取引関係を強化する目的で、政策保有株式として取引先の株式を保有しております。新たに取引先の株式を取得しようとする場合、当社の財務部門及び取引主管部署（会社）において、対象会社の現時点及び将来の収益性等を踏まえ、同社との取引関係の強化が当社グループの企業価値の維持及び向上に寄与するか否かという観点から、当該株式取得の適否について判断することとしています。

当社グループが保有する取引先の株式につきましては、全銘柄につき、当社の財務部門が毎年1回、取引主管部署（会社）に対して、当初の株式取得目的と現在の取引金額及び取引内容等の取引状況等を確認し、当該株式の保有が当初の株式取得目的に合致しなくなった株式は、売却等により縮減することとしています。また、毎年1回、取締役会において、当社グループが保有する取引先の株式について、その銘柄、保有目的及び保有の合理性について検証を行うこととしています。

政策保有株式に係る議決権の行使につきましては、取引主管部署（会社）による対象会社との対話、当社の財務部門及び法務部門等の専門部署による検証を通じ、当該議案の内容が当社グループの企業価値の維持及び向上並びに株主価値の向上に資するものか否かを判断した上で、適切に議決権を行使いたします。当社グループの企業価値及び株主価値を毀損するような議案につきましては、会社提案・株主提案にかかわらず、肯定的な議決権の行使を行いません。

⑭江崎グリコ

「コーポレートガバナンス・コードの各原則に基づく開示」

（原則1－4　政策保有株式）
≪政策保有の方針≫
発行会社との事業連携等により取引拡大や事業シナジー創出等を通じて当社の企業価値向上につながることが期待できる企業の株式を保有対象とすることを基本方針としております。
≪政策保有株式の縮減策≫
政策保有株式について、中長期的な視点で、個別に保有意義の確認と経済合理性の検証を、取締役会において最低年1回は実施いたします。取引拡大や事業シナジー創出に資すると認められない株式がある場合は、株主として発行会社と必要十分な対話を実施してまいります。対話の実施によっても改善が認められない場合には、適宜・適切に売却を実施します。こうした取組みにより政策保有株式の縮減を図ってまいります。
≪政策保有株式の議決権行使基準≫
政策保有株式に係る議決権の行使については、株主として、発行会社の中長期的な企業価値向上、政策保有の趣旨に反する可能性の有無及び経済合理性等に基づき判断し、議決権を行使します。こうした取組みにより保有株式の議決権行使について、適切な対応を実施してまいります。

⑮大王製紙

「コーポレートガバナンス・コードの各原則に基づく開示」

【原則1－4　政策保有株式】

当社では、事業の飛躍・拡大、持続的成長のためには、様々な企業との協力関係が必要不可欠と考えており、中長期的な企業価値の向上に資すると判断した場合に、取引先の株式を政策保有株式として保有しています。
一方で、資本コスト（WACC）とROAを踏まえて中長期的な観点から継続保有の合理性・必要性を毎年5月の取締役会で定期的に検証しており、保有が相当でないと判断される場合には、取引先との対話・交渉の実施を踏まえ、売却を検討しています。本年度については、検証の結果、全ての保有株式について保有の妥当性があることを確認しています。
当社は、政策保有株主から当社株式の売却等の意向が示された場合には、取引の縮減を示唆することなどにより、その売却等を妨げることは行いません。
政策保有株式に関する方針及び政策保有株式に係る議決権行使の基準は、「コーポレートガバナンス・ガイドライン」の第16条（株式等の政策保有に関する方針）に記載していますのでご参照ください。

55

Ⅱ ガバナンス報告書

⑯ 日本製鉄

「コーポレートガバナンス・コードの各原則に基づく開示」

【原則1－4】(政策保有株式)
(1) 政策保有に関する方針
　当社は、持続的な成長と中長期的な企業価値向上の観点から、これまでの事業活動の中で培われた国内外の幅広い取引先・提携先との信頼関係や協業関係の維持・発展は極めて重要であると考えており、株式保有が、当社と保有先の取引関係や提携関係などの事業基盤の維持・強化、両者の収益力向上、ひいては、当社及び当社グループの企業価値向上に資すると判断する株式については継続して保有することとしております。なお、取引先等との十分な対話を経たうえで、株式を保有せずとも上記の目的を達成することが可能であることが確認できた会社については、当該会社の株式の売却を進めます。

(2) 保有の適否の検証
　当社は、政策保有株式については、すべての株式を対象に、保有目的が適切か、保有に伴う便益やリスクが資本コストに見合っているか等を具体的に精査し、保有の適否を確認しており、このうち、時価が一定額を超える政策保有株式については、取締役会において毎年検証しております。取締役会で検証する対象株式の保有時価の合計は、当社が連結ベースで保有する政策保有株式の時価総額の約9割を占めております(2021年3月末時点)。
　当社が保有する政策保有株式の単独ベースでの銘柄数は、新日鐵住金(株)が発足した2012年10月1日時点で495銘柄でしたが、2021年3月末時点では301銘柄(貸借対照表計上額の合計額は2,626億円)となっております(2020年4月1日の旧日鉄日新製鋼(株)との合併による増加分があるものの、2020年3月末時点から7銘柄削減、貸借対照表計上額では株価上昇もあり247億円増加)。

(3) 政策保有株式に係る議決権の行使に関する基本方針
　政策保有株式に係る議決権については、保有先企業の株主総会議案が当社及び投資先企業の企業価値の向上に寄与するか否かを総合的に判断して行使することとしております。具体的には、剰余金の処分や取締役・監査役の選任等、議案の類型に応じた判断指針を定めた議決権行使基準を策定し、この基準と上記(2)の株式保有の適否の検証結果に照らして議決権を行使することとしております。

⑰ ANAホールディングス

「コーポレートガバナンス・コードの各原則に基づく開示」

【原則1-4】(政策保有株式)
当社は、当社グループの事業を拡大・発展させていく上で、関係取引先との協力関係の維持・強化が必要であると考えています。航空事業を中核とする当社グループは、円滑な事業の継続、業務提携や営業上の関係強化による収益拡大等の視点から、中長期的な企業価値の向上に資すると判断した場合に、政策的に株式を保有することとしています。
　当社は、毎年、取締役会で個別の政策保有株式について、政策保有の意義や保有に伴う便益やリスク等に関して総合的に検証を行なってまいります。経済合理性検証の際は、各銘柄のTSR(株主総利回り)のチェックや、当該銘柄への投資効果と当社グループの資本コストとの比較等、定量的かつ多面的に評価を行います。その評価結果が一定期間継続して低迷し、当社グループの持続的な成長と中長期的な企業価値の向上に資すると判断できない場合は、縮減を図ってまいります。
　なお当社が保有する政策保有株式につきましては、2021年5月19日開催の取締役会において、個別銘柄ごとに中長期的な視点から検証を行い、保有の経済的合理性を確認しております。

　また政策的に保有する株式の議決権行使については、当該企業の中長期的な企業価値向上や、当社グループの事業に与える影響等を議案毎に検討した上で、当該企業との対話の結果等を踏まえて総合的に勘案し、適切に判断します。

⑱ 積水化学工業

「コーポレートガバナンス・コードの各原則に基づく開示」

【原則1-4】
当社は、上場株式の政策保有に関する基本方針および議決権行使方針を定め、SEKISUIコーポレート・ガバナンス原則に下記の通り記載し、開示しています。
　ⅰ. 基本方針
当社は、重要取引先・パートナーとして、保有先の企業価値向上と当社の中長期的な企業価値向上の最大化を図る場合において有益かつ重要と判断する上場株式を、限定的かつ戦略的に保有することとします。その戦略上の判断は適宜見直しを行い、意義が不十分、あるいは資本政策に合致しない保有株式については縮減を進めます。
定期的な見直しについては、取締役会で毎年、政策保有している上場株式について、保有による便益やリスクが資本コストに見合っているか等の項目を個別具体的に精査、検証し、その概要を開示します。
　＜検証結果概要＞
2021年6月度取締役会において、上記基本方針に基づき、個別銘柄毎に出資比率、役員派遣、事業提携有無、取引内容、受取配当等をもとに検証および保有適否の確認を行いました。なお、保有銘柄数は2020年3月末時点で28銘柄でしたが、2020年度は2銘柄の売却を行い、2021年3月末現在26銘柄となっております。

　ⅱ. 議決権行使方針
保有の戦略的位置づけや株式保有先企業との対話などを踏まえた上で、当該企業の企業価値向上と当社の中長期的な企業価値向上とを連動させる観点から、議決権行使の具体的基準を定めて、それに沿って行使することで保有先企業に対する株主としてのモニタリング機能を果たします。
議決権行使については、保有先企業の議案の重要性(特別決議議案等の有無)、報告年度の決算内容(自己資本比率、損益状況等)および事業継続性をもとに判定する基準を設けており、当該企業との対話を含め総合的に賛否を判断しております。

第二部　各原則に基づく開示事項（必要的開示）　第1

⑲森永乳業

「コーポレートガバナンス・コードの各原則に基づく開示」

> （原則1-4　政策保有株式）
> 　当社は、事業運営上の必要性、経済合理性等を総合的に勘案し、中長期的な企業価値向上に資すると判断される場合のみ、政策保有株式を保有いたします。また、個別の主要な政策保有株式については、毎年、取締役会で保有する意義を検証し、意義が乏しいと判断される銘柄は、市場への影響等に配慮しつつ売却いたします。
> 　検証の結果、2021年3月期に一部保有株式を売却いたしました。
> 　検証にあたっては、取引上の利益、配当利回り、時価変動リスク、資本コスト等を加味した銘柄ごとの投資損益を一定の基準で評価するとともに、株式保有による経済的なメリットや必要性も考慮し、保有要否を判断いたします。
> 　政策保有株式の議決権については、各議案の内容が当社の企業価値を毀損させる可能性がないか、発行会社の健全な経営に役立ち、企業価値の向上を期待することができるか否かを精査したうえで、適切に行使いたします。

原則1-4

⑳カプコン

「コーポレートガバナンス・コードの各原則に基づく開示」

> 2021年6月11日付でコーポレートガバナンス・コードが改訂されておりますが、改訂前の原則に沿って、「コーポレートガバナンス・コードに関する当社の取組みについて」を開示しております。
> 当社は改訂前のコーポレートガバナンス・コードにおいて、各原則に基づく開示事項を含め、基本原則・原則・補充原則の78原則全てについて、「コーポレートガバナンス・コードに関する当社の取組みについて」として、本報告書の末尾に記載しております。

「コーポレートガバナンス・コードに関する当社の取組みについて」

> （1）当社は、政策保有株式について慣例的な相互保有や人的関係の情実等を排除しております。
> （2）将来の取引関係や持続的な企業価値の向上に資するか否かなど、中長期的な観点から得失等を総合的に勘案のうえ、現状最小限の3銘柄のみ保有しており、2021年3月期末現在の当該政策保有株式の保有額は、純資産の0.5%未満であります。加えて、取締役会は、当該保有株式について取引内容や取引金額などを踏まえ、取引関係の維持、開拓などの事業上のメリットや戦略的意義などを考慮するとともに、将来の見通し等、中長期的な視点に立って、資本コストに見合うリターンやリスクを定期的に精査、検証しております。
> （3）継続して保有する基準として、簿価が50%以上下落した場合や保有先の企業価値が著しく毀損するなど持続して保有する経済合理性が乏しいと判断した場合は、経済情勢等を勘案のうえ、当該保有先との対話を経て、適切な時期に削減や売却を行います。
> （4）議決権行使については、以下の事項等を対象に社内手続きを経て議案ごとに賛否を決定しております。
> 　①業績の推移、②資本政策、③コーポレート・ガバナンスの整備状況、④重大な不祥事、⑤役員の適性、⑥株主価値向上の有無

㉑大日本住友製薬

「コーポレートガバナンス・コードの各原則に基づく開示」

> 【原則1-4】
> ・政策保有株式に関する方針については、「コーポレートガバナンスに関する基本方針」に記載しています（同4.①参照）。この方針に加えて、同4.②に基づき、毎年取締役会において、当社が保有する個別の政策保有株式について、保有目的、取引状況、含み損益等を評価軸として、保有継続の合理性を確認しています。その結果、2015年6月のコーポレートガバナンス・コード適用時点で上場株式の保有銘柄数は39社でしたが、保有の合理性が認められない株式の売却を進め、2021年5月末現在の上場株式の保有銘柄数は26社となっています。
> ・政策保有株式にかかる議決権行使について適切な対応を確保するための基準については、「コーポレートガバナンスに関する基本方針」に記載しています（同4.③参照）。具体的には、M&Aに関する議案や重大な不祥事が発生した後最初に開催される株主総会の全議案などについては、特に慎重に判断することとしています。
> ・当社は、政策保有株主から、売却等の意向が示された場合、その意向を尊重します。
>
> ＜コーポレートガバナンスに関する基本方針＞（抜粋）
> 4.①　当社は、持続的な成長に向けて、企業提携、重要な取引先との取引関係の構築・維持その他事業上の必要性のある場合を除き、他社の株式を保有しません。

Ⅱ ガバナンス報告書

4.② 当社は、個別の政策保有株式について、その保有目的の合理性および経済的な合理性を取締役会において毎年確認し、保有の合理性が認められない場合は縮減または売却を進めます。
4.③ 当社は、政策保有株式の議決権行使に関して、政策保有株式の発行会社の企業価値向上、ひいては当社の企業価値向上に資する提案であるか否かの観点から議案を検討し、適切に対応します

㉒雪印メグミルク

「コーポレートガバナンス・コードの各原則に基づく開示」

【原則1-4】政策保有株式
1. 株式の政策保有に関する方針
　当社は、関係先や協業先の株式について、当社の事業や機能の強化を図る目的で政策的に保有することが必要であると判断した場合を除き、これを保有しません。保有の合理性については、定性的な評価として事業上の関連状況（取得経緯、原材料の安定供給や流通ルートの活用、共同開発などの取引構想等）に加え、定量的な評価として取得効果（経済合理性を確認）を個別銘柄毎に検証し、年1回、取締役会において総合的に判断しています。なお、経済合理性の検証には取得先からの事業収益、取得先BPS増加額および配当額を、当社目標ROE（8％）を基準とした目標値と比較し、評価しております。
2. 政策保有株式の検証内容
　2020年9月24日の取締役会において検証を実施した結果、2銘柄の売却を決定しました。保有を継続するすべての銘柄については、上記の検証を基にグループの中長期的な視点から経済利益を増大する目的で保有することを確認しました。
　上記を含め、すでに売却を決定した3銘柄について売却を完了し、1銘柄について一部売却を実施しました。
　その結果、2020年度末において、みなし保有株式5銘柄を含む73銘柄を保有しております。
3. 政策保有株式の議決権行使基準
　当社は、政策保有株式の議決権行使にあたっては、提案されている議案について、以下の2点を確認のうえ総合的に判断いたします。なお、議案の趣旨等、確認を必要とする場合には、当該企業との対話を行ないます。
　（1）当該企業の中長期的な企業価値の向上に資するか
　（2）当社の政策保有目的に反していないか

㉓ジェイテクト

「コーポレートガバナンス・コードの各原則に基づく開示」

【原則1-4．政策保有株式】
　当社は、政策保有株式として保有する上場株式について、その保有に関する方針及び議決権行使の基準を策定しておりますので、以下に示します。また、政策保有株式毎に保有目的の適切性や経済合理性について毎年取締役会において検証いたします。具体的には、当該株式の保有によって得られる便益や発行会社のROEが当社の資本コスト等に見合っているかを判定した上で、保有の適否を検証いたします。また、議決権行使の基準に則り、適時対応してまいります。

（1）政策保有に関する方針
　政策保有株式は、取引先との長期的・安定的な関係の維持・強化等を目的とし、中長期的な企業価値向上の観点から保有する。かかる保有目的に沿わなくなった、あるいは保有に伴う便益、リスクが資本コスト等に見合っていないと判断した銘柄については、縮減を検討する。

（2）政策保有株式に係る議決権行使の基準
　当社は、当該企業が反社会的行為を行っておらず、かつ株主還元が社会一般と比較して著しく不相当と認められる等、株主利益を軽視していない限り、基本的に企業経営者による経営判断を尊重する。企業又は企業経営者による不祥事及び反社会的行為が発生した場合には、コーポレートガバナンスト、重大な問題が発生しているとみなし、コーポレートガバナンスの改善に資する内容で議決権を行使する。

㉔カゴメ

「コーポレートガバナンス・コードの各原則に基づく開示」

【原則1-4：政策保有株式】
（1）政策保有に関する方針
当社は、持続的な成長と社会的価値、経済的価値を高めるため、業務提携、原材料の安定調達など経営戦略の一環として、また、取引先との良好な関係を構築し、事業の円滑な推進を図るために必要と判断する企業の株式を保有しています。当社は、直近事業年度末の状況に照らし、保有の意義が希薄と考えられる政策保有株式については、できる限り速やかに処分・縮減していく基本方針のもと、毎年、取締役会で個別の政策保有株式について、政策保有の意義、経済合理性等を検証し、保有継続の可否および保有株式数を見直します。なお、経済合理性の検証の際は、直近事業年度末における各政策保有株式の金額を基準として、これに対する、発行会社が同事業年度において当社利益に寄与した金額の割合を算出し、その割合が当社の単体5年平均ROAの概ね2倍を下回る場合には、売却検討対象とします。また、簿価から30％以上時価下落した銘柄及び、当社との年間取引高が1億円未満である銘柄についても、売却検討対象とします。その上で、得意先企業のうちこれらの基準のいずれかに抵触した銘柄については、毎年、取締役会で売却の是否に関する審議を行い、売却する銘柄を決定します。その結果、2020年度に一部保有株式を売却いたしました。

（2）政策保有に係る議決権の行使基準
政策保有株式の議決権の行使については、適切なコーポレート・ガバナンス体制の強化や株主価値の向上に資するものか否か、また、当社への影響等の観点を踏まえ、総合的に賛否を判断し、適切に行使します。必要に応じて、提案の内容等について発行会社と対話していきます。

（3）政策保有株主から売却の意向を示された場合の対応方針

当社は、当社の株式を政策保有株式として保有している会社（政策保有株主）から当該株式の売却等の意向が示された場合には、無条件でこれを承諾します。また、その場合において、当社が当該政策保有株主である会社の株式を政策保有株式として保有しているときは、できる限り速やかにこれを処分します。

㉕日本郵船

「コーポレートガバナンス・コードの各原則に基づく開示」

＜原則1-4 政策保有株式＞
当社は、保有する政策保有株式を縮減する方針で取り組んでおります。2015年11月に制定したコーポレートガバナンス・ガイドライン第5条第2項に従い、取締役会において、毎年、個別の政策保有株式の保有につき、その目的・意義を、資本コストをベースとする収益目標と、配当金・取引状況や事業活動への効果等とともに総合的に検証しています。結果として2016年度末に56銘柄保有していた上場株式は、2020年度末までに19銘柄減り、37銘柄になっています。
保有する政策保有株式は当社業績の安定に資する長期的な取引関係が見込まれる重要取引先等で、関係維持又は強化のための手段の一つとして妥当と判断するものです。
政策保有株式に係る議決権の行使にあたっては、一定の基準に基づき、投資先企業の価値の毀損につながるものではないこと、及び当社の企業価値向上への貢献の有無とその程度を確認のうえ、議案への賛否を決定しています。

㉖不二製油グループ本社

「コーポレートガバナンス・コードの各原則に基づく開示」

＜政策保有株式＞
当社はコーポレートガバナンス・コードが適用された2015年より、原則1-4の趣旨に則り、政策保有株式の縮減に取り組んでまいりました。政策保有株式の保有状況については現在21銘柄を保有しておりますが、2015年度末と2020年度末を比較すると、銘柄数では12銘柄の株式を全て売却しております。また、政策保有株式の一部売却も継続的に進めており、その結果、2015年度末の政策保有株式の総取得価格を基準とした場合、2020年度末には約4割弱まで縮減をしております。
また、個別の政策保有株式の議決権行使については、当社の保有方針に適合および発行会社の企業価値の向上に資するものであることを総合的に勘案して実施しております。
今後も継続して事業年度末に取締役会において、政策保有株式の保有状況につきレビューを実施し、個別の政策保有株式について保有目的が適切か、保有に伴う便益やリスクが資本コストに見合っているか等を具体的に精査し、保有の適否を検証するとともに、当社保有方針に適合しない銘柄については、政策保有株式の縮減を進めてまいります。なお、保有に伴う便益やリスクが資本コストに見合っているかについて検証する際には、CAPMで算定される株主資本コストを上回るリターンが得られることを原則的な判断基準にしております。

当社の株主資本コストに関する考え方は次のとおりです。
株主資本コスト＝※リスクフリーレート＋β値×リスクプレミアム（※リスクフリーレートについては、国内・海外機関投資家の保有比率を勘案した加重平均リスクフリーレートを用いております。）【原則1-4】

㉗三和ホールディングス

「コーポレートガバナンス・コードの各原則に基づく開示」

【原則1-4 政策保有株式】
　当社は、取引先との良好な取引関係を構築し、事業の円滑な推進等を通して中長期的な視点で当社の企業価値向上を図るため、取引先の株式を取得し保有することがあります。
　上場会社の政策保有株式については、取締役会にて銘柄毎に取得価格に対する保有便益（受取配当金および事業取引利益）と当社資本コスト（WACCは6％に設定）など関係性を検証し、必要性が薄くなった銘柄については速やかに売却を検討していきます。

　政策保有株式の議決権行使については、以下の基準に沿って議決権を行使します。
≪当社の議決権行使基準≫
　議案が発行企業の持続的な成長に資するか、当社の企業価値の維持・向上に資するか等を総合的に判断し議決権を行使する。

㉘東日本旅客鉄道

「コーポレートガバナンス・コードの各原則に基づく開示」

【原則1-4】株式の政策保有に関する方針及び政策保有株式の議決権行使基準
　当社は、中長期的な視点に立ち、安定的な取引関係並びに緊密な協力関係の維持及び強化などを図るため、当社の企業価値の向上に資するものを対象に株式の政策保有を行います。当社は、政策保有株式について、当該会社の中長期的な企業価値の向上に資する提案であるか否か、及びその保有目的に適っているか否かの観点から、当該会社の株主総会の議案内容を精査し、必要により説明を受けたうえで議決権を行使します。なお、当社は、政策保有株主から当社株式の売却の申出があった場合、当該会社との取引の縮減を示唆することなどにより、その売却を妨げる行為は行わないこととしております。
　また、当社が保有する政策保有株式について、当該会社の経営成績（当期及び次期の営業収益、営業利益等）及び資本コスト（内部収益率との比較）等の観点から、中長期的な経済合理性及び将来の見通しを個別に検証します。その際、検証及び保有目的をふまえ、合理性が失われた可能性があると判断された場合は、当該会社との対話を行ったうえで、売却要否を検討します。2020年度末に当社が保有している政策保有株式については、2021年6月16日に開催した取締役会において個別に検証を行い、合理性を確認することができた銘柄についてのみ保有を継続することとしております。

Ⅱ ガバナンス報告書

㉙西松建設

「コーポレートガバナンス・コードの各原則に基づく開示」

【原則1-4 政策保有株式の縮減に関する方針】
(1)政策保有株式の縮減に関する方針
当社は、事業運営上必要とされる銘柄のみ政策保有株式として保有するものとし、それ以外の銘柄については特段の事情がない限り縮減する方針とします。
個別の政策保有株式の保有の適否については、関連部署の責任者で組織する「政策保有株式検証委員会」が毎年度、発行会社との取引の有無、工事情報等の入手状況、その他特段の事情の有無を精査・検証したうえで、取締役会に報告します。取締役会は同委員会の報告を受けて保有の適否を個別に検証・判断します。検証の結果、保有を継続すると判断した銘柄については、有価証券報告書において、その保有目的等を開示します。

(2)政策保有株式の議決権行使に関する方針
当社の政策保有株式に係る議決権行使基準は以下のとおりです。
①原則として、全ての議案に対して議決権を行使します。
②政策保有先の中長期的な企業価値向上の観点から、当該企業の経営状況も勘案し、議案ごとの賛否を判断します。特に、合併等の企業再編、業績不振企業による役員退職慰労金の贈呈、第三者割当増資、買収防衛策の導入等に係る議案については、より一層慎重な検討・判断を行います。

㉚ディー・エヌ・エー

「コーポレートガバナンス・コードの各原則に基づく開示」

【原則1-4 いわゆる政策保有株式】
当社は、一定の金額及び議決権割合以上の他社の株式等を取得する場合には社内規程に基づいて取締役会での決議又は報告を要することとしております。政策保有目的での株式取得の検討に際しては、次に定める事項を踏まえ、株式の保有の意義が認められない場合は、株式を保有しないこととしております。
・事業上のシナジーがある等、中長期的に当社の企業価値の向上につながるものであるかどうか
・当社の財務の健全性に悪影響を与えるものではないか
・保有比率、取得額が合理的に必要な範囲を超えていないか
また、政策保有株式については、少なくとも年に1回は上記検討事項を踏まえ保有目的が適切であるか、保有に伴う便益やリスクが資本コストに見合っているか等について、取締役会での検証を要することとしており、当該検証の結果保有の妥当性が認められない銘柄は、縮減を検討いたします。なお、取締役会における検証の結果、個別銘柄について保有の妥当性があることを確認しております。

政策保有株式に係る議決権行使については、経営企画部門の承認を必要とし、当該株式取得時の検討事項に照らした再検証のほか、その時における投資先企業の経営・財務状況を勘案し、中長期的な当社企業の価値向上の観点から、総合的に賛否判断することとしております。

㉛アリアケジャパン

「コーポレートガバナンス・コードの各原則に基づく開示」

【原則1-4】(政策保有株式)
当社は、業務提携・安定的取引関係の強化など経営戦略の一環として必要と判断する企業の株式を、政策的に保有しております。保有する株式については、個別銘柄毎に保有する意義と資本コストを踏まえた経済合理性を定期的に検証し、取締役会に報告しております。保有する意義や合理性が認められないと判断した株式は適時・適切に売却いたします。当社取締役会は、政策保有目的で保有する株式につて検討した結果、1銘柄について売却することとし、2018年3月までに売却は完了しております。当社は、当社と投資先企業双方の企業価値への寄与を基準に議決権を行使します。

㉜セブン&アイ・ホールディングス

「コーポレートガバナンス・コードの各原則に基づく開示」

当社は、コーポレートガバナンス・コード(2018年6月1日改訂)の趣旨・精神を踏まえ、当社のコーポレートガバナンスの体制・取組みをコードにより「特定の事項を開示すべきとする原則」とされる原則に対する対応を含め、全て当社ウェブサイト「コーポレートガバナンス」に集約して開示しております。
同サイトについては、下記URLよりご参照ください。
https://www.7andi.com/ir/management/governance.html

特定開示項目に関する各々の記載場所については、上記サイトの「コーポレートガバナンス・コード特定開示項目対照表」をご覧ください。

「同社ホームページ　コーポレートガバナンス体制」

8. 政策保有株式について【CGC原則1-4】

<中　略>

（4）2020年度政策保有株式の検証

2020年度における、当社取締役会における当社の全政策保有上場株式の検証結果は、以下のとおりです。
（2021年4月8日取締役会にて実施）

2020年度政策保有株式の検証結果

銘柄	保有目的	定性的・定量的保有意義・効果	当社株式の保有の有無
（株）アインホールディングス	共同商品開発の推進等のビジネス連携を強化していくため	有※	無
（株）クレディセゾン	当社グループ金融事業会社等を通じ、ビジネス連携を強化していくため	有※	有
三井不動産（株）	当社グループ事業会社における店舗、物流施設その他不動産に関する取引等のビジネス連携を強化していくため	有※	有
（株）西武ホールディングス	当社グループ事業会社の店舗およびエリア協働開発等のビジネス連携を強化していくため	有※	有
（株）東京放送ホールディングス	メディアコンテンツを活用した販売促進等のビジネス連携を強化していくため	有※	有
第一生命ホールディングス（株）	当社グループ会社との生命保険その他の金融取引等のビジネス連携を強化していくため	有※	有

※「検証項目」における定性項目・定量項目を検証し、総合的に判断し、すべての銘柄において保有意義・効果が認められています（定量的な保有効果については、個別取引における契約上の秘密保持の観点から記載しておりません）。

なお、上場子会社を除くグループ事業会社においても、当社と同様の保有方針のもと、政策保有上場株式の検証を実施していることを、当社取締役会は確認しています。

㉝西武ホールディングス

「コーポレートガバナンス・コードの各原則に基づく開示」

【原則1－4　政策保有株式】
当社は、取引関係の強化や、それによる事業シナジーの創出など当社グループの中長期的な企業価値向上とステークホルダーの利益に資すると総合的に判断した場合、他の株式会社（西武グループを形成する子会社等は除きます）の株式を保有いたします。

Ⅱ　ガバナンス報告書

当社は、毎年、取締役会で個別の政策保有株式について、当社を取りまく事業環境の変化等に照らし、取引関係の強化や、それによる事業シナジーの状況及び今後の可能性等についての定性的観点、ならびに年間の利益貢献額（取引利益・配当金等）をもとに算定した資本効率性指標が当社資本コストを上回っているか等の定量的観点から、総合的に保有継続の合理性について検証いたします。検証の結果、保有継続の合理性が認められない株式については、順次縮減いたします。
議決権の行使については、当該株式会社から上程される議案が当該株式会社及び当社グループの中長期的な企業価値向上に資するかどうかの観点で、適切に行使いたします。当該株式会社及び当社グループの企業価値に特に影響を及ぼし得る重要な議案については、当該株式会社との対話を経て、賛否を総合的に判断します。なお、当社グループが重要と考える議案は以下の通りです。
・取締役・監査役選任議案（長期にわたる業績不振や不祥事・法令違反が発生している場合等）
・組織再編議案
・買収防衛策議案　等

㉞ひろぎんホールディングス

「コーポレートガバナンス・コードの各原則に基づく開示」

【原則1－4】政策保有株式
　当社では、「コーポレートガバナンス基本方針」（第8条）において、「政策保有株式の保有・議決権行使の方針」について次の通り定めています。

（政策保有株式の保有・議決権行使の方針）
第8条　当社グループは、政策保有株式に係る適切性を確保するため、次のとおり「上場株式の政策保有に関する方針」および「政策保有株式に係る議決権行使基準」を定める。
　（1）上場株式の政策保有に関する方針
　　（イ）当社グループは、政策保有株式について、地域経済の発展や当社グループの企業価値の向上に資するなど保有意義が認められる場合を除き、保有しないことを基本方針とする。
　　（ロ）保有する株式については、リターンに対する資本コストや当該企業の地域経済への貢献度合い、成長性・将来性および当社グループとの取引の中長期的採算性などを、取締役会で定期的に検証し、保有意義を検証する。
　（2）政策保有株式に係る議決権行使基準
　　（イ）当社グループは、議決権行使に当たって、次に掲げる方針に加えて当該企業の経営方針やコーポレートガバナンスの整備状況を勘案した上で、議決権の行使を判断する。
　　　・当該企業による中長期的な企業価値の増大や株主価値の向上に繋がる適切な意思決定の有無
　　　・株主として不利益を被る可能性の有無
　　（ロ）特に次に掲げる項目については、企業価値および株主価値に影響を及ぼす可能性について精査する。
　　　・財務の健全性に著しく悪影響を及ぼす可能性のある剰余金処分議案
　　　・不祥事もしくは反社会的行為が発生した企業または赤字や無配が一定期間に亘る企業の取締役・監査役の選任議案および退職慰労金贈呈議案
　　　・買収防衛策議案　等

　なお、2021年3月の取締役会において、保有する銘柄の検証を行った結果、約8割の銘柄が基準を満たしております。基準を満たさない銘柄につきましては、当該企業と取引採算向上や縮減に向けた対話を実施しております。

㉟ホギメディカル

「コーポレートガバナンス・コードの各原則に基づく開示」

【原則1-4．いわゆる政策保有株式】
当社は、取締役会が、株式を保有することにより、営業、技術、研究開発面等での円滑かつ継続的な交流がなされ、事業拡大及び発展に資することができると判断した場合、政策的に株式を保有することがあります。一方、保有の意義が希薄と考えられる株式については、速やかに保有株式数を縮減してまいります。
また、政策保有株式について、毎年取締役会で保有の適否を検証しており、2021年3月末時点において保有している株式については、保有が適当であるという結果になりました。
当社は政策保有株式に係る議決権行使について、原則として会社提案議案に賛成いたしますが、当該提案が株主の共同の利益を害するおそれがある内容（財務の健全性を欠いている場合、重大な不祥事が発生した場合、一定期間連続して赤字である場合、組織再編・買収防衛策議案等）である場合には、個別に検討の上賛否を決定いたします。

㊱協和エクシオ

「コーポレートガバナンス・コードの各原則に基づく開示」

【原則1-4 政策保有株式】
　当社は、純投資目的以外の目的である投資株式のうち、国内外の一般上場株式については、毎年個別の銘柄毎に受取配当金や関連する収益を定量的に検証するとともに、当社企業価値の向上に寄与しているかといった定性面についても精査し、保有意義の見直しを行っております。検証の結果、保有意義が認められる銘柄については、継続して保有し、保有による効果・便益を追求してまいります。一方、保有意義が希薄化した銘柄については、一定期間内での改善を目指してまいりますが、改善が見込めない銘柄については売却を検討してまいります。なお、保有意義の見直しは、取締役会及び経営会議にて個別の銘柄毎に検証を行っております。
　また、政策保有株式に係る議決権行使については、企業価値を向上させる議案には賛成し、企業価値を毀損させると判断される議案には反対いたします。
　なお、不祥事やコンプライアンス違反およびESG課題への取り組み等に著しく問題がある行為は、企業価値を毀損するものと見なしますが、それらの行為と各議案を個別に精査した上で、議案への賛否を判断いたします。

㊲住友不動産

「コーポレートガバナンス・コードの各原則に基づく開示」

【原則1－4】政策保有株式
取引先等との安定的・長期的な取引関係の構築および強化等の観点から、当社の持続的な成長と中長期的な企業価値の向上に資すると判断した場合は、当該取引先等の株式を取得し保有することができるものとしております。
政策保有株式のうち、主要なものは、取締役・執行役員の出席する経営会議等の重要会議において、上記保有目的に照らし、保有に伴う便益やリスクを総合的に勘案し、その保有の適否を判断しております。
なお、保有を継続する意義が失われていると判断される株式については、縮減の対象とするなど、その保有意義を個別に検証しております。
議決権行使にあたっては、投資先企業の経営方針・戦略等を十分検討したうえで、中長期的な観点で企業価値の向上や株主共同の利益に資するものであるか否か等を総合的に勘案し、個別に議案に対する賛否を判断しております。
また、株主共同の利益に大きな影響を及ぼしうる議案については、投資先企業との対話を通じ賛否を判断いたします。

㊳若築建設

「コーポレートガバナンス・コードの各原則に基づく開示」

【原則1－４. 政策保有株式】
■政策保有に関する方針
投資目的以外の目的で保有する株式は、企業価値を向上させるための中長期的な視点に立ち、事業戦略上の重要性、今後の営業展開、事業上のシナジーなどを総合的に勘案し、政策的に必要とする株式については、保有していくことを基本的な方針としております。また、個別銘柄ごとに、保有目的及び保有に伴う便益やリスク等を具体的に精査して、取締役会において保有の適否を検証し、対応してまいります。
■議決権の行使
政策保有株式に係る議決権行使は、その議案が当社の保有方針に適合するかどうかに加え、発行会社の効率かつ健全な経営に役立ち、企業価値の向上を期待できるかどうかなどを総合的に勘案して行っており、株主価値が大きく損なわれる事態や社会的不祥事等コーポレートガバナンス上の重大な懸念事項が生じている場合は反対票を投じます。

㊴大塚ホールディングス

「コーポレートガバナンス・コードの各原則に基づく開示」

原則1-4　政策保有株式
　上場株式の政策保有に関する方針及び議決権行使の基準については、「ガイドライン4.上場株式の政策保有およびその議決権行使」にて以下のように開示しております。
・当社は、事業上の関係の維持・強化を図ることにより、当社の中長期的な企業価値を向上させることを目的として、当社の取引先等の上場会社の株式を政策的に保有することがあります。
・個々の政策保有株式について、取締役会において、毎年、その保有が前項の目的につながるか否か個別に検証を行い、企業価値の向上に寄与しないと判断した場合、保有関係を見直します。
・政策保有株式の議決権行使については、原則として投資先企業の取締役会提案議案に賛成します。但し、当社の企業価値の向上に寄与しない恐れがあるなどの場合には、検証の上、合理的に賛否を判断します。

＜保有の合理性を検証する方法＞
　当社及び当社グループ会社が保有する投資株式について、毎年、取締役会で個別銘柄毎に経済合理性、定性的保有意義の両面から検証しています。
・経済合理性は、個別銘柄毎に、取得価額に対する当社グループの目標資本コストに比べ、配当金・関連取引利益などの関連収益が上回っているか否かを検証しています。
・上記に加え定性的保有意義についても確認し、このうち継続して保有するとした銘柄については、投資先との取引関係の維持・強化や共同事業を推進することなどを保有目的としていることを確認しています。

＜保有の適否に関する取締役会等における検証の内容＞
　2020年12月末時点で当社及び当社グループ会社が保有する投資株式について、取締役会にて経済合理性、定性的保有意義の両面から検証を行いました。保有継続の合理性は今後も毎年検証し、企業価値の向上に寄与しないと判断した場合、保有関係を見直していきます。

㊵澁谷工業

「コーポレートガバナンス・コードの各原則に基づく開示」

【原則1－４. 政策保有株式】
当社は、発行会社との取引・協業関係の維持・強化などを目的として、長期保有を前提にいわゆる政策保有株式を保有しております。しかしながら、個別の銘柄につき、経済合理性の観点から、配当の有無や業績が振るわない銘柄については、今後の業績の推移、回復可能性を検討し資本効率向上の観点からも縮減を含めた保有の是非の検討を行っております。

議決権行使の方針
1.基本的な考え方
（1）発行会社にコーポレート・ガバナンス体制が備わっているか。
　①法的不祥事に適切に対処し、再発防止策を策定しているか。

Ⅱ　ガバナンス報告書

　　　　②社外役員が機能を果たせる社外性を有しているか。
　　(2) 発行会社の業績不振が直近を含め数期間継続していないか。
　　(3) 発行会社の内部留保と株主還元のバランスが適切であるか。

2. 具体的な基準
　(1) 取締役の選任
　　　一定期間赤字が継続し、かつ業績回復の見込みが低い場合はトップの選任に反対。
　　　また、社外取締役の独立性が低いと判断される場合に反対。
　(2) 監査役の選任
　　　社外監査役の独立性が低いと判断される場合に反対。
　(3) 買収防衛策
　　　客観性のある運用となっていない場合や、社外委員会がない場合、または社外委員会を設置しているがメンバーに独立性がない場合に反対。
　(4) 剰余金処分案
　　　内部留保が過剰であり株主への還元が十分でない場合に反対。
　(5) その他
　　　その他の議案については、内容を精査し判断する。

㊶日本プラスト

「コーポレートガバナンス・コードの各原則に基づく開示」

【原則1-4】政策保有株式
＜株式の政策保有に関する方針＞
・当社は、政策保有株式について、コーポレートガバナンス・コードを巡る環境の変化や、株価変動リスクが財務状況に大きな影響を与え得ることに鑑み、その保有の意義が認められる場合を除き、保有しないことを基本方針とします。

・保有の意義が認められる場合とは、取引先の成長性、将来性、もしくは再生等の観点や、資本コストを意識した現時点あるいは将来の採算性・収益性等の検証結果を踏まえ、取引先および当社グループの企業価値の維持・向上に資すると判断される場合を言います。

・保有する株式について、個別銘柄毎に、定期的、継続的に保有の意義を検証し、その意義が乏しいと判断される銘柄については、市場への影響やその他考慮すべき事情にも配慮しつつ売却を行います。一方、その意義が認められる銘柄については、これを保有します。

＜保有意義検証のプロセス＞
・「定量判定」により、採算性の基準を充足した株式については保有を継続するが、コーポレートガバナンス・コードを巡る環境の変化や、株価変動リスクが財務状況に大きな影響を与え得ることに鑑み、必要と判断される場合には売却を検討します。

・「定量判定」を踏まえ売却検討となった株式に関しては、「総合判定」にて事業戦略や取引先との事業上の関係などを総合的に勘案し、当社の中長期的な企業価値の向上に必要な場合であり、保有意義が認められると判断した場合以外は売却することとします。

・定量判定にて問題となった株式については、進捗状況を定期的に確認するとともに、年に1回、保有意義検証の見直しを実施します。

・上記検証プロセスの結果を踏まえ、2021年度取締役会において保有株式の見直しを行いました。

＜保有株式に係る議決権行使基準＞
・当社は、議決権の行使は発行会社の経営に影響を与え、企業価値の向上につながる重要な手段と考えております。その議案が当社の保有する目的に適合するかどうかに加え、発行会社が適切なガバナンス体制を構築し、中長期的な企業価値の増大につながる適切な意思決定を行っているかという観点や、当社グループの企業価値向上の観点も踏まえ、総合的に賛否を判断し、議決権行使を行います。なお、会社議案に賛成できないと判断する際は、売却の要否について検討を行います。

＜議決権行使のプロセス＞
・保有株式に係る議決権行使基準に従い、議決権を行使いたします。具体的には以下のような項目について議案ごとに確認を行います。さらに必要に応じて個別に精査した上で、議案への賛否を判断します。

・主な議案の種類および精査事項
　ⅰ) 株主還元(剰余金処分案において配当性向が低位等)
　ⅱ) 役員の選解任(業績不振、不祥事等が発生、社外取締役が選任されていない等)
　ⅲ) 役員の報酬、退職慰労金(業績不振、不祥事等が発生等)
　ⅳ) 新株予約権の発行(付与対象者が社外監査役等)
　ⅴ) 定款変更(株主の権利を大きく損なう可能性のある変更等)
　ⅵ) 買収防衛策
　ⅶ) 事業再編　等

㊷トーメンデバイス

「コーポレートガバナンス・コードの各原則に基づく開示」

◆原則1-4

第二部　各原則に基づく開示事項（必要的開示）　第1

原則1-4

政策保有株式については、業務提携、取引の維持・強化等保有目的の合理性、当該株式の計上額が連結貸借対照表に占める割合が過大ではないこと等の条件を満たす範囲で保有することを基本的な方針としています。
個別の政策保有株式の保有の適否については、当社の成長への寄与度、投資効率、他の資金需要等を勘案して判断しており、保有の妥当性が認められない場合には、縮減の方針とします。
議決権の行使については、上述の保有方針に適合するか、発行会社の健全な経営と企業価値の向上に資するか等を総合的に勘案し、各金融機関が発表しているスチュワードシップ・コードや投資助言会社の議決権行使方針等も参考にし判断することとしております。

㊸ＭＳ＆ＡＤインシュアランス グループ ホールディングス

「コーポレートガバナンス・コードの各原則に基づく開示」

(1)[原則1-4] 政策保有株式
a. ＭＳ＆ＡＤインシュアランス グループとしての政策株式の保有縮減に関する方針について
政策株式とは、総合的な取引関係の維持・強化を目的として、長期保有を前提に投資する株式をいいます。
株価変動の影響を受けにくい強固な財務基盤の構築や資本効率性の向上の観点から、政策株式の保有総額を縮減する方針とします（注）。
個別の銘柄ごとに成長性、収益性等から保有の適否を検証し、取引関係強化等の中長期的な視点も踏まえた上で保有の妥当性が認められない場合には、発行体企業の理解を得ながら、売却を進めます。
保有の妥当性が認められる場合にも、市場環境や当社の経営・財務戦略等を考慮し、売却することがあります。

（注）グループとして2017年度から2021年度の5年間で5,000億円の政策株式を削減する予定としており、順次売却を進めています。2020年度末までに5,027億円を売却し、2021年度も着実に取組みを進めています。なお、2021年3月末の政策株式の保有時価残高は28,375億円となっています。

b. 政策株式の保有の適否の検証と縮減取組み
・三井住友海上とあいおいニッセイ同和損保が保有している政策株式について、保有目的が適切か、保有に伴う便益、リスク等が資本コストに見合っているか、個別の銘柄ごとに収益性や保険収支を踏まえた保有の適否の検証を実施し、当社の取締役会において、検証結果を確認しています。
・個別銘柄の検証結果を踏まえて、合理性目標を充足せず特に改善を要する銘柄については、建設的な対話を実施し、改善が見込まれる場合には保有を継続し、改善の見込みがない場合には売却交渉を実施します。

c. 政策株式に係る議決権行使について適切な対応を確保するための考え方について
政策株式の議決権行使に関する基本的な考え方は以下のとおりです。
(a)議決権行使の基本的な考え方
議決権の行使は投資先企業の経営に影響を与え、企業価値の向上につながる重要な手段と考えております。このため、定型的・短期的な基準で画一的に賛否を判断するのではなく、投資先企業との対話等を踏まえ、中長期的な企業価値向上、株主還元向上につながるかどうか等の視点に立って判断を行います。
(b)議決権行使のプロセス
議決権行使にあたっては、投資先企業において当該企業の発展と株主の利益を重視した経営が行われているか、反社会的行為を行っていないか等に着目し、以下のような項目について議案ごとに確認を行います。さらに必要に応じて個別に精査した上で、当該企業との対話等の結果を勘案し、議案への賛否を判断します。

＜議案種類ごとの主な判断基準＞

議案種類	確認事項
・剰余金の処分	：株主還元の状況
・取締役の選任	：企業価値の向上状況、不祥事等の発生状況、独立社外取締役の選任状況、取締役会等の出席状況
・監査役・会計監査人の選任	：不祥事等の発生状況、取締役会・監査役会の出席状況
・役員報酬・賞与、 　役員に対する退職慰労金・弔慰金	：企業価値の向上状況、取締役会等の出席状況、不祥事等の発生状況
・新株予約権の発行及び株式報酬	：業績連動採用の有無・付与対象者、既存株主の持分割合減少有無
・定款変更	：個別に精査
・買収防衛策	：個別に精査
・株主提案	：個別に精査

(c)議決権行使結果に係る賛否判断の基準
三井住友海上とあいおいニッセイ同和損保においては、保有株式の議決権行使に際しての具体的な判断基準・ガイドラインを設けています。基準・ガイドラインに該当した場合等、必要に応じて投資先企業と対話を実施し、対話の内容等を踏まえた上で議案の賛否を判断しております。

＊詳細は両社のウェブサイトをご覧ください。
　三井住友海上
https://www.ms-ins.com/company/aboutus/stewardship/
　あいおいニッセイ同和損保
https://www.aioinissaydowa.co.jp/corporate/policy/stewardship.html

「三井住友海上ホームページ」

当社の議決権行使に関する基本方針は以下のとおりです。

1. 議決権行使の基本的な考え方
　　当社は、議決権の行使は投資先企業の経営に影響を与え、企業価値の向上につながる重要な手段と考えております。このため、定型的・短期的な基準で画一的に賛否を判断するのではなく、投資先企業との対話などを踏まえ、中長期的な企業価値向上、株主還元向上につながるかどうかなどの視点に立って判断を行いま

す。

2. 議決権行使のプロセス

当社は、議決権行使にあたっては、投資先企業において当該企業の発展と株主の利益を重視した経営が行われているか、反社会的行為を行っていないかなどに着目し、以下のような項目について議案ごとに確認を行います。さらに必要に応じて個別に精査した上で、当該企業との対話などの結果を勘案し、議案への賛否を判断します。

議案種類	確認事項
剰余金の処分	株主還元の状況
取締役の選任	企業価値の向上状況 不祥事などの発生状況 独立社外取締役の選任状況 取締役会などの出席状況
監査役の選任	不祥事などの発生状況 取締役会、監査役会の出席状況
役員報酬・賞与	企業価値の向上状況 取締役会などの出席状況 不祥事などの発生状況
役員に対する退職慰労金・弔慰金	
新株予約権の発行および株式報酬	業績連動採用の有無、付与対象者 既存株主の持分割合減少有無
定款変更	個別に精査
買収防衛策	個別に精査
株主提案	個別に精査

3. 議決権行使結果の公表

当社は、スチュワードシップ活動を推進するにあたり、中長期的な視点での投資先企業の企業価値向上、毀損防止や持続的成長を促す観点から継続的かつ建設的な対話を行い、認識の共有や問題の改善に繋げていくことが重要であると考えております。

個別の投資先企業ごとの議決権行使結果は、当該企業との建設的な対話などに影響を及ぼす可能性があるため、公表を控えさせていただきますが、当社の活動をご理解いただくため、議決権行使の考え方、賛否判断の基準、議決権行使結果の集計、不賛同事例などを公表してまいります。

第二部　各原則に基づく開示事項（必要的開示）　第1

「あいおいニッセイ同和損保ホームページ」

> 当社は、議決権行使に関する基本方針を有しております。議決権行使におきましては、投資先企業の収益力や財務体質に応じた配当金の判断基準を設けるなど、形式的な判断にとどまらず、投資先企業の持続的成長を考慮した判断になるよう努めております。また、議決権の行使結果については、個別の投資先企業及び議案ごとに公表致します。

原則 1-4

㊹ＳＭＫ

「コーポレートガバナンス・コードの各原則に基づく開示」

> 【原則1-4　政策保有株式に関する方針】
> （政策保有株式に関する方針）
> 当社は営業取引の関係強化等、中長期的・安定的な関係維持・強化を目的として政策的に必要と判断する株式について保有しております。政策的に保有の意義が認められない株式については削減を図ります。
> （政策保有株式に係る検証の内容）
> 当社は、中長期的な取引維持・拡大や当社の企業価値向上等の観点から、総合的に検証をおこない、毎年取締役会においてその保有の要否を判断しております。
> （政策保有株式に係る議決権行使基準）
> 明文化はしておりませんが、当社が主体的に判断し、企業年金連合会等の議決権行使基準を参考に、適宜、状況を鑑み、適切に議決権を行使しています。

㊺ＪＦＥホールディングス

「コーポレートガバナンス・コードの各原則に基づく開示」

> 【原則1-4．政策保有株式】
> (1) 上場株式の政策保有に関する方針
> 　1) 当社の事業会社であるJFEスチール株式会社、JFEエンジニアリング株式会社およびJFE商事株式会社（以下「各事業会社」という）は、原則として上場株式を政策保有株式として保有しません。ただし、グループの事業の維持および成長のために必要と判断した会社の株式については、例外的に政策保有株式として保有します。（コーポレートガバナンス基本方針2-1(5)①）
>
> 　2) 保有する政策保有株式については、定期的に保有意義および保有に伴う便益やリスクが資本コストに見合っているかを取締役会で確認し、保有意義が無くなった場合や株主利益の毀損リスクが発生する場合には売却します。なお、2016年4月に政策保有株式について1,000億円規模の縮減を決定し、2018年度までに累計で約1,400億円（時価ベース）の売却を実施しました。
> 　　2019年11月には、更に1,000億円規模の政策保有株式の売却の方針を決定し、2019年度から2020年度にかけて、143銘柄の全部または一部売却を実施しております。（売却総額　約1,459億円（時価ベース））
> 　　また、2020年12月の取締役会において、保有意義および投資リターンについて検証しました。（コーポレートガバナンス基本方針2-1(5)②）
>
> (2) 保有株式の議決権行使基準
> 　　政策保有株式に係る議決権行使については、各事業会社において議案の内容を検討の上、株主利益最大化に沿った形で適切に行使します。具体的には、投資申請部署と投資管理部署による議案内容のチェックにより、当該会社株主としての利益最大化が毀損されることはないと判断した議案に対して賛成します。（コーポレートガバナンス基本方針2-1(5)③）

㊻ＴＯＴＯ

「コーポレートガバナンス・コードの各原則に基づく開示」

> ＜原則1－4：政策保有株式＞
> 当社は、業務提携、各種取引関係の維持・強化及び事業活動の関係などを総合的に勘案し、関係強化が当社の企業価値向上に資すると判断される場合に上場株式を政策的に保有します。これらの政策保有株式について、毎年、取締役会で個別銘柄毎に、取引量や安全性などの定量評価および企業価値向上へ資するか否かの定性評価を行い、保有継続可否等の判断をし、継続して保有する必要のない株式の売却を意思決定しております。
> 政策保有株式の議決権行使につきましては、議案の内容を精査し、当社の利益に資することを前提として、投資先企業の中長期的な企業価値向上に資するか否かを判断した上で行使します。さらに、必要に応じて、議案の内容等について投資先企業と対話を行います。

㊼出光興産

「コーポレートガバナンス・コードの各原則に基づく開示」

> 【原則1－4　いわゆる政策保有株式】
> 「コーポレートガバナンス基本方針」第3編「株主の権利・平等性の確保、株主との対話等」4「政策保有上場株式」をご参照ください。

67

Ⅱ　ガバナンス報告書

「コーポレートガバナンス基本方針」

政策保有先の議案が当社と利益が相反するおそれがある場合において必要があるときは,当社は,独立社外取締役,社外の専門家の意見を踏まえて議決権を行使するものとします。

第2　原則1－7に基づく開示

原則1－7

> 　上場会社がその役員や主要株主等との取引（関連当事者間の取引）を行う場合には，そうした取引が会社や株主共同の利益を害することのないよう，また，そうした懸念を惹起することのないよう，取締役会は，あらかじめ，取引の重要性やその性質に応じた適切な手続を定めてその枠組みを開示するとともに，その手続を踏まえた監視（取引の承認を含む）を行うべきである。

1　背景・趣旨

　本原則の趣旨は，上場会社による，役員や主要株主等，上場会社に対して大きな影響力を及ぼし得る当事者との間の取引（関連当事者間の取引）は，その利益相反性から，上場会社に不利益を与える類型的なおそれを有することに鑑み，かかる取引について一定の監視等を行うことを求めるものである。会社法上の利益相反取引については，取締役会の決議事項とされ取締役会の承認が必須であるが，コードは，各社の個別事情を踏まえ，必要に応じて，取引の重要性やその性質に応じた適切な手続を定めた場合はその枠組みを開示し，その手続を踏まえた監視を行うべきとしている。

　なお，近時，上場子会社の独立性について関心が高まっており，上場子会社の実効性あるガバナンス体制の構築のために，親会社からの独立性を有する社外取締役を中心とした委員会を活用すべきとの意見が公表されたほか[注6]，ガバナンス報告書における記載要領（2020年2月改訂版）において，上場子会社の親会社からの独立性確保に関する考え方・施策等について開示が求められている（**第三部第2**参照）。また，2021年の改訂により新設された補充原則4－8③においては，支配株主を有する上場会社について，3分の1以上（プライム市場上場会社については過半数）の独立社外取締役の選任又は独立性を有する者で構成された特別委員会の設置が求められている。

(注6)　経済産業省コーポレート・ガバナンス・システム研究会「グループ・ガバナンス・システムに関する実務指針」（2019年6月）6.3.4参照。

2　開示対象

　本原則による開示対象は，「取締役会があらかじめ取引の重要性やその性質に応じて適切に

定めた手続の枠組み」である。手続を踏まえた監視の運用状況などについては開示の対象とはされていない。また,「手続」自体ではなく「枠組み」であり,詳細ではなく重要なポイントを開示すれば足りる。

3　開示の傾向

(1)　法令と同様の手続を開示する例

関連当事者間の取引に関しては,会社法上は,会社計算規則において開示が求められているほか(会社計算規則112条),会社法上の利益相反取引に該当する取引については,取締役会の承認及び取締役会への報告が必要とされている(会社法365条,356条)。また,財務諸表等規則によれば,関連当事者との取引を行っている場合は,その重要なものについて,注記しなければならないとされている(財務諸表規則8条の10)。

開示例の中には,これら法令に従った手続について開示している例が比較的多く,取締役との間の取引について,主として会社法上の利益相反取引規制に従い,取締役会による承認を必要としている旨開示する例(①**ゆうちょ銀行**,②**日清紡ホールディングス**,③**ペプチドリーム**),会社法等の適用法令や東京証券取引所が定める規則に従って開示する旨開示する例(④**住友ゴム工業**)などがある。

(2)　任意の手続を開示する例

本原則の趣旨に鑑みれば,親会社やオーナー株主が存するなど,各社の個別事情に応じて,必ずしも法令と同様の手続にとどまらず,より広く関連当事者間取引を監視するための手続を定め,開示することが望ましい対応といえる場合がある。法令では求められていない手続を任意に定め開示する例としては,以下のような例がある。

a　取締役会の承認事項の範囲を広げる例

本原則において,関連当事者間の取引の監視の一例として「取引の承認」が例示されているところ,会社法上取締役会の承認が必要となる利益相反取引以外の関連当事者間の取引を取締役会の承認事項とする例が一定数見受けられる。

例えば,取締役でない執行役員と会社との取引(自己取引・間接取引)及び主要な株主と会社との取引について取締役会の決議事項とする例(⑤**サンドラッグ**),監査役及び主要株主と会社との取引について事前承認事項とする例(⑥**日本ガイシ**),グループ会社間の取引のうち重要な取引について取締役会における意思決定事項とする例(⑦**サントリー食品インターナショナル**,⑧**ユニ・チャーム**),親会社との取引について特別な手続を定める例(⑨**日本ペイントホールディ**

ングス）等がある。

　また，関連当事者間の取引について取締役会の承認事項としつつも，取締役会の承認を要する取引を一定の条件を満たす取引に限定する例もある。例えば，役員や主要株主等との取引を行う場合には，取引条件が一般の取引と同様であることが明白な場合を除き，あらかじめ取締役会の承認が必要とする例（⑩ネクソン），子会社又は主要株主等との重要な取引又は定型的でない取引について取締役会による承認事項とする例（⑪東亞合成）などである。

b　取締役会への報告事項の範囲を広げる例

　関連当事者間の取引について取締役会への報告事項とする例についても，会社法上報告事項とされていない取引を取締役会における報告対象とする例がある。取締役及び監査役並びにその近親者との取引の有無について定期的に調査を行い，取引があった場合に報告対象とする例（⑫ジーエス・ユアサコーポレーション）や，役員の近親者や主要株主等との間で取引を行う場合は，取引の規模および重要性に応じて，事前に取締役会に報告を行うこととする例（⑬アシックス），子会社・関連会社との重要な取引を報告対象とする例（⑭王子ホールディングス）などであり，これらも本原則を充足する手続の一例といえよう。

c　取引条件に言及する例

　本原則については，取締役会への報告や取締役会による承認といった手続面のみならず，どのような取引条件であれば取引を認めるかという観点からのアプローチもあり得るところ，関連当事者取引については，当該取引により当社が不利益とならないよう，市場における一般的な取引条件を勘案して決定する旨記載する例（⑮エス・エム・エス），主要株主等との取引条件については，取引の目的，条件，事業上の必要性，取引規模，当社及び取締役・主要株主それぞれが得る利益等を含む諸般の事情を総合考慮の上，判断するとする例（⑯日清製粉グループ本社），主要株主との取引を行う場合には，かかる取引条件等は，第三者との取引と同様に決定している旨記載する例（⑰メディパルホールディングス），関連当事者との取引については市場価格や市場金利等を勘案して決定する旨記載する例（⑱住友化学），主要株主との取引について，他の取引や市場価格を参考にして，合理的な契約条件や価格を定める旨記載する例（⑲日本酸素ホールディングス）等がある。

d　その他

　主要株主や関係会社等関連当事者との取引については，第三者との取引と同様，価格等の取引条件の合理性等を審査したうえで，社内規則に基づいた承認手続を実施し，内部統制室により定期的に監査するものとする例（⑳三井化学），特に主要株主との取引に関して，筆頭株主の具体名を挙げた上で，当該株主との取引条件の決定手続について開示する例（㉑デンソー），

Ⅱ　ガバナンス報告書

取締役及び監査役に対して，本人及びその二親等内の近親者によるグループ会社との取引の有無を確認する旨開示する例（㉒**日本化薬**）や，子会社・関係会社に対する投資・貸付，債務保証等について，その金額に応じてビジネス・レビュー・コミッティーその他の承認を要することとしている例（㉓**武田薬品工業**）などがある。また，関連当事者間取引について，法務部及び財務部のチェックを経て，その取引の金額・規模に応じて，取締役会を含む適切な社内機関の承認及び／又は稟議による決裁にて承認される手続を採用している旨開示する例（㉔**大正製薬ホールディングス**）や，必要に応じて社外弁護士等の専門家への意見確認等を行う旨を開示する例（㉕**コーセー**）など，取締役会以外の視点からのモニタリングについて言及する例も見られる。

4　その他の開示

任意的開示事項として，関連当事者との取引を行っていない旨開示する例（㉖**日本通運**）がある。また，役員との間の取引についての手続を開示した上で，主要株主との取引については，自社の株式の10％以上を保有する主要株主は存在しないため主要株主と取引を行う際の手続は定めていない旨を記載する例（㉗**ミルボン**）もある。さらに，比較的詳細に定めた基準を開示する例（㉘**栗田工業**）がある。

5　開示事例

①ゆうちょ銀行

「コーポレートガバナンス・コードの各原則に基づく開示」

> 【原則1－7】
> 　当行は、関連当事者との取引を行う場合における手続の枠組みについて「コーポレートガバナンスに関する基本方針」の「取締役会の構成及び役割」にて、次のとおり規定しております。
> ・ 取締役会は、当行と当行取締役及び執行役との利益相反取引が発生する場合には、会社法の定めに則り適切に対応します。加えて、当行とグループ会社との重要な取引や、当行と当行の主要株主との非定型的な取引については、取締役会において審議の上、承認することにより、当行又は株主共同の利益を害することのないよう監視します。

②日清紡ホールディングス

「コーポレートガバナンス・コードの各原則に基づく開示」

> 【原則1－7．関連当事者間の取引】
> 　当社は、取締役と会社間で取引を行う場合、会社法に定める利益相反規制に則り、取締役会の承認を得るとともに、その結果の報告を行います。

③ペプチドリーム

「コーポレートガバナンス・コードの各原則に基づく開示」

> 【原則1-7　関連当事者間の取引】

> 当社は、役員との利益相反取引について、会社法に定められた手続きを遵守するとともに、取締役会での承認・報告を要することとしております。役員に対し定期的に関連当事者間の取引の有無を確認しており、有価証券報告書で開示しております。

④住友ゴム工業

「コーポレートガバナンス・コードの各原則に基づく開示」

> <原則1-7:関連当事者間の取引に関する手続きの策定とその枠組み開示>
> 当社は、取締役・監査役の利益相反取引や競業取引、主要株主等との関連当事者取引については、取締役会決議事項として定期的に監視するとともに、会社法等の適用法令や東京証券取引所の規則に従い対外的に開示し、会社や株主共同の利益が阻害されないような体制を整えています。

⑤サンドラッグ

「コーポレートガバナンス・コードの各原則に基づく開示」

> 【原則1-7 関連当事者間の取引】
> 当社役員、主要株主、関係会社等の関連当事者との取引については、「取締役会規程」に基づき、第三者との取引と比較し、価格等取引条件の合理性を、取締役会で審議し承認の可否を必要としております。また当該議決は、該当役員を定足数から除外して行うこととしております。

⑥日本ガイシ

「コーポレートガバナンス・コードの各原則に基づく開示」

> 【原則1-7. 関連当事者間の取引】
> 当社は、取締役及び執行役員との取引については、法令に定められた利益相反取引に係る手続に則って取締役会の承認事項としており、取引の内容や条件が適切かどうか、会社を害することがないかといった観点から審議、決議し、取引の主な内容を事業報告や有価証券報告書にて開示することとしております。法令上、利益相反取引とされていない、監査役及び主要株主との取引についても、上記同様に取締役会の承認事項として取り扱い、同様の開示を行うこととしております。

⑦サントリー食品インターナショナル

「コーポレートガバナンス・コードの各原則に基づく開示」

> 【原則1-7. 関連当事者間の取引】
> 当社方針「15. サントリーグループとの取引について」及び「16. 当社取締役との取引について」

「コーポレート・ガバナンス方針」

15. サントリーグループとの取引について

(1) サントリーホールディングスを含むサントリーグループとの取引（当社グループ内の取引を除く。）については、社内規程に従い、取引を実施する部署において、また、必要に応じて法務部門及び経理部門において、サントリーホールディングスからの独立性の観点も踏まえ、取引の必要性並びに取引条件及びその決定方法の妥当性について、事前に確認を行うこととしています。更に、一定金額以上の取引、及び、ブランド・人材・重要な資産・情報等の当社の企業価値の源泉となる経営資源に関する取引（以下「重要取引」といいます。）については、複数の独立社外取締役を含んだ取締役会において、その取引の必要性及び妥当性について十分に審議した上で意思決定を行います。

(2) 事前の審議に加え、審議の内容に基づいた取引が行われているかどうかについて、必要に応

Ⅱ　ガバナンス報告書

　　　じ、法務部門、経理部門、内部監査部門による取引の内容等の事後的なチェック、監査等委員会による監査を実施します。また、重要取引については、取引実施後、取締役会に実施状況を報告し、実施結果を確認します。

(3) これらの体制により、サントリーグループとの取引の健全性及び適正性を確保してまいります。

(4) なお、2020年取締役会では、重要取引に関して、事前の審議及び実施結果を確認するとともに、2021年度に実施予定の重要取引に関して審議の上、必要性及び妥当性があるものとして承認されています。

⑧ユニ・チャーム

「コーポレートガバナンス・コードの各原則に基づく開示」

【原則1-7】関連当事者間の取引
当社は、取締役（監査等委員を含みます。）又はその近親者と取引（間接取引を含みます。）を行うときは、事前に取締役会の承認を得ます。グループ会社間の取引については、重要な取引を行うときは、取引条件及びその決定方法の妥当性等について事前のリーガルチェックを実施するとともに、複数の独立社外取締役を含む取締役会において十分に審議した上で決定します。

⑨日本ペイントホールディングス

「コーポレートガバナンス・コードの各原則に基づく開示」

【原則1-7】
■関連当事者間取引の確認に係る枠組み
・当社は、会社と主要株主との重要な取引、会社と取締役又は執行役との競業取引、自己取引及び利益相反取引など関連当事者間の取引について、会社法及び会計基準に基づく対象範囲に関し、一定以上の取引額となる重要な取引を取締役会に報告し、「定時株主総会 招集ご通知」及び「有価証券報告書」において開示しております。
・また、関連当事者間取引を行う際は、当該取引が当社や株主共同の利益を害することがないよう、取引条件や利益・コストの水準等、当該取引を行うための合理性等を総合的に判断し、取締役会など然るべき決裁権限者にて承認することとしております。
・当社の親会社と取引を行う際には、独立社外取締役が過半数を占めている取締役会において承認を得る等、独立社外取締役による適切な関与、監督を行っております。
・また、当社は、「独立社外取締役の役割」の1つとして「当社と取締役、執行役および支配株主等との間の利益相反を監督すること」を当社の「コーポレート・ガバナンス方針」の第17条（独立社外取締役の役割）に定めております。
・定時株主総会 招集ご通知(https://www.nipponpaint-holdings.com/ir/stock/meeting/)
・有価証券報告書(https://www.nipponpaint-holdings.com/ir/library/securities_ report/)
・コーポレート・ガバナンス方針(https://www.nipponpaint-holdings.com/sustainability/governance/cg)

「日本ペイントホールディングス コーポレート・ガバナンス方針」

第12条（関連当事者との取引に関する考え方）
1. 当社は、会社と大株主との重要な取引、会社と取締役または執行役との競業取引、自己取引および利益相反取引など関連当事者間の取引について、会社法および会計基準に基づく対象範囲に関し、一定以上の取引額となる重要な取引を取締役会に報告し、「株主総会招集通知」および「有価証券報告書」で開示する。
2. 当社は、関連当事者間取引を行う際には、当該取引が当社や少数株主の利益を害することがないよう、取引条件や利益・コストの水準等、当該取引を行うための合理性等を総合的に判断し、然るべき決裁権限者の承認を得る。なお、当社の支配会社と取引を行う際には、独立社外取締役が過半数を占めている取締役会において承認を得る等、独立社外取締役による適切な関与、監督を行う。

⑩ ネクソン

「コーポレートガバナンス・コードの各原則に基づく開示」

```
＜関連当事者間の取引：原則1-7＞
「コーポレート・ガバナンス基本方針」
5．株主の権利・平等性の確保、株主総会
(5) 関連当事者との取引
に記載のとおりであります。
```

「NEXON コーポレート・ガバナンス基本方針」

```
(5) 関連当事者との取引
    当社グループがその役員や主要株主等との取引を行う場合には、当該取引が当社グルー
プおよび株主共同の利益を害することがないよう、取引条件が一般の取引と同様である
ことが明らかな場合を除き、当該取引について予め取締役会に付議し、その承認を得るも
のとします。
```

⑪ 東亞合成

「コーポレートガバナンス・コードの各原則に基づく開示」

```
【原則1-7 関連当事者間の取引】
1 当社と取締役との競業取引や利益相反取引は、当社ひいては株主共同の利益を毀損することを防止するため、法令および取締役会規則等に
基づき、あらかじめ取締役会の承認を得たうえで行い、その取引結果は速やかに取締役会に報告します。利益相反取引にかかわる取締役は、当
該取締役会の審議に参加しないものとします。
2 当社と子会社または主要株主（総議決権10％以上の議決権を直接または間接的に保有する者）等との重要な取引または定型的でない取引に
ついては、取締役会規則等に基づき、取締役会における事前の承認を得たうえで行うものとします。
```

⑫ ジーエス・ユアサ コーポレーション

「コーポレートガバナンス・コードの各原則に基づく開示」

```
【原則1-7 関連当事者間の取引】
    当社は、取締役の競業取引および利益相反取引等については取締役会における承認を要する旨を取締役会規則に定めております。また、取締
役・監査役の近親者との取引の有無について定期的に調査を行ない、取引があった場合には取締役会において報告しております。
    開示については、法令に基づき、計算書類の個別注記表および有価証券報告書に記載することで実施しており、計算書類の個別注記表は定時
株主総会招集ご通知の一部として、当社ホームページに掲載しております（当社ホームページhttps://www.gs-yuasa.com/jp/ir/meeting.php）。
```

⑬ アシックス

「コーポレートガバナンス・コードの各原則に基づく開示」

```
【原則1-7．関連当事者間の取引】
    当社は、当社役員との間で会社法に定める利益相反取引を行う場合は、取締役会において承認を得るとともに、その取引の結果について、取
締役会に報告することとします。
    また、当社役員の近親者や主要株主等との間で取引を行う場合は、取引の規模および重要性に応じて、事前に取締役会に報告を行うこととし
ます。
    さらに、利益相反取引を含め、利益相反行為全般の防止について定めた「利益相反管理規程」を制定し、役員および従業員による利益相反行為
の防止体制強化に努めております。
```

「コーポレートガバナンス基本方針」

```
(7) 関連当事者間取引
```

Ⅱ ガバナンス報告書

> 当社は、当社役員との間で会社法に定める利益相反取引を行う場合は、取締役会において承認を得るとともに、その取引の結果について、取締役会に報告する。
> また、当社は、当社役員の近親者や主要株主等との間で取引を行う場合は、取引の規模および重要性に応じて、事前に取締役会に報告を行う。(1-7)

⑭王子ホールディングス

「コーポレートガバナンス・コードの各原則に基づく開示」

> 【原則1-7】(関連当事者間の取引)
> 「コーポレートガバナンスに関する基本方針」第19条では、関連当事者間の取引について以下の通り規定しています。
>
> 第19条 当社は、役員や主要株主等との取引が会社や株主共同の利益を害することのないよう努め、以下の取組みを行う。
>
> 1 取締役およびグループ経営委員が、自己または第三者のために当社と取引を行う場合、会社法および社内規程の定めに従い、取締役会による事前の承認と実施後の報告を要するものとする。
>
> 2 取締役およびグループ経営委員ならびにその二等親の親族と当社グループとの取引の有無を毎年確認し、これらの者による利益相反取引の把握に努める。
>
> 3 当社と主要株主や子会社・関連会社等の関連当事者との重要な取引については、取締役会に報告する。

「コーポレートガバナンスに関する基本方針」

> (関連当事者間の取引)
> 第19条 当社は、役員や主要株主等との取引が会社や株主共同の利益を害することのないよう努め、以下の取組みを行う。
> 1 取締役およびグループ経営委員が、自己または第三者のために当社と取引を行う場合、会社法および社内規程の定めに従い、取締役会による事前の承認と実施後の報告を要するものとする。
> 2 取締役およびグループ経営委員ならびにその二親等以内の親族と当社グループとの取引の有無を毎年確認し、これらの者による利益相反取引の把握に努める。
> 3 当社と主要株主や子会社・関連会社等の関連当事者との重要な取引については、取締役会に報告する。

⑮エス・エム・エス

「コーポレートガバナンス・コードの各原則に基づく開示」

> 【原則1-7】
> 当社は、全ての取引について、社内規程に従い、取引の規模及び重要性に応じて、必要な審査・決裁を経て実施しています。
> 利益相反取引については、取締役会の決議及び報告が必要であると定めています。
> 関連当事者取引については、当該取引により当社が不利益とならないよう、市場における一般的な取引条件を勘案して決定するとともに、その取引状況をモニタリングしています。また、実施した場合は、計算書類の注記表及び有価証券報告書において開示を行います。

⑯日清製粉グループ本社

「コーポレートガバナンス・コードの各原則に基づく開示」

> 【20】関連当事者間の取引(原則1-7)
> 当社と当社取締役との間の利益相反取引や競業取引については、当社や株主共同の利益を害することのないよう、会社法の定めるところに従い取締役会の承認を得るものとしております。関連当事者間の取引についての詳細は本報告書の末尾に添付の「コーポレートガバナンスに関する基本方針」11に記載しておりますので、ご参照ください。

「コーポレートガバナンスに関する基本方針」

> 11 関連当事者間の取引
> (1) 当社と当社取締役、又はグループ各社と同社取締役との間で行う取引については、

会社法の定めるところに従い取締役会の承認を得るものとする。

(2) 当社の主要株主（当社の議決権の１０％以上を保有する株主をいう）との間の取引については、会社や株主共同の利益の観点から重要であると認められる取引について、取締役会等の承認を得る。

(3) 上記の承認決議にあたっては、取引の目的、条件、事業上の必要性、取引規模、当社及び取締役・主要株主それぞれが得る利益等を含む諸般の事情を総合考慮の上、判断する。

⑰ メディパルホールディングス

「コーポレートガバナンス・コードの各原則に基づく開示」

【原則1-7 関連当事者間の取引】
　当社と役員との間において、競業取引及び利益相反取引が生じる場合には、取締役会の事前承認、事後報告を要する旨を取締役会規則に明示しており、取引にあたっては、取締役会において、取引条件やその決定方法の妥当性を審議のうえ、決議しております。
　なお、グループ会社において、競業取引及び利益相反取引が生じた場合には、グループ会社に関する諸規程に基づき、親会社である当社の取締役会への報告を求めております。
　また、グループ会社において、主要株主との取引を行う場合には、かかる取引条件等は、第三者との取引と同様に決定しており、医薬品等の仕入については、市場の実勢価格等を参考にして、交渉のうえで決定しております。

⑱ 住友化学

「コーポレートガバナンス・コードの各原則に基づく開示」

＜原則1-7＞
　当社は、当社と取締役との利益相反取引については、法令および取締役会にかかる社内規則に基づき、取締役会の決議および報告を要することとしています。また、当社と関連当事者との取引については、市場価格や市場金利等を勘案して決定しており、当該取引は法令等に従い、計算書類の注記表および有価証券報告書において開示しています。

⑲ 日本酸素ホールディングス

「コーポレートガバナンス・コードの各原則に基づく開示」

【原則1-7 関連当事者間の取引】
関連当事者間の取引については、その手続きの枠組みを当社ホームページにて公表しております「コーポレートガバナンス原則」の第5条に規定しておりますのでご参照下さい。
(https://www.nipponsanso-hd.co.jp/Portals/0/images/company/governance/principles_jp.pdf)

「同社ホームページ」「コーポレートガバナンス原則」

第5条（関連当事者間の取引）

　当社の取締役が、自己または第三者のために当社と取引を行う場合は、事前に取締役会の承認を受けるとともに、取引後、遅滞なく、当該取引についての重要な事項を取締役会に報告する。また、取締役は、当社との取引を行おうとする者が自己の近親者（二親等以内の親族をいう。）である等、自己と会社との利益が相反する可能性のある事情が生じた場合は、その旨を取締役会に報告する。

Ⅱ　ガバナンス報告書

> 2. 当社は、主要株主（当社株式の議決権の10%以上を保有する者をいう）と取引を行うに際しては、他の取引や市場価格を参考にして、合理的な契約条件や価格を定める。当社は、主要株主と行う当社の通常の事業に含まれない取引のうち重要なものについては、取締役会の承認を受ける。

⑳三井化学

「コーポレートガバナンス・コードの各原則に基づく開示」

> （原則1-7：関連当事者間の取引）
> 　当社は、当社取締役との取引又は利益相反取引については、あらかじめ取締役会で審議したうえで実行し、事後、結果を取締役会に報告することとしています。また、主要株主や関係会社等関連当事者との取引については、第三者との取引と同様、価格等の取引条件の合理性等を審査したうえで、社内規則に基づいた承認手続きを実施し、内部統制室により定期的に監査するものとしています。

「コーポレートガバナンス・ガイドライン」

> 6．関連当事者との取引
> 　　当社は、当社取締役との取引又は利益相反取引については、あらかじめ取締役会で審議したうえで実行し、事後、結果を取締役会に報告することとする。また、主要株主や関係会社等関連当事者との取引については、第三者との取引と同様、価格等の取引条件の合理性等を審査したうえで、社内規則に基づいた承認手続きを実施し、内部統制室により定期的に監査するものとする。

㉑デンソー

「コーポレートガバナンス・コードの各原則に基づく開示」

> 【原則1-7　関連当事者間の取引を行う場合の手続き】
> （1）当社取締役・役員との取引について
> 　「取締役会規則」により、取締役会の決議を得ることを定めています。
> （2）トヨタ自動車株式会社との取引について
> 　個別の取引条件については、他の一般取引と同様に市場価値を十分勘案し、希望価格を提示して、交渉の上、決定しています。
> 　また、「業務決裁規程」により、多額の価格改定を行う場合には、金額規模に応じて経営審議会での審議の上、社長決裁、あるいは営業グループ長決裁を得ることを定めています。

㉒日本化薬

「コーポレートガバナンス・コードの各原則に基づく開示」

> 【原則1-7　関連当事者間の取引】
> 当社は、取締役会規程において、取締役が競業取引または自己取引を行う場合は、事前に取締役会の承認を要し、その結果も改めて取締役会へ報告することを定めております。また、当該手続に加え、事業年度末に取締役及び監査役に対して、本人及びその二親等以内の近親者による当社グループとの取引の有無について確認しております。
> 主要株主及び関連会社との重要な取引に関しては、取締役会の承認を要することを取締役会規程に定めております。

「コーポレートガバナンス基本方針」

> （3）取締役会の役割・責務（3）　（原1-7、原4-3）

当社は、内部統制体制を維持・確保するため、取締役会において「業務の適正を確保するための体制」の構築の基本方針を制定する。この方針に基づき、社内規程の整備、必要な組織の設置など体制を整備する。また、取締役が競業取引又は自己取引を行う場合は、事前に取締役会の承認を要し、その結果も改めて取締役会へ報告する。

㉓武田薬品工業

「コーポレートガバナンス・コードの各原則に基づく開示」

f. 関連当事者間取引の方針・・・原則1-7
・取締役およびその近親者等との取引については、取締役本人への確認手続きも含めた取引の有無に関する様々な調査を実施しています。
・取締役との競業取引や利益相反取引については会社法の規定を遵守した手続きを実施しています。また、取締役の近親者等ならびに取締役でないタケダ・エグゼクティブ・チーム(社長兼チーフ・エグゼクティブ・オフィサー(以下「社長CEO」といいます。)および社長CEOへのレポートラインを有する当社グループ各機能を統括する責任者で構成されます。以下「TET」といいます。)メンバーおよびその近親者等との取引についても、取締役会での承認を要することとしています。
・子会社・関係会社に対する投資・貸付、債務保証等については、その金額に応じて、ビジネス・レビュー・コミッティーその他の承認を要することとしています。
・なお、上記の手続きのほか、当社と子会社・関係会社間の通例的でない取引に関し、事前に会計処理と開示の検討を行うとともに、金額的に重要なものの有無を確認のうえ、金額的に重要なものがあればその内容・条件について、四半期ごとにチェックを実施しています。
・金融商品取引法に規定されているとおり、当社でも総株主の議決権の10％以上を保有する株主(内閣府令で定めるものを除く)を主要株主と考えており、当社には現在のところ、その基準に該当する株主は存在しませんが、今後、主要株主が存在するようになり、取引を行う際には上記に準じた承認手続きおよびチェックを実施します。

㉔大正製薬ホールディングス

「コーポレートガバナンス・コードの各原則に基づく開示」

【原則1-7 関連当事者間の取引】
当社では、関連当事者との取引については、取締役会にて定めた「関連当事者間取引規程」に基づき、法務部及び財務部のチェックを経て、その取引の金額・規模に応じて、取締役会を含む適切な社内機関の承認及び/又は稟議による決裁にて承認される手続きを採用しています。
その内容については内部監査部門が定期的に監査するとともに、監査役が常時閲覧できる体制としています。

㉕コーセー

「コーポレートガバナンス・コードの各原則に基づく開示」

〈原則1-7：関連当事者の取引〉
当社は、役員や主要株主との取引(いわゆる関連当事者間取引)を行う場合には、その利益相反性から当社及び株主共同の利益を損なう事のないよう、法務部その他社内関係部署での審査、必要に応じ社外弁護士等専門家への意見確認、社外取締役に対する事前説明と意見聴取を行ない、経営会議における審議を経たうえ、取締役会の決議により定められた取締役会規程に従い、取締役会での承認を必要としています。なお、当該取引については、重要な事実を取締役会に報告することとしており、これらの手続きを通じて監視を行っています。
関係会社間取引については、税務・会計上の各種規制・基準等を念頭に、合理的な取引価格を設定するよう努めています。

㉖日本通運

「コーポレートガバナンス・コードの各原則に基づく開示」

【原則1-7 関連当事者間の取引】
当社は、取締役の競業取引、取締役と会社間の取引及び利益相反取引について、独立社外役員を含む取締役会において承認を受けることとしております。また、取締役、執行役員及び監査役における当社並びに連結子会社との取引については、毎年、調査を行うとともに、「関連当事者の開示に関する会計基準」等の法令に基づき、有価証券報告書にて適正に開示しております。現在、該当する取引はありません。

㉗ミルボン

「コーポレートガバナンス・コードの各原則に基づく開示」

【原則1-7】関連当事者間の取引
取締役が子会社等(完全子会社を除く。)の社長等を兼務し、取引の相手方となって当社と取引をする場合など、取締役の競業取引や利益相反

Ⅱ ガバナンス報告書

取引については、取引内容を示して取締役会の承認を受けることとしております。(本報告書更新日現在、完全子会社を除く子会社はありません。)当社グループには当社株式の10%以上を保有する主要株主は存在しないため、主要株主と取引を行う際の承認手続きは定めておりません。また、当社と関連当事者との間に取引が発生する場合は、取引内容及び条件の妥当性について取締役会において適正に審議の上、決定いたします。

㉘栗田工業

「コーポレートガバナンス・コードの各原則に基づく開示」

【原則1-7．関連当事者間の取引(注2)】
　当社は、関連当事者と重要な取引(注3)を行う場合、そうした取引がクリタグループや株主共同の利益を害することのないよう、あらかじめ取締役会において審議し決定します。その付議基準等の細目は取締役会規則において定め、基準について開示するものとします。

注2「関連当事者間の取引」とは、当社と以下の者の間での取引をいいます。
① 当社の役員およびその近親者
② 当社の議決権の10%以上を保有している株主およびその近親者
③ 重要な子会社の役員およびその近親者
④ 当社の子会社(完全子会社を除く)および関連会社
⑤ ①～④に掲げる者が議決権の過半数を自己の計算において所有している会社およびその子会社

注3「重要な取引」とは、次にあげるものをいいます。
① 連結損益計算書の売上高または売上原価と販売費および一般管理費の合計額の10%を超える取引
② 連結損益計算書のその他収益、その他費用、金融収益または金融費用の10%を超える損益に係る取引
③ 連結貸借対照表の総資産の1%を超える取引
④ 資金貸借取引、有形固定資産や有価証券の購入・売却取引等について、それぞれの残高、取引の発生総額、または、期中の平均残高が連結貸借対照表の総資産の1%を超える取引
⑤ 事業の譲受または譲渡の場合には、対象となる資産または負債の総額のいずれか大きい額が、連結貸借対照表の総資産の1%を超える取引
⑥ 関連当事者が個人である場合、連結損益計算書項目および連結貸借対照表項目等のいずれに係る取引についても、10百万円を超える取引
⑦ その他取引の性質に鑑み、取締役会付議の必要性があると認められる取引

「コーポレートガバナンスに関する方針」

関連当事者間の取引[4]
当社は、関連当事者と重要な取引[5]を行う場合、そうした取引がクリタグループや株主共同の利益を害することのないよう、あらかじめ取締役会において審議し決定します。その付議基準等の細目は取締役会規則において定め、基準について開示するものとします。

[4] 「関連当事者間の取引」とは、当社と以下の者の間での取引をいいます。
①当社の役員およびその近親者　②当社の議決権の10%以上を保有している株主およびその近親者　③重要な子会社の役員およびその近親者　④当社の子会社（完全子会社を除く）および関連会社　⑤①～④に掲げる者が議決権の過半数を自己の計算において所有している会社およびその子会社

[5] 「重要な取引」とは、次にあけるものをいいます。
①連結損益計算書の売上高または売上原価と販売費および一般管理費の合計額の10%を超える取引　②連結損益計算書のその他収益、その他費用、金融収益または金融費用の10%を超える損益に係る取引　③連結貸借対照表の総資産の1％を超える取引　④資金貸借取引、有形固定資産や有価証券の購入・売却取引等について、それぞれの残高、取引の発生総額、または、期中の平均残高が連結貸借対照表の総資産の1%を超える取引　⑤事業の譲受または譲渡の場合には、対象となる資産または負債の総額のいずれか大きい額が、連結貸借対照表の総資産の1%を超える取引　⑥関連当事者が個人である場合、連結損益計算書項目および連結貸借対照表項目等のいずれに係る取引についても、10百万円を超える取引　⑦その他取引の性質に鑑み、取締役会付議の必要性があると認められる取引

第3 補充原則2－4①に基づく開示

補充原則2－4①

> 上場会社は，女性・外国人・中途採用者の管理職への登用等，中核人材の登用等における多様性の確保についての考え方と自主的かつ測定可能な目標を示すとともに，その状況を開示すべきである。
>
> また，中長期的な企業価値の向上に向けた人材戦略の重要性に鑑み，多様性の確保に向けた人材育成方針と社内環境整備方針をその実施状況と併せて開示すべきである。

1 背景・趣旨

2021年の改訂コードにおいて，中核人材への登用等における多様性の確保に関して定める補充原則2－4①が新設された。スチュワードシップ・コード及びコーポレートガバナンス・コードのフォローアップ会議（以下「フォローアップ会議」という。）が2021年4月6日付で公表した提言「コーポレートガバナンス・コードと投資家と企業の対話ガイドラインの改訂について」（以下「2021年改訂提言」という。）において，「企業がコロナ後の不連続な変化を先導し，新たな成長を実現する上では，取締役会のみならず，経営陣にも多様な視点や価値観を備えることが求められる」とされたことを踏まえ，特に取締役会や経営陣を支える管理職への登用等，中核人材の登用等に着目したものと考えられる[注7]。

(注7) 東証「『フォローアップ会議の提言を踏まえたコーポレートガバナンス・コードの一部改訂に係る上場制度の整備について（市場区分の再編に係る第三次制度改正事項）』に寄せられたパブリック・コメントの結果について」（2021年6月11日）（以下「2021年コード改訂パブコメ回答」という）250番。

2 開示対象

本原則に基づく開示対象は前段と後段の2つに分かれている。前段においては，主要な多様性の要素として，「女性・外国人・中途採用者」を特筆したうえで，多様性の確保についての考え方と自主的かつ測定可能な目標を開示対象としており，後段においては，多様性の確保に向けた人材育成方針と社内環境整備方針につきその実施状況と併せて開示対象としている。

Ⅱ　ガバナンス報告書

3　開示内容

(1)　補充原則2－4①前段に基づく開示事例

a　多様性の要素

補充原則2－4①前段においては，多様性の要素として，「女性，外国人，中途採用者」が特筆されている[注8]。これを踏まえ，女性，外国人及び中途採用者のそれぞれについて，管理職への登用等に関する開示を行っている例が多い（①**アズビル**，②**J－オイルミルズ**，③**あおぞら銀行**，④**サンテック**）。また，多様性の要素は上記3つに限られるものではなく，他の要素（例えば年齢）を加えることも考えられるものとされており[注9]，年齢等の要素に言及する例もある（⑤**ヤマハ**）。

(注8)　それらの管理職への登用等について「自主的かつ測定可能な目標」を示さない項目がある場合は，エクスプレインが必要となる（2021年コード改訂パブコメ回答252番，253番及びガバナンス報告書記載要領Ⅰ1.(2)）。
(注9)　2021年コード改訂パブコメ回答259番。

b　多様性の確保についての考え方，目標等

補充原則2－4①前段における開示対象は，多様性の確保についての「考え方」並びに「自主的かつ測定可能な目標」及び「その状況」[注10]である。このうち「考え方」については，企業理念や行動指針などの基本的な方針等における多様性に関する記述を引用する例（①**アズビル**）があるほか，ダイバーシティ＆インクルージョン方針等を策定し，これを引用する例（⑤**ヤマハ**，⑥**参天製薬**）もみられる。

「自主的かつ測定可能な目標」は，具体的な人数やその割合等，特定の数値を用いて定めることも考えられるが，それらに限られず，例えば，程度という表現やレンジ（範囲）を用いて示す方法や，現状の数値を示した上で「現状を維持」「現状より増加させる」といった目標を示す方法でも，「測定可能」な目標に含まれるとされている。また，努力目標として示すことも許容される[注11]。これを受けて，具体的な人数や割合等の目標値を定める例（③**あおぞら銀行**，⑤**ヤマハ**［女性に関する記述］，⑦**中京銀行**）がみられるほか，「程度」や「約」という表現を用いる例（⑧**双日**）や，現状の数値を示した上で，そこからの増加等の目標を示す例（①**アズビル**，②**J－オイルミルズ**［中途採用者及び外国人に関する記述］）もみられる。「その状況」（目標の進捗状況・達成状況）についても，目標と併せて開示する例が多い（③**あおぞら銀行**）。

(注10)　「その状況」とは，実際の進捗状況・達成状況を意味する（2021年コード改訂パブコメ回答268番）。
(注11)　2021年コード改訂パブコメ回答252番，253番。

(2) 補充原則2－4①後段に基づく開示事例

　補充原則2－4①後段においては，多様性の確保に向けた人材育成方針と社内環境整備方針を，その実施状況と併せて開示することが求められている。多様な人材を活かし社内全体としての多様性の確保を推進するためには，人材育成体制や社内環境の整備も重要であることから，多様な働き方やキャリア形成を受け入れた上で，社員のスキルや成果が公正に評価され，それに応じた役職・権限，報酬，機会を得る仕組みの整備を求めるものである[注12]。

　この点については，人事に関する基本方針を策定し，その中で多様性の確保にも言及している旨を開示する例（⑨**三井住友トラスト・ホールディングス**）がある。また，多様性の要素のうち性別等に関するものとして，男性の育児休業取得の推進（②**J－オイルミルズ**）や女性従業員のキャリア形成支援の取組み（③**あおぞら銀行**）に言及するもの，年齢に関するものとして，定年後再雇用制度の活用に言及するもの（②**J－オイルミルズ**，⑤**ヤマハ**），国籍に関するものとして，ローカル人材の採用に言及するもの（⑤**ヤマハ**）等がある。その他，多様な働き方を選択できるようにするための人事制度として，地域限定勤務制度や在宅勤務制度の導入等に言及するもの（⑩**日邦産業**，⑪**扶桑化学工業**）等がある。

（注12）　フォローアップ会議「意見書（5）　コロナ後の企業の変革に向けた取締役会の機能発揮及び企業の中核人材の多様性の確保」（2020年12月18日）Ⅱ．2。

(3) エクスプレインの事例

　補充原則2－4①についてエクスプレインする例は，現時点では多くないが，女性・外国人の管理職への登用数が十分ではないことを理由とするもの（⑫**加藤製作所**，⑬**トーアミ**），従業員に占める女性・外国人・中途採用者の比率が大きくないことを理由とするもの（⑭**大同信号**），企業規模や事業ドメインが限定されていることを理由とするもの（⑮**いい生活**），事業の特性や業界における人手不足等，を理由とするもの（⑯**日本ドライケミカル**，⑰**ファーストコーポレーション**）がみられる。他方，創業以来，国籍を問わず経験・能力等に基づいた中途採用をベースに事業拡大を行ってきた背景があるため，「外国人」・「中途採用者」に特化した管理職の登用に関する施策・目標設定を行う状況にないことを理由とするもの（⑱**アスクル**）もある。

Ⅱ　ガバナンス報告書

4　開示事例

①アズビル

「コーポレートガバナンス・コードの各原則に基づく開示」

【補充原則2-4-1】［中核人材の登用等における多様性の確保］
中核人材の登用等における多様性確保の詳細につきましては、本報告書のⅢ「株主その他の利害関係者に関する施策の実施状況」の「3．ステークホルダーの立場の尊重に係る取組み状況」の「その他」（P16）に記載しておりますのでご参照ください。

「Ⅲ　株主その他の利害関係者に関する施策の実施状況　3．ステークホルダーの立場の尊重に係る取組み状況　その他」

当社では、グループ行動基準に、人種・国籍・性別・信条・出生・身体障害等による差別や嫌がらせをしない、また差別を放置することを許さないと定め、経営理念に掲げた、人を中心としたオートメーションの実現を通じて世界中の様々な人々へ幸せを提供するために、まず我々自身が社員一人ひとりの個性を尊重し、多様な人材を育て活かしあえる社内風土・文化づくりに努めております。
2020年6月24日開催の定時株主総会において取締役に女性の取締役が2名（うち1名は外国籍の取締役）が選任され、国際性やジェンダー等の多様性に富む取締役会の構成となっております。
＜多様性の確保についての考え方＞
当社は、一人ひとりの個性を尊重し、その特徴を活かし、活き活きと働くことで成果を高めていくことが企業成長の原動力であると考えており、グループ行動指針に「『多様な人材』とチームワークによるダイナミックな価値創造」「学習する企業風土とイノベーションによる成長」を定め、さまざまな個性・能力・知見を備えた個々の人材を大切にし、その多様性を尊重するとともに、前例にとらわれない、枠を超えた発想と革新的な行動により、絶えず学習し、成長し続けるよう促しております。加えて、能力発揮度合いに基づく公正な評価を踏まえた登用・処遇を行うことで、女性、外国人、中途採用者に限らず、多様な個性、特徴、多様な経験をもつ人材が中核人材として活躍しており、当社の持続的成長に資する人的資本価値を高める取組みに繋がっております。
＜多様性の確保の自主的かつ測定可能な目標及び確保の状況＞
（1）女性社員
女性の役員、役職者、管理職等の役割に応じたウェイトと人数を掛け合わせた独自の算定ポイントでの中核人材の活躍目標を設定しており、2024年度には2017年度比で2倍以上を目指しております。ダイバーシティ推進タスクの活動等も通じて、女性が重要な役割を担い責任ある立場で活躍する取組みを進めており、2017年度の算定ポイントは125ポイントでしたが、2021年6月時点では231ポイントに達しております。
（2）外国人社員
グローバル化の推進とあわせて外国籍社員の採用を進めており、2022年新卒採用100名を目標とする中で、海外大学出身人材・外国籍人材を10名採用する目標を掲げております。国内社員が海外での活躍機会を得る一方で、海外現地法人社員が国内で研鑽機会を得るなど、多様な人材が融合し合うことにより、新たな価値を創造しながら、人材のグローバル化にも繋げております。また、中核人材の活躍について上級基幹職の外国籍社員は6名在籍しており、2024年度に現状以上とする目標を設定しております。
（3）中途採用社員

即戦力としての期待等から、毎年一定数の中途採用を進めており、2021年度中途採用では30名の目標を掲げております。実戦的な実務能力が発揮され、その発揮能力に応じて組織責任者等への登用が進んでおります。また、中核人材の活躍について、中途採用社員のうち上級基幹職は2021年6月時点で232名、19%を占めておりますが、2024年度に現状以上とする目標を設定しております。

＜多様性の確保に向けた人材育成方針、社内環境整備方針、その状況＞
人材育成の専門機関であるアズビル・アカデミーが、「働き方改革」と「ダイバーシティ推進」の両輪で業務改革を推し進める人材を育成しております。2017年度に立ち上げたダイバーシティ推進タスクによりリーダー育成、多様な働き方、風土改革が進んでおりますが、これまでの女性活躍中心の取組みを外国人社員、中途採用者へと順次展開してまいります。また、2019年の健幸宣言において、会社とそこで働く社員が協働し、快適で働きやすい職場環境づくり、心身の健康づくりに積極的に取り組むことを宣言しており、多様な人材が各々の社会的、身体的特徴、思想や価値観の違いを認め合い、就労や活躍の機会を尊重しております。育児・介護、そのほかの様々なライフイベントが発生する際等でも仕事と両立できるよう支援制度を整えることで、すべての社員が継続して働きやすい職場となるよう環境整備を進めております。

補充原則2-4①

② J-オイルミルズ

「コーポレートガバナンス・コードの各原則に基づく開示」

【補充原則2-4-1】(社内の多様性の確保)
1．多様性確保についての考え方
当社グループでは人財および働き方や雇用におけるダイバーシティを推進しています。
第六期中期経営計画では、「壁を越え、共に挑み、期待を超える」という企業理念体系の存在価値を追求し、
・女性活躍、プロフェッショナル人財、外国人の登用
・働き方改革、健康経営の推進
・人財育成の強化
・マネジメントの意識改革
などの施策を通じて、ダイバーシティを一層推し進めていきます。

2．多様性確保の自主的かつ測定可能な目標
・女性管理職比率の推移
2017年度5.0%　2018年度5.0%　2019年度5.7%　2020年度6.0%　2024年度(目標)12.0%　2030年度(目標)30.0%
・プロフェッショナル人財(中途採用者)は、2020年度までコーポレート部門、事業部門で数名採用。2021～2024年度までに事業部門を中心に採用強化。
・外国人の管理職への登用は2030年度までに実施見込み。

3．多様性確保の状況
女性管理職への登用は前記のように年々増えております。
中途採用者の採用も積極的に行っています。昨年度は約40名(内女性は1/3)を採用し、その3割は管理職として採用いたしております。
外国人管理職への登用は現時点ではありませんが、成長戦略における海外事業拡大に合わせ、2030年度までに積極的に採用及び管理職への登用を進めていきます。

4．多様性確保に向けた人財育成方針、社内環境整備方針、その状況
本報告書の「補充原則3-1-3＜人的資本への投資＞」および「Ⅲ．3．ステークホルダーの立場の尊重に係る取組み状況．その他．【ダイバーシティ＆インクルージョン】」をご参照ください。
そのほか、当社グループでは男性の育児休業取得を推進しています。今後、一層の取得拡充を目指し、働きやすい環境を整えていく方針です。また、定年後再雇用制度を通じて、60歳以上の社員の働く環境を整えています。

「Ⅲ　株主その他の利害関係者に関する施策の実施状況　3．ステークホルダーの立場の尊重に係る取組み状況　その他」

【ダイバーシティ＆インクルージョン】
環境・社会軸と並ぶマテリアリティの需要課題として、J-オイルミルズは従業員を重要なステークホルダーと位置付け、ダイバーシティの推進や健康経営などを推進しています。
多様な価値観や考え方を持った人財が能力を最大限に発揮できる組織作りとイノベーショ

Ⅱ　ガバナンス報告書

ンの創出を目指し、一般職・管理職共にキャリアディベロップメントプラン（CDP）制度を導入。また女性活躍の推進のため、2018年に女性活躍推進「カシオペアWプロジェクト」を発足させ、女性の社内ネットワークの構築とキャリアサポート制度を推進しています。2019年9月、厚生労働大臣による女性活躍推進の認定マーク「えるぼし（2段階）」を取得しました。2015年度に立ち上げた人事PJのテーマの一つである女性活躍については、2018年度に女性活躍推進「カシオペアPJ」をスタートさせました。専用ポータルサイト、社内SNS開設と合わせて、テーマ化、企画、取り組みを充実させ、女性社員ワークショップや女性キャリア研修、メンタリング研修を実施し、全体で役員・部門長向け研修や座談会などを実施しております。「えるぼし（3段階目）」の認定、更には「くるみん」認定の取得を目指して活動しております。また、女性社員だけでなく、上司・同僚の意識の持ち方や姿勢にも踏み込んだライン長への「アンコンシャスバイアス研修」、男性育児サポートのワークショップなどを2020年度は実施しました。2020年度はダイバーシティをキーワードに、広くプロジェクトメンバーが参画し、女性活躍に加えて障がい者活躍など、テーマを拡大し活動しております。引き続き全社的に活動をしてまいります。

③あおぞら銀行

「コーポレートガバナンス・コードの各原則に基づく開示」

【補充原則2-4①】（女性・外国人・中途採用者の管理職への登用等多様性の確保）
＜多様性の確保についての考え方＞
　当行は、従来から性別や国籍に関係なく、能力や実績を重視する人物本位の人材登用を実施しております。この歴史的な産業構造の転換期にあって、持続的な成長と企業価値の向上を実現させるためには、多様な視点や価値観を尊重することが重要と考え、経験・技能・キャリアが異なる人材を積極的に活用しつつ、これらの人材が活躍できる職場環境を整備します。
　特に経営の中核を担う管理職層においても、多様性の確保が重要との認識のもと、女性・外国人・中途採用者の管理職比率に目標を設定します。当行の特色である中途採用者の高い管理職比率を維持しつつ、女性管理職比率については、調査役（係長級）の目標も設定して中核人材プールを拡充し、将来的には管理職比率20％の達成を目指してまいります。

＜多様性の確保の自主的かつ測定可能な目標、その状況＞

項目	現状	目標	達成時期
女性管理職比率	11.8％	13％以上	2023年3月末
女性調査役（係長級）比率	33.5％	35％以上	2023年3月末
外国人管理職比率	2.9％	3％以上	2023年3月末
中途採用者管理職比率	42.5％	40％以上	継続維持

＊管理職は労基法上の管理監督者に該当し、部長相当クラス、課長相当クラスの合計。
＊調査役は管理職の一つ手前の職階。
＊外国人管理職比率はGMOあおぞらネット銀行を除く国内・海外グループ会社を含めた数値にて算出。
＊現状は2021年3月末時点の実績。

＜多様性の確保に向けた人材育成方針、社内環境整備方針、その状況＞
方針①　多様性を重視した採用と実力本位の評価の継続
取組内容
・新卒・中途を両輪とする採用活動の継続
・女性向け採用セミナー等のイベント開催
方針②　女性従業員のキャリア形成支援
取組内容
・キャリア研修等を通じた未経験業務へのチャレンジの促進
・社内短期トレーニー等の育成プログラムの拡充
方針③　多様な従業員の更なる活躍に向けた環境整備
取組内容
・柔軟な働き方の推進と休暇取得促進等によるワークライフバランスの向上
・国内外の社員との個別面談を通じた環境整備の継続

＜2020年度の状況＞
①・新卒：65名（男性46名、女性19名）、中途：46名（男性32名、女性14名）
　・新卒女性向け採用セミナー：1回、参加者45名
②・地域総合職キャリア研修：2回、延50名（全員女性）
　・社内短期トレーニー等の育成プログラム：延52名（うち女性36名）
③・在宅勤務月間平均利用者数：1,257名（65％）、有給休暇年間平均取得数：13.3日
　・人事部による個別面談実績：国内167名、海外17名

④サンテック

「コーポレートガバナンス・コードの各原則に基づく開示」

【補充原則2-4-1】
　当社は、社内における人財の多様性を確保し、多様性から来る組織内活力を創造すべく、女性・外国籍の人財を可能な限り積極的に活用するとの認識に立ち、専門職の新設、総合職・専門職・一般職の職制間の転換制度の創設、女性が入居できる独身寮などの整備、外国籍人財の本社採用、海外支店・子会社との交流人事等を行い、社内に異なる経験・技能・属性を反映した多様な人財を確保し、会社の持続的な成長が図れるよう努めています。
　なお、建設業の職種柄、女性の採用そのものに苦戦を強いられる就労・採用環境にありますが、女性従業員の採用、適正配置と活用、女性管理職の登用に積極的に取組んでいます。
　現状において、測定可能な管理職への登用目標を示すことは困難ではありますが、建設業である当社は、海外に多くの拠点を有し、海外拠点におけるローカル化を推進していることから、中途採用者・外国人の活用は相当程度進んでいるものと認識しています。その一例として、連結会社における非日本人の割合は40％を超えています。また、海外拠点については、拠点長を含め多くの管理職（含む女性の外国人従業員）を登用しています。
　女性の活躍推進の観点では、職群転換制度を導入、総合職の中途採用等により、女性の活躍の場を広げるとともに、海外支店長等の管理職への登用も進めています。
　現在までは、個々の施策実施を通して、女性・外国人・中途採用者の活用、多様性の確保を進めてきましたが、今後、これらの経験等を活かして、人材育成方針等の体系整備に取り組む予定であります。

⑤ヤマハ

「コーポレートガバナンス・コードの各原則に基づく開示」

【補充原則2-4-1】多様性の確保
　「ステークホルダーへの約束」における「人重視の経営（ともに働く人々に対して）」に基づき、多様な人材の視点や価値観を活かし、当社の持続的な成長と中長期的な企業価値の向上に努める。
　重要ポストの国籍多様化指標や女性管理職比率といった目標値を定め運用しており、今後はグローバルレベルでのダイバーシティ（多様性）推進に一層積極的に取り組んでまいります。

　人材の多様性や育成方針については、当社ホームページに掲載しております。
　　https://www.yamaha.com/ja/csr/human_rights_and_labor_practices/

「同社ホームページ」

ダイバーシティ推進に関する方針

ヤマハグループは、以下の方針に基づき、ダイバーシティおよびインクルージョンの取り組みを進めています。

**ヤマハグループ
ダイバーシティ＆インクルージョン方針**

ヤマハグループは、人材の多様性（年齢、性別、性的指向・性自認、障がい、国籍、人種、文化・価値観、ライフスタイル、経験など）を新たな価値創出の源泉と考え、それぞれの個性を尊重し、活かしていくことで、さらなる企業競争力の強化・成長・発展を目指します。

※ 国により法令や慣習が異なるため、各国ごとに法令順守を前提とし、文化慣習に適切に配慮して対応します

また、3カ年の「ダイバーシティ＆インクルージョン行動計画」をグループ企業ごとに策定・推進し、モニタリングを通じて企業間の好事例共有を行っています。

ヤマハ（株）ダイバーシティ＆インクルージョン行動計画 ＞
(/ja/csr/human_rights_and_labor_practices/diversity/pdf/diversity_and_inclusion_policy.pdf)

2021年にはダイバーシティ・インクルージョンを企業文化として根付かせる事をテーマとしたオンラインセミナーを実施し、400名以上の従業員が参加しました。

女性の活躍推進

ヤマハグループは、ダイバーシティ・マネジメントの一環として、女性が活躍できる職場環境づくりや制度の整備を推進しています。専任担当を置き、グループ全体の方針や行動計画を策定し、グループへ展開するとともに、国内グループ各社に推進担当を設置して、行動計画の策定や活動の推進状況をモニタリングしています。2021年には代表執行役社長の諮問機関である人材開発委員会に女性活躍推進部会を新設。女性リーダーの継続的育成・創出により経営層／管理職層の多様性を高めるためのさまざまな施策提言と実行を主導し、代表執行役社長に答申しています。同じく2021年に取締役会やマネジメントチームなど、企業の意思決定機関における健全なジェンダーバランスを実現することを目的とした世界的なキャンペーンである「30% Club」の趣旨に賛同し、「30% Club Japan」に加盟したほか、女性のエンパワーメント原則(Women's Empowerment Principles)の趣旨に賛同し、同原則に基づき行動するためのステートメントに署名するなど、トップコミットメントのもと、一人一人がその可能性を最大限発揮できるよう、さらなる取り組みを進めています。

また、ヤマハ(株)では2019年3月に女性活躍推進法に基づく3カ年の「行動計画」(第二期目)を策定、運用しています。

[ヤマハ(株)行動計画](/ja/csr/human_rights_and_labor_practices/diversity/pdf/action_plan.pdf)

主な施策

目的	施策
女性従業員の積極的雇用	新卒採用、キャリア採用の女性比率拡大
	女性の活躍を紹介した採用活動
女性従業員の積極的な登用、能力開発機会の拡大	女性管理職登用の目標設定　3カ年目標(2021年度内)
	ヤマハ(株) 7.2%以上
	ヤマハグループ17%以上
	教育・研修プログラムの拡充(女性社員向けキャリア・ディベロップメント・プランなど)
	管理職候補層への育成研修　上司向けアンコンシャスバイアス研修
働きやすい環境整備	男女雇用機会均等法、育児・介護休業法、次世代法、女性活躍推進法への対応
	両立支援制度の構築、運用促進、更新
	事由を限定しないテレワーク・育児短時間フレックス勤務制度化
職場の意識改革、風土の醸成	啓発活動(研修、セミナー、イントラネットでの情報提供など)

これまでの総括と主な成果・実績

- 男女差のない平均勤続年数
- 産前産後休暇・育児休職取得率、育児休職後の復帰率ほぼ100%
- ファミリー・フレンドリー企業表彰　厚生労働大臣努力賞(2005)

- 次世代育成支援対策推進法に基づく「くるみん」取得（2008、2014）
- 「プラチナくるみん」取得（2016）
- 静岡県「子育てに優しい企業」表彰（2017）

補充原則
2-4①

ダイバーシティ・ワークライフバランス情報を発信するイントラネット

女性活躍推進に関する主な指標

従業員の男女別構成（ヤマハ（株））

Ⅱ　ガバナンス報告書

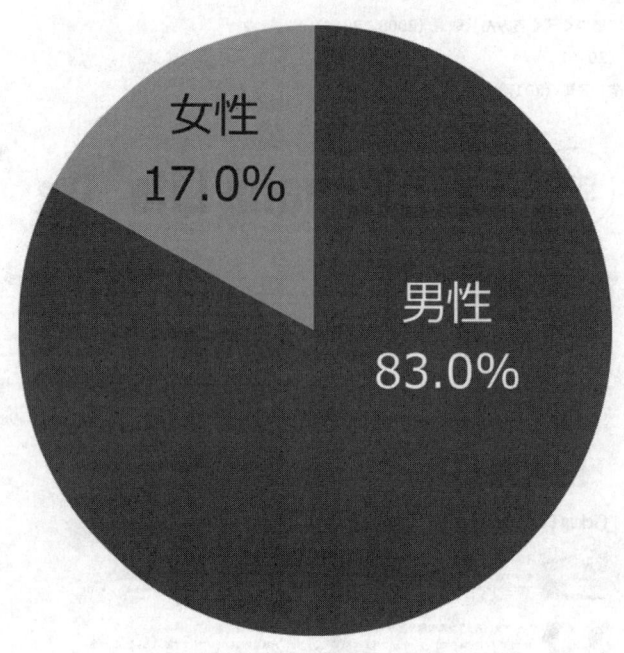

※ 2021年3月末時点

平均勤続年数（日本全国[※1]とヤマハ（株）[※2]の比較）

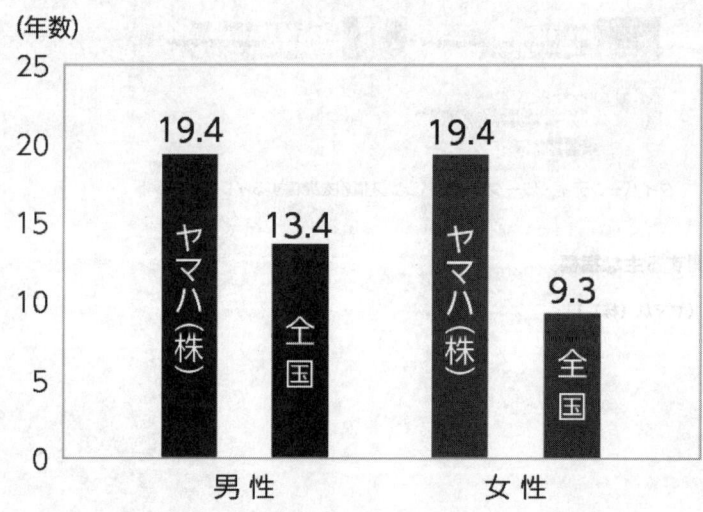

※1 全国の値は「令和2年賃金構造基本統計調査結果の概況」より引用
※2 ヤマハ（株）の値は2021年3月末時点

管理職の女性比率（ヤマハ（株））[※3・4]

第二部　各原則に基づく開示事項（必要的開示）　第3

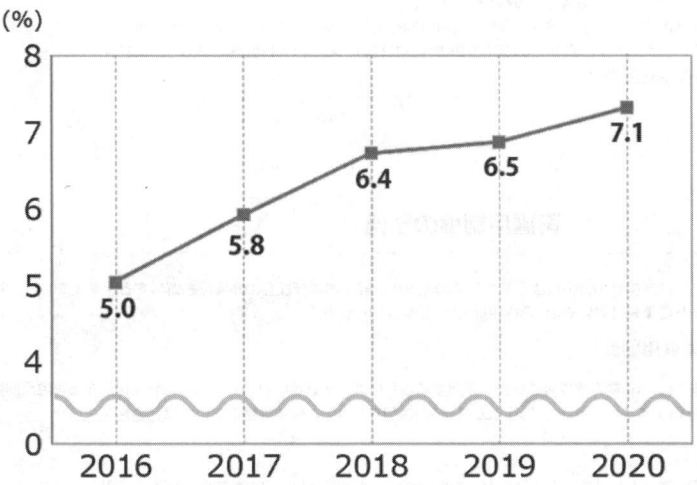

補充原則
2-4①

※3 各年度3月末時点
※4 2016年度から翌年度4月1日の登用分を含む（登用スケジュールを3月1日付から翌年度4月1日付に変更したため）

各データの経年推移については、社会性データ
(/ja/csr/csr_data/group_soci
al/)
のページに掲載しています。

なお、グループ企業においても女性活躍推進法に基づく行動計画を策定し、取り組みを進めています。

～国際女性デーへの取り組み～

3月8日の国際女性デーにあたり、さまざまな女性アーティストが登場する動画を作成し、全世界に配信しました。多様な彼女たちの姿を通じてすべての女性アーティストの活躍を後押しするとともに、"dare to be yourself, no matter the obstacles"「何ものにもとらわれず、思い切ってありのままの自分でいよう」というメッセージを発信しました。
社内では、人事部門主導の下、女性従業員によるボトムアップの課題解決型プロジェクトが中心となって、ヤマハ（株）、ヤマハ発動機（株）の女性リーダー対談『"ふたつのヤマハ"が目指す女性活躍推進』を両社協働で実施。女性役員による「リーダーとキャリア」「ワークライフバランスと制度」「女性活躍」などのテーマによる対談記事をイントラサイトで公開し、女性がリーダーシップを発揮することに前向きに挑戦できるよう、男女すべての従業員に向けた具体的なアドバイスと応援のメッセージを伝えました。

ローカル人材の採用・登用

ヤマハグループは、世界各地で事業を営む企業として、各拠点の現地人材をグループ内の重要ポストに登用しています。米国本社のヤマハ・コーポレーション・オブ・アメリカの社長は米国人で、ヤマハ（株）の執行役員です。また、M&Aによりヤマハグループに加わった企

Ⅱ ガバナンス報告書

業の社長はドイツ、フランス、オーストリア、米国国籍で、うち1名は女性です。
なお、グローバル規模での多様な人材活用の観点から、ヤマハ（株）では外国籍人材の採用を進め、2021年3月末現在、47人の外国籍従業員が就業しています。外国籍人材採用の目標設定や、英語での採用情報の発信を行い、幅広い人材獲得に努めています。
（外国籍従業員人数の経年推移については社会性データ
(/ja/csr/csr_data/group_soci
al/)
のページに掲載しています。）

再雇用制度の整備

ヤマハグループは、意欲や能力に応じた就業機会の確保による職業生活の充実が、経済および社会の発展にも寄与すると考えており、ヤマハ（株）では、従業員のライフイベントに柔軟に対応できる再雇用制度を整備しています。

シニアパートナー制度（定年再雇用制度）
ヤマハ（株）および国内グループ企業では、60歳定年以降も就労を希望する場合には、希望者に対して就労の機会を提供する再雇用制度を整備しており、最長65歳到達時まで在籍することが可能です。（2021年3月末現在214人。経年推移については社会性データ
(/ja/csr/csr_data/group_social/)
のページに掲載しています。）
ヤマハ（株）では2020年4月に同制度を改定し、「意欲」と「役割」を中心においたよりメリハリのある制度運用に変更。役割に応じた職務ランク・定義を定めたほか、目標管理・評価・賞与制度の導入、手当・休職制度の改定・新設を行いました。

海外赴任帯同者の再雇用制度
ヤマハ（株）は、配偶者の海外赴任に帯同するために退職する従業員を、帰国後に再雇用する制度を2008年度から運用しています。2016年度には、これまでヤマハ（株）従業員である配偶者に限っていた運用をヤマハグループ従業員にも拡大しました。また、ヤマハグループ従業員以外の配偶者の海外赴任への帯同の場合も、退職後5年以内であれば再雇用を可能としました。
2008年度の運用開始から累計21人が同制度の申請をして退職し、その中から6人が帰国後、再雇用されています（2021年3月末時点）。

介護離職者の再雇用制度
ヤマハ（株）では、従業員が親族の介護のために退職した場合、退職日から再雇用までの期間を5年以内として、再度勤務できる制度を2016年7月に導入しました。

⑥参天製薬

「コーポレートガバナンス・コードの各原則に基づく開示」

【補充原則2-4①】
【中核人材の登用等における多様性の確保】
当社は、基本理念のもと、社内外のさまざまな考え方を積極的に取り込み結集することによって、組織の力を最大限に発揮し、世界中の人々の「眼」に関する多様なニーズに応え、"Happiness with Vision"を実現します。そのために私たちは、国籍、人種、性別、性自認、性的指向、年齢、障がい、宗教、信条、経験、専門性、価値観、ライフスタイルなど、多様なバックグラウンドを持つ個々人を尊重し受容します。一人ひとりが能力を余すことなく発揮できるよう心理的安全を担保し、個人の力を組織の力として結集して、最大の成果を創出する職場環境を整備します。真のグローバル企業を目指す当社は、ESG戦略・施策の一環として、今後、具体的な指標を設定しダイバーシティ・エクイティ＆インクルージョンをより一層推進します。
当社は、この推進のために制定したダイバーシティ＆インクルージョン方針（ダイバーシティ・エクイティ＆インクルージョン方針に改称を予定しています）に基づき、経営幹部層及び世界全ての組織において、ジェンダー・国籍・視覚障がい者を中心とした更なる多様性の向上、多様な個人が能力を最大限に発揮できる組織づくりと人材育成に取り組み、報酬、教育、昇進機会等について、性別・国籍・視覚障がい等の多様性の如何によらず平等に機会を提供します。
ダイバーシティ＆インクルージョン方針は、当社ウェブサイト上に開示しています。
https://www.santen.co.jp/ja/csr/employees/index.jsp

⑦中京銀行

「Ⅰコーポレート・ガバナンスに関する基本的な考え方及び資本構成，企業属性その他の基本情報　1．基本的な考え方」

　当行では、法令遵守と高い企業倫理に基づいて事業活動を行うことが、公共性と社会性が求められる銀行の責任であると認識しており、コーポレート・ガバナンスを確立することは、株主さま、お客さま、従業員、地域社会などのステークホルダーからの信頼を向上させ、持続的かつ健全に当行が成長していくための土台になるとともに、ひいては企業価値の維持・増大につながるものであると考えております。
　こうした考えのもと、当行では監査役制度を採用しておりますが、社外取締役や社外監査役に一般株主と利益相反が生じるおそれのない独立役員の立場で、かつ会社等の組織運営の経験者としての豊富な経験と幅広い知識を有する者を選任することで、適正なコーポレート・ガバナンス体制を確保しております。

また、「経営ビジョン」や「行動指針」などを定め、健全な企業風土を根づかせる様々な施策を実施するとともに、執行役員制度の導入による経営と業務執行の分離と意思決定の迅速化、各種委員会の設置による経営管理体制の強化、IR活動による経営の透明性の確保などに取り組むことにより、コーポレート・ガバナンスの充実を図っております。

⑧双　日

「コーポレートガバナンス・コードの各原則に基づく開示」

【補充原則 2-4①】
　上場会社は、女性・外国人・中途採用者の管理職への登用等、中核人材の登用等における多様性の確保についての考え方と自主的かつ測定可能な目標を示すとともに、その状況を開示すべきである。
　また、中長期的な企業価値の向上に向けた人材戦略の重要性に鑑み、多様性の確保に向けた人材育成方針と社内環境整備方針をその実施状況と併せて開示すべきである。

(1) 多様性の確保について

人材の多様性を、変化の激しい市場環境に対応し、常にスピードをもって事業創造できる組織の力へと変えるため、当社では、女性、外国人、様々な職歴をもつキャリア採用者など、多様な人材の採用、起用を積極的かつ継続的に行いつつ、それぞれの特性や能力を最大限活かせる職場環境の整備やマネジメント層の教育などの取り組みを進めてきました。

中期経営計画 2023 では、これまでの取り組みに加え、多様なキャリアパス・働き方を促し、社員の多様性を新規事業の創出や組織の意思決定に活かすための人材施策を実行していきます。

＜女性の管理職の登用＞

当社では、なでしこ銘柄に5年連続で選定されるなど、近年、女性活躍推進を積極的に行っており、各種女性比率向上に加え、海外への駐在や、部長、課長職を担う女性社員も増え、その活躍の場も拡大しています。2021年4月には内部昇格により初の女性執行役員も誕生しました。

また、2030年代中に女性社員比率を50%程度にすることを目指し、中長期の目線で、あたり前に女性が活躍する環境づくりを進め、社員の自律的な成長をサポートしつつ、各世代層のパイプライン形成と、経験の蓄積、キャリア意識醸成に継続的に取り組み、将来的に経営の意思決定に関わる女性社員を増やしていきます。

女性活躍関連目標

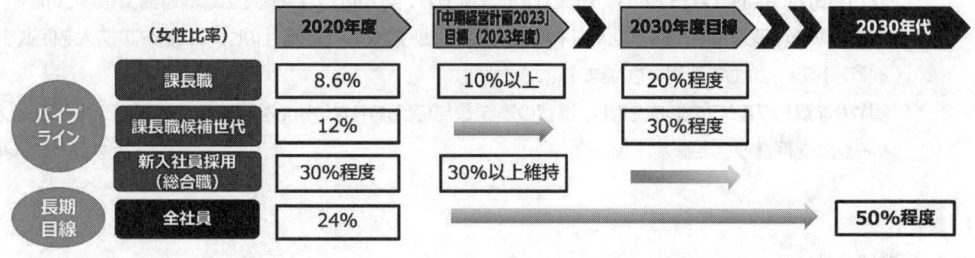

(ご参考)
■ なでしこ銘柄5年連続選定（2021年3月）
https://www.sojitz.com/jp/news/docs/210322rr.pdf
■ 女性活躍推進法に基づく 一般事業主行動計画 （2021年度～2023年度）

Ⅱ　ガバナンス報告書

https://www.sojitz.com/jp/csr/employee/pdf/kodo2021.pdf

＜外国人の管理職への登用＞
当社では、毎年国籍を問わない多国籍な人材採用を継続的に進めてきており、現在では約 70 名程度が在籍、うち約 10 名は本社管理職として活躍しております。
当社グループを支える海外事業会社においては、事業運営の中核を担う CxO ポスト約 130 のうち、約 4 割で外国人人材が活躍しております。
今後は、マーケットイン視点と現地ネットワークを活用した事業領域の拡大、新規事業の機会創出、機能強化による競争優位の実現に向け、2025 年までに海外事業会社 CxO ポストの過半数超を外国人人材としていく予定です。

＜中途採用者の管理職への登用＞
当社が掲げる「多様性を競争力」とするため、現在、当社管理職ポストにおける中途採用者の割合は約 2 割程度、役員ポストは約 3 割を占めております。
今後も引き続き、経営人材、DX 等の専門人材の補完、女性・外国人等の多様性を強化する方針のもと、毎年の新規採用者数の約 3 割程度を中途採用者としていく予定です。

(2) 多様性の確保に向けた人材育成方針、社内環境整備方針、その状況
　　労働力不足・働く価値観の変化・兼業や副業といった新たな労働スタイルの浸透と環境が大きく変わる中、当社で働く社員が高いモチベーションを持ち、多様なキャリアパスや働き方を実現できる取り組みを進めています。
- ジョブ型新会社
35 歳以上の社員の多様なキャリア・ライフプランを支援するキャリアプラットフォームとして、ジョブ型雇用の新会社「双日プロフェッショナルシェア㈱」を 2021 年 3 月に設立しました。運営開始は 2021 年 7 月を予定しており、70 歳定年、就業時間・場所の制限無し、副業・起業を可能とし、社員一人ひとりが新たなキャリアパスで活躍し続けられるよう支援していきます。
- 独立・起業支援制度
独立・起業を目指す社員のために、当社のリソース（資金・情報・ネットワーク）を提供し、事業推進を支援する独立・起業支援制度を導入いたしました。独立・起業も含めた社員のキャリアパスを支援し、起業家精神を持ち積極的に挑戦し続ける人材の確保・育成、企業文化の変革を目指します。
- 双日アルムナイ
双日 OB/OG による「双日アルムナイ」設立の提案を受け、同アルムナイ活動を公認し運営支援しています。双日役職員と双日 OB/OG との人的ネットワークの形成・拡大により、当社のビジネス領域の拡大を促進するプラットフォームとして活用していきます。
緩やかな双日グループの形成を通じ、現状の事業領域にとらわれない新たな事業機会の創出やオープンイノベーションを促進していきます。

（ご参考）
■ 人材関連全般
https://www.sojitz.com/jp/csr/employee/

第二部　各原則に基づく開示事項（必要的開示）　第3

⑨三井住友トラスト・ホールディングス

「コーポレートガバナンス・コードの各原則に基づく開示」

【補充原則2－4－1】
＜中核人材の登用等における多様性の確保＞
1.多様性の確保についての考え方、人材育成方針、社内環境整備方針
当グループでは、個々人の多様性と創造性が組織の付加価値として存分に生かされ、働くことに夢とやりがいを持てる職場を提供するとともに、高度な専門性と総合力を駆使してトータルなソリューションを提供できる人材集団を形成し、その活躍を推進するための人事の基本方針を策定しています。
また、2018年4月には「三井住友トラスト・グループ人材育成方針」を制定し、職場の環境整備及び人材力の強化に取り組んでいます。
2.多様性の確保の状況
・信託銀行グループとしての強みの源泉である多様性確保に向けて、新卒採用に加え、キャリア採用についても積極的に実施しています。近年では、異業種からの採用も含め、中核子会社である三井住友信託銀行においては、国籍に関わらず、日本国内で毎年約100人前後のキャリア採用を実施しており、年間採用数の約2割の人材をキャリア採用にて確保しています。
・海外の各拠点においては、合計700名超の現地スタッフが活躍しています。
・女性の管理者の登用については、女性活躍推進法に基づく一般事業主行動計画（以下、「行動計画」という。）として、2020年3月までに課長級以上の女性管理職を300名とする目標を掲げ、2019年10月に357名と前倒しで目標を達成しました。2020年4月からは、意思決定ラインにおける女性を増やすことを目的に、2023年3月末までに課長以上のラインのポストに就く女性の比率を12%以上、マネジメント業務を担う女性の比率を30%以上とする新たな行動計画を策定し、統合報告書等にて開示しています。
今後も引き続き、人事の基本方針及び人材育成方針を踏まえた職場環境の整備、登用や研修等を実施し、多様な人材の活躍を推進してまいります。

補充原則
2-4①

⑩日邦産業

「コーポレートガバナンス・コードの各原則に基づく開示」

【補充原則2-4①. 中核人材の登用等における多様性の確保】

1. 中核人材の登用方針
　　当社は、「職務等級制度規程」及び「管理職制度規程」に基づき策定した「職務要件」及び「行動特性」を満たす又は満たすことが十分に見込まれる人材を性別、国籍、年齢、新卒・中途採用の別にかかわらず、中核人材である「管理職」に登用することを方針としています。

2. 人材育成方針等
　　当社は、「教え、教えられ、ともに育つ」を人材育成の基本コンセプトにおき、体系立てた研修を実践しています。

3. 多様性の目標値
　　当社は、多角的な視点すなわちジェンダーや国際性の面を含む多様性が組織の実効性を高めるものと考えており、当社の海外子会社においては女性社員及び外国人社員の管理職登用が進んでいます。他方、当社（単体）における女性社員及び外国人社員の管理職登用の状況は下表のとおりであり、この比率を高める必要があるとの認識から、管理職及び管理職候補者であるマネジメント職・総合職・専門職に占める女性社員及び外国人社員の比率の向上並びに係長級社員に占める女性社員及び外国人社員の比率の向上に関する目標値を定めて、これを実現するための施策を講じてまいります。

	2020年度	2025年度	2028年度
・マネジメント職・総合職・専門職に占める女性社員の比率の向上	6%	9%	11%
・マネジメント職・総合職・専門職に占める外国人社員の比率の向上	2%	3%	4%
・係長級にある社員に占める女性社員の比率の向上	16%	23%	27%
・係長級にある社員に占める外国人社員の比率の向上	1%	2%	3%

※上記目標値は、当社（単体）に所属する社員を対象としています（海外及び国内子会社に出向している社員を含み、海外及び国内子会社で採用した社員を除く）。
※海外及び国内子会社を含む連結の管理職における女性社員及び外国人社員の人数及び比率については、当社ホームページ（https://www.nip.co.jp/esg/.assets/esg_society.pdf）をご参照ください。

【実行施策】
(1)人事制度の見直し
　　社員が、家事や育児と仕事を両立でき、マネジメント能力や専門能力を発揮できるキャリアパスを構築するため、総合職・専門職へ「地域限定勤務制度」を導入し、ライフプランに応じた働き方を選択できる人事制度の見直しを図る。この制度の対象となる社員は女性社員に限定せず、男性社員も対象とし、また将来、転勤できる状況になったときには、勤務地域を限定しない総合職・専門職への転換も図れる制度とする。
(2)働き方改革
　　社員が、出産・育児、介護等を理由に退職した場合も、働ける状況になった際により柔軟に復職できるように、在宅勤務制度等の多様な働き方を整備・提示し実現する。
(3)管理職者教育
　　管理職者へ、性別、国籍、年齢、新卒・中途採用等に対する「無意識の偏見」が評価やタスクアサインメントに与える影響について気づきの機会を与える研修や、異文化の外国人財との働き方やコミュニケーションマネジメント等の具体的な手法等に関する教育を実施する。
(4)若年層社員教育
　　若手社員に対して、当社の多様なロールモデル社員の紹介や、ライフステージを踏まえたキャリア構築に関する研修を行い、社員自身がキャリアを考えるきっかけ作りを行い、自律的にキャリア構築に努められるように育成する。
(5)採用活動の取組み
　　採用段階から人事部門と事業部門が連携し、入社後の役割やキャリア構築を踏まえ、当社が獲得したい女性・外国人の採用戦略を策定し、

Ⅱ　ガバナンス報告書

その人財に訴求できるよう大学、高等学校、紹介会社等の募集媒体とのコミュニケーションを深めるとともに、応募者へは既存の女性・外国人社員とのコミュニケーション機会を設ける等、女性・外国人応募者の当社への入社意欲を醸成する。

⑪扶桑化学工業

「コーポレートガバナンス・コードの各原則に基づく開示」

【補充原則2-4①】
当社HP(ESGページ)において、女性活躍推進に関する取り組み内容のほか、配置・育成・教育訓練・登用などの人材育成方針、目標とスケジュールを開示しています。また、働き方の見直しや、労働環境条件の整備を進めています。中途採用者については管理職等へ積極的に登用しております。子会社では外国人を役員として登用しております。

「同社ホームページ」

子育て支援

社員が仕事と子育てを両立させることができるよう、「次世代育成支援対策推進法」に基づいた環境整備を実施しています。育児・介護のための休業・短時間勤務制度をはじめとする、働きながら育児や介護等を行う従業員をサポートする各種制度を整備し、社員一人ひとりがその能力を十分発揮できる職場作りに取り組んでいくため、次のとおり一般事業主行動計画を策定します。　行動期間：2021年4月1日～2023年3月31日までの2年間

目標1　　育児休業等を取得しやすい環境作りを行う。

＜対策＞
①管理職を対象とした取組み

- 2021年9月～　　経営層・管理職へのアンケート調査による実態把握
- 2022年1月～　　管理職を対象としたダイバーシティ研修の実施
- 2023年3月～　　管理職の人事評価項目への育児休業等取得率追加検討

②育休中社員・育休復帰社員を対象とした取組み

- 2021年9月～　　育休中社員・育休復帰社員間の交流
- 2022年1月～　　従業員への育休中社員・育休復帰社員間の交流に関する社内通知

③全従業員を対象とした取組み

- 2021年7月～　　育児休業等に関する社内制度の周知
- 2022年4月～　　育児休業の取得率の社内外への公表（自社においては部署別比率）

目標2　　多様な働き方を推進する。

＜対策＞
①在宅勤務・テレワーク・フレックスタイム・短時間勤務・時間単位の有給休暇取得制度等の導入

- ●2021年7月〜　　ライフイベントに応じた在宅勤務・テレワーク・フレックスタイム・短時間勤務・時間単位の有給休暇取得制度等の内容や対象について検討
- ●2021年9月〜　　上記制度の試験的な導入
- ●2021年12月〜　対象者にアンケートの実施・回答をもとに制度化に向けた課題の抽出
- ●2022年4月〜　　上記制度内容の検討開始
- ●2023年1月〜　　上記制度の導入

②キャリア形成に関する研修の実施

- ●2021年9月〜　　キャリア形成に関する従業員アンケートの実施
- ●2022年4月〜　　キャリア形成に関する研修の開始

⑫加藤製作所

「コーポレートガバナンス・コードの各原則を実施しない理由」

【2-4-1】女性・外国人・中途採用者の管理職への登用等、中核人材の登用等における考え方と自主的かつ測定可能な目標
当社は、人材の多様化とそれら人材の育成が中長期的な企業価値向上に繋がるものと考え、女性・外国人・中途採用者を積極的に採用しております。また、中途採用者についてはスキル・経験等を総合的に判断し、管理職への登用を行っている一方、女性・外国人につきましては、管理職への登用数が現状、十分ではないと認識しており今後、当社の中核人材として、その比率が高まるよう人材育成および社内環境の整備に努めてまいります。

⑬トーアミ

「コーポレートガバナンス・コードの各原則を実施しない理由」

【原則2-4. 女性の活躍促進 を含む社内の多様性の確保】
・補充原則2-4-1
当社では、人事考課により能力、業務実績等を総合的に評価し、適性の認められるものを管理職に登用しており、性別、国籍、採用経路等で選別しておりませんが、現時点では女性、外国人の管理職登用は十分ではないと認識しております。
女性の活躍推進を含む多様性の確保については測定可能な目標設定と併せ今後の課題として取り組んでまいります。

⑭大同信号

「コーポレートガバナンス・コードの各原則を実施しない理由」

〔補充原則2-4-1 社内の多様性確保〕
　当社では、多様性の確保については、能力や適性など総合的に判断する管理職登用制度により、性別・国籍や採用ルートによらず登用しておりますが、従業員に占める女性・外国人・中途採用者の比率が大きくないため、現時点では測定可能な数値目標を定めるには至っておりません。今後引き続き多様性の確保に向けた施策を推進するとともに、目標についても検討してまいります。

⑮いい生活

「コーポレートガバナンス・コードの各原則を実施しない理由」

【補充原則2-4-1】
当社グループは現状人数規模が比較的小さく、母集団としては限られることから、実績値としての開示は行っていないものの、女性・中途採用者の管理職登用につきましては、現時点で複数の実績があります。
現時点で当社グループの事業ドメインが国内の不動産領域に限られることから、現時点で外国人の管理職登用については実績がないものの、当社グループは国籍、性別等に囚われずその能力・成果に応じた人事評価を行うことを基本方針としており、今後の事業ドメインの拡大及び企業規模の拡大に応じて、実績値の開示についても検討してまいります。

Ⅱ ガバナンス報告書

⑯日本ドライケミカル

「コーポレートガバナンス・コードの各原則を実施しない理由」

原則2－4－1 女性・外国人・中途採用者の管理職への登用等の多様性の確保
当社は、女性・外国人・中途採用者の管理職への登用等の多様性を確保するよう努めておりますが、事業の特性上、まだ推進できていない状況であります。今後、推進できるよう前向きに検討してまいります。

---

⑰ファーストコーポレーション

「コーポレートガバナンス・コードの各原則を実施しない理由」

【補充原則2－4－1 中核人材の多様性確保についての測定可能な目標】
当社は、性別・国籍・信条・社会的身分等によらない積極的な採用活動を継続し、中途採用者を含め優秀な人材は性別・年齢を問わず積極的に登用することとしておりますが、建設業界における慢性的な人手不足と高齢化により、現状において測定可能な目標を示すことは困難と考えております。

---

⑱アスクル

「コーポレートガバナンス・コードの各原則を実施しない理由」

【補充原則2－4－1 中核人材の登用等における多様性の確保】

（1）多様性の確保について
　当社は、「ASKUL WAY」におけるバリューズ（価値観）のひとつに掲げる「多様性と共創」に基づき、多様性を尊重し、あらゆる壁を越え、さまざまな個性と共創し、変革を最速で実現する企業を目指しております。
　また、ASKUL WAYを踏まえ特定したマテリアリティ（重要課題）の一つとして、「サステナブルな企業活動を支える人材育成」のテーマの下、「個々人が能力を発揮するダイバーシティの推進」および「積極的にチャレンジする人材によるイノベーション創出」を掲げており、多様な人材が能力を発揮し活躍できる環境の実現、DX（デジタル・トランスフォーメーション）をベースに、よりチャレンジする人材の育成と環境整備を進めております。

　当社におけるダイバーシティ戦略としては、2012年に発足した「働く女性支援プロジェクト」をきっかけに、2015年には「ダイバーシティ宣言」を行いました。ダイバーシティ経営の3つの柱として「多様な人材活用」「多様な働き方推進」「多様性享受の組織風土の醸成」を掲げ、アスクルグループの持続的な成長・企業価値の向上を図り、各種施策に取り組んでおります。

　「多様な人材活用」の施策としては、まず第一歩として「女性活躍の推進」を掲げ、女性活躍のための制度の整備・施策の展開や女性の管理職への登用を推進しています。
　「女性の管理職の登用」に関する目標、目標の達成状況は以下をご参照ください。
　　・目標：「2025年までに女性管理職比率 30％達成」　https://askul.disclosure.site/ja/themes/99#work03
　　・達成状況：「ESGデータ集」　https://sustainability-cms-askul-s3.s3-ap-northeast-1.amazonaws.com/csr/data/pdf/esg_data.pdf

　一方、当社においては、創業以来、国籍を問わず経験・能力等に基づいた中途採用をベースに事業拡大を行ってきた背景があるため、「外国人」「中途採用者」に特化した管理職への登用に関する施策・目標設定を行う状況にないと認識しております。
　当社「2022年5月期～2025年5月期 中期経営計画」において、2022年5月以降の採用者におけるDX人材比率を70％とすることを目標として掲げており、この目標達成のため、今後も引き続き、国籍および中途採用・新卒採用の別を問わず、多様な人材の積極的な登用を進めてまいります。
　上述の当社の背景・現状および今後の中期経営計画等を踏まえ、本報告書の更新日現在、当社においては、「外国人」および「中途採用者」の管理職への登用に関する「自主的かつ測定可能な目標」については、設定しておりません。
　当該目標の設定については、今後、当社における事業ポートフォリオの見直し・経営資源配分の検討に応じて、改めて検討いたします。

　なお、当社における外国人従業員数、中途採用者数等の実績については当社のウェブサイト「ESGデータ集」にて開示しておりますのでご参照ください。
　　・「ESGデータ集」　https://sustainability-cms-askul-s3.s3-ap-northeast-1.amazonaws.com/csr/data/pdf/esg_data.pdf
　また、当社の中期経営計画の詳細は以下をご参照ください。
　　・【2022年5月期～2025年5月期 中期経営計画】　https://pdf.irpocket.com/C2678/NnTb/kpJU/ANQN.pdf

（2）多様性の確保に向けた人材育成方針、社内環境整備方針、その状況
　多様な人材が活躍できるための基盤づくりとしての「多様な働き方推進」の取組みとしては、全社員を対象にテレワーク制度を導入し、フレックスタイム制（コアタイムなし）の適用を拡大するなど一人ひとりの社員がより柔軟な働き方を選択できる環境を整えるとともに、多様な働き方を前提としたオフィスレイアウトの変更を行うなど、時間的にも空間的にも柔軟な働き方を実現しております。
　「多様性享受の組織風土の醸成」についても、新たに設定したパーパス（存在意義）とバリューズ（価値観）を軸とした組織風土の醸成に取り組みを開始しております。
　詳細は、当社ウェブサイトをご参照ください
　　　https://askul.disclosure.site/ja/themes/99

「多様な人材の確保に向けた人材育成方針、社内環境整備方針」および「その実施状況」については、改めて報告いたします。

第4　原則2－6に基づく開示

原則2－6

> 上場会社は，企業年金の積立金の運用が，従業員の安定的な資産形成に加えて自らの財政状態にも影響を与えることを踏まえ，企業年金が運用（運用機関に対するモニタリングなどのスチュワードシップ活動を含む）の専門性を高めてアセットオーナーとして期待される機能を発揮できるよう，運用に当たる適切な資質を持った人材の計画的な登用・配置などの人事面や運営面における取組みを行うとともに，そうした取組みの内容を開示すべきである。その際，上場会社は，企業年金の受益者と会社との間に生じ得る利益相反が適切に管理されるようにすべきである。

1　背景・趣旨

スチュワードシップ・コードにおいては，資産保有者としての機関投資家（アセットオーナー）が，資産運用者としての機関投資家（運用機関）に対するモニタリングなどの実効的なスチュワードシップ活動を通じて投資先企業の企業価値向上に寄与することが期待されている。これを受け，本原則は，企業年金が運用の専門性を高めてアセットオーナーとして期待される機能を発揮できるよう，運用に当たる適切な資質を持った人材の計画的な登用・配置などの人事面や運営面における取組みを行うとともに，そうした取組みの内容を開示することを求めている。また，上場会社がそのような取組みを行うに際しては，企業年金の受益者と会社との間に生じ得る利益相反が適切に管理されるようにすることを求めている。

2　開示対象

本原則に基づく開示対象は，「（企業年金の）運用に当たる適切な資質を持った人材の計画的な登用・配置などの人事面や運営面における取組み」であり，各上場会社が企業年金の母体企業として行っている取組みを開示すべきこととなる。本原則においては，人事面・運営面の取組みの具体的な内容は特定されておらず，プリンシプルベース・アプローチの下，各社の合理的な判断により，適切な方法により実施すれば足りると考えられる。

3 開示内容

(1) 人事面における取組み

人事面における取組みとしては，(i)専門性のある人材の供給や，(ii)外部専門家の起用，(iii)人材育成などが考えられる。

上記(i)については，年金運用や資産運用の専門的知見を有する人材を企業年金において任用する旨を開示する例が多い。対象となる人材については，その能力に着目して，年金運用や資産運用の専門能力・知見を有する者とする例（①**三菱ＵＦＪフィナンシャル・グループ**，②**第一生命ホールディングス**）があるほか，母体企業における所属部署等に着目して，CFOや財務，経理，人事の管掌役員を挙げる例（③**オリックス**）や，人事・財務・法務・内部監査部門等での責任者の経験を有する者をはじめ，グループにおける各分野の業務に関わる者とする例（④**キユーピー**），受益者代表として労働組合幹部等も退職年金資産運用委員会の構成員としている旨を開示する例（⑤**協和エクシオ**）がある。また，それらの役職員の企業年金側における役職については，基金事務局とする例（①**三菱ＵＦＪフィナンシャル・グループ**）や運用執行理事とする例（⑥**味の素**）があるほか，資産運用等に関する委員会の構成員とする例（③**オリックス**，⑦**サントリー食品インターナショナル**），代議員会の構成員とする例（⑧**バルカー**）などがある。

上記(ii)については，対話ガイドライン5－1において，母体企業による人材の計画的登用・配置に関して「外部の専門家の採用を含む」とされていることも踏まえたものである。専門能力・知見を補完するため外部アドバイザーを起用する旨を開示する例（⑥**味の素**）や，運用機関の選定に当たって，運用コンサルタント会社を活用する旨を開示する例（⑨**マツダ**）がある。

上記(iii)については，専門性の向上への取組みに関して，配置された人材を外部セミナーに派遣することで資質の向上を図る旨を開示する例（③**オリックス**）や，セミナーへの参加等による人材育成について言及する例（⑩**積水ハウス**）がある。

(2) 運営面における取組み

運営面における取組みとしては，(i)運用方針の決定，(ii)運用状況の確認，及び(iii)運用結果の開示について開示するものが多い。

上記(i)については，資産運用委員会を設置して運用の基本方針，運用のガイドライン及び政策的資産構成割合の策定等を実施している旨を開示する例（⑪**東京電力ホールディングス**）や，資産運用に関する意思決定は，資産運用委員会の審議を踏まえ，代議員会において決定する仕組みになっている旨を開示する例（⑫**日鉄物産**），代議員会において，資産運用委員会が選定

した投資先商品の妥当性・合理性を審議し，投資先商品を決定している旨を開示する例（⑦**サントリー食品インターナショナル**）がある。

上記(ii)については，運用委託先について運用報告会の開催による定量評価や書面アンケートの提出義務付けによる定性評価を行う旨を開示する例（⑧**オリックス**），資産運用委員会において運用状況のモニタリングを行う旨を開示する例（⑬**キリンホールディングス**），参加している厚生年金基金に対して，管理部門の職員を当該基金の代議員として運営に関与させ，運用状況の確認・モニタリングを行う旨を開示する例（⑭**ワタミ**），運用機関による運用状況について，スチュワードシップ活動の取組みを含めて定期的にモニタリングしている旨を開示する例（⑮**第一三共**），運用機関から四半期毎に年金資産の状況報告を受け，定量的及び定性的な評価を行うことにより運用機関のモニタリングを行っている旨を開示する例（⑯**シマノ**）がある。

上記(iii)については，積立金の運用結果の開示を，イントラネット等を活用して社員に開示するとともに，取締役会にも報告している旨を開示する例（⑰**バンダイナムコホールディングス**），代議員会の議事録及び年金検討委員会の議事の概要をイントラネットで開示する等，受益者に対して適切な情報開示を行う旨を開示する例（⑩**積水ハウス**），年度ごとに年金資産の運用結果を年金担当者が経営会議にて報告する旨を開示する例（⑱**東海カーボン**）がある。

以上のほか，委託先がすべてスチュワードシップ・コードを受け入れている旨を開示する例（⑲**リコー**）や，企業年金がスチュワードシップ・コードの受け入れを表明している旨を開示する例（⑳**りそなホールディングス**）もある。

(3) 利益相反の管理

上記のとおり，本原則は，上場会社が人事面・運営面の取組みを行う際に，企業年金の受益者と会社との間に生じ得る利益相反が適切に管理されるようにすることを求めている。利益相反が生じうる場面としては，母体企業や企業年金が置かれた状況に応じて様々な場面が想定されるが，例えば，企業年金の投資先に母体企業や母体企業と利害関係がある企業の株式が含まれる場合の議決権行使の場面などが考えられる[注13]。

本原則は，このような利益相反の管理のための方策については開示を求めていないが，この点についても任意に開示する例が見受けられる。例えば，母体企業の株式等の議決権行使については運用委託先の判断基準に従う旨を開示するもの（㉑**松井建設**），運用の基本方針などの検討に際して運用コンサルタント会社を活用する旨を開示するもの（⑪**東京電力ホールディングス**），個別の投資先選定や議決権行使を各運用機関へ一任するもの（㉒**ジャックス**），資産運用については，独立した年金運用諮問委員会を設置してモニタリングし，議決権行使については，運用受託機関に対して議決権行使基準の策定と行使結果の開示を要求している旨を開示するもの（㉓**アイシン精機**），年金資産運用委員会の審議内容や代議員会での決議内容を，加入者，受給者に広く周知している旨を開示するもの（㉔**東京海上ホールディングス**）がある。

(注13) 田原泰雅＝渡邉浩司＝染谷浩史＝安井桂大「コーポレートガバナンス・コードの改訂と『投資家と企業の対話ガイドライン』の解説」商事法務2171号（2018）17頁。

(4) 確定拠出年金を導入している場合

本原則の対象となる企業年金としては，基本的に，基金型・規約型の確定給付年金及び厚生年金基金が想定されている(注14)。そこで，これらの制度を導入していない上場会社においては，端的にその旨を開示する例（㉕**ソラスト**）や，確定拠出年金を導入している旨を開示する例（㉖**丸井グループ**）がある。他方，確定拠出年金についても，一般論として，運用機関・運用商品の選定や従業員に対する資産運用に関する教育の実施などの場面で，上場会社において適切な取組みがなされることが期待されるとの議論があること(注15)を踏まえ，従業員の資産形成支援に向けた教育内容の充実や，加入者の運用状況のモニタリング結果を踏まえた教育内容の見直し等について開示する例（㉗**日本通運**）もある。

(注14) 「フォローアップ会議の提言を踏まえたコーポレートガバナンス・コードの改訂について」に寄せられたパブリック・コメントの結果について（No.285回答前段）。

(注15) 「フォローアップ会議の提言を踏まえたコーポレートガバナンス・コードの改訂について」に寄せられたパブリック・コメントの結果について（No.285回答後段）。

4　開示事例

①三菱ＵＦＪフィナンシャル・グループ

「コーポレートガバナンス・コードの各原則に基づく開示」

【原則2-6】
■企業年金のアセットオーナーとしての機能発揮
・当社のグループ銀行では基金型の企業年金制度を採用しており、アセットオーナーとして期待される機能を果たすため、「責任ある機関投資家の諸原則（日本版スチュワードシップ・コード）」の受け入れを表明しております。
三菱UFJ銀行企業年金基金（http://www.mufg-kikin.or.jp/stewardshipcode/index.html）
三菱UFJ信託銀行企業年金基金（https://www.mutb-kikin.jp/stewardship_code/stewardship_code.html）
・年金基金の運用に当たっては、基金事務局に資産運用等に関する専門性を有する人材を配置しております。また、人事・財務・リスク・市場取引等の業務に精通した者を構成員とする「資産運用委員会」において、ポートフォリオの資産配分や運用スタイル、運用受託機関構成等の審議を行う等、加入者・受給者等の安定的な資産形成と、年金財政の適正な運営を実現するための体制を構築しております。

---

②第一生命ホールディングス

「コーポレートガバナンス・コードの各原則に基づく開示」

【原則2-6】
〇企業年金の運営体制
当社の企業年金は規約型企業年金であり、保険会社として当社が企業年金の運営、年金資産を受託していることから、当該年金資産に関しては、資産保有者としての機関投資家（アセットオーナー）の立場と、資産運用者としての機関投資家（運用機関）の立場が実質的に一体となっています。保険会社の資産運用に携わる専門性を持った人財が年金資産の運用にあたるなど、適切な資質を持つ人財が継続的に配置されており、アセットオーナーの立場として期待される機能も適切に発揮しています。

〇利益相反管理の取組み
企業年金の管理部門・事業部門、資産運用部門、リスク管理部門合同で定期的に委員会を開催し、安定的な運用収益の獲得、財政の健全性を両立するポートフォリオの構築、ストレステストやバリュー・アット・リスク等の運用リスク管理、運用実績の適切なフォロー等、高度なガバナンス体制を確立しています。ポートフォリオの選定は客観的かつ定量的な尺度に基づき実施されることから、受益者と会社間の利益相反について適切に管理されています。

---

③オリックス

「コーポレートガバナンス・コードの各原則に基づく開示」

【原則2-6 企業年金のアセットオーナーとしての機能発揮】
〔オリックスグループ企業年金基金の取組状況〕
・オリックスグループのCFOを長とし、財務、経理、人事の管掌役員が委員として構成される資産運用委員会を設置しています。
・資産運用方針および政策的資産構成割合は資産運用委員会で検討し、代議員会で決定しています。当基金の財政状況は極めて健全であり、資産運用に際しては過度なリスクを取らず、下値抑制を重視した運用方針としています。政策的資産構成割合は原則として、5年ごとに実施する財政再計算時に策定し、毎年検証を行っており、適宜、必要に応じて見直しています。
・当基金の運用委託先はすべて、日本版スチュワードシップ・コードを受け入れています。運用委託先については、四半期ごとに運用報告会を開催し、定量評価を実施しています。その他、定性評価として年1回の書面アンケートの提出を義務付けており、適切に運用されていることを確認しています。
・オリックスグループの株式および投資口の議決権行使については運用委託先の判断基準に従っており、利益相反に該当する事項はありません。
・当基金事務局には適切な資質を持った人員を配置すると同時に、担当者を外部セミナー等に参加させることで資質の向上を図っています。

④キユーピー

「コーポレートガバナンス・コードの各原則に基づく開示」

【原則2-6】企業年金のアセットオーナーとしての機能発揮

1. 当社は、「キユーピー企業年金」を運営するとともに「キユーピー企業年金基金」にも加入しており、両制度の資産運用や財政運営等の企業年金全般に関する業務を一元的に管理し、役割および責任の明確化を図ること等から、当社人事本部の企業年金部員が基金職員を兼務する体制としております。

2. 当社は、受給者への年金給付を将来にわたって確実に継続するため、フィデューシャリー・デューティの遂行と食品製造会社として培ってきた精神に基づく運用スタイルを基本方針に掲げて運用機関と運用商品を選定しており、投資先の運用状況を毎月確認しながら、四半期毎に当該運用機関より運用商品の管理および投資行動等に関する報告を受けております。

3. 当社の企業年金制度は、資産運用委員会を諮問機関、年金管理委員会および基金理事会・代議員会を決裁機関および執行機関として年金資産の運用に関する議案を検討、審議する体制としております。各々の組織は、人事・財務・法務・内部監査部門等での責任者の経験を有する者をはじめ、当社グループにおける各分野の業務に関わる者から選出された委員で構成されており、適切な管理体制のもと制度運営にあたっております。

4. 当社の企業年金においては、人事・経理・財務等の各部門より当該機能の専門性を有し、市場や投資の動向把握に適切な資質を持った人材を運用執行理事として任用しており、さらに社外コンサルタントとの連繋を深めて専門能力・知見を補完するとともに、資産運用業務に携わる人材の知識向上を図っております。

⑤協和エクシオ

「コーポレートガバナンス・コードの各原則に基づく開示」

【原則2-6 企業年金のアセットオーナーとしての機能発揮】
年金資産の運用については、経営企画部長・財務部長・人事部長をはじめ、受益者代表としての労働組合幹部等で構成される退職年金資産運用委員会において方針の決定や定期的なモニタリングを行い、年金資産運用の適正化を図っております。
また、企業年金の運営については、担当組織において必要な経験や資質を備えた人材を配置するとともに育成を行い、運用機関に対して運用実績や運用方針等を勘案して総合的に評価・モニタリングを行っております。

⑥味の素

「コーポレートガバナンス・コードの各原則に基づく開示」

【原則2-6】(企業年金のアセットオーナーとしての機能発揮)
当社が運用専門性を高めてアセットオーナーとしての機能を発揮できるように、人事面においては年金運用の専門能力・知見を有する者を運用執行理事として任用し、かつ、外部アドバイザーを起用して専門能力・知見を補完するとともに、運営面においては随時、資産運用検討委員会において運用状況のモニタリングを行う等の取り組みを実施しています。

Ⅱ　ガバナンス報告書

⑦サントリー食品インターナショナル

「コーポレートガバナンス・コードの各原則に基づく開示」

【原則2-6. 企業年金のアセットオーナーとしての機能発揮】
当社方針「18. 企業年金基金の運営」

「サントリー食品インターナショナル株式会社コーポレート・ガバナンス方針」

18．企業年金基金の運営

当社は、サントリーホールディングスとともにサントリー企業年金基金に加入しております。

サントリー企業年金基金は、代議員会、理事会及び資産運用委員会を設置しております。代議員会は、資産運用委員会が選定した投資先商品の妥当性・合理性を審議し、投資先商品を決定しております。資産運用委員会は、投資先商品の選定及び運用状況確認を行っております。

代議員会及び資産運用委員会の構成員には、当社やサントリーホールディングスの財務部門責任者又はその経験者を含む積立金の運用に関する専門的知識を有する者が含まれております。

サントリー企業年金基金は、長期的・安定的な収益確保の観点から投資先商品を選定するとともに、投資後も、毎月投資先商品の運用状況を確認し、四半期毎に投資先商品の運用機関より投資先商品の管理及び運用に関して報告を受けております。

⑧バルカー

「コーポレートガバナンス・コードの各原則に基づく開示」

【原則2-6】（企業年金のアセットオーナーとしての機能発揮）
当社は、バルカー企業年金基金を通じて、企業年金の積立金の運用を行っており、企業年金基金に対し、選定代議員として財務・法務・人事部門の部門長等から企業年金の運用に適切な資質を持った人材を選出しております。
将来にわたって健全な年金制度を維持するため、受益者の利益の最大化および利益相反取引の適切な管理を目的に、政策的資産構成割合を代議員会で決定するとともに、年金資産管理委員会で運用機関に対し、定期的に運用状況のモニタリングを行い、運用の健全性を確認しております。

---

⑨マツダ

「コーポレートガバナンス・コードの各原則に基づく開示」

【原則2-6　企業年金のアセットオーナーとしての機能発揮】
　当社の企業年金の積立金の運用は、マツダ企業年金基金により行われています。積立金の運用は複数の運用機関に委託しています。運用機関の選定にあたっては、運用実績などの定量面に加え、運用コンサルタント会社を活用するなど、外部の専門家の意見も取り入れながら、長期的に収益を確保する観点から慎重に行っています。
　また、基金がこれらの機能を発揮できるよう、財務部門から専門性を有した人材を派遣するとともに、企業年金基金に運用専任担当を配置し、運営にあたる適切な資質を持った人材の登用・育成に努めています。

加えて、人事・財務等の業務に精通した者を構成員とする資産運用委員会を通じ、重要事項の意思決定を行うとともに、基金の運営の健全性を確認しています。
　個別の投資先選定や議決権行使については運用機関へ一任し、企業年金の受益者と会社の間で利益相反が生じないようにしています。

⑩積水ハウス

「コーポレートガバナンス・コードの各原則に基づく開示」

【原則2-6 企業年金のアセットオーナーとしての機能発揮】
当社は、積水ハウス企業年金基金及び積水ハウス関係会社企業年金基金（以下、「両基金」といいます。）を通じ、企業年金の積立金の運用を行っており、その基本的な方針は次のとおりです。
(1)両基金が運用の専門性を高め、運用機関に対するモニタリング等のアセットオーナーとして期待される機能を発揮できるよう、経理・財務や人事業務の経験者等、専門性を有する企業年金の運営に適切な資質を持った人材を計画的に登用又は配置します。
(2)年金検討委員会を設置し、制度、資産運用方針等に関する審議を通じて、運営全般についての健全性を確認します。また、代議員会の議事録及び年金検討委員会の議事の概要をイントラネットで開示する等、受益者に対して適切な情報開示を行います。
(3)両基金は、年金資産の運用に関する基本方針に則り、積立金の運用を国内外の複数の運用機関へ委託し、個別の投資先選定や議決権行使を各運用機関へ一任することで、企業年金の受益者と会社との間で利益相反が生じないようにします。また、外部機関より企業年金に関する知見を持った人物をコンサルタントとして登用し、ポートフォリオ作成ならびに運用機関及びファンド選定の助言、年金検討委員会での助言等を委託し、専門性の強化及び利益相反の適切な管理を行います。
(4)担当者を企業年金連合会や運用機関各社が実施する企業年金に関するセミナーに参加させることにより、企業年金の運営に携わる人材の育成及び資質向上に努めます。
(5)両基金は、その保有する資産を主体的に配分するアセットオーナーとして「日本版スチュワードシップ・コード」の受入れを表明し、資産の運用を委託する運用機関に対し、スチュワードシップ活動を求めています。

⑪東京電力ホールディングス

「コーポレートガバナンス・コードの各原則に基づく開示」

【原則2-6 企業年金のアセットオーナーとしての機能発揮】
当社は、確定給付企業年金制度を保持していることから、当該年金にかかる積立金の運用にあたってはアセットオーナーとして期待される機能を発揮できるよう、「確定給付企業年金に係る資産運用関係者の役割及び責任に関するガイドライン」を踏まえ対応しており、具体的には以下のとおりです。
・資産運用委員会（担当役員以下で構成）を設置、運用の基本方針、運用ガイドライン並びに政策的資産構成割合の策定及び見直し検討を実施しています。
・運用の基本方針などの検討に際しては、運用コンサルタント会社を活用するなど、専門性・信頼性並びに利益相反の観点において、継続的かつ適切に対応し得るよう体制を整備しています。

⑫日鉄物産

「コーポレートガバナンス・コードの各原則に基づく開示」

（原則2-6 企業年金のアセットオーナーとしての機能発揮）
　資産運用に関する意思決定は、日鉄物産企業年金基金が受益者の安定的な資産形成や利益相反取引の適切な管理を目的に、資産運用委員会の審議を踏まえ、代議員会において決定しており、資産運用委員会及び代議員会には、当社の財務部門や人事部門の部門長等適切な資質を持った人材を配置するとともに、受益者代表として労働組合幹部等を配置しております。また、企業年金基金の事務局には適切な資質をもった人材を選出・配置しております。年金資産の運用状況についても定期的にモニタリングを実施しており、今後も積立金の適切な運用環境の整備に努めてまいります。なお、年金運用会社には議決権行使を含めて委託しているため、企業年金の受益者と会社との間に利益相反が生じることはありません。

⑬キリンホールディングス

「コーポレートガバナンス・コードの各原則に基づく開示」

【原則2-6．企業年金のアセットオーナーとしての機能発揮】
・当社における企業年金の積立金の運用は、企業年金基金により行います。
・当社は同基金に対し年金運用に適した資質を有する者を計画的に登用・配置するとともに、外部アドバイザーにより専門能力・知見を補完することで、同基金を支援するための適切な運営体制を構築します。
・なお、同基金は資産運用委員会において運用状況のモニタリングを行い、運用実績などの定量面のみならず、投資方針、運用プロセス、リスク管理等の定性面を加えた総合的な評価を継続的に実施し、必要に応じ資産配分や運用委託先の見直しを行います。

Ⅱ　ガバナンス報告書

⑭ワタミ

「コーポレートガバナンス・コードの各原則に基づく開示」

【原則2-6】（企業年金のアセットオーナーとしての機能発揮）
　当社は、当社が参加している外食産業ジェフ企業年金基金に対して、当社の管理部門の職員を当該基金の代議員として運営に関与させ、運用状況の確認・モニタリングを行い、必要に応じて意見を具申することとしています。

⑮第一三共

「コーポレートガバナンス・コードの各原則に基づく開示」

【原則2-6　企業年金のアセットオーナーとしての機能発揮】
　当社グループの企業年金基金は、「資産保有者としての機関投資家の立場として『『責任ある機関投資家』の諸原則《日本版スチュワードシップ・コード》』の受入れを表明しております。
　当基金は、資産の運用を委託している運用受託機関に対して、スチュワードシップ責任を果たし、投資先企業との対話を通じて企業価値の向上やサステナビリティ（ESG要素を含む中長期的な持続可能性）に関する課題への取り組みを促すことにより、当基金の中長期的な投資リターンの拡大を図るよう行動することを求めています。
　当基金の運営にあたっては、基金専従の年金運用担当者、事務局担当者を配置し、資産運用委員会や代議員会には当社の人事・財務部門の責任者をはじめとする適切な資質を持った人材を配置するとともに、加入者側から労働組合の代表者が参画しております。
　当基金は、リスク管理を徹底し、安全かつ効率的な資産運用を実現するための基本方針を定めており、外部専門家の意見を取入れながら資産負債管理（ALM）により政策的資産構成割合を策定し、運用受託機関による運用状況については、各機関のスチュワードシップ活動の取組みを含めて、定期的にモニタリングしております。
　また、当基金は、代議員会、理事会、監事を、事業主選定の代議員及び加入者互選による代議員のいずれも同数により構成すると共に、受益者へ基金の財政状況、運用成果、運用受託機関のスチュワードシップ活動等を定期的に報告し、当社グループと受益者との利益相反管理を図っております。

⑯シマノ

「コーポレートガバナンス・コードの各原則に基づく開示」

【原則2-6.企業年金のアセットオーナーとしての機能発揮】
　当社は、2018年1月、企業年金基金（以下「基金」といいます。）に資産運用委員会を設置しております。
　資産運用委員会の委員及び理事に、基金が期待される機能を発揮できるよう企業年金の運用に適切な資質をもった人材を選定するとともに、運用機関から四半期毎に年金資産の状況報告を受け、定量的及び定性的な評価を行うことにより運用機関のモニタリングを行っております。
　また、受益者への給付を将来にわたり確実に行うため中期的な下振れリスクなどに留意しつつ必要とされる総合収益を長期的に確保することを運用目的とし、年金資産の運用指針を定めた上で最適な運用機関を選定しております。
　資産運用委員会の審議内容を理事会に報告し、これを踏まえた決定を通じ受益者利益の最大化及び利益相反取引に対する適切な管理と基金運営の健全性を図る観点から代議員会で報告し確認を得ております。

⑰バンダイナムコホールディングス

「コーポレートガバナンス・コードの各原則に基づく開示」

【原則2-6：企業年金のアセットオーナーとしての機能発揮】
　当社は、企業年金制度として、確定給付企業年金と確定拠出企業年金の二つの制度を導入しており、確定給付企業年金の積立金の運用に当たっては、適正かつ安定的に機能させるための規約を定め当該規約に基づいて運用を行っています。具体的には、積立金の運用に関する基本方針を定めるとともに、グループ管理本部長を長とする委員会を設置し、将来にわたって健全な年金制度運営を維持する体制を整えています。
　また、基本方針に定められた資産構成割合に基づいて最適な運用受託機関を複数決定し、運用受託機関の定量的・定性的な評価を定期的に実施しています。更に積立金の運用結果については、イントラネット等を活用して社員に開示するとともに、取締役会にも報告しています。

⑱東海カーボン

「コーポレートガバナンス・コードの各原則に基づく開示」

【原則2-6】
　当社は、確定給付企業年金の積立金の運用にあたっては、規約を定め当該規約に基づき運用を行っております。具体的には運用指針および運用の基本方針を定めるとともに、政策的資産構成割合に基づき最適な運用がなされているかどうか人事部内に配置している年金担当者が四半期ごとの運用受託機関の報告をもって確認しております。また、年度ごとに年金資産の運用結果を年金担当者が経営会議にて報告する等、アセットオーナーとしての機能も適切に発揮しています。

⑲ リコー

「コーポレートガバナンス・コードの各原則に基づく開示」

[原則2-6. 企業年金のアセットオーナーとして機能発揮]
　リコーグループの企業年金は規約型をとっており、株式会社リコーに企業年金に関する専従組織を設け、制度運営、資産運用に携わる人材の確保・育成を図っています。
　また、人事、財務、経理を担当する部署のメンバーからなる年金ガバナンス分科会を設置して、専門的な見地から制度運営・資産運用の妥当性を検証し、人事・財務担当役員およびグループ各社の代表からなるリコーグループ年金委員会で確認・承認しています。
　資産運用においては、外部の運用コンサルタントを導入し、第三者の立場から資産運用に関する専門的な助言を受けるとともに、利益相反を管理しています。
　資産運用の委託先はすべてスチュワードシップ・コードを受け入れており、定期的に行っている運用報告を通じてモニタリングしています。

⑳ りそなホールディングス

「コーポレートガバナンス・コードの各原則に基づく開示」

【原則2-6　企業年金のアセットオーナーとしての機能発揮】
　当社グループでは基金型の企業年金制度を設けており、りそな銀行・埼玉りそな銀行はりそな企業年金基金、関西みらい銀行は関西みらい企業年金基金、みなと銀行はみなと銀行企業年金基金をそれぞれ設立し、確定給付年金制度に係る年金資産の運用・給付その他の管理を実施しています。また、基金が具体的な運用方法の決定やリスク管理等について主体的に検討し、アセットオーナーとして期待される専門的機能を発揮できるよう、りそな企業年金基金にはりそな銀行等における証券運用や年金信託等の業務経験を備えた人財を計画的に配置する等、運用に応じた適切な人財を計画的に配置しています。なお、りそな企業年金基金はスチュワードシップ・コードの受入を既に表明しております。
　基金は、規約の変更、毎事業年度の予算、事業報告、決算、積立金の運用等の重要な事項について、実施事業所において選定される者と加入者において互選される者、各々半数ずつで構成される代議員会における議決を経る定めとしています。また、基金の代議員から選定される理事とともに、当社の人事、財務、市場運用等の責任者が委員として参加する資産運用委員会を定期的に開催し、資産運用の基本方針等の策定及び見直しなどについて協議するなど、企業年金の受益者と会社との間における利益相反の適切な管理に努めています。

㉑ 松井建設

「コーポレートガバナンス・コードの各原則に基づく開示」

【原則2-6　企業年金のアセットオーナーとしての機能発揮】
　当社は、企業年金積立金の適正な運用を図るため、代表取締役社長を長とし、管理本部長及び専門性を持つ人材によって構成される資産運用委員会を設置しています。また、基金事務局には適切な資質を持った人員を配置すると同時に、担当者を外部セミナー等に派遣することで資質の向上を図っています。
　資産運用方針及び政策的資産構成割合は資産運用委員会で検討し、代議員会で決定しています。資産運用に際しては過度なリスクを取らず、下値抑制を重視した運用方針としており、代議員会における運用報告及び定量評価によって運用状況を確認し、適宜必要に応じて見直しています。
　なお、当社の株式及び投資口の議決権行使については運用委託先の判断基準に従っており、利益相反に該当する事項はありません。

㉒ ジャックス

「コーポレートガバナンス・コードの各原則に基づく開示」

【原則2-6　企業年金のアセットオーナーとしての機能発揮】
　当社の企業年金の運用は、ジャックス企業年金基金が行っております。
　基金は、積立金の運用を国内の複数の運用機関へ委託し、個別の投資先の選定や議決権行使を各運用機関へ一任することで、企業年金の受益者と会社との間で利益相反が生じないようにしています。
　また、基金の運用の専門性を高め、運用機関に対するモニタリングなどが充分発揮できるよう、適切な人材を登用、配置しております。さらに、半期毎に開催される資産運用審議会の審議を通じ、基金の運用全般の健全性を確認いたします。

㉓ アイシン精機

「コーポレートガバナンス・コードの各原則に基づく開示」

【原則2-6. 企業年金のアセットオーナーとしての機能発揮】
　当社は、企業年金基金がアセットオーナーとしての機能を発揮するため、年金運用の目的やプロセスについて十分に理解している人材を登用・配置しています。加えて、専門性の補完・向上を図るため、適切な外部専門家と運用コンサルタント契約を締結しています。
　利益相反防止の取組として、資産運用については、独立した年金運用諮問委員会を設置し、モニタリングしています。また、議決権行使については、運用受託機関に対して議決権行使基準の策定と行使結果の開示を要求しています。

Ⅱ　ガバナンス報告書

㉔東京海上ホールディングス

「コーポレートガバナンス・コードの各原則に基づく開示」

> d．企業年金のアセットオーナーとしての機能発揮に関しましては、当社には企業年金制度はありませんが、当社の中核子会社である東京海上日動には、東京海上日動企業年金基金があります。運用方針については、資産運用業務に関する高い専門性を有する複数の人材が委員を務める年金資産運用委員会の助言を得て、策定しております。また、当該方針に基づき、資産運用業務に関する高い専門性を有する運用執行理事が運用実務を行うなど、アセットオーナーとして期待される機能を発揮するための人事面および運営面における取組みを行っております。また、代議員会には労働組合の代表者を含めております。加えて、年金資産運用委員会の審議内容や代議員会での決議内容を、加入者・受給者に広く周知を行うなど、利益相反についても適切に管理される態勢を構築しております。

㉕ソラスト

「コーポレートガバナンス・コードの各原則に基づく開示」

> 【原則2-6】
> 当社はコードが想定している基金型・規約型の確定給付年金及び厚生年金基金を制度として導入していません。

㉖丸井グループ

「コーポレートガバナンス・コードの各原則に基づく開示」

> 原則2-6　企業年金のアセットオーナーとしての機能発揮
> 　当社には、企業年金基金制度はありません。
> ＊社員の安定的な資産形成のため、企業型確定拠出年金制度(ライフプラン制度)を導入しています。

㉗日本通運

「コーポレートガバナンス・コードの各原則に基づく開示」

> 【原則2-6　企業年金のアセットオーナーとしての機能発揮】
> 　当社は、従業員の資産形成の支援および企業年金の運用リスクの軽減を図るため、2007年度より確定拠出年金制度を採用しております。
> 　従業員の資産形成支援に向けて、教育内容の充実を進めており、新社員教育として確定拠出年金セミナーを実施し、資産運用を始めるにあたっての制度の基本的知識や、運用に関する注意事項等を周知しています。また、年に1回加入者全員を対象として、ライフプランを踏まえた、長期投資・継続投資・分散投資の重要性等について投資教育を実施しているほか、実態に即した効果的な教育となるよう、運営管理機関と連携し、運用状況のモニタリング結果にもとづいて、都度教育内容の見直しを実施しております。加えて、加入者の意見・要望を反映させるための労働組合との委員会等を開催しております。
> 　運用商品の選定にあたっては、できるだけ高い収益が期待できることはもとより、投資信託においては①十分な純資産残高があること、②運用期間が一定期間以上あり安定的な収益を上げていること、③パッシブ商品ではベンチマークとの連動度合い、④アクティブ商品ではリスクとリターンの均衡がとれていること等の観点から選定を行い、以後、運営管理機関からのレポートをもとに、商品パフォーマンス等のモニタリングを毎年継続して実施しております。

「コーポレートガバナンス・コードへの当社対応方針と取組み」

> 　当社は、従業員の資産形成の支援および企業年金の運用リスクの軽減を図るため、2007年度より確定拠出年金制度を採用しております。
>
> 　従業員の資産形成支援に向けて、教育内容の充実を進めており、新社員教育として確定拠出年金セミナーを実施し、資産運用を始めるにあたっての制度の基本的知識や、運用に関する注意事項等を周知しています。
> 　また、年に1回加入者全員を対象として、ライフプランを踏まえた、長期投資・継続投資・分散投資の重要性等について投資教育を実施しているほか、実態に即した効果的な教育となるよう、運営管理機関と連携し、運用状況のモニタリング結果にもとづいて、都度教育内容の見直しを実施しております。加えて、加入者の意見・要望を反映させるための労働組合との委員会等を開催しております。
> 　運用商品の選定にあたっては、できるだけ高い収益が期待できることはもとより、投資信託においては①十分な純資産残高があること、②運用期間が一定期間以上あり安定的な収益を上げていること、③パッシブ商品ではベンチマークとの連動度合い、④アクティブ商品ではリスクとリターンの均衡がとれていること等の観点から選定を行い、以後、運営管理機関からのレポートをもとに、商品パフォーマンス等のモニタリングを毎年継続して実施しております。

第5　原則3−1(ⅰ)に基づく開示

原則3−1(ⅰ)

> 上場会社は，法令に基づく開示を適切に行うことに加え，会社の意思決定の透明性・公正性を確保し，実効的なコーポレートガバナンスを実現するとの観点から，（本コードの各原則において開示を求めている事項のほか，）以下の事項について開示し，主体的な情報発信を行うべきである。
> 　(ⅰ) 会社の目指すところ（経営理念等）や経営戦略，経営計画

1　背景・趣旨

原則3−1は情報開示の充実を求める。コードの基本原則3の「考え方」において指摘されているように，わが国の上場会社による情報開示は，財務情報については，様式・作成要領などが詳細に定められており比較可能性に優れている一方で，定性的な説明等のいわゆる非財務情報をめぐっては，ひな型的な記述や具体性を欠く記述となっており付加価値に乏しいとの指摘があった。

原則3−1(ⅰ)は，このような背景事情のもと，経営理念は会社の価値観や事業活動の大きな方向性を定め，具体的な経営戦略・経営計画や会社の様々な活動の基本となるものであるとともに，株主を含むステークホルダーにとっては重要な非財務情報の一つであり，会社が様々なステークホルダーに配慮しつつどのように中長期的な企業価値向上を図っていくのかを理解するための重要な情報であると考えられることから，このような経営理念やこれに基づき策定された経営戦略や経営計画の重要性に鑑み，これらの開示を求めるものである[注16]。

なお，原則5−2においては，経営戦略等の策定・公表に当たって，収益計画や資本政策の基本的な方針を示すとともに，収益力・資本効率等に関する目標を提示し，その実現のために，事業ポートフォリオの見直しや，設備投資・研究開発投資・人的資本への投資等を含む経営資源の配分等に関し何を実行するのかを説明することが求められている。また，補充原則5−2①においては，上場会社は，経営戦略等の策定・公表に当たっては，取締役会において決定された事業ポートフォリオに関する基本的な方針や事業ポートフォリオの見直しの状況について分かりやすく示すことが求められている。そこで，原則3−1(ⅰ)の開示に当たっても，これらに合わせた考慮が必要となる。

(注16)　油布志行＝渡邉浩司＝髙田洋輔＝中野常道「『コーポレートガバナンス・コード原案』の解説〔Ⅲ〕」商事法務2064号（2015）36頁。

2　開示対象

本原則に基づく開示対象は3つある。「会社の目指すところ（経営理念等）」、「経営戦略」及び「経営計画」である。このうち「経営戦略」及び「経営計画」については、経営戦略と経営計画は実質的に一体化したものとして策定することも可能とされているため[注17]、経営戦略としての要素を含んだ経営計画を策定・開示する場合には、経営戦略を経営計画と一体化したものとして策定・開示することも可能である[注18]。

経営戦略や経営計画の開示については、原則5-2において、「経営戦略や経営計画の策定・公表に当たっては、自社の資本コストを的確に把握した上で、収益計画や資本政策の基本的な方針を示すとともに、収益力・資本効率等に関する目標を提示し、その実現のために、事業ポートフォリオの見直しや、設備投資・研究開発投資・人材投資等を含む経営資源の配分等に関し具体的に何を実行するのかについて、株主に分かりやすい言葉・論理で明確に説明を行うべき」とされていることから、これらの内容を含んだ戦略・計画とすることが考えられる。

(注17)　油布志行＝渡邉浩司＝髙田洋輔＝中野常道「『コーポレートガバナンス・コード原案』の解説〔Ⅲ〕」商事法務2064号（2015）42頁（注25）。
(注18)　澤口実＝内田修平＝髙田洋輔編著『コーポレートガバナンス・コードの実務〔第4版〕』（商事法務、2021）110頁。

3　会社の目指すところ（経営理念等）

会社の目指すところ（経営理念等）については、自社のウェブページに会社の目指すところ（経営理念等）を掲げた上で、これをガバナンス報告書において参照する例（①**参天製薬**）が多いが、ガバナンス報告書に直接に会社の目指すところ（経営理念等）を記載して開示する例（②**トヨタ自動車**、③**三菱商事**）も見受けられる。

なお、会社の目指すところ（経営理念等）とは、一般に「社訓」や「社是」と呼称されるものもこれに含まれ得るとされており[注19]、その名称にとらわれるものではない。開示例においても、経営理念・基本理念と銘打つ例（②**トヨタ自動車**、④**パナソニック**）、独自の名称を付す例（⑤**花王**）など多様である。

(注19)　油布志行＝渡邉浩司＝髙田洋輔＝中野常道「『コーポレートガバナンス・コード原案』の解説〔Ⅲ〕」商事法務2064号（2015）42頁（注24）。

4　経営戦略、経営計画

経営戦略、経営計画については、会社の目指すところ（経営理念等）同様、自社のウェブ

ページを参照する例が比較的多いが、その他にも株主総会招集通知や決算短信に記載された事業計画等を参照する例も見受けられる。経営戦略、経営計画の形式・内容は各社各様であるが、以下のような視点から分類できる。

(1) 経営戦略と経営計画の区別

本原則は、必ずしも経営戦略と経営計画とを区別して策定・開示することを求めているものではないが、両者は厳密には異なることから（前記1参照）、これらを区別して策定・開示することも考えられる。また、経営戦略について、ビジョンに近く位置づける例（⑥日本板硝子）もある。

しかし、実際には、経営戦略と経営計画を区別せずに開示する例が多く、その表題も多様である（⑦みずほフィナンシャルグループ、⑧西日本旅客鉄道）。

原則3-1(i)

(2) 経営戦略、経営計画の内容

a 収益計画や資本政策の基本的な方針

前記2のとおり、原則5-2において、経営戦略や経営計画の策定・公表に当たって、自社の資本コストを的確に把握した上で、収益計画や資本政策の基本的な方針を示すことが求められているところ、経営戦略や経営計画にはこれらを盛り込むことが考えられる。

収益計画や資本政策の基本的な方針を盛り込んだ経営戦略、経営計画に当たると考えられる例として、DEレシオの具体的な数値目標を示す例（⑨丸紅）、中期経営計画の基本方針として収益性・財務体質についての方針を示す例（⑧西日本旅客鉄道）などがある。また、自社の資本コストも意識しつつ基本的な方針を開示している例（⑩大和ハウス工業）もある。

b 収益力・資本効率等に関する目標

前記2のとおり、原則5-2においては、経営戦略や経営計画の策定・公表に当たって「収益力・資本効率等に関する目標」を示すことが求められている。また、経済産業省が平成26年8月6日付で公表した「持続的成長への競争力とインセンティブ～企業と投資家の望ましい関係構築～」プロジェクトの最終報告書（通称「伊藤レポート」）では、中長期的な自己資本利益率（ROE）向上について言及されている。

このような事情もあり、経営戦略、経営計画には、具体的な数値目標としてROEの具体的な数値目標を記載する例（⑪丸井グループ、⑫資生堂）が多い。その他の指標としては、総資本利益率（ROA）について具体的な数値目標を記載する例（⑧西日本旅客鉄道）、投下資本効率（ROIC）やEBITDAに言及する例（④パナソニック）、一株当たり当期純利益（EPS）に言及する例（⑪丸井グループ）、連結営業利益年平均成長率（CAGR）に言及する例（⑤花王）などが

111

Ⅱ　ガバナンス報告書

　　c　経営資源の配分に関する説明

　前記2のとおり，原則5－2は，収益力・資本効率等に関する目標の実現のために，事業ポートフォリオの見直しや，設備投資・研究開発投資・人的資本への投資等を含む経営資源の配分等に関し具体的に何を実行するのかについて株主に分かりやすい言葉・論理で明確に「説明」を行うべきとしている。

　これを踏まえて，事業ポートフォリオの見直しに言及する例（⑬三和ホールディングス）や，設備投資・研究開発投資・人的資本への投資等に言及する例（①参天製薬）も少なくない。

　　d　事業ポートフォリオに関する基本的な方針や事業ポートフォリオの見直しの状況

　前記1のとおり，補充原則5－2①において，上場会社は，経営戦略等の策定・公表に当たっては，取締役会において決定された事業ポートフォリオに関する基本的な方針や事業ポートフォリオの見直しの状況について分かりやすく示すことが求められている。

　この点について明示的に記載している例として，総資産を，高収益資産，低収益資産，その他に分類し，高収益資産へ資源を集中させる戦略を説明するもの（⑭日本瓦斯）がある。

(3)　中長期の経営戦略，経営計画を開示している例

　経営戦略，経営計画の開示例としては，中期経営計画を開示する例（①参天製薬，⑧西日本旅客鉄道，⑩大和ハウス工業など）が多いが，約10年先の長期目標を策定する例（⑤花王）も見受けられる。

5　開示事例

①参天製薬

　「コーポレートガバナンス・コードの各原則に基づく開示」

【原則3-1】
【情報開示の充実】
（ⅰ）当社は、基本理念、長期的な経営ビジョンを策定し、これらを当社ウェブサイト上に開示しています。
https://www.santen.co.jp/ja/about/
また、中期経営計画についても、当社ウェブサイト上に開示しています。
https://www.santen.co.jp/ja/ir/document/plan.jsp

＜中　略＞

【原則5-2】
【経営戦略や中長期の経営計画の策定・公表】
当社は、2020年7月に新長期ビジョン「Santen 2030」を、また、2021年5月に「Santen 2030」を実現するための前半5か年の中期経営計画「MTP2025」を発表しました。
当社は、「MTP2025」を、基盤事業の価値最大化に注力するとともに、新たな事業領域への参入を進め、2026年以降の成長につなげていく、重要な5年間と位置づけています。特にTSR(トータル・シェアホルダーズ・リターン)を重要経営指標として設定し株主価値の向上を目指します。
Vision 2020で培ったグローバル眼科企業としての強みと既存パイプライン・保有アセット、ならびに日本を中心とした世界各地の事業基盤を活用し、着実な売上・利益の成長を実現し収益力を高めていきます。加えて、米国における医療用医薬品事業への本格参入を通じ、中期的にグローバルでの成長を目指します。並行して、これまで培ってきた眼科専業企業としての組織的能力を活かしながら、新規イノベーションへの投資や細胞治療等新規事業領域への参入、ならびに工場投資を含めた設備投資等を通じ、Santen 2030で掲げた中長期的な成長を目指していくとともにSocial Innovatorへと変革するための戦略的施策を着実に遂行していきます。
この中期経営計画の実現に向けて、売上成長・利益成長・ROE(親会社所有者帰属持分利益率)等の財務目標を掲げております。またこれらの実現のため、投資案件及び既存事業からの収益性の向上と投資回収の加速化に取組みます。
当社では、長期ビジョンや中期経営計画を当社ウェブサイトで開示するとともに、株主総会や決算説明会等を通じて目標達成に向けた具体的な施策を説明しています。
https://www.santen.co.jp/ja/ir/document/plan.jsp

「同社ホームページ」

基本理念 / WORLD VISION
全体像

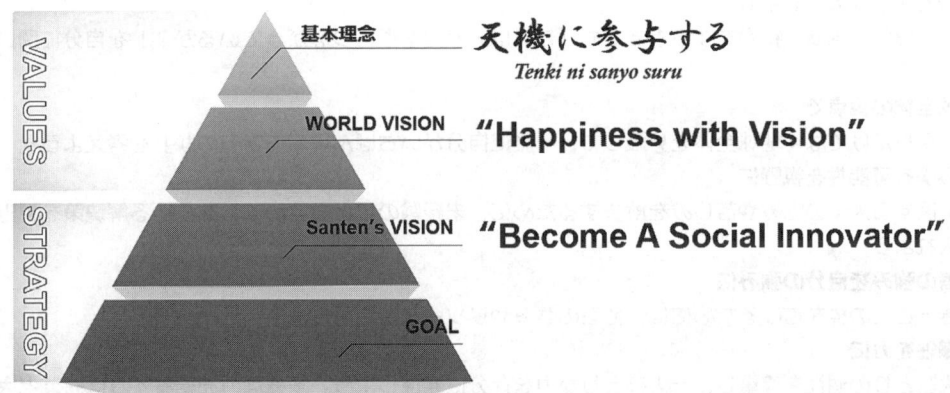

基本理念

天機に参与する

自然の神秘を解明して人々の健康の増進に貢献するということを意味しています。※
※中国の古典「中庸」の一節をSantenが独自に解釈したもので、社名「参天」の由来でもあります。

WORLD VISION
Santenが目指す理想の世界

Happiness with Vision

Ⅱ　ガバナンス報告書

世界中の一人ひとりが、Best Vision Experienceを通じて、それぞれの最も幸福な人生を実現する世界を創り出したい。

VALUES
WORLD VISIONの実現を目指すにあたり、Santenが大切にする価値観と行動指針

VALUESの中心となる価値観

People Centricity

世界中の一人ひとりが「見る」を通じて幸せな人生を実現するために。私たちSantenはあらゆる活動において、必ず「人」を中心に考え、行動します。

6つの行動指針
基本理念に基づき、社員一人ひとりの行動指針を具体的に示したものです。

いつも必ず「人」を中心に
どんな思考・判断・行動をするときでも「これは人々の幸福につながっているか？」を自分に問いかけよう

地球全体の視点で
身の周りだけでなく地球全体を見渡して、「誰に自分がいちばん貢献できるのか」を考えよう

あらゆる可能性を視野に
目に関する人々の悩みや苦しみを解決するために、未経験のことも含めて、あらゆる解決策を視野に入れよう

他者の強みを自分の強みに
できることの枠を拡げるためには、他者の強みやリソースを活用しよう

多様性を力に
一人ひとりの個性を尊重し、一人ひとりが力を存分に発揮しよう。多様な力を結集すればもっと大きな力を生み出せる

まず、動く
とにかく、やってみる。私たちが早く動けば動くほど、世界中の人々の悩みの解決に近づく

②トヨタ自動車

「コーポレートガバナンス・コードの各原則に基づく開示」

1　経営理念【原則3－1（i）】
(1) 企業理念
　当社は、トヨタグループの創始者、豊田佐吉の精神や研究発明ならびに事業経営における考え方をまとめた「豊田綱領」を、創業以来今日まで、経営の「核」として受け継いできました。
　「豊田綱領」(https://global.toyota/jp/company/vision-and-philosophy/guiding-principles/)

　1992年には社会情勢や事業構造の変化を受け、文化や価値観の違いを超えて世界各国・地域の人々と協力して事業を推進すべく、「豊田綱領」を踏まえ「トヨタ基本理念」を策定しました。
　「トヨタ基本理念」
　1．内外の法およびその精神を遵守し、オープンでフェアな企業活動を通じて、国際社会から信頼される企業市民をめざす
　2．各国、各地域の文化、慣習を尊重し、地域に根ざした企業活動を通じて、経済・社会の発展に貢献する
　3．クリーンで安全な商品の提供を使命とし、あらゆる企業活動を通じて、住みよい地球と豊かな社会づくりに取り組む
　4．様々な分野での最先端技術の研究と開発に努め、世界中のお客様のご要望にお応えする魅力あふれる商品・サービスを提供する
　5．労使相互信頼・責任を基本に、個人の創造力とチームワークの強みを最大限に高める企業風土をつくる
　6．グローバルで革新的な経営により、社会との調和ある成長をめざす
　7．開かれた取引関係を基本に、互いに研究と創造に努め、長期安定的な成長と共存共栄を実現する

第二部　各原則に基づく開示事項（必要的開示）　第5

(2) ビジョン
　2011年3月には、当時の経営環境を踏まえ、「トヨタ基本理念」をもとに「トヨタグローバルビジョン」を発表し、「トヨタはお客様に選ばれる企業でありたい。そして、トヨタをお選びいただいたお客様に、笑顔になっていただける企業でありたい」という想いのもと、企業の目指すべき方向性を明らかにしています。
　「トヨタグローバルビジョン」(https://global.toyota/jp/company/vision-and-philosophy/global-vision/)

(3) トヨタフィロソフィー
　トヨタはモビリティカンパニーへの変革を進めるために、改めて歩んできた道を振り返り、未来への道標となる「トヨタフィロソフィー」をまとめました。
　モビリティカンパニーとして移動にまつわる課題に取り組むことで、人や企業、コミュニティの可能性を広げ、「幸せを量産」することを使命としています。そのために、モノづくりへの徹底したこだわりに加えて、人と社会に対するイマジネーションを大切にし、様々なパートナーと共に、唯一無二の価値を生み出してまいります。
　「トヨタフィロソフィー」の詳細は、本報告書末尾をご参照ください。

2　経営戦略、経営計画【原則3－1(i)】
　当社は「トヨタグローバルビジョン」の実現に向けて、2030年以降を見据えたお客様の価値観や技術トレンド、市場動向などを分析し、経営課題を明確にした上で、長期的な方向性を議論しています。また、市場や為替の見通し、グローバルでの生産供給体制などを考慮して、中期経営計画を地域ごとに策定しています。
　自動車業界がかつて類を見ないほどのスピードで変革期を迎える中、2020年は、100年に一度の大変革の時代を生き抜き、新しいモビリティ社会を実現するため、今、自らやりきることとして、「自分たちの未来」を切り拓くイノベーションを起こす取り組み（未来へ挑戦）と、「仕事の進め方改革」を自ら実行し真の競争力を獲得する取り組み（年輪的成長）を重点方針としました。
　企業価値向上のための長期戦略、および社会の持続可能な発展への貢献について、「Annual Report」に掲載して、ステークホルダーの皆様にお伝えしています。また、ESG（環境・社会・ガバナンス）に関する取り組みについて、「Sustainability Data Book」に掲載しています。トヨタに関わるすべてのステークホルダーにトップの想いや会社の方向性を伝えるため、トヨタのありのままの姿をトヨタタイムズを通じて発信しています。
　「Annual Report」(https://global.toyota/jp/ir/library/annual/)
　「Sustainability Data Book」(https://global.toyota/jp/sustainability/report/sdb/)
　「トヨタタイムズ」(https://toyotatimes.jp/)

原則3-1(i)

「同社ホームページ」

基本理念

企業情報, 経営理念

1. 内外の法およびその精神を遵守し、オープンでフェアな企業活動を通じて、国際社会から信頼される企業市民をめざす
2. 各国、各地域の文化、慣習を尊重し、地域に根ざした企業活動を通じて、経済・社会の発展に貢献する
3. クリーンで安全な商品の提供を使命とし、あらゆる企業活動を通じて、住みよい地球と豊かな社会づくりに取り組む
4. 様々な分野での最先端技術の研究と開発に努め、世界中のお客様のご要望にお応えする魅力あふれる商品・サービスを提供する
5. 労使相互信頼・責任を基本に、個人の創造力とチームワークの強みを最大限に高める企業風土をつくる
6. グローバルで革新的な経営により、社会との調和ある成長をめざす
7. 開かれた取引関係を基本に、互いに研究と創造に努め、長期安定的な成長と共存共栄を実現する

トヨタは、'92年1月「企業を取り巻く環境が大きく変化している時こそ、確固とした理念を持って進むべき道を見極めていくことが重要」との認識に立ち、「トヨタ基本理念」を策定いたしました。（'97年4月改定）

③三菱商事

「コーポレートガバナンス・コードの各原則に基づく開示」

d. 原則3-1(i)
■ 企業理念
当社は、創立以来の社是である『三綱領』を企業理念としています。『三綱領』は、三菱第四代社長岩崎小彌太の訓諭をもとに1934年に旧三菱商事の行動指針として制定されたものであり、現在でも当社がビジネスを展開する上で、また地球環境や社会への責任を果たす上での拠り所としています。

115

Ⅱ　ガバナンス報告書

所期奉公：事業を通じ、物心共に豊かな社会の実現に努力すると同時に、かけがえのない地球環境の維持にも貢献する。
処事光明：公明正大で品格のある行動を旨とし、活動の公開性、透明性を堅持する。
立業貿易：全世界的、宇宙的視野に立脚した事業展開を図る。

■ 経営戦略・経営計画
当社は、2018年11月に、2019年度から始まる3か年の新しい経営の指針として、『中期経営戦略2021～事業経営モデルによる成長の実現～』を策定しました。「事業ポートフォリオ」「成長メカニズム」「人事制度改革」「定量目標・資本政策」の4項目から構成される中期経営戦略により、事業経営モデルによる三価値同時実現を前提とした成長を実現します。『中期経営戦略2021～事業経営モデルによる成長の実現～』の詳細は当社ウェブサイトに掲載していますので、以下URLをご参照ください。
https://www.mitsubishicorp.com/jp/ja/pr/archive/2018/files/0000036011_file1.pdf

[中期経営戦略2021の進捗]
2020年度は、新型コロナウイルス感染の影響を大きく受けた一方で、デジタル化、低・脱炭素社会に向けた潮流が加速する中、重要課題であるデジタルトランスフォーメーション（DX）、エネルギートランスフォーメーション（EX）を一体で推進しました。項目毎の進捗は以下のとおりです。

1. 事業ポートフォリオ
・DX・EXに関連し「エネルギー・電力」分野や「川下」領域の取組が進捗
　－ 欧州総合エネルギー事業会社Eneco社による蘭大型洋上風力発電の開発権取得
　－ インドネシア・ジャカルタ郊外BSD地区スマートシティ開発への参画及び都市運営の協業検討開始
・電化の進展に関連した「川上」領域における取組
　－ ペルー・ケジャベコ銅プロジェクト開発を22年中の生産開始に向けて推進
　－ 軽量・リサイクル性に優れたアルミの原料となる豪ボーキサイト鉱山オールクンの権益取得

2. 成長メカニズム
・未来を見据えた重要課題であるDX・EXの進捗
　－ NTTグループとDXサービス会社Industry Oneを設立し、産業DXを着実に推進
　－ 中部電力グループと新会社を設立し、顧客へのサービスを展開する電力・リテイルDXの取組を推進
　－ 2030年度に2019年度比で再エネ発電容量倍増及び2050年迄に発電事業非化石比率100%を目指す
・循環型成長モデルによる入替の進捗
　－ 発電資産や不動産開発資産の売却等により入替を着実に実行
　－ 赤字会社を全社でリストアップし黒字化・入替方針に対する管理を強化

3. 人事制度改革
・職務に応じた経営人材の登用促進による適材適所の実現
・タレントマネジメントの拡充を通じた経営人材育成が進捗

4. 定量目標・資本政策
・2020年度実績1,726億円、2021年度実績見通し3,800億円
・大口損失を計上したものの、財務規律に基づく資本政策の下で累進配当を継続
　－ 配当は2020年度134円、2021年度見通し134円

④パナソニック

「コーポレートガバナンス・コードの各原則に基づく開示」

【原則3-1 情報開示の充実】
（1）会社の目指すところ（経営理念など）や経営戦略、事業方針
当社は、創業者松下幸之助が制定した綱領「産業人たるの本分に徹し社会生活の改善と向上を図り世界文化の進展に寄与せんことを期す」を経営理念として、事業を通じて世界中の人々のくらしの向上と社会の発展に貢献することを目指し事業活動を行っています。
この経営理念を実践するために、当社は「パナソニック行動基準」を制定し、Panasonicブランドの目指す姿と企業の社会的責任（CSR）に関する社会の要請に対する当社の基本姿勢を全役職員でグローバルに共有しています。
パナソニック行動基準については、以下の当社の公式企業サイトに掲載しています。
https://www.panasonic.com/jp/corporate/management/code-of-conduct/list.html

当社は、1918年の創業以来、100年以上にわたり「より良いくらし、より良い世界」の実現への貢献を目指し、事業活動を行っています。当社は、時代の変化に合わせて、これまで蓄積した技術力やモノづくり力、さらには社外のビジネスパートナーが持つ強みを掛け合わせ、新たな価値を創造し続けます。これにより持続的な成長と企業価値向上を追求していきます。
この考え方に基づく当社の経営戦略や事業方針を、以下の当社の公式企業サイトに掲載しています。
https://www.panasonic.com/jp/corporate/ir/reference/presentation.html

＜中　略＞

【原則5-2 経営戦略や経営計画の策定・公表】
当社は、2019年度からスタートした中期戦略において、「基幹事業」「共創事業」「再挑戦事業」のポートフォリオマネジメントと固定費削減等の経営体質強化に取り組んでいます。また、新型コロナウイルス感染症を契機とした社会の変化が加速する中で、事業を通じた社会課題の解決に向けた取り組みを推進しています。あわせて、全ての事業において、攻めるべき領域を定め、そこでの競争力を徹底的に高めてまいります。
なお、当社は、より中長期的な視点での当社事業の競争力強化のため、2022年4月（予定）に持株会社制へ移行することを決定しています。持株

第二部　各原則に基づく開示事項（必要的開示）　第5

会社制への移行により分社化される各事業会社は、外部環境の変化に応じた迅速な意思決定や事業特性に応じた柔軟な制度設計などを通じて、競争力の大幅な強化に取り組む一方、持株会社は、各事業会社の競争力強化を積極的に支援するほか、グループ全社視点での成長戦略を推進し、グループとしての企業価値向上に努めてまいります。
当社は、資本市場の期待収益率を上回るリターンを継続的に創出するため、事業部毎にROIC(投下資本収益率)やWACC(加重平均資本コスト)を算出し、ポートフォリオマネジメントや投資判断の意思決定等に活用するなど、資本コストを意識した経営を行っています。全社ベースの指標としては、継続的にROE(※)10%以上を目指しています。
当社の経営戦略や事業方針については、以下の当社の公式企業サイトに掲載しています。
https://www.panasonic.com/jp/corporate/ir/reference/presentation.html
また、【原則5-1 株主との建設的な対話に関する方針】に記載のIR活動を通じて、株主・投資家との対話を行っています。
(※)ROE(Return On Equity)：親会社の所有者に帰属する当期純利益÷親会社の所有者に帰属する持分

「同社ホームページ」

第1章 私たちの基本理念

基本は経営理念

私たちは、経営理念に基づき事業を進めてきました。経営理念とは、事業の目的と事業活動の基本的な考え方であり、「綱領」「信条」「私たちの遵奉すべき精神」に力強く簡潔に表現されています。経営理念に基づき仕事を進めることは、時代の推移、事業規模・事業内容の変化にかかわらず不変です。

価値創造による社会貢献

私たちは、社会から「人・物・金・情報」をはじめとする貴重な資源を預かり、新たな価値を付加して商品やサービスを生み出し、世界の人々に広くご利用いただくことによって事業を営んでいます。

この営みにおいて、まず重要なことは、創造性と勤勉性を発揮し、「新たな価値の創造によって持続可能な社会の発展に貢献する」ということです。これが私たちの事業の意義であり、使命でもあります。

社会との密接なつながり

あわせて重要なことは、事業は社会と密接にかかわっており、社会の発展を担うとともに、同時に社会から育まれている、ということです。お客様はもちろんのこと、株主・お取引先・従業員・地域社会など、数多くのステークホルダーの有形無形のご協力とご支援があってはじめて事業は成り立ちます。また、私たちの事業活動は、経済・社会・環境のさまざまな側面でこれらの方々に影響を及ぼします。

企業は社会の公器

その意味では、私たちの会社は私企業であっても、事業には社会的責任があります。

原則
3-1(i)

私たちは、「企業は社会の公器」との理念のもと、その責任を自覚し全うしなければなりません。さらに、さまざまなステークホルダーとの対話を通じて、透明性の高い事業活動を心がけ、そして説明責任を果たします。そのために、私たちは、常に公正かつ正直な行動をスピーディーに行うよう努めます。

地球環境はかけがえのないもの

私たち人類にとって、地球環境はかけがえのないものです。私たちの事業活動は、資源やエネルギーはもちろんのこと、さまざまな点で地球から多大なる恩恵を受けています。
これを念頭に、私たちは、地球環境をより良い状態で次世代に引き継ぐための活動を、自主的かつ積極的に行います。

グローバルな視野と行動

全世界に事業を展開しているグローバル企業として、私たちは、人権を尊重し、各国・各地域において法令を順守するとともに、文化・宗教・価値観などを正しく理解・認識することに努め、それらに対し敬意をもって接し、誠実に行動します。

経営理念の実践

今日、企業の社会的責任や企業倫理が従来にも増して重要になっています。

この行動基準は、経営理念を実践するため、各国・各地域における事業活動のそれぞれの場面において私たちが順守すべき基準ですが、必ずしもすべての行動を網羅するものではありません。この行動基準に定められていないものについては、経営理念に立ち返り、その本質に照らして、行動することが大切です。

綱領

> 産業人たるの本分に徹し
> 社会生活の改善と向上を図り
> 世界文化の進展に寄与せんことを期す

信条

> 向上発展は各員の和親協力を得るに
> 非ざれば得難し 各員至誠を旨とし

一致団結社務に服すること

私たちの遵奉すべき精神

一、産業報国の精神
産業報国は当社綱領に示す処にして我等産業人たるものは本精神を第一義とせざるべからず

一、公明正大の精神
公明正大は人間処世の大本（たいほん）にして如何に学識才能を有するも此の精神なきものは以て範とするに足らず

一、和親一致の精神
和親一致は既に当社信条に掲ぐる処個々に如何なる優秀の人材を聚（あつ）むるも此の精神に欠くるあらば所謂（いわゆる）烏合（うごう）の衆にして何等（なんら）の力なし

一、力闘向上の精神
我等使命の達成には徹底的力闘こそ唯一の要諦にして真の平和も向上も此の精神なくては贏（か）ち得られざるべし

一、礼節謙譲の精神
人にして礼節を紊（みだ）り謙譲の心なくんば社会の秩序は整わざるべし正しき礼儀と謙譲の徳の存する処社会を情操的に美化せしめ以て潤いある人生を現出し得るものなり

一、順応同化の精神
進歩発達は自然の摂理に順応同化するにあらざれば得難し社会の大勢に即せず人為に偏（へん）する如きにては決して成功は望み得ざるべし

一、感謝報恩の精神
感謝報恩の念は吾人（ごじん）に無限の悦びと活力を与うるものにして此の念深き処如何なる艱難（かんなん）をも克服するを得真の幸福を招来する根源となるものなり

⑤花　王

「コーポレートガバナンス・コードの各原則に基づく開示」

1　経営理念（原則 3-1(i)）

花王グループの企業活動の拠りどころとなる企業理念として「花王ウェイ」を以下の通り定めています。

(1) 使命
　豊かな共生世界の実現
　私たちは、志をひとつに熱意をこめて、日々をよりこころ豊かにすることに邁進し、Kirei Life～すべての人と地球にとってより清潔で美しく健やかな暮らし方～を創造します。優れた価値を生みだす革新を通して喜びを分かち合い、すべての命にとって安心で調和のとれた世界を実現します。

　日本語の「きれい」という言葉は、清潔、秩序、美、といったすべての状態を意味しています。「きれい」とは、外見だけではありません。自分のため、他の人々のため、私たちをとりまく自然界のため、美しさを創造しようとする生き方をも表します。「きれい」は花王のブランド、製品、技術、ソリューション、サービスを通じて、現在および将来にわたり、私たちが日々の暮らしにもたらしたい価値です。

(2) ビジョン
　人をよく理解し期待の先いく企業に
　私たちは、この世界とそこに住む人々を深く知り、理解します。人と自然が共に栄える未来のために、人々の期待を超える、よりよい生活を実現する企業をめざします。

Ⅱ ガバナンス報告書

(3) 基本となる価値観
    1) 正道を歩む
    2) よきモノづくり
    3) 絶えざる革新

(4) 行動原則
    1) 共生視点
    2) 現場起点
    3) 個の尊重と力の結集
    4) 果敢に挑む
(花王ウェイの全文：www.kao.com/jp/corporate/about/policies/kaoway/)

2 長期経営戦略（原則 3-1(i)）

長期目標
2030 年までに達成したい姿として、グローバルで存在価値ある企業「Kao」を掲げ、以下の目標を設定しています。

  K30（目標）
    (1) 持続的社会に欠かせない企業
    (2) 高社会貢献&高収益グローバル企業
    (3) ステークホルダーへの成長レベル還元

  K30 財務（結果として）
  売上・利益過去最高：売上高 2 兆 5,000 億円、営業利益 4,000 億円
増配継続：41 期連続

3 中期経営計画（原則 3-1(i)）

    当社グループは、豊かな持続的社会の実現に向けて、2021 年度から 2025 年度までの 5 ヵ年を対象とした「花王グループ中期経営計画 K25（Kao Group Mid-term Plan 2025）」を策定しました。これまで当社グループは、清潔・美・健康の領域を中心に、時代の変化に寄り添いながら 130 年余り事業を展開してきました。今、全世界に広がるパンデミックや地球環境問題などの切実な社会課題に対して、企業が果たすべき責任と役割は大きな転換期を迎えています。当社グループは未来に向けて、地球が生きる場として持続的に保たれること、人が危害から守られて笑顔で暮らせること、社会が持続的に豊かであること、これらのすべてが満たされる経済の確立をめざし、新たな挑戦を始めます。
    その一環として当社グループは、新たに「生命を守る」という領域で、従来の延長線上にはない事業の構築をめざします。これまで十分には活かしきれていなかった基盤技術を最大限に活用して、人々の切実な課題の解決に貢献する、いわば「もうひとつの花王」の起業への挑戦です。当社グループは、ESG 活動と投資を積極的に行なうことで、「豊かな持続的社会」への貢献と会社自体の事業成長を両立させ、これからの社会に欠かすことのできない会社になることをめざします。

花王グループ中期経営計画「K25」概略
- Vision（ビジョン）　豊かな持続的社会への道を歩む　Sustainability as the only path
- Concept（コンセプト）　きれいを こころに 未来に
- 「K25」の方針

  目的（1）持続的社会に欠かせない企業になる
    ＜目標＞
    サステナブル自走社会をリードする：ESG 投資＝未来財務
    ＜主要成果＞
    - カーボンリサイクル（炭酸ガスを原料に転換する）
    - ポジティブリサイクル（再利用により新事業を創造する）
    - ストップパンデミック（感染症発生源を絶つ）

  目的（2）投資して強くなる事業への変革
    ＜目標＞
    もうひとつの花王始動と基盤花王を強くする："命を守る"を軸とするグローバル躍進
    ＜主要成果＞
    - 新事業：デジタル・プレシジョンヘルスケア始動（高精度生体解析と恒常性強化ソリューション）
    - 既存事業：ダントツ商品づくりへの投資・面事業の拡大
    - 化粧品、サニタリー事業：Next Innovation

  目的（3）社員活力の最大化
    ＜目標＞
    活動生産性 2 倍：挑戦の見える化とオープンイノベーション
    ＜主要成果＞
    - 挑戦と貢献度に応じたフェアな報酬　（グローバル全社員による OKR＊活動実践）
    - 花王外の人財の積極的登用と協業成果倍増
    - デジタル花王への抜本改革　（2023 年完了）

＊Objectives and Key Results：2021年1月より運用開始する新人財活性化制度

「花王グループ中期経営計画「K25」説明会プレゼンテーション資料」：
www.kao.com/content/dam/sites/kao/www-kao-com/jp/ja/corporate/investor-relations/pdf/presentations_fy2020_k25_01.pdf

「同社ホームページ」

花王ウェイ（企業理念）

「花王ウェイ」は、花王グループの企業活動の拠りどころとなる、企業理念（Corporate Philosophy）です。
中長期にわたる事業計画の策定から、日々のビジネスにおける一つひとつの判断にいたるまで、「花王ウェイ」を基本とすることで、グループの活動は一貫したものとなります。また一人ひとりの社員にとっては、会社の発展と個人の成長を重ね合わせ、仕事の働きがい、生きがいを得るうえで欠かすことのできない、指針でもあります。

花王グループの各企業・各メンバーは、「花王ウェイ」をマニュアルや規則としてではなく、それぞれの仕事の意義や課題を確認するための拠りどころとして共有しています。

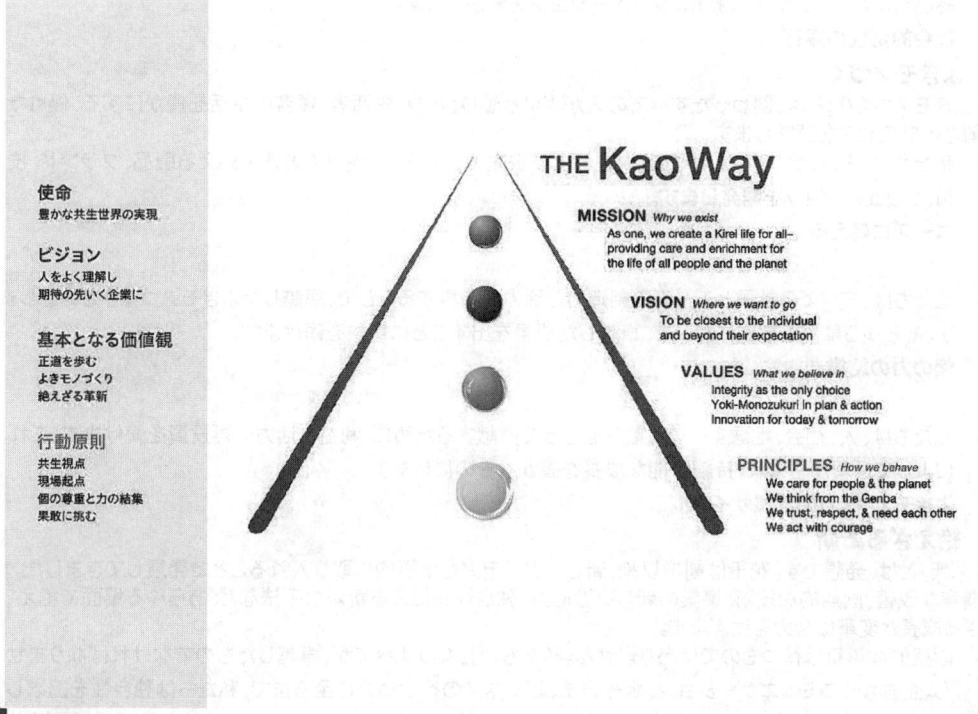

使命
豊かな共生世界の実現

私たちは、志をひとつに熱意をこめて、日々をよりこころ豊かにすることに邁進し、Kirei Life～すべての人と地球にとってより清潔で美しく健やかな暮らし方～を創造します。優れた価値を生みだす革新を通して喜びを分かち合い、すべての命にとって安心で調和のとれた世界を実現します。

日本語の「きれい」という言葉は、清潔、秩序、美、といったすべての状態を意味しています。「きれい」とは、外見だけではありません。自分のため、他の人々のため、私たちをとりまく自然界のため、美しさを創造しようとする生き方をも表します。「きれい」は花王のブランド、製品、技術、

ソリューション、サービスを通じて、現在および将来にわたり、私たちが日々の暮らしにもたらしたい価値です。

ビジョン

人をよく理解し期待の先いく企業に

私たちは、この世界とそこに住む人々を深く知り、理解します。人と自然が共に栄える未来のために、人々の期待を超える、よりよい生活を実現する企業をめざします。

基本となる価値観

正道を歩む

「正道を歩む」は、創業者・長瀬富郎の言葉を源としています。彼は、勤勉に働き誠実に生きる人々のみが幸運をつかむことができると考えました。私たちはたとえ困難であろうとも、常に正しい道を選択します。

- 私たちは、すべての人に敬意、公平さ、共感をもって接し、使命感を抱いて誠実に仕事に取り組みます。これにより、人として、志を共にする仲間が集う花王として、最も力を発揮することができます。
  敬意、公平、共感、高い志

- 私たちは、易しいことではなく、正しいことを行ないます。合法的で倫理的なふるまいが、私たちのビジネスの基本です。
  法と倫理の遵守

- 私たちは、企業の責任を真摯に受け止め、社会に役立ち地球を守ることのできる、安全でエシカルかつ高品質な製品、ブランド、技術、ソリューションを創造します。
  社会的責任の遂行

よきモノづくり

「よきモノづくり」とは、関わったすべての人がよいと感じ、かつ、生活者・顧客の生活を豊かにする、優れた創造のプロセスを意味します。

- 私たちは、人、社会、そして地球の、現在および未来のニーズに、独自の方法で応える製品、ブランド、技術、ソリューションを開発します。
  ニーズに応える

- 私たちは、すべての社員とチームの創造力と活力を結集することで、卓越したよきモノづくりをめざします。あらゆる職務と部門において、卓越した成果を出すことに情熱を傾けます。
  個の力の結集

- 私たちは、人、社会、地球すべてに敬意をもって貢献するために、利益と活力の再投資を続けます。これによって信頼が生まれ、持続可能な成長を確かなものにします。
  よきモノづくりの成長サイクル

絶えざる革新

「革新」とは、発想です。花王は創業以来、新しいアイデアを積極的に取り入れることで発展してきました。着実な改善、画期的な技術、事業の新しい進め方、独自性を伝える斬新な手法など、あらゆる場面で絶えざる成長と変革に全力を注ぎます。

- 画期的な革新は待つものではありません。私たちが行なうすべてが、卓越したものでなければなりません。企画からコミュニケーション、販売方法、ビジネスの行ない方に至るまで、私たちは独自性を追求します。
  独自性の追求

- 私たちは、変化していく人々や社会のために力を尽くします。成果とプロセスを、改善、革新し続けることによって変化を先取りします。
  変化の先取り

- 私たちは、探求心旺盛で発想力に富み、常に新しいアイデアを受け入れ、新たな課題に自ら進んで取り組みます。
  あくなき探求心

- 革新は困難を伴います。苦しい時には、試練は飛躍する力を与え、個人と組織を成長させるものと、私たちは考えます。
  危機をチャンスに

行動原則

共生視点
私たちは、人と地球は切り離せないものであると信じています。この密接な関係を、細心の注意を払いながら包括的に考えなければなりません。また、私たちのどんな行動も、人（生活者、社員、ビジネスパートナー）と地球すべてに、よい影響をもたらさなければなりません。

- すべての仕事の起点は生活者です。私たちは、一人ひとりを深く理解することによって、生活を豊かにする製品、ブランド、技術、ソリューションを開発します。
  生活者理解

- 私たちの最大の強みは、社員です。私たちは、誰もがプロフェッショナルとして、また人間として、自身が持つ可能性を最大限に活かした成長ができるインクルーシブな職場を創ります。
  社員は最大の強み

- 私たちは、顧客、サプライヤー、ビジネスパートナーを尊重します。共通の価値観と信頼に基づく強固な関係を構築し、互いの成功のために協力して働きます。
  強いパートナーシップ

- すべての人々が暮らすこの地球は、求めることを直接声に出して訴えることができません。私たちは常に、人と地球、両方の声に平等に耳を傾け、意思決定します。
  人と地球の視点

現場起点
最も深い知識、最良のアイデア、最も賢明な意思決定、それらは社外・社内の現場にあります。迷った時は現場に行きます。

- 私たちは、生活者・顧客が何を必要とし、どのように製品を使用しているかを知るために、現場に行き、実感し、体験し、理解します。
  本質は現場にある

- 私たちは、最善の意思決定を行なうために、お互いの考えに積極的に耳を傾けます。現場の人々の経験と専門知識を信頼し、大切にします。
  現場に基づく意思決定

- 私たちは、絶えず変化する事業環境の中で、自分達の知識、見るべきところ、現場の声を聴く最善の方法について、常に見直し、更新します。
  現場の変化を捉える

個の尊重と力の結集

- 私たちは、すべての人を尊重し、心を開いて接します。
  個の尊重

- 多様な文化、国籍、信念、人種、性別、アイデンティティ、能力を積極的に受け入れることで、事業も社会もより強く、素晴らしいものになります。私たちは、すべての社員、ビジネスパートナー、そしてコミュニ

Ⅱ　ガバナンス報告書

ティを、ありのままに尊重します。
ダイバーシティ＆インクルージョン

- 私たちは、仲間と共にいることで強くなります。組織を横断したオープンで誠実なコミュニケーションとコラボレーションによって障壁を乗り越え、ひとつのグローバルチームとして働きます。
チーム力の発揮

- 私たちは、常に学び、新しいアイデアを受け入れます。多様な視点と新しいパートナーシップを模索します。
オープンに学ぶ姿勢

果敢に挑む
- 行動を起こすことも、起こさないことも、どちらもリスクを伴います。私たちは行動するリスクを選びます。
やるリスクをとる

- 私たちは、社会と地球に利益をもたらすために、意欲的な目標を設定し、困難な挑戦に取り組み、自分自身とチームの限界に挑みます。困難を乗り越えてこそ得られる、この上ない喜びを追求します。
意欲的な目標を掲げる

- 意欲的な目標を達成するためには、リスクを予測しておくことが必要です。失敗した時は反省し、学び、再び挑戦し、成し遂げます。
挑戦し続ける

⑥日本板硝子

「コーポレートガバナンス・コードの各原則に基づく開示」

【原則 3-1 情報開示の充実】
(i)当社の経営指針や経営戦略、経営計画
　当社グループは、グループの経営指針「Our Vision」、中期ビジョン並びに中期経営計画をそれぞれ制定し、その内容を当社ホームページや各種発行物他で開示しています。

・NSGグループ経営指針「Our Vision」
使　命　　快適な生活空間の創造で、より良い世界を築く
目指す姿　先進の発想で変化を起こし、すべての分野で最も信頼されるパートナーとなる
コアバリュー　・人を尊重し、人を活かす
　　　　　　　・信用を重んじ、誠実に行動する
　　　　　　　・社会に役立つ
　　　　　　　・自ら考え行動する
　　　　　　　・失敗を恐れず挑戦する
　　　　　　　・やり抜き結果を出す
https://www.nsg.co.jp/ja-jp/about-nsg/our-vision

・NSGグループの「中期ビジョン」
　高付加価値の「ガラス製品とサービス」で社会に貢献するグローバル・ガラスメーカーとなる
https://www.nsg.co.jp/ja-jp/investors/management-policy-and-sustainability/management-strategy

・中期経営計画「リバイバル計画24（RP24）」
https://www.nsg.co.jp/-/media/nsg-jp/ir/ir-presentations/mtprp24presentation2021_j01.pdf

「同社ホームページ」

Our Vision

「使命＝NSGの存在意義」、「目指す姿＝NSGのなりたい姿」、「コアバリュー＝働き方の基盤となる価値観」

NSGグループは2018年、急速に変化する事業環境に対応するため、新経営指針「OurVision」を策定しました。

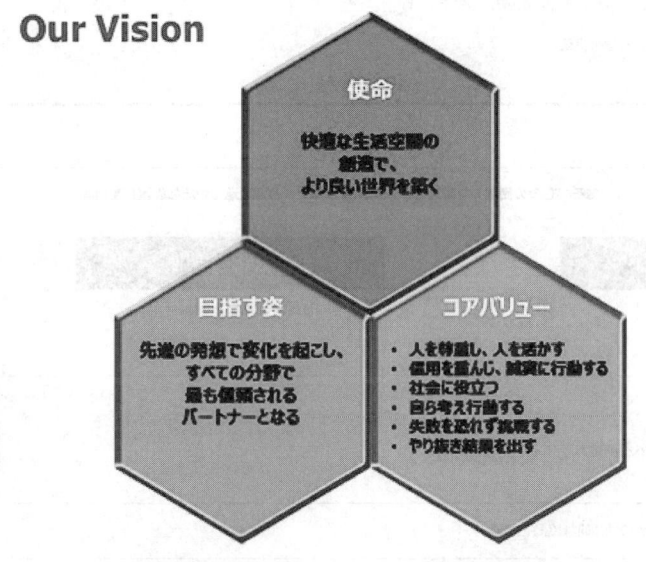

原則3-1(ⅰ)

⑦みずほフィナンシャルグループ

「コーポレートガバナンス・コードの各原則に基づく開示」

【原則3-1】（情報開示の充実）
(1)当社グループは企業理念を制定し公表しております。『〈みずほ〉の企業理念』は、本報告書の「1．1．基本的な考え方」に記載しておりますので、ご参照ください。
　また、経営計画につきましても策定し公表しております。詳細は、当社ホームページに掲載しておりますので、ご参照ください。
　（日本語：https://www.mizuho-fg.co.jp/release/20190515release_jp.html）
　（英語：https://www.mizuho-fg.com/release/20190515release_eng.html）

「同社ホームページ」

5ヵ年経営計画

～次世代金融への転換

みずほフィナンシャルグループ（以下〈みずほ〉）は、2019年度からの5年間を計画期間とする「5ヵ年経営計画 ～次世代金融への転換」を策定いたしました。

Ⅱ ガバナンス報告書

デジタル化や少子高齢化、グローバル化等の経済・産業・社会の構造変化を受けて、顧客ニーズや金融業界の構造的変化が急速に進んでいます。グローバルな景気減速懸念やクレジットサイクル変調の兆しなど、事業環境の不透明感が増大していることも踏まえ、これらの構造的変化に速やかに対応していく必要があります。

こうした環境・課題認識を踏まえ、新しい経営計画では、新たな時代の顧客ニーズに対応して顧客との新たなパートナーシップを構築していく『次世代金融への転換』を実現し、『来るべき時代において、お客さまから今まで以上に必要とされ頼りにされる、より強力で強靭な金融グループ』を形作ってまいります。

1. 基本方針

> 「前に進むための構造改革」をビジネス・財務・経営基盤の三位一体で推進
> ～経営資源配分等のミスマッチを解消し、新たな顧客ニーズに対応することで「次世代金融への転換」を図る

今次5ヵ年経営計画は、以下の二つのフェーズから構成されます。

フェーズ1（3年間）：構造改革への本格的取り組みと次世代金融への確かな布石づくり

フェーズ2（2年間）：成果の刈取りと更なる成長の加速の実現

2. 基本戦略

> 顧客との新たなパートナーシップを構築すべく、「金融そのものの価値」を越えて、非金融を含めた「金融を巡る新たな価値」を創造

オープン ＆ コネクト
Open & Connected

熱意 と 専門性
Passionate & Professional

—これまで培った強みを最大限に発揮

> ＜みずほ＞の強み：
> ①顧客基盤・ネットワークと 信頼・安心感
> ②金融機能・市場プレゼンスと 非金融領域への対応力
> ③グループ一体的なビジネス推進体制 等

—デジタライゼーションへの取り組みや、外部との積極的な協働を加速

『次世代金融への転換』に向けて、上記の戦略を遂行することで、お客さまとの新たなパートナーシップを構築してまいります。

＜お客さまとの新たなパートナーシップ＞

個人	：新たな社会におけるライフデザインのパートナー
法人	：産業構造の変化の中での事業展開の戦略的パートナー
市場参加者	：多様な仲介機能を発揮する市場に精通したパートナー

また、そのために、『オープン&コネクト』と『熱意と専門性』を行動軸として取り組んでまいります。

＜オープン&コネクト＞
- 「顧客」「地域」「機能」等を縦横無尽に組み合わせ、金融を巡る新たなバリューチェーンをよりオープンに創出
- ＜みずほ＞グループ各社はもとより、外部とも積極的に協働

＜熱意と専門性＞
- お客さまの夢や希望をもとに、社員一人ひとりが想いをもってお客さまに向き合う
- 高い専門性に裏打ちされた強みを発揮し、顧客ニーズを先取りして「考え・動き、そして実現する」

3. 財務目標

資本対比で見た収益力指標として連結ROE、また基礎的収益力を測る指標として連結業務純益を、夫々財務目標として設定いたします。

＜財務目標＞

連結ROE [注1]	2023年度 7%～8%程度

第二部　各原則に基づく開示事項（必要的開示）　第5

| 連結業務純益 ^(注2) | 2023年度 9,000億円程度 |

(注1)　その他有価証券評価差額金を除く
(注2)　連結業務純益＋ETF関係損益（みずほ銀行、みずほ信託銀行合算）＋営業有価証券等損益（みずほ証券連結）

<その他主要計数>

普通株式等Tier1（CET1）比率の目指す水準 ^(注1)	9%台前半
政策保有株式削減の取組み ^(注2)	2021年度末まで 3,000億円削減

(注1)　バーゼル3新規制（規制最終化）完全適用ベース。その他有価証券評価差額金を除く
(注2)　取得原価ベース

<株主還元方針>

| 当面は現状の配当水準を維持しつつ、資本基盤の一層の強化を進め早期の株主還元拡充を目指す |

4. 重点取り組み領域

①ビジネス構造の改革
経済・産業・社会の構造変化に対応し、<みずほ>の強みを活かしつつ、以下の取り組みを中心にビジネス構造を改革してまいります。

- 新たな社会におけるライフデザインのパートナー
  - 人生100年時代のライフデザインをサポートする資産形成とそれを支える人材育成
  - 事業承継ニーズに対する高度なソリューション提供と経営人材確保ニーズへの対応
  - コンサルティング中心のリアル店舗とデジタルチャネルを融合した次世代店舗展開
  - テクノロジー活用やオープンな協業を通じた新たな顧客層の開拓や需要の創出
- 産業構造の変化の中での事業展開の戦略的パートナー
  - イノベーション企業への成長資金供給、産官学連携など成長加速へのオープンな協働
  - 産業知見等を活用し、事業リスクをシェアする新たなパートナーシップの構築
  - グローバルな顧客の事業展開を支援すべく、アジアの顧客基盤やネットワークを活用
- 多様な仲介機能を発揮する市場に精通したパートナー
  - グローバルネットワークとプロダクト提供体制の最適化により、投資家と投資家、発行体と投資家を繋ぐ多様な仲介機能発揮
  - 実現益と評価損益のバランスを重視しつつ、機動的なアセットアロケーションも活用した、ALM・ポートフォリオ運営の高度化

②財務構造の改革
以下の取り組みにより財務構造を改革し、事業環境・競争環境の変化に対応した柔軟な事業・収益構造への転換を実現いたします。
- 事業・収益構造の課題を、以下の4つの視点でビジネス領域毎に可視化
  ①リスクリターン（粗利ROE）、②コストリターン（経費率）、③成長性、④安定性
- 上記に基づいた、効率化分野から成長分野への集中的な経営資源再配分
- 安定収益基盤を確立した上で、機動的にアップサイド収益を追求する収益構造へ転換

③経営基盤の改革
ビジネスの持続的な優位性を支える経営基盤を強化すべく、以下の取り組みを行ってまいります。
- 新たな業務スタイルへの変革
  - 人材・職場、IT・デジタル、チャネル、グループ会社を重点分野として取り組み
  - 人事については、「社員の成長ややりたい仕事」を軸とする考え方に基づき人事制度を改定し、「社内外で通用する人材バリュー」を最大化する新たな人事戦略を推進
- グループガバナンスの強化
  - 持株会社とグループ各社間の役員兼職拡大等により、銀行・信託・証券以外のグループ会社も含めた一体運営を更に強化し、重要戦略や構造改革を着実に遂行
- コミュニケーションを軸とした新たなカルチャーへの変革

5. ステークホルダーにもたらす価値

今次経営計画における取り組みを通じ、ステークホルダーへの新たな価値を創出してまいります。
- 顧客：『金融を巡る新たな価値』を創造し、利便性向上と事業成長を実現
- 株主：構造課題の一掃と成長の加速による企業価値の向上
- 社員：顧客満足を伴う、働き甲斐ある職場の実現

以上を踏まえ、「<みずほ>の持続的かつ安定的な成長、及びそれを通じた内外の経済・産業・社会の持続的な発展・繁栄」を<みずほ>における「サステナビリティ」と定めます。

原則 3-1(i)

Ⅱ ガバナンス報告書

ステークホルダーからの期待・要請に対し、<みずほ>の戦略における重要性や親和性、中長期的な企業価値への影響を踏まえて「サステナビリティ重点項目」を特定し、SDGs（持続可能な開発目標）達成に向けて積極的に取り組んでまいります。

以上

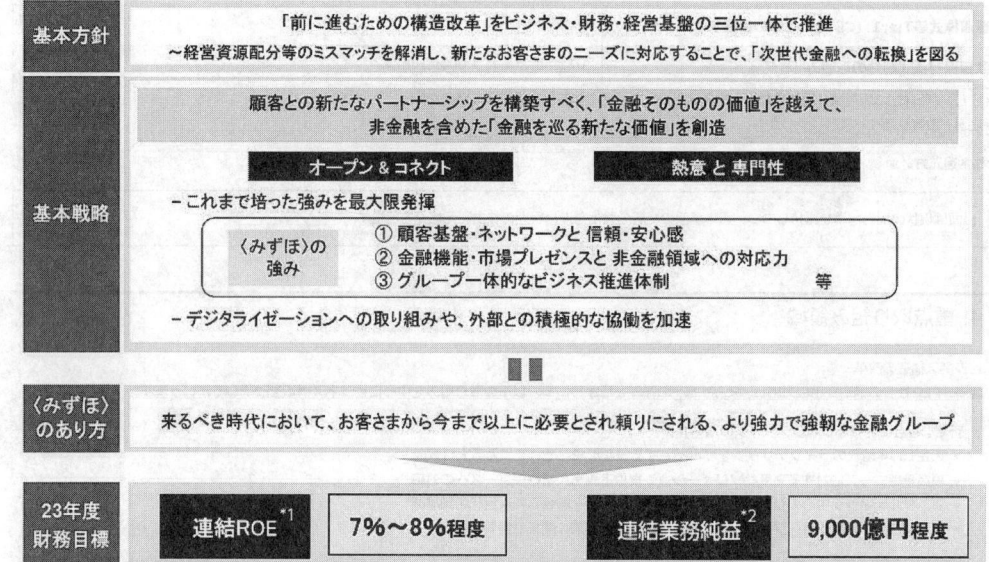

（別紙）5ヵ年経営計画～次世代金融への転換

第二部　各原則に基づく開示事項（必要的開示）　第5

⑧西日本旅客鉄道

「コーポレートガバナンス・コードの各原則に基づく開示」

原則3-1
1. 企業理念、安全憲章、中期経営計画を当社ホームページ等にて開示、公表しております。
　企業理念、安全憲章　　URL：https://www.westjr.co.jp/company/
　中期経営計画　　　　　URL：https://www.westjr.co.jp/company/info/plan/

「同社ホームページ」

財務戦略・設備投資計画　12

■ **財務基盤の回復**
　変革・復興期(第Ⅱ期)末において、D/Eレシオ1倍程度への回復をめざす

■ **資金使途の優先順位**
　変革・復興期の基本方針は以下のとおり。なお、変革・復興期(第Ⅱ期)は、この方針を踏まえつつ、次期中計で策定する具体的計画にあわせて改めて検討

優先順位①　安全投資
- 安全は最重要戦略。数値目標を含めて「JR西日本グループ鉄道安全考動計画2022」を堅持
- 投資総額は一定抑制するが、安全性向上に必要な投資を着実に進めていく

優先順位②

債務削減	成長投資	株主還元
・新たな感染症や自然災害等が起こった場合でも、社会インフラを担う企業グループとしての使命を果たし続けていくために、また、変化対応力を向上させ、さらなる発展につなげるためにも、早期に財務基盤の回復を図る	・企業価値向上の資する件名を重点化し投資を進める ・デジタル技術を活用したサービス提供等により新たな価値を創出	・長期安定的な配当を基本方針とし、2022年度において配当性向35%程度をめざす

■ **設備投資計画**　[中計期間総額(2018-2022)]

	2018年4月公表時	2020年10月見直し	増減
連結設備投資額	1兆2,700億円 (うち単体 9,980億円)	1兆2,500億円 (うち単体 9,200億円)	▲200億円 (うち単体 ▲780億円)
安全投資	5,300億円	5,000億円	▲300億円
維持更新投資	8,100億円	7,500億円	▲600億円
成長投資	4,600億円	5,000億円	+400億円

【参考】セグメント別内訳…運輸業8,600億円、流通業300億円、不動産業3,100億円、その他500億円

経営指標等　13

■ **JR西日本グループ中期経営計画2022目標**

経営指標	2017年度 実績	2022年度 目標 (2018年4月公表時)	2022年度 目標 (2020年10月見直し)
連結営業収益※	1兆5,004億円	1兆6,300億円	**1兆4,500億円**
連結EBITDA	3,561億円	4,000億円	**3,300億円**
連結ROA	6.3%	6%台半ば	**4%程度**
[参考]連結ROE	11.3%	10%程度	**9%程度**

※「収益認識に関する会計基準等」の適用による影響は加味していない　● 2030年頃の連結営業収益2兆円の目標については一旦取り下げるものの、変革・復興期を通じて構造改革と財務基盤の立て直しによる経営の強靭化に取り組み、進化・成長期でのさらなる発展をめざす

■ **目標指標・めざす状態**

		2022年度 目標 (2018年4月公表時)	2022年度 目標 (2020年10月見直し)
安全性の向上	お客様が死傷する列車事故[5年間累計]	0件	**0件**
	死亡に至る鉄道労災[5年間累計]	0件	**0件**
	お客様が死傷する鉄道人身障害事故	さらに1割減(9件)	**さらに1割減(9件)**
	踏切障害事故	さらに1割減(22件)	**さらに1割減(22件)**

原則3-1(i)

129

Ⅱ　ガバナンス報告書

鉄道		部内原因による輸送障害	さらに1割減(126件)	**さらに1割減(126件)**
	CSの向上	お客様満足度調査 好感度	4.0以上	**4.0以上**
	新幹線	新幹線輸送人員（対2017年度）	+5%	−
	近畿エリア	JR京都線・JR神戸線・大阪環状線の駅乗車人員	265万人/日	−
		ICカード利用率	85%	**85%**
創造	物販・飲食	物販・飲食店舗売上高（対2017年度）	+200億円	**+30億円**
	不動産賃貸・販売	営業収益（外部売上高）	1,000億円	**1,200億円**
	ショッピングセンター(SC)	テナント売上高	3,250億円	**3,000億円**
	ホテル	客室数 訪日のお客様の宿泊の拡大	1万1千室	**宿泊部門売上高※ 350億円**
共通	訪日のお客様	連結営業収益	650億円	−
		訪日専用旅行商品ご利用者数	260万人	−

※宿泊特化型ホテル（ヴィアイン）を含む

⑨丸　紅

「コーポレートガバナンス・コードの各原則に基づく開示」

当社では、改訂前コーポレートガバナンス・コードの各原則に基づく開示事項を含め、基本原則・原則・補充原則の各78原則すべてに対する当社の取り組み状況や取り組み方針につき、本報告書の添付、並びに当社ウェブページに掲載しておりますので、そちらを御参照下さい。
(https://www.marubeni.com/jp/company/governance/)

「改訂前コーポレートガバナンス・コードに関する当社の取組み」

(i) ＜経営理念＞
当社は、社是「正・新・和」の精神に則り、公正明朗な企業活動を通じ、経済・社会の発展、地球環境の保全に貢献する、誇りある企業グループを目指します。
＜経営戦略・経営計画＞
上記考え方に基づいて策定した中期経営戦略「GC2021」については、当社ウェブサイトに公表していますのでご参照ください。
中期経営戦略「GC2021」
（https://www.marubeni.com/jp/company/plan/pdf/gc2021_jp.pdf）
中期経営戦略「GC2021」の修正
（https://ssl4.eir-parts.net/doc/8002/ir_material_for_fiscal_ym1/80012/00.pdf）

＜中　略＞

　当社は、丸紅グループの在り姿「Global crossvalue platform」を定めるとともに、経営戦略の基本方針「2030 年に向けた長期的な企業価値向上を追求する」を明示した3ヵ年の中期経営戦略「GC 2021」を策定し、2019年度よりスタートしております。2019年度の赤字決算により財務基盤の早急な回復が必要になったことに加え、新型コロナウイルス感染症の感染拡大の影響により経営環境が大幅に悪化したことから、当社グループの事業活動への影響が長期化することを覚悟し、世界各国のグループ社員、顧客・パートナーの安全確保を第一に、経営基盤の強化・再構築に徹底的に取り組むべく、2020年5月7日に公表した修正GC2021において、以下を基本方針としております。

<修正GC2021 基本方針>
「財務基盤の再生・強化」
- 2019年度の大幅赤字決算を受け、財務基盤の再生・強化を最優先課題としてキャッシュ・フロー重視の経営を徹底
- 3ヵ年累計株主還元後フリー・キャッシュ・フロー黒字により債務返済を優先し、2021年度末のネットDEレシオ1.0倍程度へ

「事業戦略の強化」
- GC2021で掲げる成長戦略の基本方針は変えない
- 既存事業基盤の強化と新たなビジネスモデル創出により中長期的な企業価値向上を追求する
    - コスト削減を含む既存事業の強化・底上げを徹底し、持続的かつ強靭な事業基盤を構築する
    - 新型コロナウイルス感染症収束後の世界経済、社会課題、成長領域、ビジネスモデルの変化を見据え、資産の入れ替え・優良化に取り組む
    - 過去の事業投資パフォーマンスを総括し、リスクマネジメントの更なる充実・強化を図る

修正GC2021の進捗は以下の通りです。

「財務基盤の再生・強化」

	2019年度実績	2020年度実績	2021年度見通し	3カ年累計
基礎営業キャッシュ・フロー(*1)	+3,638億円	+3,696億円	+3,500億円	約+10,800億円
株主還元後フリー・キャッシュ・フロー	+573億円	+2,313億円	+600億円	約+3,500億円
ネットDEレシオ	1.16倍	0.88倍	0.9倍程度	―

- 財務基盤の再生・強化を最優先課題としてキャッシュ・フロー重視の経営を継続
- 資本配分の源泉となる基礎営業キャッシュ・フローは、2020年度も2019年度と同水準を維持
- 2020年度末のネットDEレシオは0.88倍まで低下し、2021年度末目標である1.0倍程度を前倒しで達成

(※1) 基礎営業キャッシュ・フロー: 営業キャッシュ・フローから営業資金の増減等を控除。

「事業戦略の強化」
事業環境の変化を見据えた資産の入れ替え・優良化
- 事業環境の変化を見据えた戦略的な投資・回収を推進
- コスト削減を含む既存事業の強化・底上げ（ホライゾン1・2）に加え、成長が期待で

Ⅱ ガバナンス報告書

きる新分野への種まき（ホライゾン３）が順調に進捗

	2019-2020年度 2ヵ年合計	ホライゾン1	ホライゾン2	ホライゾン3 (*2)	2021年度 見通し	2019-2021年度 3ヵ年合計見通し
新規投資	△3,167億円		△2,692億円	△475億円	△1,500億円	約△4,700億円
CAPEX等	△2,185億円	△1,943億円	△241億円		△1,200億円	約△3,400億円
回収	+2,091億円				+1,000億円	約+3,100億円

リスクマネジメントの更なる充実・強化
- 過去の事業・投資パフォーマンスを総括・社内共有、投資規律の徹底に向けた投資制度の整備
- リスクエクスポージャー管理の強化、ROIC/RORA（＊３）を用いた事業の収益性強化の推進

（＊２）ホライゾン１：既存事業の充実、ホライゾン２：既存事業領域の戦略追求、ホライゾン３：現状では取り込めていない成長領域、新たなビジネスモデル
（＊３）ROIC：投下資本利益率（Return On Invested Capital）、RORA：リスクアセット利益率（Return On Risk Assets）

「ROEの維持・向上と株主資本コストの低減により中長期的な企業価値向上を追求」
ROEの維持・向上
- 実態純利益、基礎営業キャッシュ・フローの継続的な拡大と戦略的な資本配分
- 資本効率を意識した事業戦略の強化により、強固な収益基盤を構築

株主資本コストの低減
- 財務レバレッジ（ネットDEレシオ）の適正化
- 業績ボラティリティの低減
- ガバナンス、人財の強化、気候変動対策等のサステナビリティ取り組み強化による非財務価値の向上

また、「GC2021」の最終年度にあたる2021年度の見通しは純利益2,300億円、2021年度末ネットDEレシオ0.9倍程度です。
資本配分については下図をご参照ください。

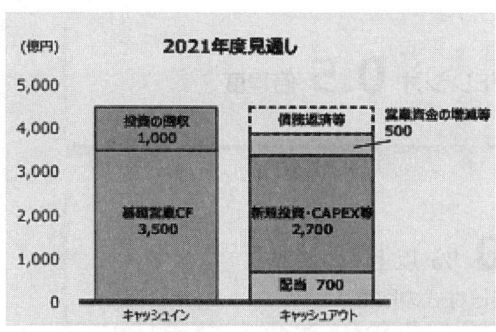

　加えて、株主資本コストを十分に意識した経営を実施するため、独自の経営指標であるPATRAC(※)において資本コストをベースとするハードルレートを 10％と設定し、個別案件の審査を実施しています。
(※) PATRAC：Profit After Tax less Risk Asset Cost の略。リターンがリスクに対する最低限のリターン目標を上回っているかを計る、当社独自の経営指標。以下の計算式に基づき算出する。
PATRAC＝税引後利益－リスクアセット（＝必要株主資本）×10％（資本コストをベースとするハードルレート）

⑩大和ハウス工業

「コーポレートガバナンス・コードの各原則に基づく開示」

≪経営戦略・経営計画≫
中期経営計画（第6次中期経営計画）、経営方針
当社グループは「人・街・暮らしの価値共創グループ」として、さまざまな領域で事業を展開しております。
2019年度からスタートした「第6次中期経営計画」においては、ガバナンス体制を再整備するとともに、事業領域の広さを活かし、持続的な成長を実現します。
詳細につきましては、当社ホームページにて開示していますので、ご参照ください。
なお、新型コロナウイルス感染症などの影響を鑑み、当初の計画から修正しています。
(https://www.daiwahouse.com/ir/challenge/)

【業績目標】
1. 売上高：4兆3,000億円
2. 営業利益：3,200億円
3. 当期純利益：2,150億円
4. ROE：13％以上
5. D／Eレシオ：0.5倍程度

「大和ハウスグループ第6次中期経営計画」

財務健全性を維持しながら、資本コストを上回るROEを創出し、株主価値向上のためのエクイティスプレッドを獲得します。

I　ROEの設定 目標 13 ％ 以上
　　（現在当社の株主資本コストは6.5％程度と認識しています）

Ⅱ　ガバナンス報告書

 適正な財務レバレッジ　D/Eレシオ **0.5** 倍程度

 株主還元　配当性向 **30** ％以上
　　　　　　および機動的な自己株式の取得

⑪丸井グループ

「コーポレートガバナンス・コードの各原則に基づく開示」

原則3-1　情報開示の充実
(i) 経営理念・経営計画
当社グループのミッションは、「お客さまのお役に立つために進化し続ける」「人の成長＝企業の成長」という経営理念に基づき、お客さまとつながり続け、お客さまの「しあわせ」を共に創ることにあります。これこそが近年の革新と進化を支え続けてきたといえます。少しでもお客さまのお役に立ちたい、お客さまに喜んでいただきたい。そしてお客さまとのつながりを大切に、すべてをお客さま視点で考え、行動する。それが当社グループのDNAであり、私たちがめざす「共創経営」の原点です。
また、当社は、2026年3月期を最終年とする5ヶ年の中期経営計画を策定いたしました。
詳細につきましては、当社ウェブサイトに掲載の2021年5月12日付「中期経営計画の策定について」をご参照ください。

中期経営計画の策定について
(https://www.0101maruigroup.co.jp/pdf/settlement/21_0512/21_0512_4.pdf)

「丸井グループ中期経営計画の策定について」

1．これまでの取り組み

　当社グループは、創業以来、小売・フィンテック一体の独自のビジネスモデルを、時代やお客さまのニーズの変化に合わせて、革新・進化させてまいりました。前中期経営計画は、20年3月期までは順調に推移しましたが、最終年度はコロナの影響と利息返還費用の積み増しがあったことで、主要3KPI（EPS、ROE、ROIC）は大幅に計画未達となりました。

　一方で、長期視点でLTV（生涯利益）を重視する経営を進め、フィンテック主導の成長へのシフト、小売の「定借化」など、事業構造の変革、および高い利益成長を継続できる収益構造への転換を実現しました。また、「めざすべきバランスシート」に向けた資本政策が着実に進捗した結果、収益力向上と資本コスト低減の両面から企業価値創造が実現し、安定的にROICがWACCを、ROEが資本コストを上回る構造が完成しつつあります。

　また、2019年には、2050年に向けた長期ビジョンを策定し、ビジネスを通じ持続的な社会、地球環境の実現に向けて「将来世代」を加えた6つのステークホルダーの「利益」と「幸せ」をめざす「共創サステナビリティ経営」を進め、DJSIワールド小売分野世界1位など、高い評価をいただきました。

（小売）
・従来の百貨店型から家賃収入を主とするショッピングセンター型への転換が完了しました。また「売らない店」への進化に向けて、D2Cブランドや飲食・サービステナントなどを導入、未来に向けた店づくりを進めてきました。

・一方で自主専門店・ECの利益改善は未達となりました。

(フィンテック)

- 全国の商業施設やネット、サービス領域での入会を強化したことで、2021年3月末のカード会員数は709万人、5年間で96万人増となりました。
- ショッピングクレジットが業界平均を大きく上回り拡大したことに加え、家賃保証を中心としたサービスも高伸長し、エポスカード総取扱高は5年間で約1.9倍に拡大しました。

(最適資本構成)

- グループの事業構造に見合った「めざすべきバランスシート」の構築を掲げ、営業債権の拡大に対する有利子負債での調達、計画的な営業債権の流動化などの資本政策を通じて、目標としていた総資産1兆円以内、自己資本比率30%前後の最適資本構成を達成しました。

2．事業環境の変化

2030年に向けた今後の10年においては、「現役世代から将来世代へ」、「デジタル技術は導入期から展開期へ」、「有形資産から無形資産へ」という3つの大きな転換が起き、社会の世代交代により、デジタル、サステナビリティ、ウェルビーイングといった将来世代の常識に対応できない企業は急速に支持を失うリスクがあります。

3．今後の方向性

1. 将来世代との共創を通じて、社会課題の解決と企業価値向上を両立
2. 店舗とフィンテックを通じて、「オンラインとオフラインを融合するプラットフォーマー」をめざす
3. 人材、ソフトウェアに加え、新規事業、共創投資への無形投資を拡大、知識創造型企業へと進化
4. ステークホルダーをボードメンバーに迎え、「利益と幸せの調和」に向けた共創経営を推進

4．新中期経営計画の策定について

急速な事業環境の変化が予測される中、前中期経営計画の目標を早期に達成し、さらなる企業価値の向上を実現するため、2026年3月期を最終年度とする5ヵ年の新中期経営計画を策定しました。

＜事業戦略＞

(グループ事業の全体像)

- 小売、フィンテックに「未来投資」を加えた三位一体のビジネスモデルを創出します。未来投資には、共創投資と新規事業投資が含まれます。

Ⅱ　ガバナンス報告書

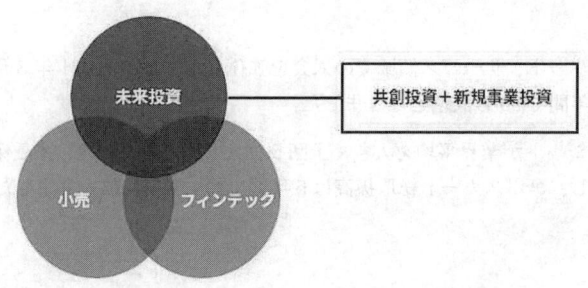

(小売)

・コロナによる市況の悪化が懸念される中、これまで取り組んできた百貨店業態のトランスフォーメーションをさらに推進し、新たな成長を実現します。店舗を「オンラインとオフラインの融合」のプラットフォームと位置づけ、EC中心に展開する新規事業がさまざまなイベントを開催し、このイベントが来店動機となる店づくりを進めます。また、これらのイベントをフィンテックと連携し、丸井の店舗だけでなく全国の商業施設で展開することを視野に、事業化をめざします。

(フィンテック)

・4月からスタートした新カード、新アプリを通じて、UXを飛躍的に高め、LTVのさらなる向上をめざします。また、ゴールドカードに次ぐ第二の柱に成長してきた、アニメに代表されるコンテンツカードなど、「一人ひとりの『好き』を応援する」カードを拡大します。

・リアル店舗中心の会員募集を見直し、ネット入会の比率を高めるほか、拡大が見込まれるEC・ネット関連サービス、家賃などを中心に家計シェア最大化の取り組みを強化することで、5年後の取扱高は2倍の5.3兆円をめざします。

・また、50万人以上のお客さまに再生可能エネルギーをエポスカード払いでご利用いただき、CO_2削減とLTV向上の両立に挑戦します。

(未来投資)

・未来投資は、サステナビリティ、ウェルビーイングなどのインパクトと収益の両立をめざしてイノベーションを創出します。新規事業投資は社内からのイノベーション創出、共創投資は社外からのイノベーション導入をめざします。

・新規事業は、ECを中心にメディア、店舗、フィンテックを掛け合わせた独自のビジネスモデルを構築します。

・共創投資は、共創の理念に基づき、共に成長し価値をつくる取り組みを進め、小売・フィンテックへの貢献利益と、ファイナンシャルリターンの両方を追求します。

＜資本政策＞

・小売は定借化にともない安定化も、自己資本比率は依然として高い水準のため、この余剰資本を再配分し、自己資本比率25％前後を目標にバランスシートの見直しを進めます。

・また、5年間の基礎営業キャッシュ・フロー2300億円を、未来投資を含めた成長投資に800億円、資本最適化のための自社株取得に500億円、株主還元に1000億円を配分する計画です。

第二部　各原則に基づく開示事項（必要的開示）　第5

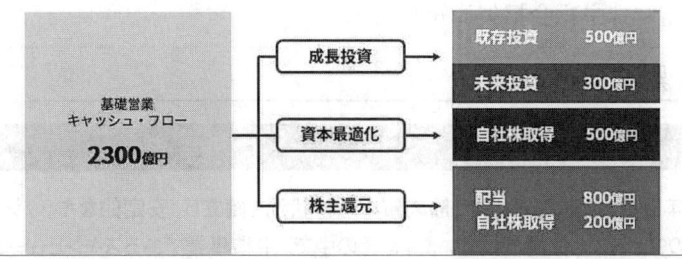

＜インパクト＞
- 2019年に公表した「ビジョン2050」に基づき、サステナビリティとウェルビーイングに関わる目標を「インパクト」として定義しました。「将来世代の未来を共につくる」「一人ひとりの幸せを共につくる」「共創のプラットフォームをつくる」の3つの目標を達成すべく、主要な取り組み項目を新中期経営計画の主要KPIとして設定します。
- また、ステークホルダーの求める利益と幸せを共に実現する共創経営に向けて、ステークホルダーをボードメンバーに迎えることで、ガバナンス体制を進化させてまいります。

5．主要KPI

26年3月期の目標として、インパクトについては、「CO_2排出削減量100万t以上」「将来世代との共創の取り組み150件以上」など、6つのKPI達成をめざします。そして、これらのインパクトを実現することで、EPS200円以上、ROE13％以上、ROIC4％以上を実現します。

	項目	単位	目標
インパクト	CO_2排出削減量		100万t 以上
	サーキュラーなライフスタイルの選択肢の提供	お客さま数	100万人 以上
	信用の共創に基づく金融サービス提供	お客さま数	450万人 以上
	一人ひとりの「好き」を応援する選択肢の提供	お客さま数	350万人 以上
	新規事業創出数	累計件数	20件 以上
	将来世代との共創の取り組み件数	累計件数	150件 以上
財務指標	EPS 200円 以上　　ROE 13.0％ 以上　　ROIC 4.0％ 以上		

⑫ 資 生 堂

「コーポレートガバナンス・コードの各原則に基づく開示」

○1．会社の経営理念、経営戦略および経営計画　＜原則3-1：主体的な情報発信＞
当社の経営戦略および経営計画については、当社の第121回定時株主総会招集ご通知（48ページ～57ページ）に記載して開示しています。
https://corp.shiseido.com/jp/ir/shareholder/2021/pdf/shm_0001.pdf

Ⅱ　ガバナンス報告書

「同社の第121回定時株主総会招集通知」

8. WIN 2023 財務戦略

財務KPI

　2023年までの3年間は、構造改革により筋肉質な財務状況を確立し、安定的なキャッシュを生み出すための基盤再構築のフェーズと位置づけています。その中で、中核事業であるスキンビューティー領域の強化、基盤再構築のための構造改革などを通じて、営業利益・EBITDAを改善し、事業そのものの収益性を引き上げます。2023年の目標として、売上高1兆円程度、営業利益率15％のほか、EBITDAマージン20％超、フリーキャッシュフローで1,000億円程度を目指します。資本効率については、NPV・ハードルレートなど資本コストを意識しながら、2023年にROIC14％、ROE18％を実現します。

⑬三和ホールディングス

「コーポレートガバナンス・コードの各原則に基づく開示」

【原則5-2 経営戦略や経営計画の策定・公表】
　当社は、定期的に資本コストを検証し（現状WACCは6％に設定）、資本コストをふまえたSVA（当社独自EVA）を経営の重要な柱のひとつと位置づけています。
　収益計画や資本政策の立案においては、SVAをプラスで推移させること（企業価値の増大）を基本方針とし、併せてROEや自己資本比率などの目標も設定しております。
　また、事業ポートフォリオの見直しや、各投資（M&A投資、設備投資、研究開発投資、人材投資等）も環境等を総合的に勘案し、営業利益、SVA、ROE等の定量的指標で検証し、企業価値向上に資するよう努めています。
　一方、資金配分（株主還元）の一環として、配当性向の目処を親会社株主に帰属する当期純利益の35％を目安とすることを基本方針としています。

⑭日本瓦斯

「コーポレートガバナンス・コードの各原則に基づく開示」

【補充原則5-2-①】（経営戦略や経営計画の策定・公表）※2021年6月の改訂後のコードに基づき記載しております。
2021年6月の改訂後のコードの趣旨を踏まえ、事業ポートフォリオに関するより分かり易い説明を進めてまいります。なお、既に当社では、総資産を、高収益資産、低収益資産、その他に分類し、高収益資産へ資源を集中させる戦略をご説明しております。

「統合報告書」

株主資本のパフォーマンスを最大化するための資本政策

　当社は、株主資本を最大限に活用し、そのパフォーマンスを最大化することを目標として資本政策を決定しています。
　株主資本のパフォーマンスを高めるためには、キャッシュを収益性の高いビジネスに配分し、かつ、株主資本を適切なレベルにコントロールすることが必要となります。当社は、この実現のために、1）**キャッシュを生む資産に資本を投下する**。2）**不要な自己資本は持たない**、という財務ポリシーを掲げています。この財務ポリシーを徹底した結果、2017年3月期から2021年3月期の4年間で総資産規模はほぼ変わらないなか、資産が生み出す総利益は3589億円から672億円（計画）に成長する見込みです。同時に調達サイドにおいては、ビジネスリスクを踏んだ適切なレベルでのレバレッジ（借入）を利用することで、自己資本比率をほぼ同水準にコントロールし、年々、株主資本のパフォーマンスを最大化するバランスシート改革を進めています。

「資産の入れ替え」キャッシュを生む資産に資本を集中投下する

　株主資本のパフォーマンスを高めるには、まずは資産の収益力を高めることが必要です。当社は、LPガスとICTを"高収益資産"として位置づけ資本を重点的に配分、高収益資産（LPガス・ICT）を、2017年3月期の399億円から2021年3月期に641億円に増加させる計画です。一方、親愛中本社など収益を生まない資産"の圧縮にも同時に取り組んでおり、2017年3月期の559億円から2021年3月期に329億円に大きく減少させる計画です。これにより当社のバランスシートは、**2017年3月期の「高収益資産が3割、キャッシュを生まない資産が4割」という状況から、2021年3月期には「高収益資産が5割超、キャッシュを生まない資産が2割」に大きく良化する見込みです。**この結果、総資産は2017年3月期から2021年3月期（計画）の間でほぼ変わらない1,400億円程度を維持しながら、資産が生み出す純利益は同期間で1.3倍（69億円→89億円）に増加、2021年3月期のROAは6.3％を見込んでいます。

第二部　各原則に基づく開示事項（必要的開示）　第5

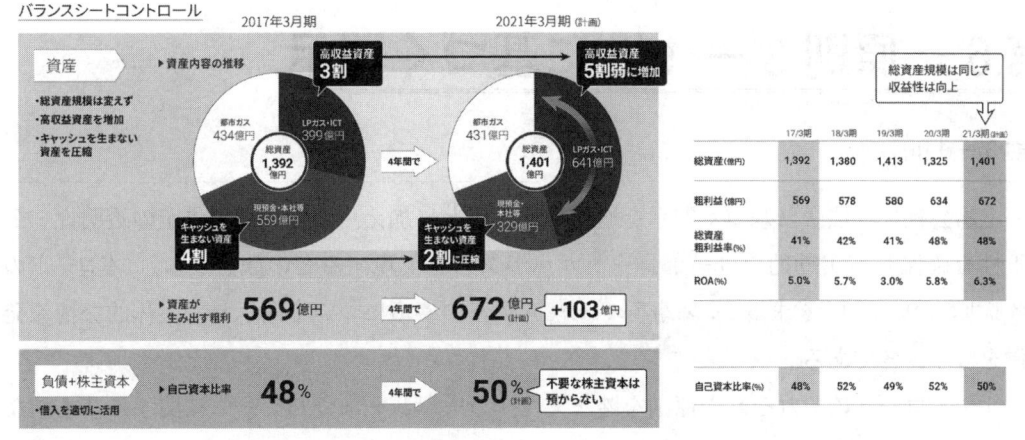

株主資本を最大限活用するため不要な株主資本は持たない

ニチガスは2018年3月期から2021年3月期の4決算期で、累計286億円の純利益を計上する見込みです。一方でBS上の純資産は2017年3月末から2021年3月末までの期間で40億円の増加（666→705億円）に留まる計画であり、**4決算期累積の純利益の約9割、255億円が株主に還元される**ことになります。これは、当社の「不要な株主資本は預からない」という財務ポリシーを徹底している結果です。資産の収益力を向上させなくても、よりおくの株主資本を必要としては、株主資本のパフォーマンスを向上させることはできません。当社は、高収益資産に資本を集中投下しながらも、顧客基盤を拡大することでビジネスリスクを低減させ、大きな株主資本を必要としないビジネスモデルを構築しています。これにより、株主資本のパフォーマンスを示す重要指標であるROEを、2017年3月期の10.9%から2021年3月期の12.7%へ切り上げる見込みです。

これからの資本政策、「時価総額1兆円企業」に向けて

当社は、2018年3月期から2019年3月期の2年間に集中して行った新都市ガス、電力、プラットフォームビジネスへの投資が結実し、それらの収益貢献が始まる「再増益ステージ」に入りつつあります。主力のLPガスの顧客数増加も続きビジネスリスクは安定、十分な財務基盤を背景に高水準の株主還元を継続しています。

当社は中長期に**「時価総額1兆円企業」**を目指します。その過程で新たな成長ステージに入り、投資する局面も訪れると考えています。そのような局面であっても、当社の投資判断と資本政策は、「株主資本のパフォーマンス最大化に繋がるのか」を基準に判断します。さらに大きく成長するニチガスの脱却を財務面から支えるとともに、株主価値の向上を第一に、資本政策を立案していきます。

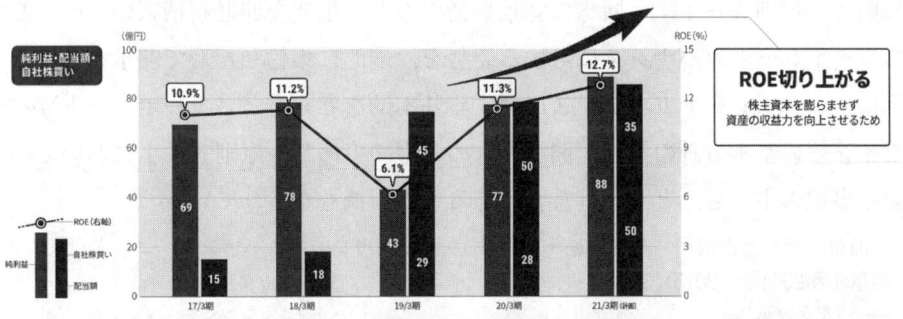

原則 3-1(i)

第6　原則3－1⑾に基づく開示

原則3－1⑾

> 　上場会社は，法令に基づく開示を適切に行うことに加え，会社の意思決定の透明性・公正性を確保し，実効的なコーポレートガバナンスを実現するとの観点から，（本コードの各原則において開示を求めている事項のほか，）以下の事項について開示し，主体的な情報発信を行うべきである。
> 　⑾　本コードのそれぞれの原則を踏まえた，コーポレートガバナンスに関する基本的な考え方と基本方針

1　背景・趣旨

　本原則は，原則3－1(i)と同様の背景事情のもと，重要な非財務情報の一つとして，各上場会社のコーポレートガバナンスに対する姿勢を，端的に集約した形で開示させるものである。本原則は，コーポレートガバナンスに関する基本的な考え方と，コーポレートガバナンス・ガイドライン等の基本方針の策定・開示を求めるものであり，原則3－1において開示が求められている事項の中でも，とりわけ重要であるとの指摘もなされている[注20]。

(注20)　油布志行＝渡邉浩司＝髙田洋輔＝中野常道「『コーポレートガバナンス・コード原案』の解説〔Ⅲ〕」商事法務2064号（2015）36頁。

2　開示対象

　本原則に基づく開示対象は2つある。「本コードのそれぞれの原則を踏まえた，コーポレートガバナンスに関する基本的な考え方」と，「本コードのそれぞれの原則を踏まえた，コーポレートガバナンスに関する基本方針」である。「基本的な考え方」は各社のコーポレートガバナンスに関する総論的な考え方を意味し，「基本方針」は，コードの個々の原則に対する大まかな対応方針を意味する[注21]。なお，本原則は，全ての原則について個々に基本方針の記載を求める趣旨ではなく，ある程度グルーピングを行った上で記載することや，各社が重要と考える原則に絞って記載すること等も考えられる[注22]。

(注21)　澤口実＝内田修平＝髙田洋輔編著『コーポレートガバナンス・コードの実務〔第4版〕』（商事法務，2021）113頁。

(注22)　油布志行＝渡邉浩司＝髙田洋輔＝中野常道「『コーポレートガバナンス・コード原案』の解説〔Ⅲ〕」

商事法務2064号（2015）42頁（注27）。

3 コーポレートガバナンスに関する基本的な考え方

(1) 開示の形式

本原則の開示の形式としては，ガバナンス報告書の「Ⅰ コーポレート・ガバナンスに関する基本的な考え方及び資本構成，企業属性その他の基本情報」の「1．基本的な考え方」欄を参照する例（①伊藤忠商事）が少なくないが(注23)，ガバナンス報告書の該当箇所に直接記載する例（②三菱商事）も存在する。また，別途自社のウェブページやコーポレートガバナンス・ガイドライン等を参照する例（③三菱重工業）などがある。

(注23) ガバナンス報告書の記載要領1頁は，ガバナンス報告書の当該欄を本原則(ii)の開示を行うために利用することが考えられるとする。

(2) 開示の内容

本原則による開示の内容は自ずから多岐に亘るが，例えば，ステークホルダーとの良好な関係の構築に言及する例（③三菱重工業，④オリンパス）や企業価値の向上に言及する例（⑤ニチレイ），また，透明・公平かつ迅速・果断な意思決定を行うことを目的として掲げる例（⑥ＭＳ＆ＡＤインシュアランスグループホールディングス，⑦INPEX）が多い。そのほか，説明責任・アカウンタビリティに言及する例（⑧パナソニック）もある。

4 コーポレートガバナンスに関する基本方針

上記のとおり，コーポレートガバナンスに関する基本方針は，コードの個々の原則に対する大まかな対応方針を意味することから，内容は多岐に亘る。

そのため，開示の形式としては，いわゆるコーポレートガバナンス・ガイドライン（名称は問わない）を策定し自社のウェブページに開示した上で，ガバナンス報告書ではそのウェブページを参照する例が比較的多い（③三菱重工業）。TOPIX500構成銘柄企業では，名称に差異はあるが，コーポレートガバナンス・ガイドラインに相当する基本方針を策定する会社は282社（56.9％）に及んでいる。使用される名称は，コーポレートガバナンス・ガイドライン，コーポレートガバナンス基本方針等が多く，その他にコーポレートガバナンス・ポリシーや，コーポレートガバナンス原則などが使用されている。

もっとも，本原則においてコーポレートガバナンスに関する基本方針と同様に開示が求められている「コーポレートガバナンスに関する基本的な考え方」と特段区別することなく，

Ⅱ ガバナンス報告書

「コーポレートガバナンスに関する基本的な考え方」同様，ガバナンス報告書の「基本的な考え方」欄を参照する例も少なくない。

また，コーポレートガバナンス・ガイドラインやガバナンス報告書の「基本的な考え方」を参照するのではなく，本項目にコーポレートガバナンスに関する基本方針を直接記載する例（⑧パナソニック，⑨旭化成）もある。

5 開示事例

①伊藤忠商事

「コーポレートガバナンス・コードの各原則に基づく開示」

（原則3-1(ii)）
・コーポレートガバナンスに関する基本的な考え方
上記I-1(基本的な考え方)をご参照下さい。

「Ⅰコーポレート・ガバナンスに関する基本的な考え方及び資本構成，企業属性その他の基本情報 1．基本的な考え方」

1．基本的な考え方

　当社グループは，創業者・伊藤忠兵衛の言葉から生まれた「三方よし（売り手よし，買い手よし，世間よし）」の精神を企業理念とし，自社の利益だけではなく取引先，株主，社員をはじめ周囲の様々なステークホルダーの期待と信頼に応えて社会課題の解決に貢献することにより，世の中に善き循環を生み出し，持続可能な社会に貢献することを目指しております。また，社員一人ひとりが自らの商いにおける行動を自発的に考え，売り手，買い手のみならず世間に対しても，より善い商い，より善い未来に向けた「無数の使命」を果たすべく，「ひとりの商人，無数の使命」を企業行動指針と定めています。

　当社は，この企業理念及び企業行動指針に則り，様々なステークホルダーとの間で公正かつ良好な関係を構築することにより，長期的な視点に立って企業価値の向上を図ることを経営の基本方針とし，この基本方針に従い，適正かつ効率的な業務執行を確保することができるよう，意思決定の透明性を高めるとともに，監視・監督機能が適切に組み込まれたコーポレート・ガバナンス体制を構築します。

　充実したコーポレート・ガバナンスのためには，経営者による健全なリーダーシップの発揮と，透明で公正な意思決定の両立が不可欠であるとの考えのもと，当社は，監査役（監査役会）設置会社として，法令上認められる範囲内で通常の業務執行に属する事項の経営陣への委任を進める一方，経営監視を強化するための施策を行ってきました。2017年度には，業務執行取締役を大幅に減員することにより社外取締役比率を3分の1以上に高め，経営の執行と監督の分離を促進し，今後も引続き社外取締役比率3分の1以上を維持していきます。また，取締役会の諮問委員会として，社外取締役を委員長とし委員総数の過半数を社外役員とする「ガバナンス・報酬委員会」及び「指名委員会」を設置しております。なお，社外取締役及び社外監査役の選任にあたっては，独立性の確保を重視しており，（株）東京証券取引所が定める「独立役員」の要件に加えて，当社独自の独立性判断基準を策定しております。このように高い独立性が確保された取締役会において，経営陣による業務執行の監督の他，定量面または定性面から重要性の高い業務執行に関する審議も行っており，業務執行の監督が適切に行われることに加え，重要な業務執行については社外の視点からの検討も行うことができると考えております。

　更に，当社は，株主・投資家等のステークホルダーに対する財務・非財務情報の発信もコーポレート・ガバナンス上の重要な課題の一つと認識し，様々なステークホルダーとの間の対話を更に促進する目的で「IR基本方針」を定め，適時・適切な情報開示に努めております。こうした対話の促進により，長期的な視点での当社の企業価値の向上に繋げていきたいと考えております。

　当社としては，現状のコーポレート・ガバナンス体制は（株）東京証券取引所の「コーポレートガバナンス・コード」において標榜されている「攻めのガバナンス」の精神にも適うものであると考えております。一方で，当社が置かれた経営環境を踏まえた最適なコーポレート・ガバナンス体制を構築すべく，引続き検討を続けていきます。
---

②三菱商事

「コーポレートガバナンス・コードの各原則に基づく開示」

---
e. 原則3-1(ii)
■ コーポレート・ガバナンスに関する基本的な考え方・基本方針
当社は、『三綱領』を企業理念とし、公明正大を旨とする企業活動を通じ、継続的に企業価値の向上を図るとともに、物心共に豊かな社会の実現に貢献することが、株主の皆様やお客様をはじめとする全てのステークホルダーのご期待に応えるものと認識しています。
この実現のため、経営の健全性、透明性、効率性を確保する基盤として、コーポレート・ガバナンスの継続的強化を経営上の重要課題としており、監査役制度を基礎として、独立役員の要件を満たす社外取締役・社外監査役の選任や社外役員・社外委員を過半数とする取締役会の諮問機関の設置などにより、経営監督機能を強化するとともに、執行役員制度の導入等による意思決定や業務執行の迅速化・効率化を図るなど、実効性のあるコーポレート・ガバナンス体制の構築に努めています。

第二部　各原則に基づく開示事項（必要的開示）　第6

> 上記の基本的な考え方に従い、当社では、「社外役員選任基準」を定め、社外取締役・社外監査役の機能と独立性確保を明確化するとともに、独立性を満たす社外取締役が取締役総数の3分の1以上を占める方針としています。
> また、社外役員が過半数を占めるガバナンス・指名・報酬委員会にて、取締役会・監査役会の構成、取締役・監査役の選任方針及び選任案、経営者の要件及びその選解任に関わる基本方針、社長人事案、報酬の決定方針や報酬水準・構成の妥当性などの役員報酬制度の在り方、取締役会の実効性評価等について審議・確認を行うほか、ガバナンス・指名・報酬委員会の下部機関として同委員会の委員長である会長及び委員である社外取締役をメンバーとする社長業績評価委員会を設置し、社長の業績評価を審議・決定するなど、独立性のある社外役員による経営監督の実効性を確保する体制・仕組みを整備することとしています。
> さらに、株主との対話方針として、株主・投資家との対話を積極的に行うこととし、経営計画の進捗をはじめとする経営状況に関する情報、定量的な財務情報、コーポレート・ガバナンスやサステナビリティ・CSRなどの非財務情報の開示を適時・適切に行うほか、株主の権利行使のための適切な環境整備に努めるなど、株主・投資家を含めたステークホルダーからのご期待に応えるよう努める方針としています。
>
> 以上の基本的な考え方・基本方針に基づく具体的な方針や取組については、本報告書の各項目をご参照ください。

③三菱重工業

「コーポレートガバナンス・コードの各原則に基づく開示」

> 原則3-1(ⅱ)コーポレートガバナンスに関する基本的な考え方と基本方針
> ガイドラインの第3条及び第4条を御参照ください。

「三菱重工コーポレート・ガバナンス・ガイドライン」

> （コーポレート・ガバナンスに関する基本的な考え方）
> 第3条　当社は、第5条に掲げる企業理念及び目標に基づき、社会の基盤作りを担う責任ある企業として、全てのステークホルダーに配慮した経営を行うとともに、当社グループの持続的な成長と中長期的な企業価値の向上を図るため、継続的なコーポレート・ガバナンスの強化に努めることを基本方針とする。
> 　2　当社は、この基本方針の下、経営の監督と執行の分離や社外取締役の招聘による経営監督機能の強化に取り組むなど、経営システムの革新に努め、経営の健全性・透明性の向上及び多様性と調和を重視した「日本的グローバル経営」の構築に取り組む。
> （会社法上の機関設計）
> 第4条　当社は、前条の考え方に基づき、経営における監督と執行の分離を進め、取締役会による経営に対する実効性の高い監督を行うと同時に、重要な業務執行の決定の一部を業務執行取締役に委任することで迅速かつ果断な意思決定を可能とするため、会社法上の機関設計として「監査等委員会設置会社」を採用する。

④オリンパス

「Ⅰコーポレート・ガバナンスに関する基本的な考え方及び資本構成，企業属性その他の基本情報　1．基本的な考え方」

> 3．情報開示の充実および透明性の確保
> 当社は、経営理念である「世界の人々の健康と安心、心の豊かさの実現」をすべての企業活動の基本思想とし、すべてのステークホルダーから正しい理解と信頼を得るために、経営方針、財務状況、事業活動状況、CSR活動などの企業情報を公正、適時適切かつ積極的に開示する。

原則 3-1(ⅱ)

Ⅱ ガバナンス報告書

⑤ニチレイ

「Ⅰコーポレート・ガバナンスに関する基本的な考え方及び資本構成，企業属性その他の基本情報　1．基本的な考え方」

1．基本的な考え方

　当社グループは、持株会社体制のもと、事業会社が加工食品、水産・畜産、低温物流及びバイオサイエンス等の多岐にわたる事業を展開しております。当社の取締役会が当社グループの戦略を立案し、事業会社の業務執行を監督するという構造を採り、持続的な成長と中長期的な企業価値の向上を目指します。

　当社は、公正かつ透明性の高い経営の実現を重要な経営課題と認識し、取締役会の監督のもと、適切な資源配分、意思決定の迅速化、コンプライアンスの徹底を推進するなど、コーポレートガバナンスの充実に努めてまいります。

　なお、当社は、会社法上の機関設計として監査役会設置会社を採用しております。

　当社のコーポレートガバナンスに関する基本的な考え方とその枠組み並びに取り組み方針を取りまとめた「コーポレートガバナンス基本方針」を、当社ホームページに掲載しておりますのでご参照ください。
https://www.nichirei.co.jp/corpo/management/governance_policy.html

---

⑥ＭＳ＆ＡＤインシュアランスグループホールディングス

「Ⅰコーポレート・ガバナンスに関する基本的な考え方及び資本構成，企業属性その他の基本情報　1．基本的な考え方」

1．基本的な考え方

　(1)当社は、グループの事業を統括する持株会社として、「経営理念(ミッション)」の下、経営資源の効率的な活用と適切なリスク管理を通じ、グループの長期的な安定と持続的な成長を実現するため、全てのステークホルダーの立場を踏まえ、透明・公正かつ迅速・果断な意思決定を行うための経営体制を構築し、企業価値の向上に努めます。

　(2)そのため、グループの全役職員が業務のあらゆる局面で重視すべき「ＭＳ＆ＡＤインシュアランス グループの経営理念(ミッション)・経営ビジョン・行動指針(バリュー)」を策定し、当社及びグループ会社の全役職員へ浸透させるよう努めるとともに、グループ中期経営計画において、コーポレートガバナンス、コンプライアンス、リスク管理等を経営の重要課題として位置づけ、計画の推進に積極的に取り組みます。

　■ＭＳ＆ＡＤインシュアランス　グループの目指す姿
　＜経営理念(ミッション)＞
　グローバルな保険・金融サービス事業を通じて、安心と安全を提供し、活力ある社会の発展と地球の健やかな未来を支えます

　＜経営ビジョン＞
　持続的成長と企業価値向上を追い続ける世界トップ水準の保険・金融グループを創造します

　＜行動指針(バリュー)＞
　・お客さま第一
　　わたしたちは、常にお客さまの安心と満足のために、行動します
　・誠実
　　わたしたちは、あらゆる場面で、あらゆる人に、誠実、親切、公平・公正に接します
　・チームワーク
　　わたしたちは、お互いの個性と意見を尊重し、知識とアイデアを共有して、ともに成長します
　・革新
　　わたしたちは、ステークホルダーの声に耳を傾け、絶えず自分の仕事を見直します
　・プロフェッショナリズム
　　わたしたちは、自らを磨き続け、常に高い品質のサービスを提供します

　詳細は、添付の「ＭＳ＆ＡＤインシュアランス グループ コーポレートガバナンスに関する基本方針」(以下、「コーポレートガバナンス基本方針」といいます。)をご覧ください。

　以下、当社が直接出資するグループ保険会社の表記は次のとおりとします。
　・三井住友海上火災保険株式会社　　　　：　三井住友海上
　・あいおいニッセイ同和損害保険株式会社　：　あいおいニッセイ同和損保
　・三井ダイレクト損害保険株式会社　　　　：　三井ダイレクト損保
　・三井住友海上あいおい生命保険株式会社　：　三井住友海上あいおい生命
　・三井住友海上プライマリー生命保険株式会社　：　三井住友海上プライマリー生命

「コーポレートガバナンス基本方針」

第1章　当社のコーポレートガバナンスに関する基本的な考え方

1．当社は、グループの事業を統括する持株会社として、「経営理念（ミッション）」の下、経営資源の効率的な活用と適切なリスク管理を通じ、グループの長期的な安定と持続的成長を実現す

第二部　各原則に基づく開示事項（必要的開示）　第6

> るため、全てのステークホルダーの立場を踏まえ、透明・公正かつ迅速・果断な意思決定を行うための経営体制を構築し、企業価値の向上に努めます。
>
> 2．そのため、グループの全役職員が業務のあらゆる局面で重視すべき「MS＆ADインシュアランス グループの経営理念（ミッション）・経営ビジョン・行動指針（バリュー）」を策定し、当社及びグループ会社の全役職員へ浸透させるよう努めるとともに、グループ中期経営計画において、コーポレートガバナンス、コンプライアンス、リスク管理等を経営の重要課題として位置づけ、計画の推進に積極的に取り組みます。

⑦ INPEX

「Ⅰコーポレート・ガバナンスに関する基本的な考え方及び資本構成，企業属性その他の基本情報　1．基本的な考え方」

> **1. 基本的な考え方**
> 　当社は、エネルギーの開発・生産・供給を、持続可能な形で実現することを通じて、より豊かな社会づくりに貢献することを経営理念としております。この経営理念のもと、当社は、持続的な成長と中長期的な企業価値の向上を図るため、株主をはじめとするステークホルダーとの協働により社会的責任を果たすとともに、透明・公正かつ迅速・果断な意思決定を行うことを目的としてコーポレート・ガバナンスの充実に取り組みます。
> 　当社は、コーポレート・ガバナンスに関する基本的な考え方と方針について、「コーポレートガバナンスに関する基本方針」（以下、「基本方針」といいます。）を制定し、当社ウェブサイトに開示しております。
> https://www.inpex.co.jp/company/pdf/guidelines.pdf

原則3-1(ⅱ)

⑧パナソニック

「コーポレートガバナンス・コードの各原則に基づく開示」

> (2)コーポレート・ガバナンスに関する基本的な考え方と基本方針
> 当社は、「企業は社会の公器」という基本理念に基づきコーポレート・ガバナンスに取り組んでおり、グループ全体に関わる重要な業務執行を決定し、取締役の職務の執行を監督する取締役会と、取締役会から独立し、取締役の職務の執行を監査する監査役・監査役会によるコーポレート・ガバナンス体制を構築しています。
> コーポレート・ガバナンスの充実を図るため、当社は以下の取り組みを行っています。
> 1. 株主の権利を尊重し、平等性を確保する。
> 2. 従業員、顧客、取引先、地域社会などのステークホルダーによるリソースの提供や貢献の結果が企業の持続的な成長につながることを認識し、ステークホルダーとの適切な協働に努める。
> 3. 会社情報を適切に開示し、企業経営の透明性を確保する。
> 4. 取締役会は、株主に対する受託者責任・説明責任を踏まえ、企業戦略等の大きな方向性を示し、適切なリスクテイクを支える環境整備を行い、独立した客観的な立場から経営陣・取締役に対する実効性の高い監督を行う。
> 5. 持続的な成長と中長期的な企業価値の向上に資するよう、株主と建設的な対話を行う。

⑨旭化成

「コーポレートガバナンス・コードの各原則に基づく開示」

> (2)コーポレートガバナンスに関する基本的な考え方と基本方針
> 「基本的な考え方」については、本報告書の「1. 1. 基本的な考え方」に記載のとおりです。
> (基本方針)
> 1. 株主の権利・平等性の確保
> 　当社は、株主の権利を実質的に確保するために適切な対応を行うとともに、外国人株主や少数株主に配慮し、権利行使に必要な情報を適時・適確に提供することをはじめ株主の権利行使に係る適切な環境を整備していきます。
> 2. 株主以外のステークホルダーとの適切な協働
> 　当社は、「健康で快適な生活」と「環境との共生」の実現を通して、世界の人びとに新たな価値を提供し、社会的課題解決を図っていくことをグループビジョン（目指す姿）としており、各ステークホルダーとの適切な協働に努めます。
> 3. 適切な情報開示と透明性の確保
> 　当社は、様々なステークホルダーに向けて、財政状態や業績等の財務情報とともに、経営戦略・経営課題、リスクやガバナンスに係る情報等の非財務情報について、法令に基づく開示はもとより、法令に基づく開示以外の情報提供にも積極的に取り組んでいきます。
> 4. 取締役会の責務
> 　当社取締役会は、株主に対する受託者責任・説明責任を踏まえ、当社の持続的な成長と中長期的な企業価値の向上を促し、収益力・資本効率等の改善を図るため、経営戦略の大きな方向性を示し、経営陣によるリスクテイクを支える環境整備を行い、さらに、独立した客観的な立場から当社の経営の監督を実効的に行っていきます。
> 5. 株主との対話
> 　当社は、株主・投資家の皆様との建設的な対話を図るための体制を整備し、積極的に対話を推進していきます。

145

第7　原則3−1(ⅲ)に基づく開示

原則3−1(ⅲ)

> 　　上場会社は，法令に基づく開示を適切に行うことに加え，会社の意思決定の透明性・公正性を確保し，実効的なコーポレートガバナンスを実現するとの観点から，（本コードの各原則において開示を求めている事項のほか，）以下の事項について開示し，主体的な情報発信を行うべきである。
> 　(ⅲ)　取締役会が経営陣幹部・取締役の報酬を決定するに当たっての方針と手続

1　背景・趣旨

　原則3−1(ⅲ)は，取締役会が経営陣幹部・取締役の報酬を決定するに当たっての方針と手続をそれぞれ開示することを求めている。その目的は，「会社の意思決定の透明性・公正性を確保し，実効的なコーポレートガバナンスを実現する」ことにある（原則3−1柱書参照）。

　2018年6月の改訂により，補充原則4−2①が改訂され，経営陣の報酬は「客観性・透明性ある手続に従」うことや，取締役会は「具体的な報酬額を決定すべき」とされた上に，対話ガイドライン3−5では，「経営陣の報酬制度を，持続的な成長と中長期的な企業価値の向上に向けた健全なインセンティブとして機能するよう設計し，適切に具体的な報酬額を決定するための客観性・透明性ある手続が確立されているか。こうした手続を実効的なものとするために，独立した報酬委員会が活用されているか。また，報酬制度や具体的な報酬額の適切性が，分かりやすく説明されているか。」と定められた。本原則に基づき開示される方針と手続の決定に当たっては，このような改訂等の趣旨を考慮する必要がある。

　なお，2019年3月期の有価証券報告書からは，役員報酬に関する多様な開示が求められるようになり，また，令和元年会社法改正に伴い，事業報告における役員報酬に関する開示事項も大幅に増え，これに伴い，コーポレート・ガバナンス報告書における開示も拡充傾向にある。

2　開示対象

　本原則に基づく開示対象は，「取締役会が経営陣幹部・取締役の報酬を決定するに当たっての方針」，及び，その「手続」である。

　なお，指名委員会等設置会社においては，取締役・執行役の個人別の報酬等の内容は報酬委員会が決定するため（会社法404条3項），本原則の「取締役会」は「報酬委員会」に読み替え

ることが想定される[注23]。

(注23) 油布志行＝渡邉浩司＝髙田洋輔＝中野常道「『コーポレートガバナンス・コード原案』の解説〔Ⅲ〕」商事法務2064号（2015）42頁（注28）。

3 方　針

(1) 報酬制度の理念・目的を開示する例

　経営陣幹部・取締役の報酬制度により達すべき目的や狙いを概括的に開示する例がある。報酬制度の目的を業績拡大のインセンティブである旨を開示する例（①**伊藤忠商事**）が多く見られる。また，株主との価値の共有から報酬制度を説明する例（②**吉野家ホールディングス**）も多い。

　また，優秀な人材の確保に配慮した報酬体系であるとする例（③**サントリー食品インターナショナル**）もある。
報酬制度の基本方針としては，「企業価値の最大化をはかり株主をはじめとした様々なステークホルダーの期待に応える」という意識を強く持たせ，その責務にふさわしい処遇とすることを掲げる例（④**オリンパス**）や，取締役の報酬を業績との連動ならびに企業価値創造の対価としての適切なインセンティブとして機能するよう構築を図ることを掲げる例（⑤**大和ハウス工業**）などがある。

　これら報酬制度の理念・目的を「方針」として記載する場合においては，その記載が抽象的にならざるを得ないことから，以下に述べるような制度概要を併せて開示する例が多い。

　令和元年会社法改正により，指名委員会等設置会社を除く上場企業は，「取締役の個人別の報酬等の内容についての決定に関する方針として法務省令で定める事項」について取締役会決議が求められ（会社法361条7項），その方針の内容の概要を事業報告に記載することが求められた（会社法施行規則121条6号イ）。この方針と本原則に基づく方針との関係は必ずしも明確ではないが，本原則の内容として，会社法と同じ「取締役の個人別の報酬等の内容についての決定に関する方針」として開示している例（⑥**北陸電力**）も存する。

(2) 報酬制度の概要を開示する例

　前記のとおり，近年，有価証券報告書や事業報告において，役員報酬のより詳細な法的開示が進んでおり，ガバナンス報告書においても，それらに準じて，報酬制度の概要を開示する例が増えてきている。

Ⅱ　ガバナンス報告書

　　a　報酬の構成を開示する例

　報酬の構成内容を開示する例は多く見られる。
固定報酬である基本報酬と，業績に応じて変動する業績連動報酬で構成する旨開示する例（⑦**日本通運**）や，これらに株式報酬を加えた3つから構成される旨開示し，各項目それぞれにおいて考慮される判断要素も併せて開示する例（⑧**日本オラクル**）がある。
　また，各項目が報酬全体に占める割合の目安や上限を数値で開示する例（⑨**日本テレビホールディングス**）がある。
　加えて，株式報酬について株式給付信託を用いる旨記載する例（⑩**サッポロホールディングス**）や，譲渡制限株式を用いる旨記載する例（⑪**SBIホールディングス**），株価連動型報酬として親会社株主に帰属する当期純利益やTOPIXの対前年度騰落率を考慮した累計ポイントに応じて取締役の退任時に支給する旨記載する例（⑫**日産化学**）等，報酬制度の仕組みについて開示する例は多い。

　　b　役員の職責ごとに比較的詳細な報酬体系を開示する例

　指名委員会等設置会社においては，取締役（独立社外取締役）と執行役とで分けて，それぞれについて報酬体系を比較的詳細に開示する例（⑬**ブリヂストン**，⑭**日本精工**）が多い。
　監査役会設置会社においては，社内取締役と社外取締役の方針を分けて開示するものがある（⑮**島津製作所**）ほか，監査等委員会設置会社においては，監査等委員でない取締役（社外取締役を除く）と監査等委員である取締役及び社外取締役の方針を分けて開示するものがある（⑯**アコム**）。

　　c　業績連動報酬について詳細な決定方法や指標を開示する例

　有価証券報告書における役員の報酬等の開示が拡充されたことに伴い，コーポレート・ガバナンス報告書における開示もより詳細化する傾向が想定されるが，特に，業績連動報酬についてのその算定方法を指標も含めて詳細に開示する企業も登場している（⑰**宇部興産**，⑱**良品計画**）。

4　手　　続

　指名委員会等設置会社においては，報酬を決定する法定の機関である報酬委員会の構成，人数，委員の権限や属性を開示する例（⑲**野村ホールディングス**）がある。
　任意の諮問委員会を設置して審議を経るといったプロセスを開示する例（⑳**小田急電鉄**）は多い。今回集計したTOPIX500構成銘柄企業の中では，報酬委員会が当然に設置されている

指名委員会等設置会社を除いた461社のうち，任意の報酬委員会を設置している企業数は，384社存在した。このほか，監査等委員会設置会社においては，監査等委員会の意見や審査を踏まえて報酬を決定するとするなど，監査等委員以外の取締役の報酬等に関する意見陳述権（会社法361条6項）を有する監査等委員会を，任意の諮問委員会と同様の機能を果たすものとして，報酬の決定プロセスにおいて活用する旨を開示する例（㉑**日本パーカライジング**）がある。

また，決定プロセスにおいて社外有識者等に対する諮問を経た上で決定するといった，社外有識者の関与の機会を示す例（㉒**クラレ**）もある。報酬水準の確定に際して外部の基準を参考にする旨記載する例として，報酬水準について外部専門機関の調査データ等を活用し，報酬の水準や構成の妥当性に関する審議を行っている旨開示する例（㉓**テルモ**）や，第三者による国内企業経営者の報酬等に関する調査等を活用し報酬水準を決定する旨開示する例（㉔**オリックス**）がある。今回集計したTOPIX500構成銘柄企業の中では，このように報酬水準の確定に際して，外部専門家の関与や外部のデータベース・調査を利用している旨記載した企業数は，88社（17.6％）存在した。

一方で，報酬の決定手続については，株主総会で決議された取締役の報酬総額を取締役会で分配するといった法定の基本的なプロセスを開示する例も少なくない。

5 開 示 事 例

①伊藤忠商事

「Ⅱ経営上の意思決定，執行及び監督に係る経営管理その他のコーポレート・ガバナンス体制の状況 1．機関構成・組織運営等に係る事項」

報酬の額又はその算定方法の決定方針の開示内容

1．基本方針
　当社経営に対する監督の立場にある社外取締役の報酬については，特に短期的な業績変動によって左右されるべきものではなく，独立性の高いポジションを確保するために，固定額の基礎報酬のみで構成し，水準は外部専門機関の調査データ等を勘案して決定する。
　一方，業務執行取締役の報酬については，経営陣幹部として業績や経営戦略に紐づいたインセンティブの付与が必要であるため，生活基盤となる固定額の基礎報酬に加えて，業績連動報酬及び非金銭報酬としての株式報酬を組み合わせた報酬体系と，経営戦略や経営課題に応じて，外部専門機関の調査データ等から得た水準を考慮しながら，報酬額の支給水準や報酬の種類別の支給割合を調整することにより，その役割に応じた適切な水準とする。
　なお，取締役報酬のあり方・制度設計が最適なものであるようにするため，取締役会及び報酬諮問委員会にて定期的に審議し，継続的にその妥当性を確認のうえ，改善を行うものとする。

2.報酬付与の時期または条件の決定に関する方針
　それぞれの種類の報酬の目的に照らし，基礎報酬は生活基盤としての性格から月次，業績連動報酬は恒常的インセンティブとしての性格から月次で支給するものとし，株式報酬は中長期的な株主視点の共有としての性格から取締役かつ当社グループの役員の退任時に当社株式を対象取締役に交付する。

---

②吉野家ホールディングス

「コーポレートガバナンス・コードの各原則に基づく開示」

---

(3)役員報酬の決定方針・手続
取締役報酬については，持続的な成長に向けた健全なインセンティブの一つとして機能するよう中長期的な業績と連動する報酬の割合や，現金報酬と株式報酬との割合を適切に設定するとの基本方針にしたがい，固定報酬及び事業年度毎の業績に連動した報酬のほか，当社の企業価値

Ⅱ　ガバナンス報告書

の持続的な向上を図るインセンティブを与えるとともに、株主の皆様との一層の価値共有を進めることを目的として、譲渡制限付株式報酬を導入しております。
取締役の個別報酬については、社外取締役を中心に構成される役員報酬等諮問委員会において、取締役個々の役位、職責及び当該事業年度の業績に応じて判断し、これを取締役会に答申し、取締役会にて決定することとしております。

③サントリー食品インターナショナル

「コーポレートガバナンス・コードの各原則に基づく開示」

当社は、コードの各原則の実施状況を、「サントリー食品インターナショナル株式会社コーポレート・ガバナンス方針」（以下「当社方針」とします。）として開示し、次の当社ホームページに掲載しております。
　日本語：https://www.suntory.co.jp/softdrink/ir/management/governance.html
　英語：https://www.suntory.com/softdrink/ir/management/governance.html
なお、コードにおいて開示すべきとされる事項につきましては、当社方針のうち、それぞれ、次の項目を参照ください。

＜中　略＞

【原則3-1．情報開示の充実】
当社方針「序」、「1. Promise・Vision」、「2.行動準則」、「3. 多様性」、「4. 適切な情報開示」及び「10. 取締役の指名・報酬等について」

「同社ホームページ」

10．取締役の指名・報酬等について

＜中　略＞

(6) 取締役の報酬等は、その役割と責務にふさわしい水準となるよう、業績及び企業価値の向上に対する動機付けや、優秀な人材の確保に配慮した体系としています。業務執行取締役の報酬等は、固定報酬（月次）と業績連動報酬（年次・3月支払い）としています。なお、外国人の業務執行取締役の報酬等については、担当する海外子会社の役員としての報酬を当該海外子会社から支給しており、当社の報酬制度の対象外となりますが、固定報酬と業績連動報酬を併用しており、業績連動報酬については、当社連結営業利益を一つの指標としております。
非業務執行取締役の報酬等は、固定報酬（月次）のみとしています。但し、常勤監査等委員については、業績への寄与を勘案し、報酬等として固定報酬に加え業績連動報酬（年次・3月支払い）を支払っています。
業務執行取締役（外国人の業務執行取締役は除く。）の固定報酬と業績連動報酬の支給割合は、優秀な人材を確保しつつ、業績及び企業価値の向上に対する適切な動機付けが図られるようにするための構成割合となるよう、固定報酬を主としつつ、人事委員会で、ベンチマーク企業群の報酬の動向等を勘案し、定期的に審議することとしています。
固定報酬の水準は、職責を考慮し役位に応じて設定しています。
業績連動報酬については、主として連結営業利益（一時的な収支を除く。）を指標とし、標準業績に対する連結営業利益（一時的な収支を除く。）に連結営業利益（一時的な収支を除く。）等の目標達成率を掛け合わせて算定した業績係数に、更に職責・考課の別に応じて設定した業績連動報酬算出テーブルの金額を掛け合わせてその金額を算定しています。
連結営業利益（一時的な収支を除く。）を指標として選択した理由は、当社グループにおいて連結営業利益（一時的な収支を除く。）を継続的な事業活動の結果が反映された指標として重視していること並びに業績及び企業価値の向上への動機付けへ繋がることにあります。なお、2020年度の連結営業利益（一時的な収支を除く。）の目標及び実績については開示していませんが、その基礎となる連結営業利益の予想値は95,000百万円で、実績は96,177百万円であります。
また、当社は退職慰労金制度及びストックオプション制度は有しておりません。

④オリンパス

「Ⅰ コーポレート・ガバナンスに関する基本的な考え方及び資本構成，企業属性その他の基本情報」

---
⑩報酬制度
役員報酬（取締役および執行役の報酬）については、「企業価値の最大化をはかり株主をはじめとした様々なステークホルダーの期待に応える」という意識を強く持たせ、その責務にふさわしい処遇とすることを、基本方針とする。報酬委員会は、同方針に基づき、短期および中長期の業績と連動する報酬の割合を適切に設定することを重視し、役員報酬を決定する。

---

⑤大和ハウス工業

「コーポレートガバナンス・コードの各原則に基づく開示」

---
(3) 取締役会が経営陣幹部・取締役の報酬を決定するに当たっての方針と手続
当社は、優秀な経営人財を生み、また確保し、上場企業として持続的な発展に資することを目的とし、取締役の報酬を、業績との連動ならびに企業価値創造の対価としての適切なインセンティブとして機能するよう構築を図ることを基本的な方針としております。
また、当社は、取締役報酬の内容及び支給額の決定に関し、その決議に係るプロセスの独立性・客観性を確保するため、委員の過半数を独立社外取締役で構成し、委員長も独立社外取締役とする報酬諮問委員会での審議を経て取締役会にて決定します。年次賞与は、当該事業年度の実績に対する取締役への支給額について株主のみなさまの意思をお諮りすべく、毎年の株主総会議案に上程します。
なお、当社は、株主との利益共有意識を醸成し、株主の利益を尊重した行動に資するため、持株会等を通じて役職員の自社株保有を推奨しております。特に、当社の持続的な成長と中長期的な企業価値の向上に重要な役割を果たす取締役及び取締役候補者については、以下のとおり持株ガイドラインを定め、原則として一定数以上の自社株を保有することとしております。

≪持株ガイドライン≫
当社取締役：原則、就任から3年以内に当社株式を6,000株以上保有する
執行役員　：原則、就任から3年以内に当社株式を3,000株以上保有する
グループ会社取締役：原則、就任から3年以内に当社株式を2,000株以上保有する

報酬に関する詳細につきましては、当社ホームページにて開示していますので、ご参照ください。
(https://www.daiwahouse.com/ir/governance/pdf/principle3-1-3.pdf)

---

⑥北陸電力

「コーポレートガバナンス・コードの各原則に基づく開示」

---
(3) 役員報酬の決定方針・手続き
　当社は、取締役の個人別の報酬等の内容についての決定に関する方針（以下、方針といいます。）を定めており、その概要は以下のとおりであります。
　取締役の報酬は、企業価値の持続的な向上を図るインセンティブとしての機能を考慮して定めるものとし、個々の取締役の報酬の決定に際しては各職責を踏まえた適正な水準とすることを基本方針としております。具体的には、取締役（社外取締役を除く）の報酬は、月例の基本報酬および毎年一定の時期に支給する賞与により構成し、社外取締役の報酬は、その職務に鑑み月例の基本報酬のみとしております。
　取締役の月例の基本報酬の額は、役位に応じて、他社水準および当社の経営環境や業績等を考慮し、総合的に勘案して決定しております。取締役（社外取締役を除く）の賞与の額は、各事業年度の業績等を勘案し、支給の都度、株主総会の決議を得た後、役位に応じて決定することとしております。
　取締役の個人別の基本報酬の額は、社外取締役3名と代表取締役会長、代表取締役社長の5名により構成される報酬に関する会議で審議を行ったうえで、取締役会の一任を受けた代表取締役会長および代表取締役社長が、当該審議の内容に従って決定しております。取締役の個人別の賞与の額は、支給の都度、株主総会の決議を得た後、報酬に関する会議で審議を行ったうえで、取締役会の一任を受けた代表取締役会長および代表取締役社長が、当該審議の内容に従って決定しております。
　また、方針の決定方法については、社外取締役3名と代表取締役会長、代表取締役社長の5名により構成される報酬に関する会議で審議を行ったうえで、2021年2月25日開催の取締役会で決議しております。
　取締役の報酬額については、2006年6月29日開催の第82回定時株主総会において、月額4,200万円以内とすることを決議しております。（当該総会終結時の取締役の員数は11名）
　2020年度においては、取締役会の一任を受けた代表取締役会長久和進および代表取締役社長金井豊が取締役の個人別の報酬額の具体的内容を決定しております。
　その権限の内容は、取締役の個人別の基本報酬の額および取締役の個人別の賞与の額の決定であり、この権限を委任した理由は、役位に応じた基本報酬の額および賞与の額を決定するには、各取締役の役位に求められる職責とその実績を十分に把握している代表取締役会長および代表取締役社長が最も適しているからであります。
　当該権限が適切に行使されるよう、報酬に関する会議で方針を踏まえて審議を行ったうえで、取締役会の一任を受けた代表取締役会長および代表取締役社長が当該審議の内容に従って決定することを取締役会が定めております。なお、2020年度の取締役の個人別の報酬等の内容は、方針の決定以前に定めたものでありますが、2020年6月25日開催の報酬に関する会議において、方針と同様の内容により決定されていることから、取締役会はその内容が方針に沿うものであると判断いたしました。
　監査役の報酬は、その職務に鑑み月例の基本報酬のみとしております。
　監査役の月例の基本報酬は、監査役の協議により決定しております。
　監査役の報酬額については、第82回定時株主総会において、月額800万円以内とすることを決議しております。（当該総会終結時の監査役の員数は5名）
　2020年度の監査役の基本報酬は、2020年6月25日開催の監査役の協議により決定いたしました。

Ⅱ ガバナンス報告書

　　また，第82回定時株主総会終結の時をもって慰労金制度を廃止することに伴い，任期中の取締役11名及び監査役5名に対し，第82回定時株主総会終結の時までの在任期間をもとに，それぞれ当社における一定の基準に従い，相当額の範囲内で慰労金を打ち切り支給することとし，その具体的金額，方法等については，取締役については取締役会に，監査役については監査役の協議によることに，一任いただくこと，並びに支給時期は各取締役及び各監査役の退任の時とすることを，第82回定時株主総会において決議しております。

⑦日本通運

「コーポレートガバナンス・コードの各原則に基づく開示」

（役員報酬の方針）
　a．基本方針
　　イ．企業理念を実践する優秀な人材を登用できる報酬とする。
　　ロ．持続的な企業価値の向上を動機づける報酬体系とする。
　　ハ．コーポレートガバナンスコードや有価証券報告書など社外への説明を視野に入れた「公正性」、「合理性」
　　　の高い報酬体系とする。
　b．報酬構成
　　イ．役員の報酬は、固定報酬である基本報酬と、業績に応じて変動する業績連動報酬で構成する。
　　ロ．社外取締役の報酬は、その役割と独立性の観点から、基本報酬のみで構成する。
　c．基本報酬
　　　役員の基本報酬額は、外部専門機関の調査に基づく他社水準を考慮し、役割に応じて決定する。
　d．業績連動報酬
　　イ．短期業績連動報酬として、単年度の業績を指標とした賞与を支給する。
　　ロ．中長期業績連動報酬として、中期経営計画の達成度や企業価値（株式価値）の向上に連動する株式報酬を支給する。

⑧日本オラクル

「コーポレートガバナンス・コードの各原則に基づく開示」

［取締役および執行役の報酬の内容の決定に関する方針］
　取締役および執行役の報酬は、基本報酬部分、業績連動型賞与部分および株式報酬部分の3つからなっており、それぞれ以下の方針に基づいて決定しております。
　(a) 基本報酬部分
　　同業他社の支給水準を鑑み、役割、職責に見合った報酬水準を設定しております。
　(b) 業績連動型賞与部分
　　当社では担当職掌により、業績連動賞与部分に係る指標をそれぞれ個別に決定しております。営業担当執行役については、その期の会社が重点を置くべき項目（売上・利益等）を主な指標として設定し、期初に立てた目標値の達成度に応じて支給されます。営業利益目標の達成度、当社製品サービスの売上成長等の複数の指標に基づき、会社業績と密接に連動させることにより、経営者としての責任や結果を明確に反映させるシステムを採用しております。非営業担当執行役については、主にオラクルコーポレーショングループの方針を参考に、支給の可否を決定しています。
　(c) 株式報酬部分
　　執行役を兼ねる取締役及び執行役と株主の株価向上による利益を一致させ、継続的な貢献を期待するためのものとして、執行役の職務執行がより強く動機づけられるインセンティブプランとして、株式報酬制度「役員報酬BIP（Board Incentive Plan）信託」を導入しております。

⑨日本テレビホールディングス

「コーポレートガバナンス・コードの各原則に基づく開示」

(ⅲ)取締役会が経営陣幹部・取締役の報酬を決定するに当たっての方針と手続
　当社は、2021年7月5日開催の取締役会において、「取締役の個人別の報酬等の内容についての決定に関する方針」を決議しております。概要は次のとおりです（なお、かかる方針は、2021年2月4日に決定した「取締役の個人別の報酬等の内容についての決定に関する方針」を改訂したものであり、改訂前の内容は「Ⅱ経営上の意思決定、執行及び監督に係る経営管理組織その他のコーポレート・ガバナンス体制の状況　1．機関構成・組織運営等に係る事項　報酬の額又はその算定方法の決定方針の有無」のとおりです。）。
・取締役の報酬は、経済情勢や当社グループの業績等を踏まえつつ、中長期的な企
業価値向上や優秀な人材の確保・維持に資する報酬体系及び報酬水準となるよう、
その額及び内容を定める。
・取締役の報酬は、株主総会の決議による報酬総額の範囲内で、一年ごとに業績や職務の評価等を考慮し、複数の独立社外取締役が出席する取締役会決議と複数の社外監査役からの助言のもとで、授権を受けた代表取締役が本方針に従って決定する。取締役会の審議の際には、複数の独立社外取締役の適切な関与と助言を得るものとする。
・常勤取締役の報酬は、基本報酬、業績連動、個人評価、株式報酬の4部門の各金銭報酬で構成される。各報酬の割合は、基本報酬部分50％、業績連動部分30％、個人評価部分10％、株式報酬部分10％を基本とし、各報酬額を、業績や職務の評価等を考慮して決定した結果として定まるものとする。
　① 基本報酬部分は、各取締役の役職に応じて一定額を定める。
　② 業績連動部分は、コーポレートガバナンス・コードを受けて業績向上へのインセンティブを高めるため、総報酬に対して占める比率は3割を基本とする。
　業績連動部分には、本業の儲けである一事業年度の連結決算の営業利益が事業の成績や効率性を示すものとして適正であると考え、これを基

第二部　各原則に基づく開示事項（必要的開示）　第7

本的な指標として用いる。
各取締役の役職に応じて定めた一定額に固定の倍率を乗じた額を標準額とし、当該標準額に、営業利益の前年度比の増減率に応じて定めた7段階の倍率を乗じた額を基本とする。ただし、売上高や特別損益等の内容によっては段階を変更する場合がある。
③ 個人評価部分は個人の職務の評価等に応じて定める。ただしその金額は、あらかじめ定めた上限と下限の範囲内で決めるものとする。
④ 株式報酬部分は、当社の株式取得のために交付する固定額の金銭報酬で、その金額は役職に応じて定めた額とする。株価と連動する中長期インセンティブを目指す報酬であり、取締役は役員持株会を通して当社株式を購入するものとする。
・社外取締役を含む非常勤取締役の報酬は固定額の金銭報酬のみとし、一定額を定める
・取締役の報酬は、報酬の12分の1の額を毎月1回定期的に支払う。 また、取締役の個人別の報酬等に係る決定方針は次のとおりです。なお、かかる方針は、2021年2月4日開催の取締役会において決議されており、当該取締役会における審議及び決議に際して、いずれの監査役からも異議は出されておりません。
・監査役の報酬は、固定額の金銭報酬のみとし、株主総会の決議による報酬額の範囲内で、監査役の協議により年一定額を定め、その12分の1の額を毎月1回定期的に支払う。

なお、取締役及び監査役の報酬等についての株主総会の決議に関する事項は次のとおりです。
取締役及び監査役の報酬額については、2008年6月27日開催の第75期定時株主総会の決議により、取締役の報酬額は年額9億5千万円以内（うち社外取締役1億1千百万円以内）、監査役の報酬額は年額7千2百万円以内と、それぞれの報酬の限度額が決定されております。なお、当該上記決議した第75期定時株主総会終結時における会社役員の員数は、取締役17名（うち社外取締役の員数は6名）、監査役3名であります。

当社は、現在の仕組みで適切に機能していることから報酬委員会等の諮問委員会等を設置しておりませんが、報酬諮問委員会に限らず、コーポレート・ガバナンスの強化に資する施策については今後も必要に応じて検討してまいります。

併せて、当社の「有価証券報告書」 第一部第4【4.コーポレート・ガバナンスの状況等】(4)「役員の報酬等」もご覧ください。
https://www.ntvhd.co.jp/ir/data/securities/pdf/valuable_ securities_ 059.pdf

⑩サッポロホールディングス

「Ⅱ経営上の意思決定，執行及び監督に係る経営管理組織その他のコーポレート・ガバナンス体制の状況　1．機関構成・組織運営等に係る事項」

原則3-1(ⅲ)

| 取締役へのインセンティブ付与に関する施策の実施状況 | 業績連動報酬制度の導入 |

該当項目に関する補足説明

当社の取締役（監査等委員である取締役を除く）及びグループ執行役員並びに一部の当社子会社取締役（社外取締役を除く。以下「グループ対象役員」といいます。）を対象に、当社の中長期的な業績の向上と企業価値増大に貢献する意識を高めることを目的として、2016年より、株式報酬制度「株式給付信託（BBT（=Board Benefit Trust））」を導入しております。

本制度は、当社が拠出する金銭を原資として、当社株式が信託を通じて取得され、グループ対象役員に対して、当社及び本制度の対象となる当社子会社が定める役員株式給付規程に従い、役位及び業績達成度等に応じて、当社株式及び当社株式を退任日時点の時価で換算した金額相当の金銭が給付される株式報酬制度になります。

この他の業績連動報酬に係る方針等については、本報告書の「Ⅱ.1.【取締役報酬関係】報酬の額又はその算定方法の決定方針の開示内容」に規定しておりますので、ご参照ください。

⑪ SBIホールディングス

「コーポレートガバナンス・コードの各原則に基づく開示」

(3) 取締役会が取締役の報酬を決定するにあたっての方針と手続
取締役（社外取締役を除く。）の報酬は、固定報酬である基本報酬のほか、会社業績等に基づく賞与及び、株式報酬制度である譲渡制限付株式報酬で構成されており、経営諮問委員会の答申を経た上で、株主総会で承認された報酬総額の範囲内において、取締役会が各取締役の職務内容・責任・権限・貢献度等を勘案して支給額を決定します。
なお、社外取締役の報酬は、固定報酬である基本報酬及び賞与で構成されており、同じく株主総会で承認された報酬総額の範囲内において、取締役会が各取締役の支給額を決定します。ただし、いずれについても取締役会が代表取締役に決定を一任した場合は、代表取締役がこれを決定します。
経営陣幹部・取締役の報酬の方針は本報告書「Ⅱ-1.機関構成・組織運営等に係る事項【取締役報酬関係】の『報酬の額又はその算定方法の決定方針の開示内容』」をご参照ください。

153

Ⅱ ガバナンス報告書

⑫日産化学

「Ⅱ経営上の意思決定，執行及び監督に係る経営管理その他のコーポレート・ガバナンス体制の状況　1．機関構成・組織運営等に係る事項」

3．業績連動型株式報酬の内容，その業績指標の内容およびその額または数の算定方法の決定に関する方針（報酬等を与える時期または条件の決定に関する方針を含む。）
　取締役の業績連動型株式報酬については、職務執行期間における役位に応じた役位ポイントに対して、親会社株主に帰属する当期純利益（対前年度増減率および対前年度増減率の過去3年平均）、EBITDA（対前年度増減率）、ROE（当年度実績）、当社株価とTOPIXの対前年度騰落率の比較にて構成される業績評価係数を乗じた数のポイントを、株主総会の決議により決定された数を上限として付与し、株主総会の決議により決定された金額を上限として信託金を拠出する株式給付信託を通じて、その累計ポイント相当分の当社株式を取締役の退任時に給付する。ただし、任期満了により退任する取締役に対しては、累計ポイントの約75%に相当する当社株式と、約25%に相当する金銭（退任日時点における当社の株式の時価により算出する。）を給付する。
　ポイント付与の目標となる業績指標とその値は、中期経営計画と整合するよう、中期経営計画策定の都度設定し、指名・報酬諮問委員会の答申を踏まえた上で、取締役会決議を経て決定する。

---

⑬ブリヂストン

「Ⅱ経営上の意思決定，執行及び監督に係る経営管理その他のコーポレート・ガバナンス体制の状況　1．機関構成・組織運営等に係る事項」

【取締役の報酬等】
a. 執行を兼務する取締役の報酬等は、固定報酬と変動報酬等で構成しております。
・固定報酬：職務の遂行に対する基本報酬、取締役の役割・責任に応じた取締役兼務加算で構成しております。
・変動報酬等：年度毎の全社業績の達成度に連動する全社業績賞与及び業績連動型株式報酬であるパフォーマンス・シェア・ユニット（PSU）で構成しております。
b. 執行を兼務しない取締役の報酬は、日々の業務執行を担当しない立場で執行全般を監督することにより、中長期的な会社業績や企業価値向上に貢献するという役割に鑑み、固定報酬である基本報酬及び議長加算、委員長加算で構成しております。
【執行役の報酬等】
執行役の報酬等は、固定報酬と変動報酬等で構成しております。
・固定報酬：職務の遂行に対する基本報酬としております。
・変動報酬等：年度毎の全社業績の達成度に連動する全社業績賞与、担当執行領域の業績達成度に連動する執行業績賞与、並びにPSUで構成しております。

---

⑭日本精工

「Ⅱ経営上の意思決定，執行及び監督に係る経営管理その他のコーポレート・ガバナンス体制の状況　1．機関構成・組織運営等に係る事項」

　指名委員会等設置会社である当社では、役員報酬の体系及びその水準、個人別の報酬等について、社外取締役が委員長を務める報酬委員会において、外部専門家のアドバイス、他社の水準や動向などに関する客観的な情報を参考に決定します。
　当社の役員報酬は、「執行役としての報酬」と「取締役としての報酬」を別々に決定し、取締役が執行役を兼務する場合は、それぞれの報酬を合算して支給します。なお、執行役を兼務する取締役には、取締役としての株式報酬は支給しません。

(1) 執行役の報酬
　執行役の報酬は、固定報酬である基本報酬と業績に応じて変動する業績連動報酬からなり、基本報酬と業績連動報酬の割合は、概ね4:6を標準としています。

①基本報酬
　基本報酬は、執行役の役位に応じた額を決め、また、代表権を有する執行役には、加算を行います。

②業績連動報酬
　業績連動報酬は短期業績連動報酬と中長期業績連動型株式報酬で構成されます。
　(a) 短期業績連動報酬
　　収益力の強化、株主資本の効率化、企業価値向上などの経営目標に整合する指標として、営業利益率、ROE、キャッシュ・フロー及びCO_2排出量削減、安全及び品質向上等のESGに関する課題の目標達成度を指標として用い、短期業績連動報酬の額を決定します。
　　更に、個人別の報酬額は、担当する職務の業績達成度等を勘案して支給します。
　(b) 中長期業績連動型株式報酬
　　持続的な企業価値の向上に対する執行役の貢献意識を一層高め、株主との利害の共有を図り、執行役の報酬と中長期的な株式価値との連動性を更に強化することを目的として、株式給付信託の仕組みを活用した業績連動型株式報酬制度を導入しています。
　　当制度は、当社株式の株主総利回り（TSR）の相対評価（TOPIXの成長率との比較）に応じて3年毎にポイントを確定し、退任時に当社株式を給付するものです。但し、そのうちの一定割合については、株式を換価して得られる金銭を給付するものとします。

(2) 取締役の報酬

取締役の報酬は、固定報酬である基本報酬と変動報酬である株式報酬からなります。

①基本報酬
　基本報酬は、社外取締役、社内取締役の別、また、所属する委員会や取締役会における役割等に応じて決定します。

②株式報酬
　持続的な企業価値の向上に対する取締役の貢献意識を一層高め、株主との利害の共有を図ることを目的として、株式給付信託の仕組みを活用した株式報酬制度を導入しています。当制度は、社外取締役、社内取締役の別に応じて、事業年度毎に予め付与したポイントに基づき、退任時に当社株式を給付するものです。但し、そのうちの一定割合については、株式を換価して得られる金銭を支給するものとします。
　なお、執行役を兼務する取締役には、取締役としての株式報酬は支給しません。

⑮島津製作所

「コーポレートガバナンス・コードの各原則に基づく開示」

3. 取締役会が役付執行役員・取締役の報酬を決定するに当たっての方針と手続
当社は、役員報酬規定にて、取締役、監査役および役付執行役員（以下「役員」という）の報酬の決定手続き、報酬の体系などを定めます。取締役および役付執行役員の報酬額については、株主総会の決議により決定された報酬の総額の範囲内で、取締役会の決議により授権された指名・報酬委員会で決議し、その結果を取締役会に報告します。なお、指名・報酬委員会は、代表取締役および社外取締役で構成し、委員の過半数を社外取締役とします。また、監査役の報酬額は、監査役の協議で決定します。当社の役員の報酬体系および報酬制度の概要は以下のとおりです。

(1) 取締役（社外取締役を除く）および役付執行役員（以下「取締役等」という）
取締役等の報酬は、各事業年度における業績の拡大ならびに中長期的な企業価値の向上に向けて経営を行う取締役等の職責を考慮し、基本報酬としての「固定報酬」と、業績に応じて変動する「短期業績連動報酬」および「中長期業績連動型株式報酬」で構成します。また、取締役等の報酬体系が中長期的な企業価値向上のための適切かつ実効的なインセンティブとして機能するよう、固定報酬は報酬全体の6割を目安とします。なお、各報酬の決定に関する方針は、以下のとおりです。
「固定報酬」は、優秀な人材の確保・採用が可能な水準であると同時に、客観的な情報に基づいて判断すべきとの観点から、外部専門機関の調査に基づく同輩企業（同業種、同規模等のベンチマーク対象企業群）の水準を重要な参考指標とし、取締役等の地位や役割に応じて決定し、月例報酬として支給します。
「短期業績連動報酬」は、連結売上高・営業利益の前年度に対する成長率や業務執行役員の担当部門別の業績評価、個人評価を総合的に勘案して決定し、事業年度に在任した取締役等に対して、事業年度終了後3ヶ月以内に年1回支給します。
「中長期業績連動型株式報酬」は、国内在住の取締役等に対して、中期経営計画の最終年度に、業績目標の達成度に応じて役位別に付与する株式数を決定し、原則として、中期経営計画の対象期間終了後に株式を交付します。また、業績達成度を評価する指標は連結売上高および連結営業利益とし、目標値の達成度に応じて50〜200％の範囲で変動します。なお、取締役等の職務や社内規定への重大な違反があった場合には、交付予定株式の受給権の喪失や交付した株式等相当の金銭の返還請求ができる制度を設けます。

(2) 社外取締役
社外取締役の報酬は、固定報酬のみとし、社外取締役に期待する役割ならびにその職責に見合う報酬水準を勘案の上、決定します。

原則 3-1(ⅲ)

⑯アコム

「Ⅱ経営上の意思決定，執行及び監督に係る経営管理その他のコーポレート・ガバナンス体制の状況　1．機関構成・組織運営等に係る事項」

　取締役（監査等委員であるものを除く。）の個人別の報酬等の内容に係る決定方針を取締役会で決定しております。その概要は、取締役（監査等委員であるものを除く。）の報酬は、当社と同程度の事業規模や関連する業種・業態に属する企業の報酬水準をベンチマークとし、企業価値の持続的な向上を図るインセンティブとして十分に機能する報酬体系としております。個々の取締役の報酬は、金銭で支給するものとし、常勤取締役（監査等委員であるものを除く。）の報酬は基本報酬及び業績連動報酬、非常勤取締役の報酬は基本報酬のみで構成しております。なお、基本報酬は毎月支給する固定報酬とし、業績連動報酬は業績に応じて年1回支給する変動報酬としております。
　取締役（監査等委員であるものを除く。）の基本報酬は、他社水準、当社の業績、従業員給与の水準等を踏まえ、役位等に応じた額を指名・報酬委員会が検討・提案し、取締役会が決定し、業績連動報酬は、「親会社株主に帰属する当期純利益」を指標として基本分配原資を算定したうえで、役位、個人別評価等に応じた額を指名・報酬委員会が検討・提案し、取締役会が決定しております。
　報酬全体に占める業績連動報酬の割合は、2割程度（業績連動報酬が標準額の場合）を目安としております。常勤の取締役（監査等委員であるものを除く。）の業績連動報酬に係る指標（親会社株主に帰属する当期純利益）を選択した理由は、2018年3月期の中間配当まで無配が続いていたことに鑑み、まずは、常勤の取締役（監査等委員であるものを除く。）への単年度業績と連動した客観性・透明性のある報酬制度としたためです。また、業績連動報酬の算定方法は、当期純利益から将来における税負担の増加や特別損益等の特殊要因を考慮したうえで基本分配原資の基準となる当期純利益のレンジを指名・報酬委員会で決定し、その基本分配原資に役位別の分配割合及び取締役の個別評価に応じた掛率を乗じた金額を取締役において決定しております。
　なお、当事業年度における業績連動報酬の指標の目標は定めておりませんが、実績は基準となる当期純利益のレンジが70,000〜80,000百万円未満の基本分配原資45百万円となっております。
　その他取締役の報酬に関する内容については、指名・報酬委員会が検討・提案し、取締役会が決定しております。また、監査等委員の報酬等の額については、監査等委員の職務と責任を考慮し、監査等委員の協議により決定しております。
　取締役（監査等委員であるものを除く。）の報酬限度額は、2017年6月22日開催の第40回定時株主総会において、年額400百万円以内（ただし、使用人分給与は含まない。）と決議されており、当該定時株主総会終結時点の取締役（監査等委員である取締役を除く。）の員数は6名です。また、同定時株主総会において、取締役監査等委員の報酬限度額は、年額100百万円以内と決議されており、当該定時株主総会終結時点の監査等委員である取締役の員数は4名です。
　当事業年度に係る取締役の個人別の報酬等の内容の決定にあたっては、株主総会で承認された報酬限度額の範囲内で、指名・報酬委員会が役位、取締役の評価等に基づき検討・提案し、その内容を尊重して取締役会で決定しており、その内容は決定方針にも沿うものであると判断しております。

Ⅱ ガバナンス報告書

⑰宇部興産

「Ⅱ経営上の意思決定，執行及び監督に係る経営管理その他のコーポレート・ガバナンス体制の状況　1．機関構成・組織運営等に係る事項」

2-3．業績連動報酬（株式報酬型ストップオプションを除く）の内容および額の算定方法の決定に関する方針
　社内取締役の業績連動報酬のうち、全社業績連動報酬については、当社グループ全体の事業年度ごとの業績向上の意識を高めるため、持分法適用会社の業績を反映できる連結経常利益を指標とし、前事業年度における連結経常利益に役位別係数を乗じた算出式によって算定し決定される。
　また年次および中長期個人業績目標達成評価報酬については、役位別に予め定められた評価テーブルに基づき、事業年度初めに各役員が設定した年次目標および中長期目標に対する達成度合いに応じて報酬額が決定される。

報酬名称	区分	算出方法
全社業績連動報酬	会社業績	前事業年度連結経常利益×役位別係数
年次個人業績目標達成評価報酬	個人業績	各役員別の年次目標の達成度合い
中長期個人業績目標達成評価報酬	個人業績	各役員別の3-5年の中長期目標の達成度合い

---

⑱良品計画

「第42期有価証券報告書」

（4）【役員の報酬等】
① 役員の報酬等の額又はその算定方法の決定に関する方針に係る事項
　　a.決定の方針および決定プロセス
　　　企業価値向上に向けて、当社の取締役の報酬につきましては、株主総会で決議された報酬限度額内で、固定報酬である役位ごとの「基本報酬」の支給、当事業年度の会社業績に連動した「業績連動賞与」の支給、ならびに中長期インセンティブの「ストック・オプション」付与の3種類から構成されており、単年度のみならず、中長期的な視点での経営を動機づける設計といたしております。
　　　また、当社の監査役の報酬につきましては、「基本報酬」のみ支給をしており業績により変動する要素はありません。

　　（報酬限度額等）
　　　当社の取締役の報酬限度額は、第34期定時株主総会（2013年5月22日）において決議された年額500百万円であり、第34期定時株主総会が終了した時点の取締役の員数は9名（うち社外取締役3名）であります。
　　　また、ストック・オプションとして当社の社外取締役を除く取締役に発行する新株予約権に関する報酬額は第37期定時株主総会（2016年5月25日）において決議された年額100百万円以内であります。
　　　当社の監査役の報酬限度額は、第16期定時株主総会（1995年5月23日）において決議された年額50百万円であります。第16期定時株主総会が終了した時点の監査役の員数は4名であります。

　　（報酬諮問委員会）
　　　当社の役員報酬は、社外取締役が委員長を務める「報酬諮問委員会」で役員報酬制度の検討および個人の報酬およびストック・オプションの付与などについて審議を行うことで、透明性、妥当性および客観性の確保を図り、取締役会および監査役会に答申を行っており、それぞれ答申をもとに取締役会および監査役会にて決定いたしております。
　　　・委員会メンバー
　　　　社外取締役3名を含む5名で構成され、社外取締役が過半数と委員長のガバナンスを重視した体制にしております。
　　　　　委員長　遠藤　功　（社外取締役）
　　　　　委員　　柳生　昌良（社外取締役）
　　　　　委員　　吉川　淳　（社外取締役）
　　　　　委員　　金井　政明（代表取締役会長）
　　　　　委員　　松﨑　曉　（代表取締役社長）

　　（報酬諮問委員会の開催状況および討議内容等）
　　　・開催状況
　　　　2020年4月9日、5月27日、6月24日、7月22日の計4回開催し、委員5名は全て出席しております。
　　　・討議内容等

業績連動の役員変動（業績連動）賞与支給係数について
当期の役員変動（業績連動）賞与不支給について
取締役および執行役員に対するストック・オプション割り当てについて
ファントムストックの割り当てについて
冬季の従業員賞与および従業員賞与の係数について
報酬諮問委員会の委員長選定および活動スケジュールについて

b. 業績連動報酬の額の決定方法

当社の業務執行から独立した立場である社外取締役を除く取締役に支給する「業績連動賞与」は、以下に定める基準に基づき、各連結会計年度の会社業績に連動して算出された金額を支給するものです。

なお、当連結会計年度より本業での利益の追求を目的に「連結経常利益」から「連結営業利益」に基づいた設定に変更、またより成果が反映されるように支給係数の見直しを行っております。

「業績連動賞与」支給額＝
（「賞与基準額」×「計画比支給係数」×0.8）＋（「賞与基準額」×「前期比支給係数」×0.2）

・「賞与基準額」

対象	賞与基準額 （千円）	支給上限額 （千円）
社外取締役を除く取締役6名合計	52,700	131,750

・「支給係数」

公表連結営業利益計画比 および前期比水準	支給係数	公表連結営業利益計画比 および前期比水準	支給係数
40.0％未満	0％	100.0％以上～105.0％未満	100％
40.0％以上～50.0％未満	30％	105.0％以上～110.0％未満	110％
50.0％以上～60.0％未満	40％	110.0％以上～115.0％未満	120％
60.0％以上～70.0％未満	50％	115.0％以上～120.0％未満	130％
70.0％以上～80.0％未満	60％	120.0％以上～125.0％未満	150％
80.0％以上～90.0％未満	70％	125.0％以上～130.0％未満	180％
90.0％以上～95.0％未満	80％	130.0％以上～140.0％未満	200％
95.0％以上～100.0％未満	90％	140.0％以上	250％

（注）1．「利益計画比」とは連結営業利益予想値（決算短信における連結業績予想発表値）に対する実績値の比率といたしております。

2．なお、上記対象取締役の役位は、2020年11月27日に開催の定時株主総会終結後の取締役会で選任された役位とし、その後の昇格或いは降格があった場合においても、賞与基準額の変更は行いません。

3．「業績連動賞与」が報酬総額に占める比率は、2種類の支給係数ともに1.0の場合、報酬総額の約5分の1となります。

c. 株式報酬制度

当社の社外取締役を除く取締役に付与する「ストック・オプション」は、予め定められた金額を基礎額としたストック・オプションの付与を行うものです。報酬諮問委員会で審議を行い、その結果を取締役会に答申した上で決定いたしております。主な内容は「5．経理の状況　1連結財務諸表等　注記事項（ストック・オプション等関係）」をご参照ください。

② 役員区分ごとの報酬等の額、報酬等の種類別の額及び対象となる役員の員数

役員区分	報酬等の総額 （百万円）	報酬等の種類別の総額（百万円）				対象となる 役員の員数 （名）
		基本報酬	ストック・ オプション	賞与	退職慰労金	

Ⅱ ガバナンス報告書

取締役 （社外取締役を除く）	109	87	21	-	-	6
監査役 （社外監査役を除く）	6	6	-	-	-	1
社外役員	25	25	-	-	-	7

注）1．ストック・オプションとして取締役に発行する新株予約権に関する報酬額は、第37期定時株主総会（2016年5月25日）において決議された年額1億円以内であります。なお、上記の金額は2019年6月19日開催の取締役会及び2020年6月24日開催の取締役会にて決議した取締役6名に対する新株予約権であります。
2．役員ごとの報酬額の総額については、当該金額が1億円以上である役員が存在しないため、記載いたしておりません。
3．対象となる役員の員数及び総額には、2020年5月27日開催の第41期定時株主総会終結の時をもって退任した監査役1名が含まれております。
4．上記の報酬とは別に、公正価値にて払込がなされる有償ストック・オプションを発行しております。

⑲野村ホールディングス

「Ⅱ経営上の意思決定，執行及び監督に係る経営管理その他のコーポレート・ガバナンス体制の状況　1．機関構成・組織運営等に係る事項」

4. 報酬委員会
取締役および執行役の報酬等の内容に係る決定に関する方針および個人別の報酬等の内容を決定する法定の機関であり、取締役会で3名の委員を選定しております。報酬委員会は、社外取締役の石村和彦および高原豪久ならびに執行役を兼務しない取締役の永井浩二で構成され、委員長は石村和彦が務めております。
報酬委員会においては、取締役および執行役の報酬等の方針を策定し、当該報酬等の内容を決定しています。報酬委員会の開催回数や活動内容については、当社有価証券報告書「第4【コーポレート・ガバナンスの状況等】（4）【役員の報酬等】3．報酬におけるガバナンスとコントロール」をご参照ください。各委員の出席状況については定時株主総会招集ご通知の「株主総会参考書類」をご参照ください。
https://www.nomuraholdings.com/jp/investor/library/report/#re02
https://www.nomuraholdings.com/jp/investor/shm/

⑳小田急電鉄

「Ⅱ経営上の意思決定，執行及び監督に係る経営管理その他のコーポレート・ガバナンス体制の状況　1．機関構成・組織運営等に係る事項」

報酬の額又はその算定方法の決定方針の開示内容

　執行役員を兼務する取締役の報酬については、役位に応じて決定する役割連動報酬のほか、売上高成長率等からなる一定の基準をベースに各取締役の目標達成状況を加味して決定される単年度の業績に連動した報酬制度と、株主価値との連動性を高め長期的な業績向上へのインセンティブを付与する信託を用いた株式報酬制度により決定いたします。また、役位が上がるにつれて、報酬総額に占める業績連動報酬の割合が高まるよう設定いたします。
　なお、執行役員を兼務しない取締役（社外取締役等）の報酬については、主たる役割が経営監督機能であることに鑑み役割連動報酬のみといたします。
　業績連動報酬について、その算出根拠となる業績考課の決定要件の75％は定性目標、25％は定量目標で構成いたします。定性目標は中長期的な視点での経営の観点から個別の課題を設定し、一方、定量目標はグループ経営の観点から連結業績指標（売上高成長率、EBITDA成長率、修正ROA、EPSの4つの指標）を踏まえ、事業年度ごとの達成水準の評価結果を報酬額に反映いたします。
　役割連動報酬および業績連動報酬については、在任中において定期的に支給いたします。信託を用いた株式報酬制度に基づく当社株式および金銭については、原則として、取締役の退任時に交付されることとなります。
　信託を用いた株式報酬については、役位に応じて決定いたします。また、同報酬制度の対象者については、当社に損害を与えたことに起因して取締役を解任されまたは辞任する場合において、取締役会の決議により、付与された当社株式の受益権の全部または一部を失効させます。
　取締役の報酬の額は、指名・報酬諮問委員会において、本基本方針や世間水準等を総合的に勘案し、個人別の報酬額を審議し、その結果を取締役会に答申いたします。取締役会においては、指名・報酬諮問委員会による個人別の報酬額に関する答申に沿った支給を前提とした代表取締役への一任を決議いたします。

第二部　各原則に基づく開示事項（必要的開示）　第7

㉑日本パーカライジング

「コーポレートガバナンス・コードの各原則に基づく開示」

---
(3) 経営陣幹部・取締役の報酬決定
1. 方針
　当社の取締役（監査等委員である取締役を除く。）の報酬については、月額報酬、賞与及び業績連動型株式報酬により構成されています。その総額については株主総会にて上限を決定し、会社業績との連動性を確保し、職責と成果を反映させた体系としています。また、監査等委員である取締役の報酬は、月額報酬のみであります。
2. 手続
　株主総会で承認された報酬限度額の範囲内で、取締役（監査等委員である取締役を除く。）の報酬については、取締役会で配分方法の取り扱いを協議し、監査等委員会の適切な関与・助言を得た上で、代表取締役及びそれに準じる取締役の協議により決定しております。また、監査等委員である取締役の報酬は、監査等委員である取締役の協議により決定しております。

㉒クラレ

「コーポレートガバナンス・コードの各原則に基づく開示」

(ⅲ)経営陣幹部・取締役の報酬決定に関する方針と手続
　当社の取締役の報酬等は、長期的・持続的な企業業績および企業価値の向上を実現させるため、職責に相応しい有能な取締役の確保・定着も考慮した競争力のある報酬水準および報酬体系とすることを基本方針とし、①職責に応じた基本報酬としての定額報酬、②単年度の業績の達成を目指すためのインセンティブとしての業績連動型報酬、および③適正な会社経営を通じた中長期的な企業価値の向上と株主との価値共有を図ることを目的とした株式報酬の3つの部分により構成します。ただし、社外取締役については独立した立場から経営の監督を行う役割を担うことから定額報酬のみとし、業績連動型報酬や株式報酬は設けません。
　具体的な報酬水準と報酬体系については、専門性のある外部調査機関が行う東京証券取引所市場第一部上場企業等を対象にした役員報酬調査の結果と従業員最上位職の給与を参考にしつつ、社外役員と社外有識者を中心とする経営諮問委員会が、適切な報酬水準・体系であるかを検証・審議したうえで、その結果を取締役会に答申します。取締役会は、当該答申を十分に勘案し、報酬水準と報酬体系を決定するものとします。

原則3-1(ⅲ)

㉓テルモ

「Ⅱ経営上の意思決定，執行及び監督に係る経営管理その他のコーポレート・ガバナンス体制の状況　1．機関構成・組織運営等に係る事項」

報酬の額又はその算定方法の決定方針の開示内容

[目標、各報酬についての考え方]
(1) 全体構成
　業務執行取締役の報酬は、固定報酬、業績連動報酬（賞与：標準額）および譲渡制限付株式につき、全体に対し各々が占める割合として50％、30％、20％を目安に設計しております。また、代表取締役社長CEOを筆頭に、上位者ほど、報酬全体に占める業績連動報酬（賞与）および譲渡制限付株式の構成比が高くなるよう設定しております。

(2) 決定方法
　監査等委員を除く取締役の固定報酬、賞与および譲渡制限付株式の役位ごとの標準額および制度設計の内容等については、社外取締役が過半数を占め、委員長が社外取締役で構成されている独立性の高い報酬委員会が、取締役会の諮問機関として、社外専門機関調査による他社水準などを考慮しながら審議しております。
　また、2015年6月24日開催の第100期定時株主総会において、監査等委員以外の取締役報酬（固定報酬、賞与、株式報酬型ストックオプション。承認時における対象取締役14名、うち社外取締役3名）について年額700百万円の枠を、2019年6月21日開催の第104期定時株主総会において譲渡制限付株式について年額200百万円の枠をご承認頂いております（承認時における対象取締役8名、うち社外取締役3名）。監査等委員である取締役報酬については2015年6月24日開催の第100期定時株主総会において年額100百万円の枠をご承認頂いております。
　当該承認のもと、決定手順は以下のとおりです。

　固定報酬：上記株主総会で承認された報酬枠の中で、監査等委員以外の取締役については取締役会の決議により決定し、監査等委員である取締役については監査等委員会の協議により決定します。
　賞与、譲渡制限付株式：上記株主総会で承認された報酬枠の中で、毎年の業績・経営環境などを考慮しながら、取締役会の決議により決定します。

㉔オリックス

「Ⅱ経営上の意思決定，執行及び監督に係る経営管理その他のコーポレート・ガバナンス体制の状況　1．機関構成・組織運営等に係る事項」

ⅰ) 取締役に対する報酬方針

159

Ⅱ　ガバナンス報告書

・取締役（執行役を兼務しない者）の報酬については、取締役の主な職務である執行役等の職務執行の監督および監視機能を維持するために有効な構成として、固定報酬および株式報酬（※1）とします。また、取締役の報酬は第三者の報酬調査機関からの調査結果をもとに、取締役の果たすべき役割に応じた、競争力のある報酬水準を維持しています。
・固定報酬は、原則一定額とし、各委員会の議長および委員には職務に対する報酬を加算します。
・中長期的な成果を反映する報酬としての株式報酬は、在任期間中に毎年一定のポイント（固定数）を付与し、退任時に累積ポイントに応じて当社株式を支給します。

第8　原則3－1(iv)に基づく開示

原則3－1(iv)

> 　上場会社は，法令に基づく開示を適切に行うことに加え，会社の意思決定の透明性・公正性を確保し，実効的なコーポレートガバナンスを実現するとの観点から，（本コードの各原則において開示を求めている事項のほか，）以下の事項について開示し，主体的な情報発信を行うべきである。
> 　(iv)　取締役会が経営陣幹部の選解任と取締役・監査役候補の指名を行うに当たっての方針と手続

1　背景・趣旨

　原則3－1(iv)は，取締役会が経営陣幹部の選解任と取締役・監査役候補の指名を行うに当たっての方針と手続をそれぞれ開示することを求めている。その目的は，「会社の意思決定の透明性・公正性を確保し，実効的なコーポレートガバナンスを実現する」ことにある（原則3－1柱書参照。）。

　本原則は，2018年6月の改訂により，経営陣の選任のみならず解任についても，その方針や手続の開示対象に加えられた。

　なお，経営陣幹部の選解任の方針の策定に当たっては，補充原則4－3①～③に留意が必要である。補充原則4－3①は経営陣幹部の選任や解任について会社の業績等の評価を踏まえることを求めており，2018年6月の改訂で追加された補充原則4－3②と同③は，経営陣幹部の中でもCEOに着眼し，前者はその選任について，後者はその解任について，いずれも客観性・適時性・透明性ある手続に従うことを求めている。したがって，CEOの選解任に関する手続も本原則に基づき開示すべき事項の対象となる[注24]。なお，関連する対話ガイドラインには3－1や3－2がある。

　また，取締役の選任については，原則4－11がジェンダーや国際性，職歴，年齢の面を含む多様性と適正規模を両立させる形で構成されるべきとする点，特に補充原則4－11①が経営戦略に照らして自らが備えるべきスキル等を特定した上で，いわゆるスキル・マトリックスをはじめ，経営環境や事業特性等に応じた適切な形で取締役の有するスキル等の組み合わせを取締役の選任に関する方針・手続と併せて開示すべきとするを求めていることに留意が必要であろう。

　さらに，監査役候補の指名を行うに当たっての方針を策定するに際しては，原則4－11が，

財務・会計に関する十分な知見を有している者（公認会計士の資格を有する場合に加え，会社実務で経験を積んでいる場合等を指すとされている[注25]。）を1名以上選任することを求めている点に留意する必要がある。

(注24) 2018年コード改訂パブコメ回答64番。
(注25) 油布志行＝渡邉浩司＝髙田洋輔＝浜田宰「『コーポレートガバナンス・コード原案』の解説〔Ⅳ・完〕」商事法務2065号（2015）50頁。

2 開示対象

本原則に基づく開示対象は，「取締役会が経営陣幹部の選解任と取締役・監査役候補の指名を行うに当たって」の「方針」，及び，その「手続」である。

経営陣幹部の選解任を行うに当たっての方針と取締役・監査役候補の指名を行うに当たっての方針は，共通のものとして開示する例もあるが，役割の相違から両者を分けて策定することも想定され得る。

また，本原則は，最高経営責任者等の後継者の計画に関する補充原則4－1③，CEOの選解任に関する補充原則4－3①～③，社外役員の独立性の判断基準について策定・開示を求める原則4－9，また，取締役会の全体としての知識・経験・能力のバランス，多様性及び規模に関する考え方の策定・開示に関する補充原則4－11①と関連性があり，一体的な記載をすることも考えられる。特に補充原則4－11①は，本原則の方針・手続と同様に開示することが求められているところ，開示の手法として，本原則と補充原則4－11①とを一体のものとしてひとまとまりで開示する例も多い。ただし，一体的に策定・開示するか否か等は，各会社の合理的な判断に委ねられている[注26]。

なお，指名委員会等設置会社においては，株主総会に提出する取締役選任議案の内容は指名委員会が決定するため（会社法404条1項），本原則の「取締役会」は「取締役会又は指名委員会」に，それぞれ読み替えることが考えられる[注27]。

(注26) 油布志行＝渡邉浩司＝髙田洋輔＝浜田宰「『コーポレートガバナンス・コード原案』の解説〔Ⅳ・完〕」商事法務2065号（2015）56頁（注54）。
(注27) 油布志行＝渡邉浩司＝髙田洋輔＝中野常道「『コーポレートガバナンス・コード原案』の解説〔Ⅲ〕」商事法務2064号（2015）42頁（注28）。なお，「取締役会又は」という表現が残るのは，経営陣幹部の選解任については会社法上取締役会が決定することもあり得ることを念頭に置いたものと考えられる。

3 方針

(1) 経営陣幹部の選任，取締役・監査役候補の指名基準を開示する例

選任基準を開示する例としては，指名委員会等設置会社において指名委員会が定時株主総会

に提出する議案を策定するに際しての取締役選任基準として定める例（①**日本板硝子**）や，監査役会設置会社のものとして，取締役候補者選任基準，社外取締役選任基準及び監査役候補者選任基準を分けて開示している旨を述べる例（②**キヤノン**）がある。また，取締役（社内・社外），監査役（社内・社外），経営陣幹部といった職責ごとに個別の選任基準を列挙する例（③**三菱倉庫**）がある。さらに，選解任に際して，性別，年齢及び国籍の区別をしない旨を述べる例（④**三菱マテリアル**）もある。

選任基準の内容としては，高い倫理観及び道徳観を持ち，率先垂範して行動できること等を求めるもののほか，業務上の経験又は法律，会計，経営などの専門的な知識を有していることを求めるもの（⑤**大和証券グループ本社**）が多く見られる。外在的要因として，多様性や取締役会の構成比に言及するもの（⑥**日立建機**）もある。

(2) 経営陣幹部の解任に関する基準を開示する例

経営陣幹部やCEOの解任に関する基準を開示する例（⑦**三井物産**）や，解任に関する基準に加えて，解任するか否かについては取締役会で審議し決定するという解任手続も開示する例（⑧**伊藤忠テクノソリューションズ**），執行役の業績評価に基づき社長を含む役員体制について指名委員会が定期的に審議する旨を開示する例（⑨**りそなホールディングス**），指名・報酬諮問委員会の答申を参酌した上で取締役会が代表取締役及び経営陣幹部の解職を審議すると開示する例（⑩**西日本フィナンシャルホールディングス**）がある。

(3) 社外役員の独立性の判断基準について言及する例

社外役員の独立性の判断基準については原則4－9においても策定・開示が求められているが，本原則における社外役員の「指名を行うに当たっての方針」としても言及する例（⑪**TDK**）がある。

4 手　　続

指名委員会等設置会社においては，指名に関する議案の内容を決定する法定の機関である指名委員会の構成，人数，委員の権限等を開示する例（⑫**日本郵政**）がある。

取締役会への答申に際して任意の諮問委員会を設置して審議を経るといったプロセスを開示する例（⑬**西武ホールディングス**，⑭**高島屋**）は多い。今回集計した事例の中では，指名委員会が当然に設置されている指名委員会等設置会社を除いた461社のうち，任意の指名委員会を設置している企業数は，374社（81.1％）存在した。このほか，監査等委員会設置会社においては，監査等委員会の意見等を踏まえて取締役選任議案を決定するとするなど，監査等委員以外の取締役の指名に関する意見陳述権（会社法342条の2第4項）を有する監査等委員会を，任意

Ⅱ　ガバナンス報告書

の諮問委員会と同様の機能を果たすものとして，指名の決定プロセスにおいて活用する例（⑮**カプコン**）がある。

さらに，全取締役に対するアンケート方式により候補者の推薦を受ける例（⑯**静岡銀行**）もある。加えて，毎年取締役候補者の選任について，代表取締役，社外取締役全員及び監査役全員で構成されるガバナンス委員会が中心となり毎年実施する取締役の相互評価の結果を反映して決定する旨開示する例（⑰**大東建託**）もある。

また，第三者機関による経営人材評価の結果を踏まえて指名委員会が審議・決定した人事案を取締役会の諮問に基づき答申する旨開示する例（⑱**Ｊ.フロントリテイリング**）もある。今回集計したTOPIX500構成銘柄企業の中では，このように選任・指名の手続において，第三者機関や外部専門家（任意の諮問委員会の委員である外部有識者を除く。）を関与させている旨記載した企業数は，3社（0.6%）にとどまった。

一方で，選任・指名の手続については，候補者を代表取締役が提案し，取締役会において決議するといった法定の基本的なプロセスを開示する例も少なくない。

なお，経営陣幹部やCEOの解任に関して固有の手続を開示する会社は少数に留まるが，必要に応じ「役員人事・報酬会議」での議論・検討も踏まえて，社長その他の役職を解任することができることとしている旨を開示する例（⑲**日本製鉄**）や，指名諮問委員会で解任基準の内容を討議し，取締役会で決議する例（⑳**日本Ｍ＆Ａセンター**）などがある。

5　開示事例

①日本板硝子

「コーポレートガバナンス・コードの各原則に基づく開示」

> (iv)(v) 経営陣幹部の選解任と取締役候補の指名を行うに当たっての方針と手続
> 　当社は、独立社外取締役を委員長とし、委員長を含め5名の取締役（うち4名は独立社外取締役）をメンバーとして構成する指名委員会において取締役候補者を決定し、その内容を定時株主総会に議案として提出します。また、取締役会が、指名委員会により予めなされる推薦を踏まえ、執行役等の経営陣幹部の選解任を決定します。これらの決定は「取締役候補者の選任基準」及び「経営陣幹部の選解任方針及び手続」に基づき行われ、当該方針等の詳細は当社ホームページで開示しています。
> https://www.nsg.co.jp/-/media/nsg-jp/sustainability/images-used-in-sustainability-section/corporate-governance/principle_3_1_4_2107.pdf

「同社ホームページ」

> 【原則3-1　情報開示の充実】
> **(iv) 経営陣幹部の選解任と取締役候補の指名を行うに当たっての方針と手続**
>
> 　当社は、4名の独立社外取締役および1名の代表執行役を兼務する取締役で構成される指名委員会において、取締役候補者を決定し、その内容を定時株主総会に議案として提出します。当該選任にあたり、特に独立社外取締役については、エグゼクティブ・サーチ会社等の協力を得、幅広いプールの中から候補を探します。その選任の基準は以下のとおりです。

1. 人格に優れ、高い倫理観を有していること
2. 遵法精神に富んでいること
3. 職務遂行上健康面で支障のないこと
4. 経営に関し洞察力に優れ、客観的判断能力を有すること
5. リーダーシップを発揮した経験に富み、チーム志向を備えていること
6. 当社グループの事業分野において経営判断に影響を及ぼすおそれのある利害関係、取引関係がないこと
 （「社外取締役の独立性」については別に定める。）
7. グローバルまたは多国籍事業環境での経験が豊富でかつ/または市場、技術、会計、法務、後継者育成等当社グループが必要とする専門性を備えていること
8. 取締役会や自身がメンバーとなる委員会等への参加のための十分な時間が確保でき、指名、監査および報酬の三委員会のいずれかの委員となる場合は、その職務を遂行する資質を有していること

また、「経営陣幹部」とは、(i) 執行役社長、代表執行役および執行役ならびに (ii) CEO、COO、CFO、CAOおよびこれらに準ずるか、もしくはこれらに次いで重要なグループの職位として取締役会がその選解任を決定するものを指します。[1]

指名委員会は、取締役会のこのような決議に先立ち、当該選解任につき、取締役会に対して、推薦または助言をします。

こうした選任/任命/解任にあたっては、これまで証明された業績、リーダーとしての潜在性、ならびに当社グループの将来の方向性、「Our Vision」（＊）やステークホルダーコミュニケーションについての原則、行動準則およびグループコンピタンシーとの適合性等を総合的に考慮します。

執行役の任期は原則として1年で、上記の基準を踏まえ、毎年その選任を見直します。その他の幹部についても毎年個々人の業績管理を実施します。

当社グループは、このように経営陣幹部の選解任方針および手続について透明性の高いプロセスを維持することに努める一方、グローバル企業としてこれら幹部のリテンションリスクは不可避であると認識しており、毎年の後継者育成計画の見直しや人材育成を計画的に実施し、やりがいのあるキャリア開発の機会を提供することで、人材に関する経営リスクを最小限にとどめることにも努めています。

（＊）「使命」、「目指す姿」および「コアバリュー」より構成される当社グループの経営指針

---

[1] CEOの直属の部下となる役職は、通常含まれるものとします。

Ⅱ ガバナンス報告書

②キヤノン

「コーポレートガバナンス・コードの各原則に基づく開示」

(iv) 経営陣幹部の選解任及び取締役・監査役候補の指名に関する方針と手続

1. 方針

取締役・監査役の候補者及び執行役員は、性別、国籍、年齢等、個人の属性にかかわらず、その職務を公正且つ的確に遂行することができると認められる者であって、次の要件を満たす者から選出することを原則とします。

代表取締役・業務執行取締役
当社の経営理念、行動規範を真に理解しているとともに、執行役員の経験などを通じて当社の事業・業務に広く精通し、複数の事業や機能を俯瞰した実効的な判断ができること。CEOについては、これらに加えて、特に経営に関する豊富な知見と能力を有し、明確なビジョンと強い責任感をもって当社グループを導いていくことができると認められる者であること。

独立社外取締役
取締役会が別途定める独立性判断基準を満たすほか、企業経営、リスク管理、法律、経済などの分野で高い識見及び豊富な経験を有すること。

監査役
当社の事業もしくは経営体制に精通し、または法律、財務・会計、内部統制などの専門分野で高い識見及び豊富な経験を有すること。社外監査役については、取締役会が別途定める独立性判断基準を満たすこと。

執行役員
管理職アセスメント、経営人材選抜研修などにおいて人格面・能力面で高い評価を受けた者であって、特定分野の執行責任を担うに十分な知識・経験と判断能力を有しており、且つ、当社の経営理念、行動規範を真に理解していること。

2. 選任・指名手続

当社は、CEO、独立社外取締役2名および独立社外監査役1名から成る任意の「指名・報酬委員会」を設けております。取締役・監査役の候補者の指名および執行役員の選任(最高経営責任者の後継者の選定を含む)に際しては、所定の要件を満たす者と認められる者の中からCEOが候補を推薦し、その推薦の公正・妥当性を当該委員会にて確認のうえ、取締役会に議案として提出、審議しております。
特に最高経営責任者の後継者候補につきましては、経営幹部の研修制度、執行役員選抜後の人事異動や全社的プロジェクトへの関わりなどを通じた経営経験の蓄積を図る仕組みを通じ、CEOが自らの責務の下で候補の選定・育成を行っており、その過程を「指名・報酬委員会」が確認いたします。
また、監査役候補者については、取締役会の審議に先立ち、監査役会において審議し、その同意を得るものとしております。

3. 経営陣幹部の解任手続

CEOを含む代表取締役・業務執行取締役(以下「経営陣幹部」)につき違法、不正又は背信行為が認められる場合、その役割を果たしていないと認められる場合その他経営陣幹部の任に相応しくないと認められる場合には、取締役・監査役は、いつでも「指名・報酬委員会」に対して当該経営陣幹部の解任の要否を討議するよう求めることができます。
「指名・報酬委員会」での討議の結果は、その内容いかんにかかわらず取締役会に答申され、取締役会において解任の要否が審議されます。審議の対象となる当該経営陣幹部は、審議に加わることができません。

③三菱倉庫

「コーポレートガバナンス・コードの各原則に基づく開示」

(iv) 取締役会が経営陣幹部の選解任と取締役・監査役候補の指名を行うに当たっての方針と手続

1. 経営陣幹部・取締役

当社は、取締役会において多様な意見に基づく十分な審議と迅速かつ合理的な意思決定を行うことができるよう、業務執行を担当する取締役と独立した社外取締役の計18名以内(現時点13名)の取締役で取締役会を構成することとしています。
取締役には、経営環境や経営課題を踏まえた経営戦略の設定及びその実行への貢献が期待できる、人格に優れ、高い識見を持つ人物であることを求めており、その上で、経営陣幹部その他業務執行を担当する取締役については、豊富な業務上の専門的知識と経験を有する人物を、社外取締役については、出身分野における豊富な知識と経験を有し、独立した客観的な立場からの助言・監督を実効的に行う資質を備えた人物を、それぞれ候補者としています。
また、取締役の指名及び報酬の決定に関する手続の客観性及び透明性を一層高めることを目的として、取締役会の諮問機関として任意の「指名・報酬委員会」を設置し、経営陣幹部及び取締役候補者の指名に関する事項について、取締役会から同委員会に対し、選任基準の検討及び候補者の評価等を諮問し、取締役会は同委員会の答申を踏まえ、審議・決議を行うこととしています。
経営陣幹部及び取締役の再任、また新任候補者の選任の判断においては、経営陣幹部及び業務執行取締役については、上記の選任基準に照らし適切な検討がなされているか、指名・報酬委員会にて客観的に検証した上で、その意見を取締役会に答申することとしています。社外取締役候補者については、指名・報酬委員会にて、上記の選任基準に照らしながら、再任または新任の候補者の個々の実効性について評価し、その意見を取締役会に答申することとしています。特に新任の社外取締役の選任については、当社の持続的成長に必要となる取締役会の最適な構成という観点で、その時々で必要となる資質等を検討し、候補者リストを作成し、毎年更新します。指名・報酬委員会は、新任の社外取締役を選任すべき必要が生じた際は、上記方針、取締役会の構成、社外取締役として望ましい人物像等を踏まえ、候補者リストから絞り込んだ候補者に面談等を実施の上で、候補者を選定し、取締役会に答申します。
これらの答申に基づき、社外取締役、社外監査役も出席の上で開催される取締役会において審議し、取締役会の決議によって経営陣幹部を選任し、また取締役候補者を決定します。
経営陣幹部が、公序良俗に反する行為を行った場合、健康上の理由から職務の継続が困難となった場合、職務を懈怠することにより著しく企業価値を毀損させた場合等においては、随時、その解任について社外取締役、社外監査役も出席の上で開催される取締役会に付議することを検討し、付議にあたってはこれに先立ち指名・報酬委員会に諮問し、同委員会の構成員以外の社外取締役、社外監査役に対しても解任理由等の説明を行うこととしています。

2. 監査役

第二部　各原則に基づく開示事項（必要的開示）　第8

当社は、監査の充実を図るとともに、監査役体制の経営陣からの独立性を高めるため、社内監査役2名と独立した社外監査役3名の計5名の監査役で監査役会を構成することとしています。
監査役には、人格に優れ、高い識見を持つ人物であることを求めており、その上で、社内監査役については、当社の経営実態を熟知した人物を、社外監査役については、実業、法務、会計等の出身分野における豊富な専門的知識と経験を有する人物を、それぞれ候補者としています。
この方針に基づき、監査役会の同意を得て代表取締役が監査役候補者の原案を作成して取締役会に提案し、これを社外取締役、社外監査役も出席の上で開催される取締役会において審議し、取締役会の決議によって監査役候補者を決定しています。

④三菱マテリアル

「コーポレートガバナンス・コードの各原則に基づく開示」

(4)取締役候補者の指名及び執行役の選解任
(a)取締役候補者指名方針
　経営の方向性を決定し、かつ、業務執行状況を監督する役割を有する取締役会は、専門知識や経験等が異なる多様な人材をもって構成することを基本方針としています。特に、社外取締役候補者については、企業経営（当社グループ類似業種、異業種等）・組織運営に関する経験・知見を有する人材、及び財務・会計、法務、生産技術、研究開発、営業販売、国際関係等に関する幅広く高度な専門知識や豊富な経験を有する人材で構成されるよう考慮しています。
　上記の構成に関する基本方針を踏まえ、取締役候補者には、性別、国籍、人種等の個人の属性にかかわらず、
・見識、人格に優れた人物
・高い倫理感及び遵法精神を有する人物
・会社経営に対する監督及び経営の方向性を決定する職責を適切に果たすことができる人物
を指名することとし、さらに、独立社外取締役候補者についてはこれらに加え、
・当社グループと重大な利害関係がなく、独立性を保つことができる人物
を指名することとしています。具体的な人選は、指名委員会において審議の上、決定します。
（コーポレート・ガバナンス基本方針別紙1）

(b)執行役選解任方針
　業務執行を担当する執行役の選任に当たっては、性別、国籍、人種等の個人の属性にかかわらず、
・見識・人格に優れた人物
・高い倫理感及び遵法精神を有する人物
・会社経営や当社グループの事業・業務に精通した人物
を選任することとしています。
　選任の手続きとしては、まず、執行役社長が、必要に応じて関係役員と協議の上、執行役選任原案を策定します。その後、指名委員会での審議・答申を踏まえ、執行役社長が取締役会へ執行役選任議案を上程し、経歴や実績、専門知識等の諸要素を総合的に勘案した上で、取締役会の決議により選任します。
　また、これらの基準に照らして、著しく適格性に欠ける事象が生じた場合、取締役の提案により、指名委員会での審議を経て、取締役会の決議により解任することとしています。
（コーポレート・ガバナンス基本方針別紙3）

原則3-1(iv)

⑤大和証券グループ本社

「Ⅱ経営上の意思決定，執行及び監督に係る経営管理組織その他のコーポレート・ガバナンス体制の状況　2．業務執行，監査・監督，指名，報酬決定等の機能に係る事項（現状のコーポレート・ガバナンス体制の概要）」

＜取締役候補者の選定の方針について＞
取締役候補者の選定の方針は以下のとおりです。
・大和証券グループの企業理念の実現のために最大の努力を行えること
・高い倫理観及び道徳観を持ち、率先垂範して行動できること
・業務上の経験又は法律、会計、経営などの専門的な知識を有していること
社外取締役については上記に加え、独立性に関して以下の全てを満たすことを要件としております。
・大和証券グループの業務執行取締役、執行役、執行役員その他これに準ずる者又は従業員として勤務経験を有していないこと
・大和証券グループを大株主または主要な取引先とする会社の取締役、執行役、支配人その他の使用人でないこと
・その他、取締役としての職務を遂行する上で独立性を害するような事項がないこと

⑥日立建機

「コーポレートガバナンス・コードの各原則に基づく開示」

(4)取締役会が経営陣幹部の選解任と取締役候補者の指名を行うに当たっての方針と手続
経営陣幹部の選解任方針については、当社「コーポレートガバナンスガイドライン」第3条（取締役の構成）及び第13条（経営陣幹部の選解任の方針）において以下のとおり定めています。
https://www.hitachicm.com/global/jp/sustainability/governance/corpgovernance/

II ガバナンス報告書

第13条（経営陣幹部の選解任の方針）
取締役会は、経営陣幹部について、以下の選任基準・解任基準を踏まえ、指名委員会の意見も考慮のうえ選解任を検討し、実行する。
(1) 選任基準
1. 人格、識見、指導力に優れた者であること
2. 会社経営の分野における豊富な経験と実績を有し、当社の企業価値・株主共同の利益の継続的な向上を実現するために最適と考えられる者であること
(2) 解任基準
1. 公序良俗に反する行為を行った場合
2. 健康上の理由から、職務の継続が困難となった場合
3. 職務の懈怠等により当社の企業価値を著しく毀損した場合
4. 前項に定める選任基準を満たさないと判断した場合

また、取締役候補者の指名については、当社「コーポレートガバナンスガイドライン」第3条（取締役の構成）において以下のとおり定めています。
https://www.hitachicm.com/global/jp/sustainability/governance/corpgovernance/
第3条（取締役の構成）
指名委員会は、取締役候補者の決定に当たり、以下の事項を考慮する。
1. 取締役会の経営監督機能及び意思決定機能の実効性を確保するため、取締役候補者の有する経験、専門知識、性別や国籍等の多様性、社外取締役とそれ以外の取締役（執行役兼務者及び当社グループ出身の非業務執行取締役）の構成比等を考慮する。
2. 取締役会の継続性を保つため、新任の取締役候補者が候補者の全て或いは殆ど全てを構成することとならないよう考慮する。
3. 取締役会に新しい視点や意見が継続的にもたらされるよう、取締役候補者が当社取締役に就任してからの年数や年齢を考慮するものとする。
指名委員会は、原則として、75歳に達した者を取締役候補者としない。但し、特別の場合、75歳以上の者を候補者とすることがある。

これらの方針に則り、取締役会が経営陣幹部を選任または解任することとし、指名委員会が取締役候補者を決定しています。

⑦三井物産

「コーポレートガバナンス・コードの各原則に基づく開示」

■取締役・執行役員（CEOを含む。以下同じ）の解任
取締役・執行役員が以下の事由に該当する場合は、客観性・透明性を担保するため、指名委員会での討議を経た上で、速やかに取締役会でその解任について審議します。
- 法令・定款等への違反その他の不正行為が認められた場合
- その職務に求められる機能・役割を十分に果たせていない場合
- 選任基準を満たさなくなった場合

⑧伊藤忠テクノソリューションズ

「コーポレートガバナンス・コードの各原則に基づく開示」

原則3-1(iv)
【経営陣の選解任・指名に関する手続き】
・当社は、以下の基準・手続に基づき取締役・監査役候補について選任いたします。

（選任基準）
1. 業務執行取締役候補は、高い倫理観・公正性などの人格的要素を備え、経営に関する豊富な知見と能力を有す候補者の中から選任する。
2. 非業務執行取締役候補は、高い倫理観・公正性などの人格的要素を備え、高度な専門性を有し、それぞれの専門的見地から取締役会での発言が期待される候補者の中から選任する。
3. 監査役候補は、経営管理に関する豊富な経験や財務・会計について適切な知見を有するなど、取締役の職務の執行を適切に監査できる候補者の中から選任する。
4. 社外監査役候補は、高度な専門性を有し、それぞれの専門的見地から取締役会および監査役会での発言を期待し、取締役の職務の執行を適切に監査できる候補者の中から選任する。

（選任手続）
1. 取締役候補の選任にあたっては、上記の選任基準ならびに取締役会の員数やジェンダーや国際性等の多様性など、構成についての考え方を踏まえ、独立社外取締役2名を含む取締役4名と監査役1名で構成される指名委員会の審議を経て、取締役会にて決定しています。
2. 監査役候補の選任にあたっては、上記の選任基準ならびに監査役会の員数や特に専門領域における必要な経験・能力・知識など、構成についての考え方を踏まえ、指名委員会の審議の後、社外監査役3名を含む4名で構成される監査役会の同意を得た上で、取締役会にて決定しています。

（解任基準・手続）
上記の選任基準を満たさなくなった場合や、公序良俗に反する行為を行った場合、あるいは健康上の理由から職務継続が困難となった場合には、取締役会において解任提案を審議し、決定いたします。

⑨りそなホールディングス

「コーポレートガバナンス・コードの各原則に基づく開示」

> 4 取締役候補者及び執行役選解任の方針と手続
> 指名委員会が取締役候補者の決定を行うに当たっての方針及び手続並びに取締役会が代表者を含む執行役を選任するに当たっての方針及び手続については、本報告書「2．1．【独立役員関係】〔その他独立役員に関する事項〕」の「取締役候補者選任基準」並びに「コーポレートガバナンスに関する基本方針」第11条（執行役等の選任）及び第12条（指名委員会）に記載しております。また、上記解任にかかる方針及び手続については、以下のとおり実効性のある取組みを行っており、客観性・適時性・透明性のある仕組みを構築しております。具体的には、過半数が社外取締役で構成される取締役会は、成果不十分な場合等において執行役社長を含む執行役を解任できるよう定めております。更に、指名委員は、執行役の業績評価結果について報告を受けるとともに、社長をはじめとする役員体制についても、定期的に審議しております。

⑩西日本フィナンシャルホールディングス

「コーポレートガバナンス・コードの各原則に基づく開示」

> □ 経営陣幹部の選解任に関する方針と手続き
> 当社の取締役会は、指名・報酬諮問委員会の答申を参酌した上で、代表取締役および経営陣幹部（役付取締役）を選定するとともに、代表取締役および経営陣幹部（役付取締役）が取締役会で定める解職基準に該当する場合には、その解職を審議することとしています。これにより、経営陣幹部の選解任について客観性・適時性・透明性のある手続きを確保しています。

⑪ＴＤＫ

「コーポレートガバナンス・コードの各原則に基づく開示」

> （4）取締役会が経営陣幹部の選解任と取締役・監査役候補の指名を行うに当たっての方針と手続
> 当社は、取締役会の諮問機関として、独立社外取締役を委員長とし、半数以上の委員を独立社外取締役で構成する指名諮問委員会を設置しています。
> 同委員会は、取締役及び監査役並びに執行役員の指名に関し、期待される要件を審議の上、候補者を推薦することで、取締役及び監査役並びに執行役員の選任の妥当性及び決定プロセスの透明性の確保に寄与しています。
> 社外役員については、当社が独自に設定した「独立性検証項目」により、その独立性について判断します。
> 同委員会では、1年毎に取締役・執行役員の指名方針等の妥当性について審議し、新任及び再任の際にはその適格性を判断しています。
> また、任期途中の解任にあたっては、取締役会執務規程及び執行役員執務規程において、取締役及び執行役員の解任基準と手続を定めています。

⑫日本郵政

「コーポレートガバナンス・コードの各原則に基づく開示」

> 当社は、「コーポレートガバナンスに関する基本方針」（以下「当社方針」という。）を策定し、次の当社ホームページに掲載しております。
> https://www.japanpost.jp/group/governance/index02.html

「コーポレートガバナンスに関する基本方針」

> **第7条 指名委員会**
>
> 1. 指名委員会は、委員3名以上で、その過半数は独立役員によって構成します。
> 2. 指名委員会は、取締役会全体としての知識・経験・能力のバランス、多様性及び規模に関する考え方と当社が求める取締役の資格要件を規定した「取締役候補者指名基準」を策定し、この基準に基づき、取締役候補者を決定します。
> 3. 指名委員会は、株主のみなさまと利益相反が生じるおそれがないと考える社外取締役の要件を規定した「独立役員指定基準」を策定し、社外取締役の中から独立役員を指定します。
> 4. 指名委員会は、代表執行役社長等の後継者の計画について、会社の目指すところや具体的な経営戦略を踏まえ、適切に監督を行います。
> 5. 指名委員会を補助する事務局として指名委員会事務局を設置します。

Ⅱ　ガバナンス報告書

⑬西武ホールディングス

「コーポレートガバナンス・コードの各原則に基づく開示」

(4)取締役会が経営陣幹部の選解任と取締役・監査役候補の指名を行うに当たっての方針と手続
取締役候補者の選定にあたっては、再任者については、任期中の企業価値向上等への貢献をふまえて再任に相応しいか否かを審議したうえで、新任者については、優れた人格・識見を有しているか、また企業価値向上に貢献しうる人材であるか否かを審議したうえで、それぞれ決定しております。
取締役候補者の決定に際しては、客観性・透明性を確保するため社外取締役4名を過半数の委員とする指名諮問委員会への諮問を経て取締役会で決定しております。
取締役の解任の方針と手続きに関しては取締役規程に定めており、取締役として不正・不当あるいは背信を疑われる行為があったときまたは適格性に欠け、その他取締役としてふさわしくない場合については、取締役会は当該取締役に辞任を求め、または株主総会を招集して解任の議案を付議することとしております。
監査役候補者を決定するに際しては、当該候補者について、監査役が取締役の職務執行の監査を職務とする独立性の高い機関であることを念頭に、その職責を果たしうる高い見識や豊富な経験、知見等を有しているか否かを検討し、事前に監査役会の同意を得たうえで、取締役会にて決定しております。

⑭高島屋

「コーポレートガバナンス・コードの各原則に基づく開示」

(4)取締役会が経営陣幹部の選解任と取締役・監査役候補の指名を行うに当たっての方針と手続

取締役、監査役、執行役員候補者案・人事案につきましては、社外取締役が参画する任意の指名委員会において審議し、その後取締役会にて決議しております。
社内取締役候補者及び執行役員候補者につきましては、当社グループを取り巻く経営環境や経営状況に対して課題解決していくための多角的理解力や判断力、及び候補者が有する経験、業績評価等を総合的に勘案し、指名・選任を行っております。社外取締役候補者につきましては、独立性の確保を重視し、異なる分野での多様な経験と、専門的な知見に基づく客観的な観点、及びステークホルダー視点からの経営への助言と監督を期待し、指名しております(社外取締役に期待する役割につきましては、補充原則4-11-1をご参照ください)。
常勤監査役候補者につきましては、適切な経営監督を行い、経営陣に対して提言を行うため、経営全般に対する高い知見を有しているかを考慮し、指名しております。社外監査役候補者につきましては、独立性の確保を重視し、中立的かつ客観的な観点、及び財務・会計・法務等の専門的な知見からの監査による、監査の実効性向上を期待し、指名しております。
取締役、監査役、執行役員を解任すべき事項が生じた場合には、適時に指名委員会で審議を行い、取締役会で当該審議結果を勘案し、取締役、監査役は解任案を、執行役員は解任を決定いたします。

⑮カプコン

「コーポレートガバナンス・コードの各原則に基づく開示」

（4）経営陣幹部の選定・解職については、透明性や客観性を確保するため、独立社外取締役を委員長とする指名・報酬委員会（委員の過半数は独立社外取締役）に諮問し、同委員会の審議・答申を踏まえ、取締役会が決定しております。
（5）取締役候補者（監査等委員を除く）および監査等委員である取締役候補者の選定に当たっては、独立社外取締役を委員長とする指名・報酬委員会（委員の過半数は独立社外取締役）に諮問し、同委員会の審議・答申を踏まえ、取締役会が決定しております。
なお、監査等委員である取締役候補者の選定については、監査等委員会の同意を得ております。

⑯静岡銀行

「コーポレートガバナンス・コードの各原則に基づく開示」

(2)手続
A.取締役に対するアンケート方式により次の推薦を受けます。
(a)取締役、執行役員の候補者の候補
(b)取締役の役付、執行役員の役位の昇格候補者の候補
(c)グループ会社の代表者の候補者の候補
B.監査役候補者の候補については、常勤監査役から推薦を受けます。
C.代表取締役の合議で指名候補者および昇格候補者を選定します。
D.選任理由を付して、指名・報酬委員会に諮問します。
E.監査役候補者については、監査役会に提示し、同意を取得します。

第二部　各原則に基づく開示事項（必要的開示）　第8

F．指名・報酬委員会の答申を受け、取締役会の選任議案および株主総会の選任議案を代表取締役宛て協議決裁します。
G．取締役会にて、候補者の選任および株主総会の選任議案の内容を審議し、決定します。この際、選任基準、選任理由、略歴、独立役員の指定基準、独立役員候補者についての属性情報などを記載した独立役員届出書案などを資料に記載または添付します。
H．取締役会後に速やかに異動となる役員の氏名、役位等を対外開示（決算短信に役員異動に関するお知らせを添付）します。
I．株主総会招集通知の発送時に、株主のみならず一般投資家に対しても、株主総会参考書類の内容（候補者の氏名、選任理由、略歴等）を当行ホームページで開示します。
J．定時株主総会にて取締役・監査役を選任します。
K．定時株主総会後の臨時取締役会にて代表取締役を選定、また臨時監査役会にて常勤監査役を選定します。
L．なお、上記(1)C．に基づく取締役の役位の解職、取締役に対する辞任勧告または解任は、指名・報酬委員会での答申を経て、法令・規程に従って決定します。

⑰ 大東建託

「コーポレートガバナンス・コードに関する当社の取り組み」

(ⅳ) 取締役の選解任及び次期経営体制は、ガバナンス委員会（代表取締役、社外取締役全員と監査役全員で構成）が中心となり実施する取締役相互評価の結果を反映して候補者案・次期経営体制案を策定し、ガバナンス委員会にて審議を行った上で、取締役会にて決定しています。
監査役候補者は、監査役として必要な能力、経験、知見等を検討し、監査役会の同意を得た上で、取締役会にて決定しています。
また、社外取締役及び社外監査役の選任にあたっては、社外役員の選任ガイドライン及び社外役員の独立性基準を定めており、株主総会招集通知及び有価証券報告書にて開示しています。
　　（株主総会招集通知：https://www.kentaku.co.jp/corporate/ir/kabunushi.html）
　　（有価証券報告書：https://www.kentaku.co.jp/corporate/ir/kessan）

⑱ J．フロントリテイリング

「コーポレートガバナンス・コードの各原則に基づく開示」

【原則3−1(ⅳ)、4−3】取締役・執行役・執行役員候補の指名・選解任の方針・手続

　当社及び主要事業会社の取締役・執行役・執行役員の指名・選任の方針については、方針書「第4章 取締役会等の役割・責務 4 取締役・執行役の人事・報酬等(1)取締役・執行役の指名・選任手続、開示」をご覧ください。
　取締役選任・解任に関する議案については、指名委員会での決議後、株主総会において決議します。当社の代表執行役社長・執行役の選任・解任と職務の委嘱・解嘱については、指名委員会の審議結果を取締役会に答申し決議します。また、3委員会（指名・報酬・監査）の各委員長及び各委員の選定及び解職についても、指名委員会の審議結果を取締役会に答申し決議します。

<中　略>

【補充原則4−1−3、4−3−2、4−3−3】後継者計画

〔代表執行役社長の選定〕
　当社は、代表執行役社長の選定を最も重要な戦略的意思決定ととらえ、後継者（次期経営陣幹部）計画の策定・実施を経営戦略上の特に重要な項目として位置付けています。
　後継者候補の選定に際しては、社内データをもとに第三者機関による診断を踏まえて作成した各後継候補者の評価内容について、独立社外取締役が過半数を占める指名委員会において審議を重ねることで、選定プロセスを明確化し、透明性・客観性を確保するとともに、後継者計画の妥当性を担保するため、当社を取り巻く社内外の環境変化、戦略の進捗等を反映できるよう、毎年定期的に後継者計画を指名委員会において確認しています。
　取締役会は指名委員会からの答申内容に基づき、基本理念・グループビジョンの実現を見据え、監督の役割を果たします。

〔代表執行役社長の解職〕
　設定した目標や期待した成果と取組みの結果（毎期の業績、戦略の遂行状況等）に加え、指名委員会で決議した後継者計画により選定された後継者候補の成果発揮の状況を踏まえ、指名委員会が審議、決議した答申内容を取締役会で決定することとしています。
　また、経営陣幹部については、代表執行役社長の場合と同様、指名委員会の審議を受け決定します。

〔後継者に求められる資質〕
　方針書記載の「JFRグループ 経営人財のあるべき姿」において、以下の5項目を役員に求められる資質として、必要な価値観・能力・行動特性を明確にしています。
　①戦略思考
　②変革のリーダーシップ
　③成果を出すことへの執着心
　④組織開発力

⑤人財育成力
指名委員会でこれらを共有することで、評価・育成指標の認識を一致させ、中立的育成・選抜に努めています。

⑲日本製鉄

「コーポレートガバナンス・コードの各原則に基づく開示」

(4) 取締役候補の指名、経営陣幹部の選解任を行うにあたっての方針と手続
  a. 取締役候補の指名、経営陣幹部の選定の方針
    取締役候補の指名及び経営陣幹部の選定については、各人がその役割・責務を適切に果たし、当社グループ事業の経営課題に的確に対応しうる最適な体制となるよう、個々人の経験・識見・専門性はもとより、取締役会全体や監査等委員会としての規模やそれを構成する候補者のバランス(社外取締役の員数を含む)を考慮することを方針としております。
    当社は、社長その他の経営陣幹部の選定は、取締役会の最も重要な役割・機能の一つであると考えております。当社は、グループ全体の持続的成長と中長期的な企業価値の向上を実現することのできる最適な人材を、社長その他の経営陣幹部に適時に登用することができるよう、その後継者候補となる取締役及び執行役員に対し戦略的な配置・ローテーションを行うなど、資質を磨くための様々な機会を設けております。

  b. 取締役候補の指名、経営陣幹部の選定の手続
    取締役候補の指名及び経営陣幹部の選定については、会長、社長及び議長である社長が指名する3名以上の社外取締役からなる「役員人事・報酬会議」での検討を経て、取締役会で決議することとしております。
    同会議においては、上記a.の方針に沿って取締役会全体や監査等委員会としての規模やそれを構成する候補者のバランス等も考慮し、多角的に議論・検討しております。
    なお、監査等委員である取締役候補の指名については、事前に監査等委員会の同意を得たうえで、取締役会に付議することとしております。

  c. 社長その他の経営陣幹部の解任の手続
    当社は、社長その他の経営陣幹部について、法令に定める取締役の欠格事由にあたる事由等が生じた場合は、取締役会の決議により社長その他の役職を解任することとしております。また、社長その他の経営陣幹部に不正や背信を疑われる行為があった場合や職務の継続について著しい支障が生じた場合等には、必要に応じて「役員人事・報酬会議」での議論・検討も踏まえて、取締役会の決議により社長その他の役職を解任することができることとしております。

⑳日本M&Aセンター

「コーポレートガバナンス・コードの各原則に基づく開示」

(4)取締役会が経営陣幹部の選解任と取締役の指名を行うに当たっての方針と手続き
当社では取締役の選解任基準を定めております。
社外取締役の選任に関する当社の考え方は、有価証券報告書及びコーポレートガバナンス報告書で公表しております。
選解任基準や取締役会のあるべき姿を踏まえて、取締役候補者を選定し、独立社外取締役が過半数を占める指名諮問委員会で候補者の選定を行い、取締役会にて決議した後、株主総会議案として提出しております。
監査等委員候補者は、監査等委員会で決議した後、株主総会議案として提出いたします。
経営陣幹部は、指名諮問委員会で候補者の選定を行い、取締役会での決議により選任しております。
解任の手続きは、指名諮問委員会で解任基準の内容を討議し、取締役会で決議いたします。
(5)経営陣幹部の選解任と取締役候補の指名を行う際の個々の選任・指名についての説明
取締役の各候補者の選任理由につきましては株主総会招集通知に記載しております。
取締役の解任に関する事項は、現在ございません。

第9　原則3−1(v)に基づく開示

原則3−1(v)

> 上場会社は，法令に基づく開示を適切に行うことに加え，会社の意思決定の透明性・公正性を確保し，実効的なコーポレートガバナンスを実現するとの観点から，（本コードの各原則において開示を求めている事項のほか，）以下の事項について開示し，主体的な情報発信を行うべきである。
>
> (v) 取締役会が上記(iv)を踏まえて経営陣幹部の選解任と取締役・監査役候補の指名を行う際の，個々の選解任・指名についての説明

1　背景・趣旨

　原則3−1(v)は，取締役会が経営陣幹部の選解任と取締役・監査役候補の指名を行う際の個々の選解任・指名についての説明を開示すべきであるとしている。その目的は，「会社の意思決定の透明性・公正性を確保し，実効的なコーポレートガバナンスを実現する」ことにある（原則3−1柱書参照。）。

　本原則は，原則3−1(iv)に基づき開示された方針及び手続に則り，実際にどのように選解任・指名が行われたかの説明を求めるものである。

　会社法上，社外取締役及び社外監査役については，その選任議案に係る株主総会参考書類において，候補者とした理由の記載が必要とされているが（会社法施行規則74条4項2号，74条の3第4項2号，76条4項2号），それ以外の取締役・監査役については記載が求められていない。これに対し，本原則では社外・社内を問わず説明の開示が求められている。また，取締役でない経営陣幹部の選任についても開示が求められている。加えて，2018年6月の改訂により，経営陣幹部の解任についても開示が求められることとなった（これは，原則3−1(iv)において，経営陣幹部の選任のみならず解任についても，その方針や手続が開示対象に加えられたことに伴う改訂である。）。

　株主総会参考書類において任意に社外役員以外の役員候補についても候補者とした理由を開示した場合には，この記載を参照方式で引用することも可能である。

　なお，2021年の改訂で，補充原則4−11①で取締役の有するスキル等の組み合わせを取締役の選任に関する方針・手続と併せて開示すべきとされ，本原則による開示に際しても意識が必要となった。また，令和元年会社法改正により，社外取締役候補者について株主総会参考書類では「当該候補者が社外取締役に選任された場合に果たすことが期待される役割の概要」を

（会社法施行規則74条4項3号），社外取締役について事業報告では「当該社外役員が社外取締役であるときは，当該社外役員が果たすことが期待される役割に関して行った職務の概要」を（会社法施行規則124条4号ホ），記載するよう求められるようになった。

2 開示対象

本原則に基づく開示対象は，経営陣幹部及び取締役・監査役候補の個々の選解任・指名についての説明である。前記のとおり，社外役員であるか否かを問わず説明が求められる。

なお，指名委員会等設置会社においては，株主総会に提出する取締役選任議案の内容は指名委員会が決定するため（会社法404条1項），本原則の「取締役会」は「取締役会又は指名委員会」に，それぞれ読み替えることが考えられる[注28]。

(注28) 油布志行＝渡邉浩司＝髙田洋輔＝中野常道「『コーポレートガバナンス・コード原案』の解説〔Ⅲ〕」商事法務2064号（2015）42頁（注28）。なお，「取締役会又は」という表現が残るのは，経営陣幹部の選解任については会社法上取締役会が決定することもあり得ることを念頭に置いたものと考えられる。

3 開示の傾向

(1) 開示の方法

原則3－1(v)に基づく開示の方法としては，個々の選解任・指名についての説明をガバナンス報告書において直接開示するもの（①**花王**，②**森永乳業**）があるほか，株主総会参考書類を参照方式で引用する例もある。すなわち，社外取締役及び社外監査役以外の役員候補についても任意に株主総会参考書類において候補者とした理由を記載した上で，これをガバナンス報告書で参照方式で引用する例（③**第一三共**，④**SMC**，⑤**スズキ**）がある。

また，株主総会参考書類に選任候補者と記載される者以外，例えば取締役でない経営陣幹部の選任については，ホームページ上に開示したり（⑥**ＬＩＸＩＬ**），事業報告に任意的に記載したりする例（⑦**日本取引所グループ**）もある。

なお，取締役・監査役の選任・指名については，株主総会招集通知に個人別の経歴を記載し，そのうち，社外取締役及び社外監査役の役員候補については，個々の選任理由を記載すると記載する例（⑧**鹿島建設**）がある。

(2) 個々の選解任・指名についての説明の開示事例

最高経営責任者以外の社内取締役及び監査役については，経歴・経験を中心に記載したうえで，この経験を生かし，役員として十分な役割を果たすことが期待できる旨記載する例（⑨**AGC**）が相対的に多い。社外取締役及び社外監査役については，各候補者の経歴や資格から特

定の分野についての専門的知見や経験を有する旨指摘する例（⑩**日産化学**，⑪**ライオン**）が散見される。

また，再任の候補者については，社内の各種会議や取締役会において積極的な提言等があった旨を実績として記載する例（⑫**オムロン**）がある。

取締役を兼任していない経営陣幹部について選任・指名についての説明を開示するものとしては，取締役を兼務しない執行役について説明を開示する例（⑦**日本取引所グループ**）がある。

一方，「当社の経営陣幹部（役付取締役以上）」と記載し，経営陣幹部の中に取締役を兼任しない者は含まない旨解釈しているように見受けられる例（⑬**アサヒグループホールディングス**）もある。

経営陣幹部の個々の解任についての説明を開示する例は，そもそも解任の例が少ないため，本年については事例は不見当であった。

4　開 示 事 例

①花　王

「コーポレートガバナンス・コードの各原則に対する取り組み」

9　取締役、監査役及び経営陣幹部の個々の指名・選任についての説明（原則3-1(v)、4-11-1） 　更新

上記6記載の考え方に従い、現在の取締役、監査役及び経営陣幹部を指名・選任しています。
当社では、全ての取締役及び監査役の候補者について、定時株主総会招集ご通知（参考書類）に記載のそれぞれの選任議案において、「候補者とした理由」を記載しています。2021年3月26日開催の第115期定時株主総会において選任された取締役8名及び監査役2名を「候補者とした理由」は、以下の通りです。また、第115期定時株主総会終結の時点で監査役の地位にある5名の監査役のうち、上記2名以外の3名の選任理由も併せて以下に記載しています。

※表内は2021年8月12日時点となっております。

役職	氏名	年齢	性別	候補者とした理由
取締役	澤田道隆	65	男	同氏は、2012年に代表取締役社長執行役員に就任以来、グループ資産の最大活用により、"グローバルで存在感のある会社「Kao」"をめざして陣頭に立ってまいりました。事業環境が大きく変化する中で、2019年にはESG経営へ大きく舵を切る等、中期経営計画K20に掲げたスローガン"自ら変わり、そして変化を先導する企業へ"を力強く推進し、企業価値の向上に大きく貢献しました。2021年1月からは取締役会長に就任し、これまでの代表取締役社長執行役員としての長年にわたる経験と知見を生かした経営の監督とともに、対外的な活動を推進することで引き続き企業価値の向上に努めております。これにより当社グループの持続的な成長につなげることができると判断しましたので、同氏を引き続き取締役候補者としました。
	長谷部佳宏	61	男	同氏は、長年にわたり研究開発業務に携わり、豊かな生活文化の実現に貢献する革新的な商品を世界に送り出す原動力となってきました。2018年4月からは当社先端技術戦略室統括として戦略的デジタル・トランスフォーメーションを推進し、2019年1月からはコンプライアンス担当として、コンプライアンス推進活動を先導する役割も果たしてまいりました。グローバルな競争環境、消費者や取引先の変化、当社グループを取り巻くステークホルダーからの期待、これらに対する当社グループの強みと課題等を熟知しており、2020年はこれらをもとに新中期経営計画「K25」の策定を先導しました。2021年1月からは代表取締役社長執行役員に就任しK25を力強く推進しております。同氏のリーダーシップ及びこれまでの経験や知見を取締役会における経営戦略等の立案・審議や執行の監督等に生かすことにより、当社グループの企業価値の向上にさらに寄与することができると判断しましたので、同氏を引き続き取締役候補者としました。

＜中　略＞

原則3-1(v)

Ⅱ　ガバナンス報告書

監査役	青木秀子	66	女	同氏は、消費者対応や品質保証を担当する部門の要職を歴任し、徹底した消費者・顧客視点で、高いレベルでの商品の安全性を追求し、絶えざる品質向上に努める等、品質保証に関する豊富な経験と、これらを通じた当社グループの事業内容に関する高い見識を有しております。これらを当社グループの監査に生かすことができると判断しましたので、同氏を監査役候補者としました。（第113期定時株主総会）
	川島貞直	62	男	同氏は、長年にわたり会計財務業務に従事した後にIRや経営監査室での要職を歴任し、財務及び会計に関する相当程度の知見を有しております。加えて、海外子会社の駐在や関係会社の監査役を務めるなどグループ経営に関する豊富な経験を有しており、さらに2019年3月からは監査役スタッフとして監査役監査の実効性を高めることに寄与してまいりました。これらを当社グループの監査に生かすことができると判断しましたので、同氏を監査役候補者としました。

＜後　略＞

②森永乳業

「コーポレートガバナンス・コードの各原則に基づく開示」

5）取締役・監査役の個々の選任・指名についての説明
1.宮原　道夫（代表取締役会長）
　当社において生産部門および販売部門を歴任したほか、関係団体の役員を務めてきており、乳業界に関する専門的な知見を有しております。また、2007年以降、専務取締役、取締役副社長、代表取締役副社長を経験し、2012年からは代表取締役社長として当社グループの経営にあたっております。こうした知見や経験を活かし、当社グループのさらなる成長と企業価値向上に貢献することを期待し、2021年の第98期定時株主総会にて取締役に再任いたしました。なお、代表取締役会長として引き続き、当社グループの経営にあたります。

2.大貫　陽一（代表取締役社長）
　当社において販売部門および管理部門を歴任しており、乳業界に関する専門的な知見を有しております。また、2011年以降、執行役員として重要な職務を経験し、2015年からは取締役、常務取締役、専務取締役として経営に携わっております。こうした知見や経験を活かし、当社グループのさらなる成長と企業価値向上に貢献することを期待し、2021年の第98期定時株主総会にて取締役に再任いたしました。なお、代表取締役社長として当社グループの経営にあたります。

＜後　略＞

③第一三共

「コーポレートガバナンス・コードの各原則に基づく開示」

（ⅵ）役員候補者の選定理由の開示
　　当社は、役員候補者の選定に際して重視する事項及び各役員候補者の経歴、選定理由を、「株主総会 参考書類」に開示しております。

（ⅶ）取締役、監査役、CEOの解任理由の開示
　　取締役、監査役、CEOの任期中の解任を行う際には、「株主総会 参考書類」等において解任理由等を開示いたします。
　　定時株主総会 招集ご通知　https://www.daiichisankyo.co.jp/investors/shareholders/meetings/

「定時株主総会招集ご通知」

第2号議案　取締役9名選任の件
　取締役全員（9名）は、本株主総会の終結の時をもって任期満了となります。つきましては、取締役9名の選任をお願いいたしたく、その候補者は次のとおりであります。

＜中　略＞

候補者番号 1　眞鍋（まなべ）　淳（すなお）　再任
生年月日：1954年8月5日生（満66歳）　　所有する当社の株式数：123,778株
取締役在任年数：7年（本株主総会終結時）　取締役会への出席状況：14／14回（100％）

第二部　各原則に基づく開示事項（必要的開示）　第9

取締役候補者とした理由
眞鍋 淳氏は、当社において研究開発、海外事業、総務人事、経営戦略、国内外営業、メディカルアフェアーズ等に携わり、2014年より取締役、2017年より代表取締役社長兼COO、2019年より代表取締役社長兼CEOを務めております。
同氏は取締役会において、上記の経験、専門的見地及び当社を代表する立場から提案し、適宜有益な発言を行うことで、業務執行の意思決定及び監督の役割を適切に果たしております。
また、指名委員会及び報酬委員会に対して、両委員会の方針等を踏まえた執行を代表する立場での提案や質疑応答を適切に行い、両委員会による経営の監督機能の強化に貢献しております。
今後も上記の役割を期待し、引き続き取締役候補者としました。

略歴、地位及び担当（2021年5月17日現在）
1978年 4月	三共株式会社入社	2016年 4月	当社取締役副社長執行役員総務・人事本部長兼メディカルアフェアーズ本部長※
2005年 7月	同社安全性研究所長	2016年 6月	当社代表取締役副社長執行役員総務・人事本部長兼メディカルアフェアーズ本部長※
2007年 4月	当社安全性研究所長	2017年 4月	当社代表取締役社長兼COO社長執行役員
2009年 4月	当社取締役研究開発本部プロジェクト推進部長	2019年 6月	当社代表取締役社長兼CEO社長執行役員（現任）
2011年 4月	当社執行役員グループ人事担当兼グループCSR担当		
2012年 4月	当社執行役員経営戦略本部経営戦略部長		
2014年 4月	当社常務執行役員日本カンパニープレジデント兼事業推進本部長		
2014年 6月	当社取締役常務執行役員日本カンパニープレジデント兼事業推進本部長		
2015年 4月	当社取締役専務執行役員国内外営業管掌		

※ 当社グループ グローバルマネジメント体制上の総務・人事ユニット長を兼務

注1）眞鍋 淳氏と当社の間に、特別な利害関係はありません。
2）当社は、同氏が被保険者に含まれる役員等賠償責任保険契約を保険会社との間で締結し、株主や第三者等から損害賠償を請求された場合において、被保険者が負担することになる賠償金や争訟費用等の損害を当該保険契約により填補することとしております。ただし、法令違反の行為であることを認識して行った行為に起因して生じた損害は填補されないなど、一定の免責事由を設けることにより、役員等の職務執行の適正性が損なわれないように措置を講じています。なお、保険料は当社及び国内外のグループ会社が全額負担しております。同氏の再任が承認された場合は、同氏は引き続き当該保険契約の被保険者に含まれることとなります。なお、当社は、当該保険契約を2021年7月に同様の内容で更新することを予定しております。

（写真）

候補者番号 **2** 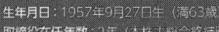 再任

生年月日：1957年9月27日生（満63歳）　所有する当社の株式数：65,488株
取締役在任年数：2年（本株主総会終結時）　取締役会への出席状況：14／14回（100％）

取締役候補者とした理由
木村 悟氏は、当社において国内医薬営業・マーケティング等を中心とした医薬事業に携わり、2014年より執行役員、2019年より取締役を務めております。
同氏は取締役会において、上記の経験、専門的見地及び当事業全体を見る立場から、適宜有益な発言・提言を行うことで、業務執行の意思決定及び監督の役割を適切に果たしております。
今後も上記の役割を期待し、引き続き取締役候補者としました。

略歴、地位及び担当（2021年5月17日現在）
1981年 4月	第一製薬株式会社入社	2019年 6月	当社取締役専務執行役員医薬営業本部長※1
2009年 4月	当日本カンパニー医薬営業本部京都支店長	2021年 4月	当社取締役専務執行役員日本事業ユニット長※2（現任）
2014年 4月	当社執行役員日本カンパニー医薬営業本部長兼マーケティング部長		
2015年 4月	当社専務執行役員医薬営業本部長※1		
2016年 4月	当社取締役執行役員医薬営業本部長※1		

※1 当社グループ グローバルマネジメント体制上の医薬営業ユニット長を兼務
※2 当社グループ グローバルマネジメント体制上のジャパンビジネスユニット長を兼務

注1）木村 悟氏と当社の間に、特別な利害関係はありません。
2）当社は、同氏が被保険者に含まれる役員等賠償責任保険契約を保険会社との間で締結し、株主や第三者等から損害賠償を請求された場合において、被保険者が負担することになる賠償金や争訟費用等の損害を当該保険契約により填補することとしております。ただし、法令違反の行為であることを認識して行った行為に起因して生じた損害は填補されないなど、一定の免責事由を設けることにより、役員等の職務執行の適正性が損なわれないように措置を講じています。なお、保険料は当社及び国内外のグループ会社が全額負担しております。同氏の再任が承認された場合は、同氏は引き続き当該保険契約の被保険者に含まれることとなります。なお、当社は、当該保険契約を2021年7月に同様の内容で更新することを予定しております。

（写真）

<中　略>

第3号議案　監査役1名選任の件
監査役泉本小夜子氏は、本株主総会の終結の時をもって任期満了となります。
つきましては、監査役1名の選任をお願いいたしたく、その候補者は次のとおりであります。
なお、本議案に関しましては、監査役会の同意を得ております。

  新任 独立 社外　生年月日：1962年1月29日生（満59歳）　所有する当社の株式数：0株

社外監査役候補者とした理由
渡辺雅子氏は、公認会計士としての経験から、財務及び会計全般に関する豊富な経験、幅広い知識を有しており、それらに基づく専門的見地及び客観的立場から、当社の取締役の職務執行を監督する役割を期待し、社外監査役候補者としました。

略歴及び地位（2021年5月17日現在）
		重要な兼職の状況
1984年 4月	株式会社富士銀行（現 株式会社みずほ銀行）入行	なし
1990年10月	監査法人トーマツ（現 有限責任監査法人トーマツ）入所	
1994年 8月	公認会計士登録	
2007年 7月	同監査法人パートナー	
2020年 8月	渡辺雅子公認会計士事務所代表（現任）	

注1）渡辺雅子氏と当社との間には、特別な利害関係はありません。
2）同氏は、東京証券取引所が定める独立役員の要件及び当社の定める社外役員としての独立性判断基準を満たしており、同氏が選任された場合には、同取引所に対して独立役員として届け出ることを予定しております。
3）当社は、各社外監査役との間で、会社法第423条第1項の賠償責任について、法令に定める要件に該当する場合には定款に基づき賠償責任を限定する契約（責任限定契約）を締結しております。当該契約に基づく賠償責任の最大限度額は法令に定める最低責任限度額であります。同氏の選任が承認された場合には、当社は、同氏との間で同様の内容の契約を締結する予定です。
4）当社は、役員等賠償責任保険契約を保険会社との間で締結し、株主や第三者等から損害賠償を請求された場合において、被保険者が負担することになる損害賠償金や争訟費用等の損害を当該保険契約により填補することとしております。ただし、法令違反の行為であることを認識して行った行為に起因して生じた損害は填補されないなど、一定の免責事由を設けることにより、役員等の職務執行の適正性が損なわれないように措置を講じています。なお、保険料は当社及び国内外のグループ会社が全額負担しております。同氏の選任が承認された場合には、当該保険契約の被保険者に含められることとなります。
5）同氏の年齢は、本株主総会終結時の満年齢となります。

（写真）

原則
3-1(v)

④ SMC

「コーポレートガバナンス・コードの各原則に基づく開示」

【3-1(v) 経営陣幹部及び取締役・監査役候補者の個々の選解任・指名についての説明】
株主総会参考書類において、すべての取締役・監査役候補者について、取締役会が候補者として指名した理由を開示しています。
取締役及び監査役を解任する場合は、株主総会参考書類その他において、解任の理由を適切に開示します。

Ⅱ　ガバナンス報告書

「株主総会参考書類」

第2号議案　取締役10名選任の件

　本総会終結の時をもって、現在の取締役10名全員は任期満了となります。監督機能の強化を図るため社外取締役を2名増員し、取締役10名（うち社外取締役4名）の選任をお願いいたします。
　取締役候補者の氏名及び略歴等は、次のとおりであります。

<中　略>

候補者番号 1　髙田　芳樹（1958年6月6日生）　[再任]

略歴、地位、担当及び重要な兼職の状況

1987年4月	当社入社	2018年7月	取締役専務執行役員
1991年6月	SMCアメリカ出向	2018年7月	営業本部長（現任）
1994年6月	当社取締役	2019年9月	代表取締役副社長
2002年6月	常務取締役	2019年12月	SMCアメリカ取締役会長（現任）
2003年7月	海外事業総括担当		
2004年4月	SMCアメリカ取締役社長	2020年4月	当社指名・報酬委員会委員（現任）
2014年6月	当社　北米・中南米地区担当		
2017年6月	取締役常務執行役員	2021年4月	当社代表取締役社長（現任）

取締役在任年数	27年
取締役会出席状況	8回/9回
所有する当社株式の数	0株（※）

【取締役候補者とした理由】
長年にわたりSMCアメリカの責任者を務め、2018年からは当社の営業本部長として、当社グループのグローバルな事業展開に携わってまいりました。
2019年に代表取締役副社長、2021年4月には代表取締役社長に就任し、当社グループの経営全般の指揮を執るとともに、抜本的な構造改革を推進しております。
引続き当社経営への貢献が期待できることから、取締役候補者といたしました。

（※）　資産管理会社を通じて当社株式を保有しております。

候補者番号 2　磯江　敏夫（1961年5月26日生）　[再任]

略歴、地位、担当及び重要な兼職の状況

2014年7月	株式会社りそな銀行退職
2014年8月	当社入社
2019年5月	総務部部長
2019年6月	取締役執行役員総務部長（現任）

取締役在任年数	2年
取締役会出席状況	9回/9回
所有する当社株式の数	100株

【取締役候補者とした理由】
2014年の入社以来、総務、子会社管理、販売管理等の業務に従事し、2019年からは人事・総務部門の責任者として、責務を果たしてまいりました。
引続き当社経営への貢献が期待できることから、取締役候補者といたしました。

⑤ スズキ

「コーポレートガバナンス・コードの各原則に基づく開示」

(v)取締役・監査役候補者の指名についての説明
　株主総会招集通知の参考書類（取締役及び監査役の選任議案）において開示しております。
　なお、2021年6月25日に開催した当社第155回定時株主総会招集通知は当社ホームページの以下のURLよりご参照いただけます。

　　＜日本語＞　https://www.suzuki.co.jp/ir/stock/pdf/convocation155.pdf
　　＜英　訳＞　https://www.globalsuzuki.com/ir/stock/toShareholders/pdf/2021/convocation155.pdf

「定時株主総会招集通知」

第2号議案　取締役9名選任の件

取締役全員（9名）は、本総会終結の時をもって任期満了となりますので、取締役9名の選任をお願いするものであります。
取締役候補者は、次のとおりであります。

＜中　略＞

候補者番号 1　鈴木　俊宏（すずき　としひろ）（1959年3月1日生）　再任　男性

所有する当社株式の数
85,698株

取締役会への出席状況
15回中15回（100％）

取締役在任年数〔本総会終結時〕
18年

略歴、地位及び担当

年月	略歴
1994年1月	当社入社
2003年4月	当社四輪技術本部 商品企画統括部長
同 年6月	当社取締役
2006年6月	当社取締役専務役員
2011年4月	当社取締役専務役員 経営企画委員 兼 経営企画室長
同 年6月	当社代表取締役副社長
2013年10月	当社代表取締役副社長 社長補佐 兼 海外営業担当
2015年6月	当社代表取締役社長（COO）
2016年6月	当社代表取締役社長（CEO 兼 COO）
2018年6月	当社代表取締役社長
2019年4月	当社代表取締役社長 兼 二輪カンパニー長
2020年6月	当社代表取締役社長 〔現在〕

重要な兼職の状況
公益財団法人スズキ教育文化財団 理事長

当社との特別の利害関係
鈴木俊宏氏が理事長に就任している公益財団法人スズキ教育文化財団※に対し、当社から基本財産の寄付があります。
　※ 当社の創立80周年の記念事業として、静岡県内の青少年の健全育成に寄与することを目的に、2000年に設立。

取締役候補者とした理由
　鈴木俊宏氏は、生産、商品企画、経営企画、海外営業等、様々な分野における業務経験と知見を有し、代表取締役社長として会社を牽引してまいりました。当期は、現場に寄り添って完成検査問題の再発防止策の実効性確保に尽力するとともに、長期の環境ビジョン策定や品質確保に向けた体制の改革等に取り組みました。中期経営計画に掲げるカーボンニュートラル実現に向けた技術開発や品質確保、品質問題解決の迅速化等の実行・達成のために、同氏の強いリーダーシップが不可欠であることから、引き続き取締役候補者といたしました。

Ⅱ　ガバナンス報告書

| 候補者番号 2 | 本田　治 (1949年10月6日生) | 再任 | 男性 |

（写真）

所有する当社株式の数
55,100株

取締役会への出席状況
15回中15回
(100%)

取締役在任年数
〔本総会終結時〕
11年

略歴、地位及び担当

1973年 4 月	当社入社
2006年 1 月	当社四輪技術本部 パワートレイン担当
同 年 6 月	当社常務役員
2007年 5 月	当社専務役員 四輪技術本部 四輪パワートレイン・電装担当
2009年 6 月	当社取締役専務役員
2011年 4 月	当社取締役専務役員 経営企画委員 兼 四輪技術本部長
同 年 6 月	当社代表取締役副社長
2013年10月	当社代表取締役副社長 社長補佐 兼 四輪技術・開発・品質担当
2015年 6 月	当社代表取締役副社長 技術統括
2016年 6 月	当社技監
2017年 6 月	当社取締役技監
2019年 6 月	当社取締役技監 特命担当
同 年11月	当社取締役技監 特命担当 兼 検査改革委員会 委員長
2020年 6 月	当社代表取締役技監 技術統括 兼 検査改革委員会 委員長
2021年 4 月	当社代表取締役技監 技術統括 ［現在］

重要な兼職の状況
なし

当社との特別の利害関係
なし

取締役候補者とした理由
　本田治氏は、四輪技術の分野における豊富な業務経験と知見に基づいて当社の技術開発を推進し、また、代表取締役として会社を牽引してまいりました。当期は、完成検査問題の再発防止策の実効性確保に尽力するとともに、品質確保、品質問題への徹底した対策の指導・監督に取り組みました。中期経営計画に掲げる電動化技術開発、品質確保、他社様との協業による相乗効果の発揮等のために、同氏の高い見識及び手腕が不可欠であることから、引き続き取締役候補者といたしました。

＜中　略＞

第3号議案　監査役1名選任の件

　監査役 杉本豊和氏は、本総会終結の時をもって辞任されますので、監査役1名の選任をお願いするものであります。
　なお、豊田泰輔氏は杉本豊和氏の補欠として選任されることとなりますので、その任期は、当社定款の規定により、辞任される監査役の任期が満了すべき時までとなります。
　また、本議案に関しましては、監査役会の同意を得ております。
　監査役候補者は、次のとおりであります。

| 豊田　泰輔 (1957年8月6日生) | 新任 | 男性 |

（写真）	**略歴及び地位**
	1980年 4 月　当社入社
	2008年 7 月　当社監査部長
	2011年 4 月　当社管理本部 副本部長
	2013年 4 月　当社常務役員 経営企画室 財務統括部長
	同　年 7 月　当社常務役員 財務本部長
	2019年 6 月　当社常務役員 監査本部長 ［現在］
所有する当社株式の数	**重要な兼職の状況**
3,991株	なし
	当社との特別の利害関係
	なし
	監査役候補者とした理由
	豊田泰輔氏は、財務部門及び監査部門における豊富な業務経験を有し、2013年からは常務役員としてこれら分野の強化に貢献してまいりました。その経験によって培われた財務・会計、内部統制システム及び内部監査等に関する知見に基づいて監査役としての職務を適切に遂行できるものと判断し、新たに監査役候補者といたしました。

⑥ＬＩＸＩＬ

「コーポレートガバナンス・コードの各原則に基づく開示」

(v) 個々の選解任についての説明
独立社外取締役に係る選任理由は後掲のとおりであり、その他の取締役の指名理由及び期待される役割については、当社ホームページ上に開示しております。
https://www.lixil.com/jp/about/board/reason.html
また、執行役の選任理由についても、当社ホームページ上に開示しております。
https://www.lixil.com/jp/about/board/reason_exec.html
執行役、代表執行役を解任・解職した際には、当社ホームページ上で解任・解職した理由を開示いたします。これは、当社基本方針第26条「執行役及び代表執行役の選任・選定及び解任・解職方針」第6項、第7項を適用し、同規定に従っております。

原則 3-1(v)

「同社ホームページ」

執行役の選任理由

SHARE

2021年4月現在

瀬戸 欣哉

瀬戸氏は、株式会社MonotaRoを起業し、東証一部上場を果たした実績を持つことに加え、複数企業の代表取締役等を歴任し、経営者としての豊富な経験と幅広い知識を兼ね備えています。2016年の代表執行役就任後、LIXIL及びグループ会社のビジネスポートフォリオの見直しを通して経営資源をコア事業に集中させ、バランスシートを改善させると共に、当社グループの中核事業である水回り事業を中心に当社グループ内のシナジーを向上させ、事業競争力を高めること等を通して、当社グループの成長を実現してきました。2019年6月の代表執行役（Chief Executive Officer）再就任後は、コア事業への注力や「変わらないと、LIXIL」等の施策を通して、2017年に策定した中期経営計画「TOWARD SUSTAINABLE GROWTH 持続的成長に向けて」を継続して進め、更なるバランスシートの改善を実現すると共に、機動的で起業家精神にあふれた組織作りを着実に実行しています。2021年3月期においては、新型コロナウイルス感染症拡大の影響等により、減収局面にあるものの、継続的に進めてきた販管費の削減施策の効果等が寄与し、最終増益を見込んでいます。今後の不確実なビジネス環境においても、当社グループの持続的な企業価値の向上を実現していくにあたって、瀬戸氏の多大な貢献が期待され、当社の経営トップとして

Ⅱ　ガバナンス報告書

最も適任であることから、代表執行役社長兼Chief Executive Officerとして選任しました。

松本　佐千夫

松本氏は、経理・財務・M&A担当代表執行役副社長として、LIXIL及びグループ会社全体の財務を監督すると共に、当社グループの投融資案件を審議する委員会の委員長、M&A案件を審議する委員会の委員長等を務め、社内意思決定プロセスの重要な役割を担っています。また、M&A計画、財務戦略の立案等の当社グループ全体の方針策定を担うことに加えて、担当分野における各種ガバナンス強化・業務効率化に関する施策を推進することで、中期経営計画の達成に貢献しております。新型コロナウイルス感染症拡大の環境下において、運転資金の安定的な確保やグローバルでの業務の管理等、経理・財務面でのリーダーシップを継続して発揮しています。今後も中期経営計画を進めていくにあたって、当社のChief Financial Officerとして最も適任であることから、経理・財務・M&A担当代表執行役副社長として選任しました。

＜後　略＞

⑦日本取引所グループ

「コーポレートガバナンス・コードの各原則に基づく開示」

(v) 取締役会が上記(iv)を踏まえて経営陣幹部の選解任と取締役・執行役候補の指名を行う際の個々の選任・指名についての説明
前記の指名方針に基づき、当社指名委員会が、社外取締役9名について、取締役として選任した理由は、後述「Ⅱ 経営上の意思決定、執行及び監督に係る経営管理組織その他のコーポレート・ガバナンス体制の状況」「1. 機関構成・組織運営等に係る事項」【社外取締役に関する事項】会社との関係(2)に記載のとおりです。また、社外取締役以外の当社取締役及び当社執行役の個々の選任理由については、「定時株主総会招集ご通知」に記載しているとおりです。
【定時株主総会招集ご通知】
https://www.jpx.co.jp/corporate/investor-relations/shareholders/meeting/index.html

「第19回定時株主総会招集ご通知」事業報告

（ご参考）2021年4月1日の執行役の状況及び選任理由

地位	氏名	担当	重要な兼職の状況
取締役兼代表執行役グループCEO	清田　瞭	グループCEO（最高経営責任者）	㈱東京証券取引所取締役（非常勤）
	＜選任理由＞ 清田瞭氏は、証券会社での業務を通じた証券市場に関する豊富な経験と高い見識を有しており、2013年に㈱東京証券取引所代表取締役社長としてコーポレートガバナンス・コードの施行を推進するなど、現物市場を牽引し、2015年からは当社取締役兼代表執行役グループCEOとして当社経営を担っております。当社グループにおける経験や実績とCEOに求められる人材像に照らして最適の人材として、代表執行役グループCEOに選任いたしました。		
取締役兼代表執行役グループCOO	山道　裕己	グループCOO（最高業務執行責任者）	㈱東京証券取引所代表取締役社長
	＜選任理由＞ 山道裕己氏は、証券会社での業務を通じて長年にわたりグローバルな証券、企業金融業務に携わってきました。また、当社においては、㈱大阪取引所代表取締役社長及び㈱東京商品取引所代表取締役会長を務め、当社グループCOOとしてデリバティブ市場を統括しています。2013年から8年にわたり㈱大阪取引所代表取締役社長を務めている経営者としての実績、また、デリバティブ市場の運営実績、豊富な国際経験や営業実績は、システム障害を踏まえた信頼回復とレジリエンスの強化、新市場区分の移行、TOPIXの見直しなどの㈱東京証券取引所の重要課題を着実に達成し、政府が推進する国際金融都市構想の実現に向けリーダーシップを取っていくために必要なものであることから、当社グループ全体を統括する代表執行役グループCOOに選任いたしました。		

＜後　略＞

第二部　各原則に基づく開示事項（必要的開示）　第9

⑧鹿島建設

「コーポレートガバナンス・コードの各原則に基づく開示」

(5)経営陣幹部の選解任と取締役・監査役候補の指名を行うに当たっての方針と手続
各取締役・監査役候補者の経歴及び選任理由につきましては、「株主総会招集ご通知」をご参照ください。また、社外取締役・社外監査役の選任理由につきましては、本報告書「Ⅱ-1.機関構成・組織運営等に係る事項【取締役関係】、【監査役関係】をご参照ください。

<　中　略　>

Ⅱ 経営上の意思決定、執行及び監督に係る経営管理組織その他のコーポレート・ガバナンス体制の状況

1. 機関構成・組織運営等に係る事項

| 組織形態 | 監査役設置会社 |

【取締役関係】

<　中　略　>

会社との関係(2)　更新

氏名	独立役員	適合項目に関する補足説明	選任の理由
古川 治次	○	三菱商事株式会社代表取締役副社長、三菱自動車工業株式会社取締役副会長、株式会社ゆうちょ銀行取締役代表執行役会長、日本郵便株式会社代表取締役社長、三菱商事株式会社代表取締役副社長、三菱自動車工業株式会社取締役副会長、株式会社ゆうちょ銀行取締役代表執行役会長、日本郵便株式会社代表取締役社長等を歴任し、現在、三菱商事株式会社の顧問であります。各社は、当社の取引先でありますが、直近事業年度における各社と当社との間のその取引額は、いずれも双方の連結売上高（三菱商事株式会社においては連結決算における収益、株式会社ゆうちょ銀行においては経常収益、日本郵便株式会社においては営業収益）の1％未満であり、社外取締役としての独立性は確保されているものと判断しております。	三菱商事株式会社代表取締役副社長、三菱自動車工業株式会社取締役副会長、株式会社ゆうちょ銀行取締役代表執行役会長、日本郵便株式会社代表取締役社長等を歴任し、多様な業種における企業経営者としての豊富な経験、高度な識見を有しており、これまでも当社の経営への助言や業務執行に対する適切な監督を行っているため、社外取締役として選任しております。 また、当社との間に特別の利害関係はなく、一般株主と利益相反の生じるおそれはないため、独立役員に指定しております。
坂根 正弘	○	株式会社小松製作所代表取締役社長及び代表取締役会長等を歴任し、現在、同社の顧問であります。株式会社小松製作所は、当社の取引先でありますが、直近事業年度におけるその取引額は、双方の連結売上高の1％未満であり、社外取締役としての独立性は確保されているものと判断しております。	株式会社小松製作所代表取締役社長及び代表取締役会長等を歴任し、グローバルに事業を展開するメーカーの企業経営者としての豊富な経験、高度な識見を有しており、これまでも当社の経営への助言や業務執行に対する適切な監督を行っているため、社外取締役として選任しております。 また、当社との間に特別の利害関係はなく、一般株主と利益相反の生じるおそれはないため、独立役員に指定しております。
齋藤 聖美	○	－－－	モルガンスタンレー投資銀行エグゼクティブディレクター等を歴任した後、株式会社ジェイ・ボンド（現ジェイ・ボンド東短証券株式会社）を設立、長年にわたり代表取締役社長を務め、起業家、企業経営者としての豊富な経験、高度な識見を有しており、これまでも当社の経営への助言や業務執行に対する適切な監督を行っているため、社外取締役として選任しております。 また、当社との間に特別の利害関係はなく、一般株主と利益相反の生じるおそれはないため、独立役員に指定しております。
			駐シンガポール大使、駐フランス大使等を歴任し、国際貿易・経済担当大使として政府代表を務めるなど国際経済交渉の専門家であり、外交官としての豊富な国際経験と高度な識見を活かしたグローバルな観点で、当社の経営へ

原則
3-1(v)

Ⅱ ガバナンス報告書

氏名	独立役員	適合項目に関する補足説明	選任の理由
鈴木 庸一	○	---	の助言や業務遂行に対する適切な監督を期待できることから、社外取締役に選任するものです。 また、当社との間に特別の利害関係はなく、一般株主と利益相反の生じるおそれはないため、独立役員に指定しております。

<中　略>

【監査役関係】

<中　略>

会社との関係(2) 更新

氏名	独立役員	適合項目に関する補足説明	選任の理由
中川 雅博	○	常勤監査役であります。 2013年9月まで当社の主要な借入先の一つである株式会社三井住友銀行の業務執行者でありましたが、既に退任しています。なお、同行からの直近事業年度末における当社グループの借入残高は当社連結総資産の約3%であります。また、同行は当社の取引先でありますが、直近事業年度におけるその取引額は当社連結売上高の1%未満であります。 2018年4月まで株式会社SMBC信託銀行の業務執行者でありましたが、直近事業年度における同行からの借入はありません。また、同行は当社の取引先でありますが、直近事業年度におけるその取引額は当社連結売上高の1%未満であります。 従って、社外監査役としての独立性は確保されているものと判断しております。	株式会社三井住友銀行の執行役員並びに株式会社SMBC信託銀行の代表取締役社長等を歴任し、財務及び会計に関する相当程度の知見と、金融機関での長年の勤務経験に基づく中立的、客観的立場による意見が得られるため、社外監査役に選任しているものです。 当社の主要な取引銀行の一行である株式会社三井住友銀行の出身でありますが、当社グループは複数の金融機関と取引を行っており、同行からの借入比率は突出していないことから、一般株主と利益相反の生じるおそれはないため、独立役員に指定しております。
寺脇 一峰	○	---	公安調査庁長官、仙台高等検察庁検事長及び大阪高等検察庁検事長としての専門的知見と法曹界における豊富な経験、高度な識見を有するとともに、弁護士登録後は、弁護士としての業務のほか、複数の上場企業の社外監査役を務めるなど幅広い実務経験を有していることから、これらに基づく中立的、客観的立場による意見が得られるため、社外監査役に選任しているものです。 また、当社との間に特別の利害関係はなく、一般株主と利益相反の生じるおそれはないため、独立役員に指定しております。
藤川 裕紀子	○	---	公認会計士及び税理士として財務・会計に関する専門的知見を有し、金融監督庁(現金融庁)検査部金融証券検査官を歴任した後、藤川裕紀子公認会計士事務所を設立し、長年にわたり所長を務めております。その豊富な経験と高度な識見から、当社の社外監査役として適任であると判断し、社外監査役に選任しているものです。 また、当社との間に特別の利害関係はなく、一般株主と利益相反の生じるおそれはないため、独立役員に指定しております。

⑨ＡＧＣ

「コーポレートガバナンス・コードの各原則に基づく開示」

（ⅴ）取締役、監査役候補者の個々の選任理由
2021年3月30日開催の株主総会における取締役候補者及び監査役候補者の個々の選任理由につきましては、第96回定時株主総会招集ご通知の「株主総会参考書類」に記載していますので、ご参照ください。
なお、第96回定時株主総会招集ご通知は、当社ウェブサイトに開示しています。
http://www.agc.com/ir/event/meeting/index.html

第二部　各原則に基づく開示事項（必要的開示）　第9

「第96回定時株主総会招集ご通知」

第２号議案　取締役７名選任の件

　取締役全員（７名）は、本総会終結の時をもって任期が満了いたしますので、取締役７名の選任をお願いしたいと存じます。
　取締役候補者は次のとおりであります。

<中　略>

候補者番号	氏　名 （生年月日）	略歴、地位、担当及び重要な兼職の状況	所有する当社株式の数
1	（写真） 島村　琢哉 しま　むら　たく　や （1956年12月25日生） 再任	1980年４月　当社入社 2009年１月　当社執行役員化学品カンパニー企画・管理室長 2010年１月　当社執行役員化学品カンパニープレジデント 2013年１月　当社常務執行役員電子カンパニープレジデント 2015年１月　当社社長執行役員ＣＥＯ 2015年３月　当社取締役兼社長執行役員ＣＥＯ 2021年１月　当社取締役会長（現在に至る）	15,100株
	【取締役候補者とした理由】 ・島村琢哉氏は、化学品部門の営業に長く携わり、海外子会社社長、化学品と電子の両部門のカンパニープレジデント等を経て、2015年１月から社長執行役員ＣＥＯ、同年３月からは取締役兼社長執行役員ＣＥＯ、2021年１月からは取締役会長を務めており、ＡＧＣグループの事業及び会社経営についての豊富な経験を有しています。この経験を生かし、取締役としてＡＧＣグループの重要事項の決定及び経営執行の監督に十分な役割を果たすことが期待できるため、取締役候補者といたしました。 【取締役会への出席状況(当期)】　15回中15回		
2	（写真） 平井　良典 ひら　い　よし　のり （1959年８月19日生） 再任	1987年４月　当社入社 2012年１月　当社執行役員事業開拓室長 2014年１月　当社常務執行役員技術本部長 2014年３月　当社取締役兼常務執行役員技術本部長 2016年１月　当社取締役兼常務執行役員ＣＴＯ、技術本部長 2018年１月　当社取締役兼専務執行役員ＣＴＯ、技術本部長 2019年１月　当社取締役兼専務執行役員ＣＴＯ 2021年１月　当社取締役兼社長執行役員ＣＥＯ（現在に至る）	8,100株
	【取締役候補者とした理由】 ・平井良典氏は、液晶デバイス等の研究開発部門に長く携わり、子会社副社長、電子部門の事業企画室長、事業開拓室長、技術本部長、取締役兼専務執行役員ＣＴＯ等を経て、2021年１月からは取締役兼社長執行役員ＣＥＯを務めており、ＡＧＣグループの事業及び会社経営についての豊富な経験を有しています。この経験を生かし、取締役としてＡＧＣグループの重要事項の決定及び経営執行の監督に十分な役割を果たすことが期待できるため、取締役候補者といたしました。 【取締役会への出席状況(当期)】　15回中15回		

原則3-1(v)

<中　略>

Ⅱ　ガバナンス報告書

第3号議案　監査役1名選任の件

　　監査役竜野哲夫氏は、本総会終結の時をもって任期が満了いたしますので、監査役1名の選任をお願いしたいと存じます。
　　なお、本議案につきましては、監査役会の同意を得ております。
　　監査役候補者は次のとおりであります。

氏　名 (生年月日)	略歴、地位及び重要な兼職の状況		所有する当社株式の数
(写真) 竜野哲夫 たつの　てつお (1958年4月20日生) 再任	1982年4月 2009年1月 2009年7月 2010年4月 2013年1月 2015年1月 2016年1月 2017年1月 2017年3月	当社入社 当社執行役員経理センター長 当社執行役員経理・財務室副室長 当社執行役員ガラスカンパニーバイスプレジデント（企画・管理担当） 当社執行役員経理・財務室長 当社常務執行役員経理・財務室長 当社常務執行役員経理・財務部長 当社常務執行役員社長付 当社常勤監査役（現在に至る）	5,600株

【監査役候補者とした理由】
・竜野哲夫氏は、当社経理・財務部門における長年の経験とAGCグループの事業内容及び財務等に関する豊富な知見を有しており、監査役としての役割を果たすことが期待できるため、監査役候補者といたしました。
【取締役会への出席状況(当期)】　15回中15回
【監査役会への出席状況(当期)】　14回中14回

＜後　略＞

⑩日産化学

「コーポレートガバナンス・コードの各原則に基づく開示」

（ⅴ）取締役会が上記(ⅳ)を踏まえて経営陣幹部の選解任と取締役・監査役候補の指名を行う際の、個々の選解任・指名についての説明
取締役および監査役の候補者の指名については、定時株主総会招集ご通知の参考書類により開示を行っておりますので下記をご参照ください。
第151回定時株主総会招集ご通知(https://www.nissanchem.co.jp/news_release/news/n2021_05_28.pdf)
経営陣幹部の選解任については、適宜当社ホームページで開示しております。

「第151回定時株主総会招集ご通知」

第2号議案　取締役10名選任の件

　　取締役9名全員は、本定時株主総会終結の時をもって任期満了となります。つきましては、経営体制の一層の強化を図るため取締役を1名増員することとし、社外取締役4名を含め取締役10名の選任をお願いいたしたいと存じます。
　　なお、取締役候補者の選定にあたっては、委員の過半数を独立社外取締役で構成する指名・報酬諮問委員会の答申を経ております。
　　取締役候補者は、次のとおりです。

＜中　略＞

第二部　各原則に基づく開示事項（必要的開示）　第9

候補者番号		
1	木下　小次郎（きのした　こじろう）	再任

（写真）

略歴
1977年 4 月　当社入社
2002年 6 月　当社取締役経営企画部長
2006年 6 月　当社常務取締役経営企画部長
2008年 6 月　当社代表取締役　取締役社長
2021年 4 月　当社代表取締役　取締役会長　現在に至る

生年月日
　　1948年4月19日生

当社における地位および担当
代表取締役　取締役会長　CEO
指名・報酬諮問委員会委員長

所有する当社株式の数
　　　　　96,500株

取締役会への出席状況
　　　　　　9回／11回

取締役候補者とした理由
　木下小次郎氏は、化学品事業本部事業推進部長、経営企画部長を歴任し、2008年6月以降、取締役社長として、2021年4月からは取締役会長として、当社グループの企業価値向上のための戦略推進に携わっております。豊富な業務経験と実績、知見を有していることから、経営の意思決定および取締役の職務執行の監督に適任であると判断し、引き続き取締役候補者といたしました。

候補者番号		
2	八木　晋介（やぎ　しんすけ）	再任

（写真）

略歴
1985年 4 月　当社入社
2013年 4 月　当社小野田工場次長
2016年 4 月　当社執行役員袖ケ浦工場長
2018年 4 月　当社常務執行役員生産技術部長
2020年 4 月　当社専務執行役員生産技術部長
2020年 6 月　当社取締役専務執行役員生産技術部長
2021年 4 月　当社代表取締役　取締役社長　現在に至る

生年月日
　　1962年6月13日生

当社における地位および担当
代表取締役　取締役社長　COO
生産技術部門統括
化学品事業部、生産技術部担当
指名・報酬諮問委員会委員

所有する当社株式の数
　　　　　　9,200株

取締役会への出席状況
　　　　　　10回／10回

原則
3-1(v)

取締役候補者とした理由
　八木晋介氏は、長年にわたって生産技術部門に携わり、小野田工場次長、袖ケ浦工場長、生産技術部長を歴任し、当社グループ製品の生産体制強化および安定供給の実現に貢献しており、2021年4月からは取締役社長として当社グループの企業価値向上のための戦略推進に携わっております。豊富な業務経験と実績、知見を有していることから、経営の意思決定および取締役の職務執行の監督に適任であると判断し、引き続き取締役候補者といたしました。

＜中　略＞

Ⅱ　ガバナンス報告書

第3号議案　監査役1名選任の件

　監査役竹本秀一氏は、本定時株主総会終結の時をもって任期満了となりますので、監査役1名の選任をお願いいたしたいと存じます。

　なお、本議案の提出につきましては、委員の過半数を独立社外取締役で構成する指名・報酬諮問委員会の答申を経たうえで、あらかじめ監査役会の同意を得ております。

　監査役候補者は、次のとおりです。

（写真）

たけ　もと　　しゅう　いち
竹本　秀一　　再任　社外　独立役員

略歴
1982年 4月	株式会社富士銀行(現 株式会社みずほ銀行)入行
2002年 4月	株式会社みずほ銀行IT・システム統括部次長
2004年10月	みずほ情報総研株式会社
	（現 みずほリサーチ&テクノロジーズ株式会社）人事部長
2008年 4月	株式会社みずほ銀行福岡支店長
2009年10月	みずほ信託銀行株式会社IT・システム統括部長
2010年 4月	同行執行役員IT・システム統括部長
2011年 4月	同行常務執行役員
2013年 4月	同 兼 株式会社みずほフィナンシャルグループ常務執行役員
2014年 4月	株式会社みずほプライベートウェルスマネジメント取締役副社長
2017年 4月	みずほ信託銀行株式会社理事
2017年 6月	当社社外監査役　現在に至る

生年月日
　1960年1月5日生

所有する当社株式の数
　　　　　　　4,000株

取締役会への出席状況
　　　　　　　11回／11回

監査役会への出席状況
　　　　　　　11回／11回

当社における地位
　社外監査役

社外監査役候補者とした理由
　　竹本秀一氏は、長年にわたる金融機関での業務により培われた豊富な経験と財務の専門知識を含む幅広い見識を有しております。これらを外部の視点から客観的・中立的な立場で当社の監査に反映していただくことで、社外監査役としての職務を適切に遂行していただけるものと判断し、引き続き社外監査役候補者といたしました。

<後　略>

⑪ライオン

「コーポレートガバナンス・コードの各原則に基づく開示」

(5)取締役および監査役候補者の選任理由
取締役および監査役候補者は、社外取締役および社外監査役を中心とする指名諮問委員会での審議および取締役会の決議にもとづき、個々の選任理由を株主総会招集通知にて開示し、定時株主総会にお諮りします。

「第160期定時株主総会招集ご通知」

第1号議案　取締役11名選任の件

　本総会終結の時をもって取締役全員（9名）が任期満了となります。つきましては、コーポレート・ガバナンスのさらなる強化を図るため、取締役11名の選任をお願いいたしたいと存じます。

　なお、取締役候補者につきましては、指名諮問委員会の答申を経て、取締役会にて決定しております。

　取締役候補者は次のとおりであります。

<中　略>

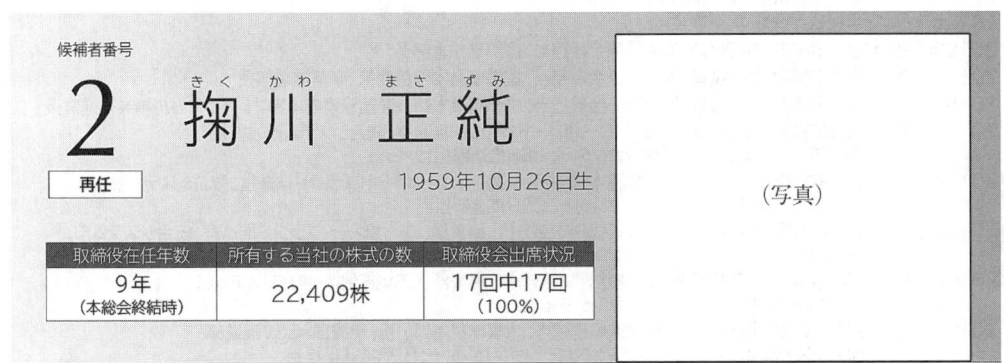

候補者番号 **2** 再任

掬川　正純（きくかわ　まさずみ）
1959年10月26日生

取締役在任年数	所有する当社の株式の数	取締役会出席状況
9年 （本総会終結時）	22,409株	17回中17回 (100%)

■ 略歴、当社における地位、担当

1984年4月	当社入社
2010年1月	当社執行役員、ハウスホールド事業本部長
2012年1月	当社執行役員、ヘルス＆ホームケア事業本部長
2012年3月	当社取締役、執行役員、ヘルス＆ホームケア事業部門・特販事業本部分担、ヘルス＆ホームケア事業本部長、宣伝部・生活者行動研究所・流通政策部担当
2016年1月	当社取締役、執行役員、ヘルス＆ホームケア事業本部分担、ヘルス＆ホームケア営業本部分担、特販事業本部分担、ウェルネス・ダイレクト事業本部分担、宣伝部、生活者行動研究所、流通政策部担当
2016年3月	当社常務取締役、執行役員、ヘルス＆ホームケア事業本部分担、ヘルス＆ホームケア営業本部分担、特販事業本部分担、ウェルネス・ダイレクト事業本部分担、宣伝部、生活者行動研究所、流通政策部担当
2017年3月	当社取締役、常務執行役員、ヘルス＆ホームケア事業本部分担、ヘルス＆ホームケア営業本部分担、特販事業本部分担、ウェルネス・ダイレクト事業本部分担、宣伝部、生活者行動研究所、流通政策部担当
2018年1月	当社取締役、常務執行役員、企業倫理担当、ウェルネス・ダイレクト事業本部分担、国際事業本部分担、化学品事業全般担当
2018年3月	当社代表取締役、専務執行役員、企業倫理担当、ウェルネス・ダイレクト事業本部分担、国際事業本部分担、化学品事業全般担当
2019年1月	当社代表取締役、社長執行役員、最高執行責任者（現在に至る）

■ 取締役候補者とした理由

　掬川正純氏は、主に研究開発・ヘルス＆ホームケア事業等の業務に精通し、豊富な専門知識と経験を有するとともに、2019年1月より社長執行役員に就任し、経営ビジョン「次世代ヘルスケアのリーディングカンパニーへ」の実現に向け最高執行責任者として経営の陣頭指揮をとっております。当社の企業価値を持続的に向上させるために同氏が取締役として適任であると判断し、引き続き選任をお願いするものであります。

原則3-1(v)

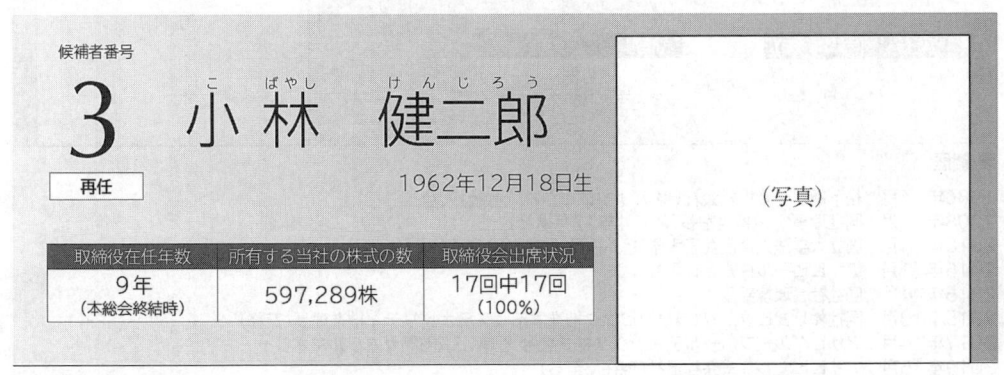

候補者番号 **3** 再任

小林　健二郎（こばやし　けんじろう）
1962年12月18日生

取締役在任年数	所有する当社の株式の数	取締役会出席状況
9年 （本総会終結時）	597,289株	17回中17回 (100%)

■ 略歴、当社における地位、担当

1987年4月	当社入社	
2010年1月	当社上席執行役員、国際事業本部長	
2012年1月	当社執行役員、国際事業本部長	
2012年3月	当社取締役、執行役員、海外関係全般担当、国際事業本部長	
2014年1月	当社取締役、執行役員、海外関係全般担当、国際事業本部長兼第1事業推進部長	
2015年1月	当社取締役、執行役員、海外関係全般担当、国際事業本部長兼国際事業本部オレオケミカル事業推進室長	
2016年1月	当社取締役、執行役員、秘書部、コーポレートブランド推進室、統合システム部、総務部、コーポレートコミュニケーションセンター、CSR推進部担当	
2017年1月	当社取締役、執行役員、人事総務本部分担、秘書部、コーポレートブランド推進室、統合システム部、コーポレートコミュニケーションセンター、CSR推進部担当	
2017年3月	当社取締役、上席執行役員、人事総務本部分担、秘書部、コーポレートブランド推進室、統合システム部、コーポレートコミュニケーションセンター、CSR推進部担当	
2018年1月	当社取締役、上席執行役員、人事総務本部分担、秘書部、CSV推進部、統合システム部、コーポレートコミュニケーションセンター担当	
2019年1月	当社取締役、上席執行役員、企業倫理担当、人事総務本部分担、秘書部、CSV推進部、統合システム部、コーポレートコミュニケーションセンター、BPR推進部担当	
2020年1月	当社取締役、上席執行役員、企業倫理担当、人材開発センター、総務部、秘書部、CSV推進部、統合システム部、コーポレートコミュニケーションセンター、BPR推進部担当	
2021年1月	当社取締役、上席執行役員、企業倫理担当、人材開発センター、総務部、秘書部、サステナビリティ推進部、統合システム部、BPR推進部担当（現在に至る）	

■ 取締役候補者とした理由

　小林健二郎氏は、主に海外事業・ヘルス＆ホームケア事業等の業務に精通し、豊富な専門知識と経験を有するとともに、人材開発センターやBPR推進部等の管理部門の管掌および企業倫理担当として経営の基盤整備に貢献しております。当社の企業価値を持続的に向上させるために同氏が取締役として適任であると判断し、引き続き選任をお願いするものであります。

＜中　略＞

第2号議案　監査役1名選任の件

　監査体制の強化および充実を図るため、監査役1名を増員することといたしたく、監査役1名の選任をお願いするものであります。
　なお、監査役候補者については、指名諮問委員会の答申を経て、取締役会にて決定しております。
　また、本議案の本総会への提出につきましては、監査役会の同意を得ております。
　監査役候補者は次のとおりであります。

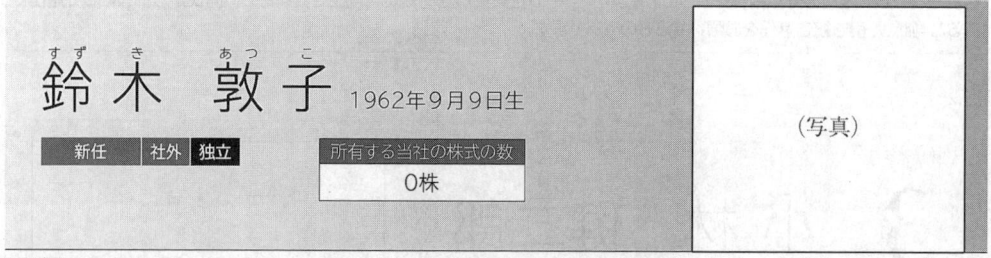

鈴木　敦子（すずき　あつこ）　1962年9月9日生
新任　社外　独立
所有する当社の株式の数　0株
（写真）

■ 略歴

1986年　4月	松下電器産業株式会社（現 パナソニック株式会社）入社	
2008年　4月	同社理事CSR担当室長（2014年12月退社）	
2010年　4月	国立大学法人奈良女子大学 社外役員・監事（2012年12月退任）	
2015年　1月	アサヒビール株式会社入社	
2015年　4月	同社社会環境部長	
2015年10月	同社オリンピック・パラリンピック推進本部サステナビリティ推進局長（兼務）	
2017年　4月	アサヒグループホールディングス株式会社 理事CSR部門ゼネラルマネジャー	
2019年　5月	アサヒビール株式会社退社（現在に至る）	

■ 重要な兼職の状況　株式会社あさひ社外取締役、株式会社山善社外取締役

■ 社外監査役候補者とした理由
　鈴木敦子氏は、社外役員以外の方法で会社経営に関与されておりませんが、他社の社外取締役の経験を有するとともに、長年コーポレート・ガバナンス基盤の整備、サステナビリティに係る戦略立案・推進に従事された経験を有しております。同氏が有するこれらの識見が当社の実効的な監査に必要と判断し、新たに社外監査役として選任をお願いするものであります。

<後　略>

⑫オムロン

「コーポレートガバナンス・コードの各原則に基づく開示」

- 当社は、コーポレートガバナンス・コードに制定されているすべての諸原則について実施しており、「オムロン コーポレート・ガバナンス ポリシー」等において開示しています。
- 「オムロン コーポレート・ガバナンス ポリシー － 持続的な企業価値の向上を目指して－ 」は、当社ウェブサイトに掲載しています。
  URL： https://www.omron.com/jp/ja/about/corporate/governance/policy/

「オムロン　コーポレート・ガバナンス　ポリシー」

- 取締役・監査役の選任にあたっては、株主総会の選任議案に、個々の略歴（取締役については当社における地位および担当を含む）、選任理由ならびに重要な兼職の状況等を記載し説明する。

「定時株主総会招集ご通知」

原則3-1(ⅴ)

第2号議案　取締役8名選任の件

　本定時株主総会終結の時をもって取締役8名全員が任期満了となります。
　つきましては、社外取締役3名を含む下記の取締役8名の選任をお願いいたしたく存じます。
　当社は、取締役候補者の決定に対する透明性・客観性・適時性を高めるために、人事諮問委員会を設置しています。人事諮問委員会は、取締役会議長より諮問を受け、選任基準に基づき取締役候補者の審議・答申を行います。取締役会は人事諮問委員会からの答申に基づき、取締役候補者を決定しています。
　取締役候補者は、11ページから19ページの通りです。

<中　略>

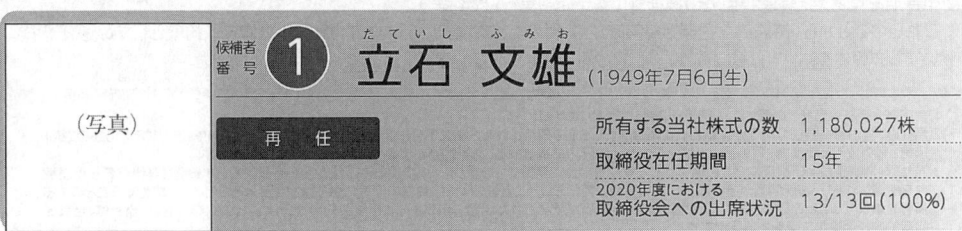

候補者番号 ①	立石 文雄（たていし ふみお）(1949年7月6日生)	
（写真）	再任	所有する当社株式の数　1,180,027株
		取締役在任期間　15年
		2020年度における取締役会への出席状況　13/13回(100%)

略歴、当社における地位および担当ならびに重要な兼職の状況

1975年8月	当社入社	2003年6月	当社執行役員副社長、インダストリアルオートメーションビジネスカンパニー社長に就任
1997年6月	当社取締役に就任		
1999年6月	当社取締役退任、執行役員常務に就任	2008年6月	当社取締役副会長に就任

Ⅱ　ガバナンス報告書

2001年6月　　当社グループ戦略室長に就任　　　　　2013年6月　　当社取締役会長に就任（現任）

[当社における担当等]　取締役会議長／社長指名諮問委員会委員

[取締役候補者とした理由]
　立石文雄氏は、業務を執行しない取締役として取締役会議長を務め、取締役会を適切に運営するとともに、新型コロナウイルス感染症と共存する社会での事業運営およびコロナショック後の新しい社会を見据えた事業変革に向けて経営の監督を適切に行っています。社長指名諮問委員会の委員として、社長選任における透明性・公正性を高めるために積極的に発言しています。また、企業理念のグループ内への浸透に向けて積極的に提言を行っています。
　これらのことから、持続的な企業価値向上の実現のために適切な人材と判断し、引き続き取締役としての選任をお願いするものです。

(注) 1. 立石文雄氏と当社との間には、特別の利害関係はありません。
　　 2. 当社は、立石文雄氏の再任が承認された場合、同氏がその期待される役割を十分に発揮できるように、同氏との間で会社法第430条の2第1項第1号の費用と同項第2号の損失を法令の定める範囲内で補償することを内容とする補償契約を締結する予定です。
　　 3. 当社は、取締役および監査役がその期待される役割を十分に発揮できるように、取締役および監査役を被保険者とする役員等賠償責任保険契約を締結しており、被保険者がその職務の執行に関し責任を負うことまたは当該責任の追及に係る請求を受けることによって生ずることのある損害を塡補することとしています。立石文雄氏の再任が承認された場合、同氏は当該保険契約の被保険者となります。なお、当社は、当該保険契約を任期途中に更新する予定です。

<中　略>

候補者番号 ③　**宮田 喜一郎**（みやた きいちろう）(1960年7月24日生)

（写真）　　再　任

所有する当社株式の数　　10,799株
取締役在任期間　　　　　4年
2020年度における取締役会への出席状況　13/13回（100％）

略歴、当社における地位および担当ならびに重要な兼職の状況

1985年4月	株式会社立石ライフサイエンス研究所（現オムロンヘルスケア株式会社）入社	2015年4月	当社CTO 兼 技術・知財本部長に就任（現任）
2010年3月	オムロンヘルスケア株式会社代表取締役社長に就任（2015年3月退任）	2017年4月	当社執行役員専務に就任（現任）
2010年6月	当社執行役員に就任	2017年6月	当社代表取締役に就任（現任）
2012年6月	当社執行役員常務に就任	2018年3月	当社イノベーション推進本部長に就任

[当社における担当等]　執行役員専務／CTO 兼 技術・知財本部長／人事諮問委員会委員

[取締役候補者とした理由]
　宮田喜一郎氏は、代表取締役として技術的な観点を軸に経営の監督を適切に行っています。人事諮問委員会の委員として、役員人事の透明性・公正性を高めるために積極的に発言しています。また、CTO 兼 技術・知財本部長として中長期を見据えた経営視点での技術戦略を策定し実行しています。
　これらのことから、持続的な企業価値向上の実現のために適切な人材と判断し、引き続き取締役としての選任をお願いするものです。

(注) 1. 宮田喜一郎氏と当社との間には、特別の利害関係はありません。
　　 2. 当社は、宮田喜一郎氏の再任が承認された場合、同氏がその期待される役割を十分に発揮できるように、同氏との間で会社法第430条の2第1項第1号の費用と同項第2号の損失を法令の定める範囲内で補償することを内容とする補償契約を締結する予定です。
　　 3. 当社は、取締役および監査役がその期待される役割を十分に発揮できるように、取締役および監査役を被保険者とする役員等賠償責任保険契約を締結しており、被保険者がその職務の執行に関し責任を負うことまたは当該責任の追及に係る請求を受けることによって生ずることのある損害を塡補することとしています。宮田喜一郎氏の再任が承認された場合、同氏は当該保険契約の被保険者となります。なお、当社は、当該保険契約を任期途中に更新する予定です。
　　 4. 上記所有株式数には、オムロン役員持株会名義の実質所有株式数（2021年3月31日現在）が含まれています。

<後　略>

⑬アサヒグループホールディングス
「コーポレートガバナンス・コードの各原則に基づく開示」

(5)当社の経営陣幹部(役付取締役以上)の選解任と取締役・監査役候補者の指名を行う際の、個々の選解任についての説明は、社外取締役・社外監査役については、株主総会の招集通知並びに本報告書の「Ⅱ.1.【取締役関係】会社との関係(2)」及び「Ⅱ.1.【監査役関係】会社との関係(2)」に掲載しております。全ての取締役・監査役については、当社のホームページにて公表しております「コーポレートガバナンス・ガイドライン 5.付帯情報(2)経営陣幹部・取締役・監査役の選任説明と他の上場会社の兼職状況」に掲載しておりますので、ご参照ください。
(https://www.asahigroup-holdings.com/company/governance/)

原則3-1(ⅴ)

Ⅱ　ガバナンス報告書

第10　補充原則3－1③に基づく開示

補充原則3－1③

> 　上場会社は，経営戦略の開示に当たって，自社のサステナビリティについての取組みを適切に開示すべきである。また，人的資本や知的財産への投資等についても，自社の経営戦略・経営課題との整合性を意識しつつ分かりやすく具体的に情報を開示・提供すべきである。
> 　特に，プライム市場上場会社は，気候変動に係るリスク及び収益機会が自社の事業活動や収益等に与える影響について，必要なデータの収集と分析を行い，国際的に確立された開示の枠組みであるＴＣＦＤまたはそれと同等の枠組みに基づく開示の質と量の充実を進めるべきである。

1　背景・趣旨

　補充原則3－1③は，2021年の改訂において新設されたものである。

　前段第一文は，経営戦略の開示に当たって，自社のサステナビリティについての取組みを開示することを求めている。これは，サステナビリティへの取組みを検討・推進するため，投資家と企業の間のサステナビリティに関する建設的な対話を促進する観点からは，サステナビリティに関する開示が行われることが重要であることを踏まえたものである。

　前段第二文は，人的資本や知的財産への投資等の開示・提供を求めている。これは，補充原則4－2②において，人的資本・知的財産への投資等の重要性に鑑み，これらをはじめとする経営資源の配分や事業ポートフォリオに関する戦略の実行が，企業の持続的な成長に資するよう，（取締役会が）実効的に監督を行うべきものとされていることを踏まえたものである。

　後段は，特にプライム市場上場会社は，気候変動に係るリスク及び収益機会が自社の事業活動や収益等に与える影響について，必要なデータの収集と分析を行い，国際的に確立された開示の枠組みであるTCFDまたはそれと同等の枠組みに基づく開示の質と量の充実を進めるべきであるとしている。

2　開示対象

　本補充原則に基づく開示対象は，自社のサステナビリティについての取組み（前段第一文）及び人的資本や知的財産への投資等（前段第二文）である。

後段は，特にプライム市場上場会社について，気候変動に関する開示の充実を進めることを求めているが，これは「開示」（ガバナンス報告書における記載）を求めるものではないと考えられる。なお，このような気候変動に関する開示の実施状況については，TCFD提言の項目ごとの開示の有無や，シナリオ分析を行っている場合にはその旨を記載することが考えられる（ガバナンス報告書の記載要領Ⅰ1.（2）参照）。

3 開示の傾向

(1) 補充原則3－1③前段第一文に基づく開示（サステナビリティについての取組み）

a サステナビリティを巡る取組みについての基本方針

補充原則3－1③前段第一文において直接の開示対象となるのは「取組み」そのものであるが，同じく2021年の改訂において新設された補充原則4－2②において，取締役会が自社のサステナビリティを巡る取組みについて基本的な方針を策定すべきであるとされていることを踏まえると，かかる基本的な方針も，「取組み」の前提となるものとして，併せて開示することも考えられる。サステナビリティを巡る取組みについての基本方針については，これを策定して自社ウェブサイトで開示する例なども見受けられる（①みずほフィナンシャルグループ）。その他，サステナビリティについての取組みに関しては，既に統合報告書，サステナビリティレポート等の文書や自社ウェブサイト等で開示している会社も多く，補充原則3－1①前段第一文に基づくガバナンス報告書での開示においても，それらの既存の開示内容をURLを記載するなどして参照する例が多い（①みずほフィナンシャルグループ，②アイシン，③三井住友トラスト・ホールディングス，④双日，⑤ヤマハ）。

b サステナビリティについての取組み

サステナビリティについての取組みに関する具体的な開示の内容は，各社において，各社の事業を取り巻く環境等を踏まえ判断していくことになるが(注29)，2021年改訂提言において言及されている施策としては，サステナビリティに関する委員会を社内に設置するなどの枠組みの整備がある(注30)。補充原則3－1①前段第一文に基づく開示においても，サステナビリティに関する委員会その他の会議体に言及する例が多い（②アイシン，④双日，⑥J－オイルミルズ，⑦丸井グループ）。

サステナビリティを巡る課題の内容については，補充原則2－3①において，気候変動などの地球環境問題への配慮，人権の尊重，従業員の健康・労働環境への配慮や公正・適切な処遇，

Ⅱ　ガバナンス報告書

取引先との公正・適正な取引，自然災害等への危機管理が挙げられているが，これらは特に重要性の高い課題であり，上場会社においては，これらに限らず，各社が主体的に自社の置かれた状況を的確に把握し，取り組むべきサステナビリティ要素を個別に判断していくことが求められている(注31)。実際に，サステナビリティについての取組みにおいては，その第一歩として，自社にとっての重点項目（マテリアリティ）を抽出・特定することが重要であり，補充原則3－1①前段第一文に基づく開示においても，そのプロセスや重点項目について記載する例が多い（④双日，⑧あおぞら銀行）。

　なお，サステナビリティに関する開示については，GRIスタンダード，SASBスタンダード，国際統合報告書フレームワーク等，国際的に様々な枠組みが存在する。補充原則3-1①前段第一文に基づく開示に当たっては，必ずしもそれらを参照することが求められているわけではないが，開示において参照した枠組み等があるときは，その名称について記載することが望まれるとされており（ガバナンス報告書記載要領Ⅰ1.(2)），そのような記載を行う例もある（④双日）。

(2) 補充原則3－1③前段第二文に基づく開示（人的資本や知的財産への投資等）

　人的資本への投資については，多様な働き方の支援等の取組みについて記載する例がある（④双日）。

　また，知的財産への投資については，研究開発等を通じた知的財産権の確保に言及する例（⑥J-オイルミルズ）や参照先の統合報告書にて知的財産の取扱方針や模倣品対策方針等について記載する例（⑤ヤマハ）がある。

(3) 補充原則3－1③後段に基づく開示（気候変動に係るリスク及び収益機会が自社の事業活動や収益等に与える影響）

　TCFD提言に賛同を表明している旨を記載する例（①みずほフィナンシャルグループ，②アイシン，④双日）や，TCFDレポートを参照する例（①みずほフィナンシャルグループ，③三井住友トラスト・ホールディングス）が多い。

　また，TCFD提言の項目（「ガバナンス」「戦略」「リスク管理」「指標と目標」）ごとに取組みの内容を開示する例（⑤ヤマハ）があるほか，シナリオ分析の実施について言及する例（②アイシン，④双日，⑧あおぞら銀行）も多い。

(注29)　2021年コード改訂パブコメ回答364番。
(注30)　2021年改訂提言Ⅱ．3．参照。2021年改訂後の対話ガイドライン1－3においても，「例えば，取締役会の下または経営陣の側に，サステナビリティに関する委員会を設置するなど，サステナビリティに関する取組みを全社的に検討・推進するための枠組みを整備しているか。」が取り上げられている。
(注31)　2021年改訂提言Ⅱ．3．参照。

4　開示事例

①みずほフィナンシャルグループ
「コーポレートガバナンス・コードの各原則に基づく開示」

【補充原則3−1③】（サステナビリティについての取り組み等）
〈サステナビリティについての取り組み〉
　当社は経営戦略と一体的にサステナビリティへの取り組みを推進しており、取り組み状況は下記の統合報告書（ディスクロージャー誌）および当社のホームページで開示しております。
〈人的資本、知的財産についての取り組み〉
　当社の価値創造における強みである「金融機能、非金融領域への対応力、強固な人材」などの「人的・知的資本」への経営資源配分を含む取り組み状況についても、統合報告書およびホームページで開示しております。
〈TCFD提言への対応〉
　当社は、2017年にTCFD提言の趣旨に賛同を表明し、気候変動が金融市場の安定にも影響を及ぼしうる最も重要なグローバル課題の一つであるとの認識のもと、環境・気候変動への対応を経営戦略における重要課題として位置付け、取り組み強化に努めています。
　この取り組み状況は統合報告書・TCFDレポートで開示しております。

□統合報告書（ディスクロージャー誌）
　（日本語：https://www.mizuho-fg.co.jp/investors/financial/disclosure/index.html）
　（英語：https://www.mizuhogroup.com/investors/financial-information/annual）
□サステナビリティ
　（日本語：https://www.mizuho-fg.co.jp/csr/index.html）
　（英語：https://www.mizuhogroup.com/sustainability）
□人材の活躍推進
　（日本語：https://www.mizuho-fg.co.jp/company/structure/c_culture/index.html）
　（英語：https://www.mizuhogroup.com/who-we-are/strategy/hr）
□TCFDレポート
　（日本語：https://www.mizuho-fg.co.jp/csr/mizuhocsr/report/pdf/tcfd_report_2021.pdf）
　（英語：https://www.mizuhogroup.com/binaries/content/assets/pdf/mizuhoglobal/sustainability/overview/report/tcfd_report_2021.pdf）

「同社ウェブサイト」

サステナビリティマネジメント

＜みずほ＞では、これまでもESG（環境・社会・ガバナンス）や持続可能な開発目標（SDGs）達成への貢献を考慮してCSRへの取り組みを推進してきました。2019年4月、こうした取り組みを戦略の重要要素として捉え直すとともに、推進のキーワードをCSRから「サステナビリティ」に変更し、「サステナビリティ」への取り組みとして戦略との一体性を高めて推進することにしました。

サステナビリティへの取り組みの基本的考え方

みずほフィナンシャルグループ（持株会社）は、経営会議・取締役会での議論を経て、基本的考え方や推進方法等を定めた「サステナビリティへの取り組みに関する基本方針」を制定するとともに、当社グループ会社においても同方針を定めています。
同方針では、以下のとおりサステナビリティの定義とサステナビリティへの取り組みの基本的考え方を定めています。

＜みずほ＞における「サステナビリティ」

<みずほ>の持続的かつ安定的な成長、ならびにそれを通じた環境の保全および内外の経済・産業・社会の持続的な発展・繁栄

サステナビリティへの取り組みの基本的考え方

<みずほ>は、長期的な視点に立ち、「サステナビリティ」における重点項目に取り組むことで、様々なステークホルダーの価値創造に配慮した経営と<みずほ>の持続的かつ安定的な成長による企業価値の向上を実現し、その結果、環境の保全および内外の経済・産業・社会の持続的な発展・繁栄に貢献していきます

<みずほ>は、以下の考え方に基づき「サステナビリティ」における重点項目への取り組みを推進します

- 経済・産業・社会・環境に対する直接的・間接的なポジティブインパクトの拡大とネガティブインパクトの低減に努めます

- 金融グループとして、ファイナンス等のサービス提供やお客さまとの対話（エンゲージメント）を通じた間接的なインパクトの大きさを特に重視し、お客さまのSDGs/ESGへの取り組みを多面的にサポートします

- インパクトや実現に向けた時間軸について、ステークホルダー間で利益相反・意見の対立がある場合には、その事情・実態や、国際的な規範・合意・世論等を踏まえ、経済・産業・社会・環境の調和と長期的な視点に基づいて取り組みます

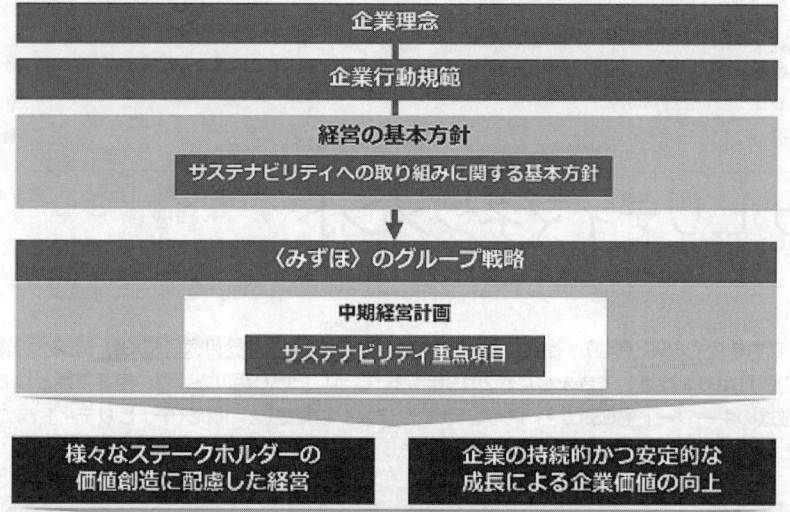

②アイシン

「コーポレートガバナンス・コードの各原則に基づく開示」

補充原則3-1(3)
当社グループは、「"移動"に感動を、未来に笑顔を。」のグループ経営理念に基づき、私たちの商品・サービスによって、環境・社会課題に具体解を示し、人々の笑顔あふれる持続可能な社会をつくっていきたいと考えています。このような価値観・取り組みは、国連の「持続可能な開発目標（SDGs）」と親和性が高く、事業活動を通じたSDGsの達成に貢献できると考えています。
サステナビリティへの取り組みを加速するため、ステークホルダーの期待・要望、当社グループにとっての経営課題や重要性から優先順位付けを

第二部　各原則に基づく開示事項（必要的開示）　第10

行い、注力していく7つのマテリアリティ(優先課題)を選定しました。マテリアリティ(優先課題)の解決に向けた具体解として、SDGs2030年目標・KPIを設定した活動へと落とし込み、全社会議体であるサステナビリティ会議にて社長を議長に進捗管理を行っています。
このような長期ビジョンの実現に向けては、人的資本、研究開発費をはじめとする経営資源の適正な配分や事業ポートフォリオに関する戦略策定を中期計画検討会にて議論し、中期経営計画に落とし込んでいます。各年度では、中期経営計画を踏まえた経営方針および利益計画の達成状況を、取締役会・執行会議等で監督しています。
中でも気候変動対応は、内燃機関系中心の事業ポートフォリオとなっている当社グループにとって、取り組むべき最重要課題であると認識をしています。2019年11月にTCFDへ賛同して以降、フレームワークに沿った形で2℃未満シナリオと4℃シナリオからリスクと機会を洗い出してシナリオ分析を行ってきました。具体解としての活動はSDGs2030年目標・KPIと連動しており、今後も外部環境の変化に応じた財務影響の把握、並びに、シナリオ分析を継続していきます。
詳細は、当社ホームページ(https://www.aisin.com/jp/)のサステナビリティのページをご参照下さい。

③三井住友トラスト・ホールディングス

「コーポレートガバナンス・コードの各原則に基づく開示」

【原則3-1】【補充原則3-1-3】
＜経営理念、中期経営計画＞＜サステナビリティについての取組み＞
・当グループでは、経営理念を定め、当社Webサイトに掲載しています。
https://www.smth.jp/about_us/philosophy/index.html
・中期経営計画については、「社会的価値創出と経済的価値創出の両立」を経営の根幹に据えて、当グループが信託銀行グループとして果たす役割・機能、自らの存在意義（パーパス）を長期的な視点として捉え直し、この3年間の戦略を策定しました。
https://www.smth.jp/news/2020/200514-1.pdf
・当社の中長期的な経営戦略に加え、コーポレートガバナンス変革に関する取組み、フィデューシャリー・デューティー高度化の取組み、サステナビリティの取組み等を具体的に記載した「統合報告書」を毎年発行し、当社Webサイトに掲載しています。
https://www.smth.jp/ir/disclosure/index.html
・サステナビリティの取組みについては、より詳細に網羅的に記載した「サステナビリティレポート」を発行し、当社Webサイトに掲載しています。
2020年度は、世界経済フォーラム国際ビジネス協議会に基づき取り纏められたステークホルダー資本主義の測定指標を踏まえ、「ガバナンス」「地球（環境）」「人（社会）」「豊かさ（経済）」という4つの観点から作成しました。
https://www.smth.jp/csr/report/index.html
・サステナビリティのテーマ別レポートについても、当社Webサイトに掲載しています。
特に、TCFD（気候変動）レポートについては、従来の気候変動レポートの内容から改訂し、TCFD提言に沿った開示をしています。「戦略」パートでは、移行リスク・物理的リスクのシナリオ分析結果に関する開示を、「指標と目標」パートでは、三井住友信託銀行のサステナブルファイナンス目標やCO2削減中長期目標の開示をしています。
https://www.smth.jp/csr/report/index.html

主なテーマ別レポート
　〇TCFD（気候変動）レポート
　〇自然資本レポート
　〇環境不動産レポート
　〇シニア世代応援レポート　　等

補充原則
3-1③

④双　　日

「コーポレートガバナンス・コードの各原則に関する当社の取組について」

【補充原則　3-1③】
　上場会社は、経営戦略の開示に当たって、自社のサステナビリティについての取組みを適切に開示すべきである。また、人的資本や知的財産への投資等についても、自社の経営戦略・経営課題との整合性を意識しつつ分かりやすく具体的に情報を開示・提供すべきである。
　特に、プライム市場上場会社は、気候変動に係るリスク及び収益機会が自社の事業活動や収益等に与える影響について、必要なデータの収集と分析を行い、国際的に確立された開示の枠組みであるＴＣＦＤまたはそれと同等の枠組みに基づく開示の質と量の充実を進めるべきである。

(1) 自社のサステナビリティについての取組み
　当社は、幅広いステークホルダーとの協働、積極的な情報開示と透明性の向上に努めております。当社のサステナビリティの考え方や方針、取り組みについては、補充原則 2-3①及び当社ウェブサイトをご参照下さい。
　（https://www.sojitz.com/jp/csr/）

Ⅱ　ガバナンス報告書

(2) 人的資本や知的財産への投資等

当社は、社員一人ひとりの成長を支援する「働きがいのある会社」と、多様な人材の多様な働き方を支援する「働きやすい会社」を目指し、社員一人ひとりが能力を発揮できる制度・環境の整備を行っており、その取り組みについては、当社ウェブサイト、統合報告書をはじめとする各種IR関連資料にて情報開示を行っております。

人材に関する取り組みについては以下ウェブサイトをご参照ください。

https://www.sojitz.com/jp/csr/employee/

なお、中期経営計画2023では、人や組織変革の非財務投資（人材、DX対応等）に対する資金計画として300億円を配分しております。

(3) 気候変動に係るリスク及び収益機会が自社の事業活動や収益等に与える影響について

当社は、2050年長期ビジョン「サステナビリティ チャレンジ」に掲げる脱炭素社会実現への貢献への責務を果たすべく、中長期で取り組む双日グループの「脱炭素」対応方針・目標を設定し、公表しています。

自社グループの「既存事業」からのCO2排出については、国際的なCO2排出定義（SCOPE）別に「削減目標」を策定し、将来の脱炭素社会への耐性を高めるとともに、今後手掛ける「新規事業」の取組みにおいて、脱炭素社会移行を新たな「機会」と捉え、エネルギー分野はもとより、幅広いビジネス構築をおこなっていきます。これにより、脱炭素社会の実現という「社会が得る価値」の構築までの過程で、様々な収益機会を「双日が得る価値」として増やしていきます。また、当社は、2018年8月にTCFDの最終提言への賛同を表明しており、気候変動に関する「リスク」と「機会」が当社グループの事業活動、経営戦略、財務計画にもたらす影響がより大きいと考えられる複数の事業分野について毎年シナリオ分析を行い、その結果や目標に対する進捗を開示しております。

脱炭素対応方針・目標、TCFDへの対応については、当社ウェブサイトをご参照ください。

（https://www.sojitz.com/jp/news/2021/03/20210305.php）
（https://www.sojitz.com/jp/csr/environment/tcfd/）

「同社ウェブサイト」

サステナビリティ推進・実行体制

サステナビリティの視点を踏まえた経営を促進するため、CEOが委員長を務める「サステナビリティ委員会」を設置し、専任組織としてサステナビリティ推進室を新設しました。

サステナビリティ委員会では、サステナビリティに関する全社方針や目標の策定、それらを実践するための体制の構築・整備、及びISO14001の管理体制を活用した各種施策のモニタリングを行っています。

加えて、投融資を審議する投融資審議会では、個別案件の審議においてサステナビリティの観点からの推進意義、及び環境・社会（人権）リスクの確認を行っています。尚、サステナビリティ委員会にて策定された方針や目標、及び環境・社会（人権）リスクに関するモニタリングについては、サステナビリティ推進室が担当しています。

サステナビリティ委員会メンバー

2021年4月1日現在
*代表取締役

委員長	・ 代表取締役社長　CEO*
委員	・ 副社長執行役員*（CFO 兼 主計、営業経理、財務、IR、フィナンシャルソリューション、コントローラー室管掌） ・ 副社長執行役員*（社長補佐、自動車、航空産業・交通プロジェクト、インフラ・ヘルスケア、金属・資源・リサイクル管掌 兼 東アジア担当） ・ 専務執行役員（化学、生活産業・アグリビジネス、リテール・コンシューマーサービス管掌） ・ 常務執行役員（主計、営業経理、財務、IR 担当本部長） ・ 執行役員（法務、広報担当本部長） ・ 執行役員（人事、総務・IT業務担当本部長） ・ 執行役員（IR室長） ・ 執行役員（経営企画、サステナビリティ推進担当本部長）
オブザーバー	・ 監査役 ・ 経営企画部長 ・ 広報部長
事務局	・ サステナビリティ推進室

サステナビリティ推進・実行体制図

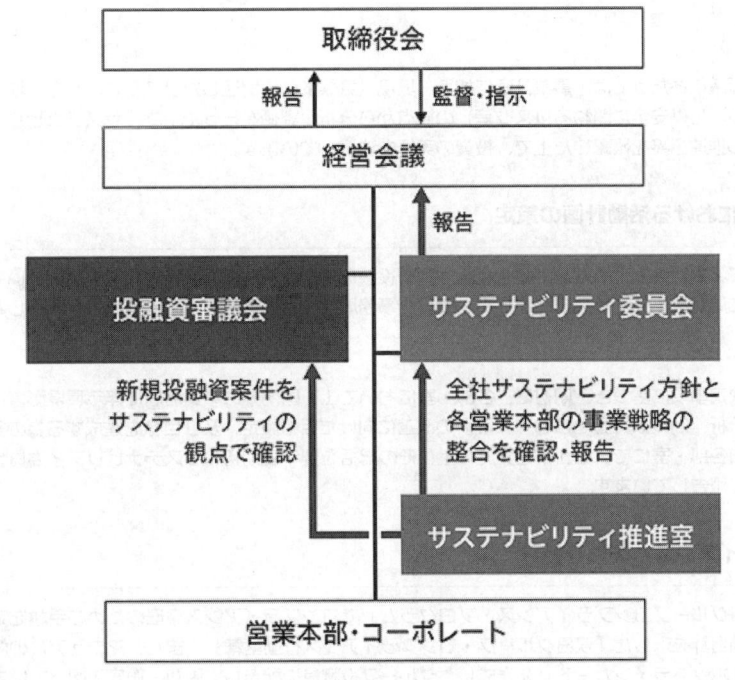

サステナビリティ委員会における討議内容

サステナビリティ委員会では、サステナビリティ重要課題（マテリアリティ）や関連したサステナビリティ目標など、全社として中長期的に取り組むテーマや方向性の議論を行うほか、「環境・社会（人権）リスクへの対応」「気候変動対策」「サプライチェーンCSRの推進」「木材調達方針の推進」「ESG開示」「環境ISO」「社

II ガバナンス報告書

会貢献活動」などの個別の施策についての具合的な討議も行っています。

気候変動を含む環境・社会（人権）リスクの管理

サステナビリティ委員会による管理と、監督を行う取締役会への報告
双日グループが展開する事業においてさらされるさまざまなリスクについては、「リスク管理基本規程」に則り、分類・定義され、年度毎にそれらリスクに対する「リスク管理運営方針・運営計画」を取締役会にて決議しています。（詳細については、こちらをご参照：リスク管理）これらのリスクの内、気候変動に関連するリスクを含む『環境・社会リスク』については、その対応方針や施策について、サステナビリティ委員会で討議し、経営会議および取締役会に報告し、実行されています。

シナリオ分析の実施
気候変動リスクの確認方法の一つとして、当社のポートフォリオの中でも重要な事業の一つであり、環境規制の影響を受けるリスクが大きい石炭権益事業及び発電事業分野においてシナリオ分析を実施しています。

複数のシナリオを前提として当社への影響を想定・分析した結果、現時点においては、将来の状況が変わってもその状況に合わせて対応できる見通しを立てており、何れも当社事業への影響は、限定的との認識に至っています。

TCFD（移行リスク）への対応

TCFD（物理的リスク）への対応

新規投資案件
事業投融資の審議にあたっては、事業計画に加え、環境（気候変動に関連したリスク）、社会（地域住民へ影響を与えるリスク、労働安全に関わるリスク等）の観点から分析・評価を行った上で、サステナビリティの観点からの当該案件の推進意義を確認した上で、投資の実行を決議しています。

各部・室における活動計画の策定

サステナビリティ委員会で了承され、経営会議や取締役会に報告された各種施策や決定事項については、社内イントラで全社に周知する外、サステナビリティ委員会事務局より社内各部署との定期報告会を通じ共有されています。

そして、その決定事項に基づき、期初に、各部・室において1）国内外の事業活動に伴う環境影響、及びそれに関わる法規の分析、2)気候変動を含む『環境』の改善に向けた目標設定、及び目標を達成する為の実効計画を策定し、半期毎に各部・室にてレビューを実施の上、その総括を翌年度期初のサステナビリティ委員会にて評価し、経営会議に報告しています。

コンプライアンスへの取り組み

当社は、「双日グループコンプライアンス・プログラム」でコンプライアンス徹底のための手順を定めるとともに、社員の行動指針を示した「双日グループ・コンプライアンス行動基準」、また、マニュアルの解説集として「事例集」や「ホットラインカード」を作成し、グループ役職員に配布して周知・徹底を図っています。また、コンプライアンスの徹底には、地道かつ着実に施策を繰り返すことが肝要であり、グループ役職員を対象としたe-ラーニング研修や集合研修などの各種コンプライアンス研修を実施しています。

加えて、腐敗行為を防止するために、「双日グループ腐敗行為防止規程」および「双日グループ腐敗行為防止要領」を制定し、海外地域、当社グループ会社においてもこれに準じた規程を導入しています。

サステナビリティ重要課題（マテリアリティ）

双日では、将来にわたり「2つの価値」を創造し続けるため、事業を通じて中長期的に取り組む6つのサステナビリティ重要課題（マテリアリティ）を定め、グローバルな環境・社会課題の解決と企業活動との融合促進、及びその体制の構築に取り組んでいます。

事業に関わる人権の尊重
事業に関わる人々の権利を尊重する。その対象範囲は、自社従業員のみならず、サプライチェーン全体における事業の影響力が及ぶ範囲である。児童労働、強制労働などが発生した場合は、その是正に取り組む。

事業を通じた地球環境への貢献
事業に関わる環境面の持続可能性を追求し、環境保全に努めるとともに環境性能の高い競争力ある事業に取り組む。気候変動防止／CO_2排出削減、生物多様性対応などを含む、事業に関わる環境負荷の最小化に取り組む。

地域社会とともに発展・成長を実現
地域社会とともに発展する事業を推進。事業を通じた地域社会の環境・社会影響負荷の低減に取り組む。地域社会と継続的にコミュニケーションを図り、事業の持続可能性の追求と地域社会の課題解決、次世代教育支援等にも取り組む。

企業理念
双日グループは、誠実な心で世界を結び、新たな価値と豊かな未来を創造します。

（人権／環境／地域社会／ガバナンス／人材／資源）

持続可能な資源の開発・供給・利用
持続可能な資源*の開発・供給・利用を追求する。省資源化、適切なエネルギーミックスの提案、資源の安定供給に取り組む。

＊ エネルギー資源、鉱物資源、食料資源、水資源、林産資源、水産資源などを含む。

多様な人材の活躍・ダイバーシティの推進
最大の経営資源は多様な人材である。人材が活躍できる環境づくり、採用、評価、育成の仕組みや、多様な価値観を持つ人材が活躍するダイバーシティの推進に取り組む。

有効性と透明性を重視
コンプライアンスの遵守や、中長期的な事業の持続可能性追求など、当社グループの活動すべてを有機的に連携させ、実践していくための企業統治とその透明性の追求に取り組む。

補充原則 3-1③

サステナビリティ重要課題（マテリアリティ）の設定方法と、戦略への反映

Ⅱ ガバナンス報告書

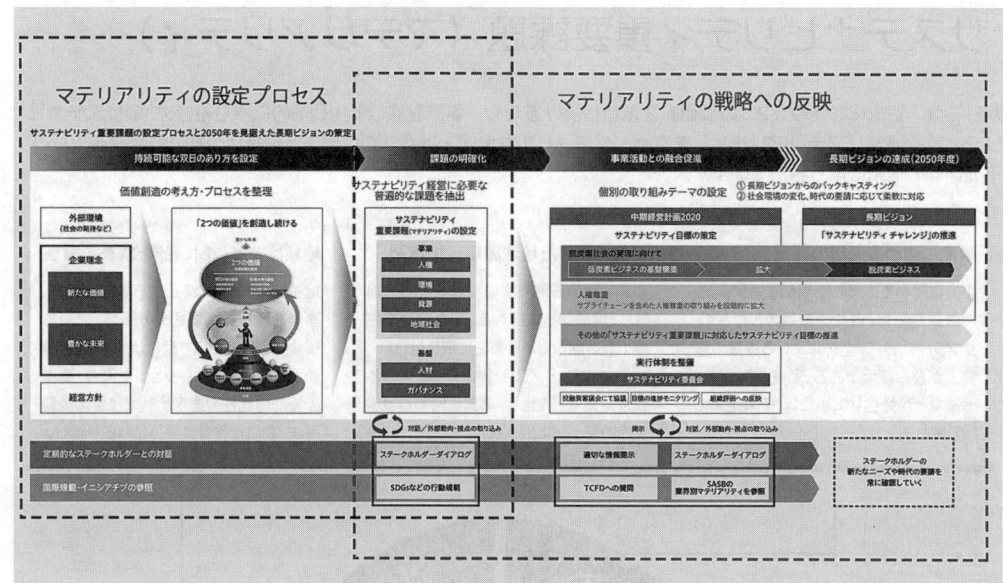

マテリアリティの設定プロセス

サステナビリティ重要課題(マテリアリティ)の特定にあたっては、COP21パリ協定やSDGsをはじめとする外部環境分析、および商社ビジネスや当社固有の特性を踏まえた内部環境分析を行った上で、双日にとっての「リスク」と「機会」を洗い出し、優先的に取り組むべきサステナビリティに関わる課題を整理しました。また、これらの分析の妥当性を客観的に検証することも含め、外部有識者を招いたステークホルダーダイアログを開催し、ステークホルダーにとっての重要性を考慮の上、サステナビリティ重要課題(マテリアリティ)を特定し、具体的な対応策としてサステナビリティ目標を設定しました。

>> 設定プロセスの詳細はこちら
>> 外部の意見の確認方法：スタークホルダーダイアログはこちら
>> 外部の意見の確認方法：国際規範への取り組みはこちら

マテリアリティの戦略への反映

サステナビリティ重要課題（マテリアリティ）に基づく、『長期ビジョン』と、『中期経営計画中の目標』

『長期ビジョン』

2018年4月に、パリ協定※1や持続可能な開発目標（SDGs）※2などを踏まえた長期ビジョンとして「サステナビリティ チャレンジ」を掲げました。

>> サステナビリティ　チャレンジの詳細はこちら

『中期経営計画中の目標』

「中期経営計画2020」は、サステナビリティ チャレンジに向けた準備期間と位置付け、今後10年で低炭素社会の実現に貢献するビジネスの拡大を図るとともに、恒常的に人権尊重の取り組みを拡大していきます。
また、「中期経営計画2020」期間中に推進する、マテリアリティごとの具体的な目標を設定し、その進捗をサステナビリティ委員会がモニタリングし、実績を示していきます。
>> 中期経営計画中の目標『サステナビリティ目標』はこちら

※1 パリ協定：2015年にパリで開かれた国連気候変動枠組条約締約国会議で合意された枠組み。全参加国・地域に2020

年以降の温室効果ガス削減・抑制目標を定めることを求める
※2 SDGs：2015年に国連で採択された、持続可能な世界を実現するための2030年を期限とする国際目標

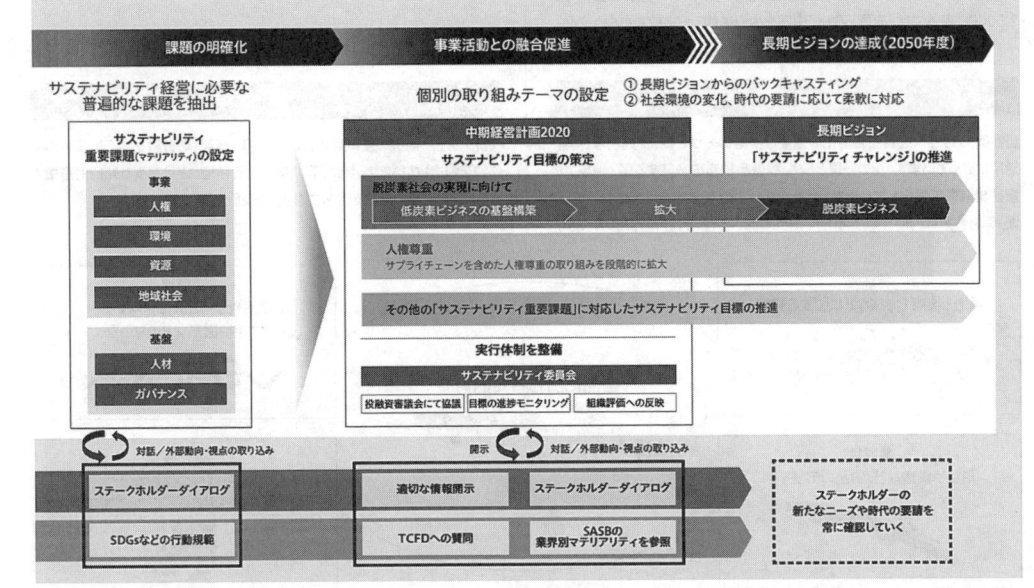

⑤ヤマハ

「コーポレートガバナンス・コードの各原則に基づく開示」

【補充原則3-1-3】サステナビリティの取り組み等の開示
1. 当社のサステナビリティの取り組み等の開示は、当社ホームページに掲載しております。
   統合報告書　　　　　　　https://www.yamaha.com/ja/ir/publications/
   サステナビリティレポート　https://www.yamaha.com/ja/csr/

2. 当社のTCFDへの対応の開示は、当社ホームページに掲載しております。
   https://www.yamaha.com/ja/csr/environment/global_warming/#04

補充原則
3-1③

「統合報告書」

知的財産

グローバルな知的財産戦略を推進し、知的財産を創出、保護、管理、活用することにより、企業価値、ブランド価値の維持・向上を図ります。

創業者の山葉寅楠自らが多くの発明を行い、特許を取得するなど、ヤマハは創業以来、事業活動と連携した知的財産の創出、保護、管理、活用に取り組んできました。長年の研究開発と事業を通じて蓄積された技術的なアイデア、デザイン、商標や著作物などの知的財産を特許権、意匠権、商標権、著作権などにより適切に保護、管理、活用し続けることで、事業に貢献しています。さらにブランド価値を維持・向上させるため、世界各国でさまざまな分野での知的財産権の取得を進めるほか、模倣品対策も積極的に実施しています。

特許権	商標権
他社との差別化、事業の優位性獲得、自由度確保、第三者へのライセンス活動などを目的として、事業セグメントごとに事業の特性に合わせた特許戦略を策定しています。毎年、現在の活用状況、将来の活用可能性などを含	1986年にヤマハブランドに関する管理規程を制定するとともに、全社的な管理組織（委員会）を設置し、適正な使用の実現によるブランド価値の維持・向上を図っています。その一環として、ヤマハブランドについてほぼ全

II ガバナンス報告書

めた評価を行い、当社ならではの製品の開発や競争優位性の構築に資する知的財産を峻別、整理。保有権利の件数や内容の適正化を進めることで、知的財産の合理的な活用を図っています。

当社グループの2020年3月末における特許の合計保有件数は、国内で約2,500件、海外では、米国、欧州、中国を中心に約3,500件です。

世界において幅広く商標権を取得しているほか、サブブランドとしての製品・サービスブランドについても、適正に製品・サービス名の事前調査および商標権の取得を図っています。

意匠権

当社は、デザインを製品差別化の重要な要素の一つと捉え、適切な保護・活用に努めています。その一環として、模倣品被害の多発する国・地域での意匠権取得を強化しています。当社グループの2020年3月末における（意匠）保有件数は、国内で約440件、海外で約840件、合計約1,280件です。

著作権

特許・意匠・商標の産業財産に加え、「音・音楽」の分野を中心に多数の著作物を創造しています。特に、音楽関係の著作権などは重要な知的財産権であり、法的措置の実施を含めて適正な管理・活用に努めています。

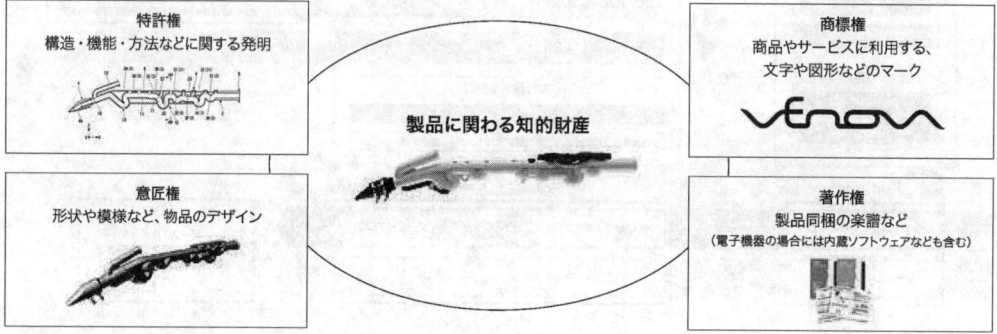

模倣品対策

近年、第三者が当社に無断でヤマハブランドを付した製品を製造販売する案件や当社製品デザインを模倣する案件などが拡大基調にあります。これらに対しては、知的財産権を活用した摘発および行政・司法ルートで積極的な対策活動を継続・実施することで、消費者の経済的不利益排除や安全確保を図り、ひいてはヤマハブランドへの信頼を維持することを目指しています。

同時に、インターネットやソーシャルメディアによる模倣品販売への対策にも特に力を入れています。今後も、ヤマハブランド、消費者のヤマハブランドへの信頼および当社事業を保護するために、訴訟提起を含めて徹底的な法的措置を行っていきます。

「同社ウェブサイト」

TCFDへの対応

ヤマハグループは2019年6月にTCFD（気候関連財務情報開示タスクフォース）への賛同を表明しました。TCFDの提言に基づき、気候変動が事業にもたらすリスクや機会を分析し、経営戦略に反映させるとともに、その財務的な影響についての情報開示に努めていきます。

カテゴリー	ヤマハの取り組み
ガバナンス	気候変動課題を経営の重点戦略の一つと捉え、サステナビリティに関するガバナンスおよびマネジメント体制の中に位置付けています。気候変動対応を含むサステナビリティに関する重要事項は、年4回以上2021年1月に発足した代表執行役社長を委員長とする「サステナビリティ委員会」の下部組織として常務執行役を部会長とする「気候変動部会」にて議論し、取締役会に報告することにより、取締役会の監督が適切にされる体制を整備しています。 気候変動に関わるリスクと機会への対応は約1回/月で開催される同委員会内の気候変動部会（部会長：常務執行役）で審議され、その成果はサステナビリティ委員会に報告されます。

戦略	急速な気候変動およびそれに付随するさまざまな影響がもたらすリスク・機会を、事業戦略の重要な要素として組み入れており、現在の中期経営計画にもその柱として温室効果ガス排出削減、環境配慮製品の開発、持続可能な木材利用を掲げて課題解決に取り組んでいます。 急速な気候変動の影響は、中長期的に発現する可能性があることから、中期経営計画（3年）の短期的な時間軸のみでなく、2030年以降の中長期の視点でリスクと機会を特定しています。特定されたリスクは今後の外部内部動向の変化を踏まえ、今後、定期的に分析・見直しを実施する予定です。 **リスクと機会** 当社では急速な気候変動およびそれに付随するさまざまな影響により事業環境が大きく変化した際に生ずるリスクと機会を想定するために、IEA（国際エネルギー機関）などが定める2DS、RCP[※10]2.6シナリオ（2℃シナリオ）およびRCP8.5シナリオ（4℃シナリオ）を活用しています。これらのシナリオに沿い、その財務インパクトの大きさと顕在化可能性に鑑み重要度を評価しています。 ※10 代表濃度経路シナリオ（Representative Concentration Pathways） 　例えば「RCP2.6」は、世紀末の放射強制力（地表に出入りするエネルギーが地球の気候に対して持つ放射の大きさ）が2.6 w/m^{2}であることを表しています **主な気候関連リスク・機会** 当社では現在以下の項目を主なリスクと機会と捉えています。このうち物理的リスクについてはBCP災害対策部会で対策を進めています。その他につきましては数年以内に事業に多大な影響を及ぼすことはないと予想していますが、長期的な視点での事業影響の見通しと戦略立案を気候変動部会中心に議論していく予定です。 移行リスク・機会 - 規制（リスク）−カーボンプライシング（炭素税など）や各種規制拡大による操業／設備コストの増加 - 技術（リスク）−次世代技術への製品適応遅れ・製造技術の適応遅れによる売上の減少・企業評価低下 - 市場（機会）−省エネルギー製品（楽器、音響機器等）、音声コミュニケーション機器（遠隔会議向け）、熱電素子製品等低炭素・脱炭素社会の実現に寄与する製品の拡売 物理的リスク - 異常気象の増加−台風・洪水・渇水などにより自社やサプライチェーンの操業が大きなダメージを受けるリスク
リスク管理	代表執行役社長の諮問機関としてリスクマネジメント委員会を設置し、リスクについて想定される損害規模と発生頻度、およびコントロールレベルを定常的に評価・分析しています。これによりリスクの特定とともに担当部門を定め、コントロールレベルの継続的な強化を図っています。特に自然災害に起因する物理的リスクへの対応に関しては、同委員会の下部組織としてBCP・災害対策部会を設置し、BCP策定をはじめとする事業継続マネジメントを実行しています。 2019年度には全てのグローバル拠点においてBCPの策定が完了し、拠点ごとに想定される台風や洪水など自然災害に対して、排水設備を設置するなどの事前対策を実施しています。また、自社拠点だけでなく外部物流倉庫についても、立地や構造の見直しなどの対策を実施しています。 現時点で特定した重要なリスクについては、すでに対策を進めており、中長期的に事業への大きな影響がでないよう今後も管理を強化していきます。
指標と目標	温室効果ガスの削減に向け、2030年度までに2017年度比でスコープ1+2を32％削減、スコープ3を30％削減するという中期目標を策定し、国際的な環境団体であるSBTイニシアチブより2019年6月に認定を受けており、加えて、2050年度までにスコープ1+2を83％削減するという長期目標も設定しています。さらに短期では、日本国内の主要拠点において原単位で前年比1％以上の削減を目標として設定しています。 排出量については、GHGプロトコルに基づいて管理しており、2016年度よりスコープ1、2およびスコープ3の一部の第三者検証を実施しています。スコープ1、2については消費エネルギーの種類ごとに消費量を集計し、係数を乗じて温室効果ガス排出量に換算したデータについて検証しています。 削減対策の一例として2019年度より本社事業所において購入電力を再生可能エネルギー由来のものに切り替えており、2021年度からは全量が再生可能エネルギーとなり、今後、本社以外の拠点においても再生可能エネルギー由来の電力購入比率を段階的に高めていく予定です。

補充原則3-1③

⑥ J−オイルミルズ

「コーポレートガバナンス・コードの各原則に基づく開示」

【補充原則3−1−3】（サステナビリティについての取組み等）
1. サステナビリティについての取組み
当社グループでは、ESGに対する取り組みを重要な経営課題として認識しています。またSDGs、パリ協定等において解決すべき多くの課題があげられているように、現在地球環境は深刻な危機に直面しており、気候変動への具体的な対策は当社グループにとって喫緊の課題です。当社グループは、自然の恵みを生かして事業を営んでいることから、これまで温室効果ガス（GHG）の削減や廃棄物の削減・再資源化、プラスチックの削減など継続的に取り組みを進めてきました。2018年には経営において優先して取り組むべきマテリアリティを特定し、その中の一つである「気候変

Ⅱ　ガバナンス報告書

動の緩和と適応」に対して2030年までのあるべき姿を設定し、中長期的な目標達成に向けて計画の立案等を進めてきました。
2020年からは「サステナビリティ委員会」を新たに設置してガバナンス体制を強化すると共に、環境部会を含む4つの部会が中心となり、サステナビリティの課題に対して、目標を設定、具体的な実行方針を策定して取り組みを進めています。環境部会では、気候関連リスク・機会を織り込むシナリオ分析の実施を計画し、2020年11月にTCFD（気候関連財務情報開示タスクフォース）による提言に賛同しました。社内横断的なプロジェクトチームを立ち上げ、現在までにTCFD提言の枠組みに沿ってリスクと機会の特定を実施しました。今後も分析を続け、同時に各種取り組みを推進していきます。
GHGについては、2030年度までに2013年度比50%を削減、2050年度までにカーボンニュートラルをめざしております。

2. 人的資本への投資
第六期中期経営経営計画においては、急激に変化する外部環境を適切に捉え次の時代を見据えた抜本的な変革を実現するために、「壁を越え、共に挑み、期待を超える」人財、組織、風土を構築致します。
そのために、企業理念の浸透、戦略的人事の展開を図り、加えて人財育成の強化、人財のダイバーシティ推進、マネジメント改革という3つの観点からの取組みを実施致します。
・人財育成強化に向けては、自律的キャリア開発を土台に一人ひとりのポテンシャルを最大化させる「多様なキャリア形成」の実現と次世代経営層、リーダーの早期育成を図っていきます。教育研修の充実化やキャリア開発支援、CDP（キャリアデアベロップメントプログラム）に紐付いたジョブローテーション、タレントマネジメント等を実施していきます。
・ダイバーシティ推進としては、成長戦略を牽引する強みや個性を持つ人財採用に加え、属性や価値観等によらず多様な人財が活躍できる環境を整備していきます。継続的な社員意識調査等からのPDCAサイクルを回しながら、時間や場所の制約最小化に向けた在宅・リモート勤務やABW（アクティビティベースドワーキング）をコンセプトに取り入れたオフィス改革等を推進します。また、女性活躍は更に進めつつ、男性育児推進や障がい者、シニア人財活躍といったテーマにも取り組んでおります。当社は、通常の職場で、それぞれの特性と希望に応じた障がい者の雇用を進めています。障がい者雇用率は2.4%（2021年3月時点）で、法定雇用率2.3%を上回っています。
・マネジメント改革は、「変革リーダー」となる管理職が多様な人財を活かし、会社の成長に挑戦する組織をつくり、牽引するためマネジメント力向上を図る取り組みです。管理職へのマネジメント教育や情報見える化を強化し、意識と知識・情報の両面からマネジメントスキルの更なる向上と改革に取り組みます。アンコンシャスバイアス研修、部下との1 on 1ミーティング、360度評価などからの気付き、改善に取り組みます。

3. 知的財産への投資
第六期中期経営計画の目標である将来への基盤強化を進めるため、知的財産への投資は当社において必要不可欠です。
従来より、当社グループでは、研究開発、生産、お客様への提案の活動を通じて、知的財産権の確保を図っています。油脂の製造技術に加え、長持ち効果のある油脂の技術、テクスチャー素材の保水・保油技術を製品に採用し、広く社会に貢献しています。
このような取り組みの結果、2021年度はJapio-SDGs特許インデックスの食品部門において、第3位に位置付けられております。
引き続き投資項目を取締役会を筆頭に協議の上、進めていきます。

⑦丸井グループ

「コーポレートガバナンス・コードの各原則に基づく開示」

補充原則3-1-3　自社のサステナビリティへの取り組み、人的資本・知的財産への投資などの情報開示
　当社では、2016年から環境への配慮、社会的課題の解決、ガバナンスへの取り組みがビジネスと一体となった未来志向の共創サステナビリティ経営への第一歩を踏み出しました。それまで取り組んできた「すべての人」に向けたビジネスを「インクルージョン（包摂）」というテーマでとらえ直し、重点テーマを整理し、取り組みを進めてきました。これらは、国連の持続可能な目標「SDGs（Sustainable Development Goals）」の実現にも寄与するものです。
　そして、2019年には本格的な共創サステナビリティ経営に向け、2050年を見据えた長期ビジョン「丸井グループビジョン2050」を策定し、「ビジネスを通じてあらゆる二項対立を乗り越える世界を創る」ことを宣言しました。
　また、共創サステナビリティ経営の推進を目的に、2019年5月、取締役会の諮問機関としてサステナビリティ委員会を設置し、委員会内に関連リスクの管理および委員会が指示した業務を遂行する機関、環境・社会貢献推進分科会を設置しました（環境・社会貢献推進分科会は、2021年4月よりESG・情報開示分科会と名称を改めています）。
　2021年3月期は、8月と3月には、委員会を開催し、3月には、委員会で議論された、今後の丸井グループらしいグリーンビジネスやサステナビリティガバナンスについて取締役会に報告いたしました。今後も定期的に、グループ全体を通じたサステナビリティ戦略および取り組みを取締役会に報告、提言を行う予定です。
　サステナビリティ委員会は、取締役会が執行役員の中から選任したメンバーおよびその目的に照らし取締役会が適切と認めて選任したメンバーにより構成しており、2021年6月からは、グローバルレベルのサステナビリティ経営に関する高い知見を有しているピーター D. ピーダーセン氏を新たに社外取締役に迎え、サステナビリティ委員会のメンバーに加わることで、一層の取り組み強化を図ってまいります。
　事業戦略の策定や投融資等に際しては、こうした体制を基に、「グループ行動規範」や「丸井グループ環境方針」をはじめとした関連する方針、社会・環境問題にかかわる重要事項を踏まえ、総合的に審議決定することで、社会・環境問題に関するガバナンスの強化を進めていきます。
　2021年には新たに2026年3月期を最終年度とする5ヵ年の中期経営計画の策定に際し、「丸井グループビジョン2050」に基づき、サステナビリティとウェルビーイングに関わる目標を「インパクト」として定義しました。インパクトは「丸井グループビジョン2050」に定める取り組みをアップデートして、「将来世代の未来を共につくる」「一人ひとりの幸せを共につくる」「共創のプラットフォームをつくる」という共創をベースとする3つの目標を定め、それぞれ重点項目、取り組み方法、数値目標に落とし込んでいきます。このうち主要な取り組み項目は、中期経営計画の主要KPIとして設定しています。
　気候変動は、もはや気候危機としてとらえるべきことであり、当社は、重要な経営課題と認識し、パリ協定が示す「平均気温上昇を1.5℃に抑えた社会」の実現をめざしています。「丸井グループ環境方針（2020年4月改定）」に基づき、パリ協定の長期目標を踏まえた脱炭素社会へ積極的に対応すべく、ガバナンス体制を強化するとともに、事業への影響分析や気候変動による成長機会の取り込みおよびリスクへの適切な対応への取り組みを推進しています。当社はFSB（金融安定理事会）により設立されたTCFD（気候関連財務諸表開示タスクフォース）による提言に賛同し、有価証券報告書（2019年3月期）にて、提言を踏まえ情報を開示しました。さらに分析を重ね、有価証券報告書（2020年3月期）にて、気候変動による機会および物理的リスクなどの内容を拡充しました。今後も情報開示の充実を図るとともに、TCFD提言を当社の気候変動対応の適切さを検証するベンチマークとして活用し、共創サステナビリティ経営を進めていきます。加えて、当社ウェブサイトでは、環境・社会・ガバナンスの各項目におけるデータを「ESGデータブック」としてとりまとめ、レビューとともに開示、また、「丸井グループビジョン2050」に定めた取り組みの進捗についても開示をしております。
　当社の「共創サステナビリティ経営」の取り組み、および「グループ行動規範」、各方針の詳細につきましては、当社ウェブサイトに掲載の「共創経営レポート」「VISION BOOK 2050」「丸井グループ方針一覧」「長期目標の進捗」をご覧ください。また、人的資本への投資等の無形投資に関する情報は、「FACTBOOK」にて開示しております。

（知的財産への投資は特に該当しないため、開示は行っておりません）。

共創経営レポート
（https://www.0101maruigroup.co.jp/ir/pdf/i_report/2020/i_report2020_a3.pdf）

VISION BOOK 2050
（https://www.0101maruigroup.co.jp/sustainability/pdf/s_report/2018/s_report2018_a3.pdf）

長期目標の進捗
（https://www.0101maruigroup.co.jp/sustainability/vision2050/progress_01.html）

丸井グループ方針一覧
（https://www.0101maruigroup.co.jp/sustainability/theme04/risk.html#risk1URL）

有価証券報告書
（https://www.0101maruigroup.co.jp/pdf/settlement/0210gfe0.pdf）

ESGデータブック
（https://www.0101maruigroup.co.jp/sustainability/lib/databook.html）

FACTBOOK
（https://www.0101maruigroup.co.jp/pdf/settlement/factbook_2021g.pdf）

⑧あおぞら銀行

「コーポレートガバナンス・コードの各原則に基づく開示」

【補充原則3-1③】（サステナビリティについての取組み、TCFDの枠組みに基づく開示）
本報告書「Ⅲ．3．ステークホルダーの立場の尊重に係る取組み状況 環境保全活動、CSR活動等の実施」をご参照ください。

「Ⅲ．3．ステークホルダーの立場の尊重に係る取組み状況 環境保全活動，CSR活動等の実施」

＜サステナビリティの取り組み＞
　当行グループは、2020年5月に経営理念をあおぞらミッション・ビジョン・アクションとして明確化し、経営理念の中で「社会のサステナブルな発展に極的に貢献する」ことを掲げています。特に、「環境保護」「イノベーション促進」「人生の充実」を3つの「サステナビリティ重点項目」（マテリアリティ）と位置づけ、事業運営に取り組んでいます。
　それぞれの重点項目において、当行グループが中長期的に果たしたい役割を認識しつつ、今後起こりうる環境や社会的な要請の変化を踏まえ、優先的に取り組むべき施策を柔軟に見直しながら、各種取り組みを進めてまいります。
　2021年度においては、優先的に取り組む施策を「ビジネスにおける取り組み」「事業者としての取り組み」「基盤構築の取り組み」の3項目に分類し、各種施策を優先課題として業務運営計画に組み込んでおります。

＜気候変動への対応＞
　あらゆるグローバル課題の中でも、特に気候変動をはじめとする環境課題に関する認識はこの1年間だけでも劇的に変化しております。企業に対しても、ビジネス面および事業者としての取り組み双方で、喫緊の対応が迫られております。
　当行グループでは、ファイナンスを通じた環境課題に取り組む企業に対する財務面でのサポートだけでなく、電力調達の見直しや廃棄物の再資源化をはじめ、事業者としても環境負荷の低減や脱炭素社会の実現に貢献できる取り組みを推進してまいります。
　また、2020年3月に賛同を表明したTCFD*提言への対応につきましても、引き続きシナリオ分析の継続を通じたレジリエンスの評価、リスク管理の強化をはじめ、気候変動リスクを組み込んだ業務運営を推進し、当行グループの取組状況について、取引先や投資家の皆

補充原則
3-1③

Ⅱ　ガバナンス報告書

さまのご理解を深めてまいります。
＊TCFD:Task Force on Climate-related Financial Disclosures（気候変動財務情報開示タスクフォース）

＜社会貢献の取り組み＞
　持続可能な環境・社会の形成が、当行自身の中長期的な企業価値の向上（持続的な成長）に繋がるとの考えのもと、ビジネス以外での取り組みを通じた社会貢献へのアプローチも進めてまいります。
　環境・社会課題の解決はビジネスを通じての実現が第一であると考えておりますが、金融サービスの提供だけでは貢献が難しい領域につきましては、「寄付」をはじめとするビジネス以外での社会貢献活動を通じた取り組みも進めてまいります。

　上記取り組みについては統合報告書（ディスクロージャー誌）および当行のホームページに記載しておりますのでご参照ください。
統合報告書（ディスクロージャー誌）
日本語：https://www.aozorabank.co.jp/corp/ir/library/disclosure/
英語：https://www.aoozrabank.co.jp/english/ir/library/disclosure/
サステナビリティ
日本語：https://www.aozorabank.co.jp/corp/sustainability/
英語：https://www.aozorabank.co.jo/english/sustainability/

第11 補充原則4−1①に基づく開示

補充原則4−1①

> 取締役会は、取締役会自身として何を判断・決定し、何を経営陣に委ねるのかに関連して、経営陣に対する委任の範囲を明確に定め、その概要を開示すべきである。

1 背景・趣旨

補充原則4−1①は、経営陣に対する委任の範囲を明確に定め、その概要を開示すべきであるとする。これは、取締役会の審議事項について建設的な議論を行うためには、取締役会と経営陣との権限分配が、適切かつ明確に定まっていることが必要であることによると指摘される[注32]。

(注32) 油布志行＝渡邉浩司＝髙田洋輔＝中野常道「『コーポレートガバナンス・コード原案』の解説〔Ⅲ〕」商事法務2064号（2015）39頁。

2 開 示 対 象

本補充原則に基づく開示対象は、取締役会による経営陣に対する委任の範囲の概要である。

一般的に、経営陣に対する委任の範囲は、取締役会規則に定められた取締役会付議基準や、付議基準の詳細な運用の指針といった内規等において定められているのが通常であるが、本補充原則で開示が求められているのは「概要」であり、取締役会規則等に定められた取締役会付議基準や付議基準の詳細な運用の指針といった内規等そのものを開示する必要はないとされている[注33]。

(注33) コーポレートガバナンス・コードの策定に関する有識者会議（第8回）議事録〔油布志行金融庁総務企画局企業開示課長発言〕、油布志行＝渡邉浩司＝髙田洋輔＝中野常道「『コーポレートガバナンス・コード原案』の解説〔Ⅲ〕」商事法務2064号（2015）39頁。

3 開示の傾向

経営陣に対する委任の範囲の概要として、いかなる内容をどの程度具体的に開示するかについては、各社の考え方によって様々である。例えば、今回集計したTOPIX500構成銘柄企業のうち、経営陣に対する委任の範囲について、定量的な例示を行っている企業は3社、法的に委任可能な事項はすべて委任する（原則とする場合も含む。）とする企業は32社、付議基準自体を開示している企業は25社である。

Ⅱ　ガバナンス報告書

　会社法上の取締役会決議が必要な事項は機関設計により異なる。すなわち，監査役会設置会社においては，取締役会は，取締役会において決定すべきものと法定されている事項は定款の定めによってもその決定権限を代表取締役等の下部機関に委ねることはできないが（会社法362条4項），指名委員会等設置会社と監査等委員会設置会社においては，取締役会において決定すべきものと法定されている事項の多くを執行役又は取締役に委任することができる（会社法399条の13第5項・第6項，416条4項）。

　以下では機関設計に分けて開示例を記載する。

(1)　監査役会設置会社

　取締役会規則等の内規によって委任の基準や区分を明確に定めている旨述べる例（①**積水ハウス**，②**高島屋**，③**日本水産**）が多い。これに類した開示としては，法定の取締役会決議事項及び定款に定めた事項の他，経営に関する方針や経営上の重要事項等を委任の範囲外となる重要な業務執行とする例（④**住友化学**，⑤**エア・ウォーター**，⑥**日本新薬**，⑦**日本酸素ホールディングス**，⑧**大塚商会**）も多い。

　次に，上記の内規による定めの具体例として，「株主総会に関する事項，人事・組織に関する事項，決算に関する事項，株式・社債及び新株予約権に関する事項，会社財産等に関する事項，ＴＯＴＯグループの経営に関する事項，会社法等の法令に定める事項，定款に定める事項，その他重要事項」を主な取締役会決議事項として例示する例（⑨**TOTO**），「経営計画，人事・組織，投融資」等を経営上の重要事項として取締役会での審議が必要なものの例として挙げる例（⑩**アスクル**），「Ｍ＆Ａ，組織再編，主要な子会社役員の選任，多額の資産の取得・処分」等をグループに関わる重要な事項として取締役会の決定・承認事項として挙げる例（⑪**バンダイナムコホールディングス**），「全社総合予算，会社の解散・合併・提携等の戦略的計画，株式取扱規則，株主総会の招集の決定，代表取締役の選定及び解職，計算書類及び事業報告等の承認，重要な財産（長期保有の有価証券，土地，設備等）の処分及び譲受，重要な使用人の選解任，重要な組織の設置・変更」を取締役会が判断・決定する事項の主なものとする例（⑫**日本ガイシ**）などがある。取締役会決議事項となるか否かの基準として，「付議基準は取締役会付議基準一覧表によって明確にし…特に事業の開始・参加・廃止・脱退，固定資産の取得・処分，融資・保証等については金額基準を定め，この金額基準を超える案件については取締役会にて審議・決定」する旨開示する例（⑬**丸紅**）もある。

　さらに，取締役会決議事項一覧として，詳細な取締役会付議事項を開示する例（⑭**アサヒグループホールディングス**，⑮**日本ハム**）もある。

(2)　指名委員会等設置会社

　法令，定款で定められた事項を除く業務執行の決定は，原則としてすべて執行役へ委任する

とする例（⑯**日立製作所**），経営の基本方針等を決定し，法令で定められた専決事項以外の業務執行の決定を執行役へ委任するとする例（⑰**日本取引所グループ**）や，会社法の許容する範囲内のすべての業務執行権限を執行役へ委譲するとする例（⑱**三菱電機**），法令上取締役会による専決事項とされている事項以外の業務執行の決定を原則として執行役社長及び執行役会に委任するとする例（⑲**ＬＩＸＩＬ**）がある。

　また，委任の範囲外となる重要性の高い業務執行として「法定事項，定款所定事項等，経営の基本方針に関する事項や経営戦略等経営上の重要な事項」（⑳**オリンパス**），「法令上取締役会の専決事項とされている経営の基本方針の事項に加え，一定額以上の投資案件等グループ経営に多大な影響を与え得る事項」（㉑**日東紡績**），「当社及び子会社が行う重要な決定事項（M&A，資本政策など）」（㉒**H.U.グループホールディングス**）とする例がある。

　より具体的な例示をする事例としては，「特に重要な業務執行の決定については，取締役会が行う」としつつ，「当社グループ全体の経営戦略，リスク管理方針，資本政策，資源配分等の，経営の基本方針を決定する。」「取締役及び執行役の職務執行を監督する。」「当社グループの内部統制システムの内容を決定し，その構築・運用を監督する。」「執行役を選任する。」「コーポレートガバナンスの態勢の整備や健全な企業文化の醸成について監督する。」と列挙する例（㉓**三菱ＵＦＪフィナンシャル・グループ**）がある。

　さらに，法令の許す範囲で大幅に執行役に委任するとしながらも，その具体的な細目として，取締役会決議事項を詳細に定めた「取締役会細則」を開示する例（㉔**エーザイ**）や，「取締役会の決議事項の概要」を開示する例（㉕**日本板硝子**），取締役会決議事項を開示する例（㉖**ソニーグループ**）及び取締役会付議事項を掲げる例（㉗**野村ホールディングス**），取締役会の決議事項を掲げる例（㉘**ブリヂストン**，㉙**ＨＯＹＡ**），取締役会決議・報告事項一覧を開示する例（㉚**日本郵政**），取締役会の主な決議事項を掲げる例（㉛**日本精工**）がある。

(3)　監査等委員会設置会社

　監査役会設置会社と同様に，取締役会規則等の内規によって委任の基準や区分を定めている旨述べる例（㉜**任天堂**）が多い。

　次に，個別の業務執行の決定を原則として経営陣に委任するとした上で，委任の範囲外となる重要な業務執行として「M&Aや多額の資産の取得・処分等」を例示として列挙する例（㉝**Ｚホールディングス**）や，取締役会において「グループとしての企業価値の極大化，経営資源の配分，当社グループのコンプライアンスに関わるもの等の重要な事項，決算関係事項，重要な事業活動に関する事項（重要な事業の拡張，縮小等），重要な投融資や支出に関する事項その他会社法に定める事項」を決議事項及び報告事項とする例（㉞**日清製粉グループ本社**），「経営の基本方針，中期経営計画，年度計画，内部統制システムの基本方針，一定の金額水準を超える投融資等の重要な業務執行の決定」を取締役会の付議事項とする例（㉟**ニコン**），取締役会

Ⅱ ガバナンス報告書

決議事項として「(1) 法定の事項 (2) 重要な業務に関する事項 (3) 経理・人事に関する事項 (4) 定款により定められた事項等」を挙げる例（㊱日本電産），取締役会に付議すべき事項の例として「成長戦略の中核となる年度及び中期の経営計画や規模の大きいM＆Aなどの重要な事項」を挙げる例（㊲フジクラ），取締役会が法令及び定款に定められた事項のほか，「重要な業務に関する事項，株主総会の決議により委嘱された事項，重要な規則・規程の制定および改廃，その他取締役社長または取締役会が必要と認めた事項」に関して決定するとする例（㊳ＴＨＫ）がある。

さらに，取締役社長等の経営陣にその決定を委任している業務執行上の事項として，「重要な財産の取得および処分等」「金融機関等との重要取引および1件5億円以上の長期資金の借入れ」「部室長および同待遇者以上の人事」「支店その他の営業所および重要な組織の設置，変更および廃止」「社債の募集に関する重要事項」「規程の制定および改廃（株式取扱規程および取締役会規程を除く。）」「重要な契約の締結（法令または定款の定めにより株主総会または取締役会の決議事項とされるものを除く。）」「重要な訴訟行為」「従業員の採用に関する方針および計画」「従業員の給与および福利厚生に関する基本的事項」を例示として列挙する例（㊴岡三証券グループ），「重要な財産の取得・処分，組織・人事等の個別の重要な業務執行の決定の一部を業務執行取締役に委任」しているとする例（㊵村田製作所），「取締役会の決議に基づき，重要な業務執行の主要な部分について代表取締役等の業務執行取締役に委任」し，その他の業務執行については，取締役会において定めた業務分掌及び稟議決裁権限規程に基づき代表取締役等の業務執行取締役にその決定を委任するとともに，執行状況を監督しているとする例（㊶ニトリ）がある。

また，監査等委員会設置会社においても，取締役の過半数が社外取締役である場合または定款の定めがある場合は，指名委員会等設置会社と同様に，取締役会において決定すべきものと法定されている事項の多くを取締役に委任することができる（会社法399条の13第5項・第6項）。このため，法的に委任可能な事項は，原則として，執行役員会に委任するとする例がある（㊷ニッコンホールディングス）。

4　開示事例

①積水ハウス

「コーポレートガバナンス・コードの各原則に基づく開示」

【補充原則4-1(1) 取締役会の役割・責務】
取締役会は，経営方針及び経営戦略・経営計画の策定が中心的な役割であるとの認識に立ち，審議事項を不断に検討し，個別の業務執行に関する意思決定は，可能な限り取締役・執行役員に委任することとします。委任の範囲は，取締役会付議基準及び稟議規則に明確に定めており，その概要は次のとおりです。
・100億円以下の分譲用土地の取得
・総事業費100億円以下の賃貸事業用不動産の取得，開発
・100億円以下の借入

・50億円以下の設備投資等

②高島屋

「コーポレートガバナンス・コードの各原則に基づく開示」

補充原則4−1−1【経営陣に対する委任の範囲】
当社は会社の機関設計として「監査役会設置会社」を選択しております。法令に定める取締役会の専決事項は取締役会にて決議することで意思決定機能を果たしております。一方、執行役員制度を導入し、取締役会から業務執行ラインへ権限を委譲することで、意思決定の迅速化・高度化を図っております。取締役会はその業務執行に対する経営監督機能を果たしております。
なお、取締役会にて決議すべき内容、経営陣に委任する内容、経営陣の役割につきましては取締役会規則、取締役職務分掌規則、決裁規則等の社内規則にて明確に定めております。また、取締役、執行役員の任期を1年にすることで、事業年度毎の責任を明確にしております。業務執行機関といたしましては、常務会、店長会等の会議を設け、業務執行ラインにおける重要課題の審議・報告を行っております。

③日本水産

「コーポレートガバナンス・コードの各原則に基づく開示」

(補充原則4−1①)
当社は経営の監督と執行の分離を進めるべく、取締役会では、経営理念・ビジョン、中長期経営計画等の大きな方向性を示し、重要な意思決定を行う一方、社長執行役員を中心とする執行役員(会)に対して権限を委譲し、意思決定を迅速化しています。権限委譲する意思決定の範囲については、社内規程において、グループ会社も含めて、その内容の性質や金額基準等によって明確に定めています。なお、執行役員(会)へ権限委譲するにあたっては、取締役会への報告事項を充実させることで、取締役会の監督機能を十分に発揮できるようにしています。

④住友化学

「コーポレートガバナンス・コードの各原則に基づく開示」

＜補充原則4−1−1＞
当社は、法令による取締役会の専決事項及び定款の規定等に基づき、経営方針・事業戦略や業務執行上の重要案件等について取締役会で決議しています。
また、経営陣に委任した業務執行が適切になされているかを監督するために、取締役会における業務執行の状況についての報告の充実化を図っています。

⑤エア・ウォーター

「コーポレートガバナンス・コードの各原則に基づく開示」

【補充原則4−1−1】(経営陣に対する委任の範囲の概要)
当社では、「取締役会規程」および「取締役会付議基準」を定め、法令および定款に定める事項のほか、取締役会において決議および報告すべき事項を明確化しております。取締役会の決議が必要とされるのは、経営計画の決定、重要な組織の設置・廃止、重要な人事、重要な投融資および事業譲渡等に関する事項です。また、業務執行取締役や組織長の業務分掌ならびに意思決定に関する権限については、「組織規程」および「職務権限規程」を定め、委任の範囲を明確にしております。

⑥日本新薬

「コーポレートガバナンス・コードの各原則に基づく開示」

【補充原則4−1−1】
当社では、取締役会での決議事項、経営陣に対する委任事項については、取締役会規則その他の社内規則等において明確に定めております。取締役会においては、法令または定款に取締役会の決議を要する旨のある事項の他、株主総会で取締役会に決定を委任された事項、経営上の重要事項その他取締役会が必要と認めた事項について決議しており、迅速かつ円滑な意思決定や事業運営を実現するため、経営施策検討会を設置するとともに、執行役員制度を採用しております。

Ⅱ ガバナンス報告書

⑦日本酸素ホールディングス

「コーポレートガバナンス・コードの各原則に基づく開示」

【原則4-1-1 取締役会の役割・責務】
当社は、経営陣に対する委任の範囲を、当社ホームページにて公表しております「コーポレートガバナンス原則」の第7条第3項に規定しておりますのでご参照下さい。
(https://www.nipponsanso-hd.co.jp/Portals/0/images/company/governance/principles_jp.pdf)

「コーポレートガバナンス原則」

第7条（取締役会の役割）
　取締役会は、株主からの委託を受け、長期的な企業価値の最大化を通じて自らの利益の増進を図るすべての株主のために、効率的かつ実効的なコーポレートガバナンスを実現し、それを通じて、当社グループが持続的に成長し、長期的な企業価値の最大化を図ることについて責任を負う。
2．取締役会は、以下に規定することを含め、前項の責任を果たすために法令、定款、本原則及び取締役会規則等に従い必要とされることを行う。
　（1）経営全般に対する監督
　（2）内部統制体制の整備
　（3）社長（CEO）その他の経営陣の選定、選任、解任、評価及びその報酬の決定
　（4）経営戦略の策定及び重要な業務執行の決定
3．取締役会は、法令、定款及び取締役会規則により取締役会の決議が必要とされている業務執行について決議を行い、その他の業務執行事項については社長（CEO）に委任する。取締役会の決議が必要とされる業務執行とは多額のM＆A、設備投資、借入れ等であり、取締役会に付議すべき基準は取締役会規則に定める。

⑧大塚商会

「コーポレートガバナンス・コードの各原則に基づく開示」

補充原則　4-1-1
　取締役会は、法令、定款及び「取締役会規程」に定める重要事項として、経営計画に関する重要事項、関係会社の設立・出資、解散、事業方針並びにその他の重要事項の意思決定を行う他、取締役及び執行役員の職務執行を監督しております。
　また、取締役会は、業務執行の機動性と柔軟性を高めるため、法令、定款及び「取締役会規程」に定める重要事項以外の業務執行の意思決定を業務執行取締役及び執行役員に委任しております。

⑨TOTO

「コーポレートガバナンス・コードの各原則に基づく開示」

＜補充原則4-1（1）：取締役会から経営陣への委任の範囲の概要＞
当社では、取締役会の決議をもって決定する事項を取締役会規則に定めております。主な事項として、株主総会に関する事項、人事・組織に関する事項、決算に関する事項、株式・社債及び新株予約権に関する事項、会社財産等に関する事項、TOTOグループの経営に関する事項、会社法等の法令に定める事項、定款に定める事項、その他重要事項が該当します。
取締役会による決定をしない業務執行のうち、一定の重要な事項については、稟議規定を定め、取締役兼執行役員で構成される経営会議（原則として月2回開催）の審議を経て決定します。
また、取締役会の意思決定事項を効果的に実務執行するために、執行役員制度を導入しています。

⑩アスクル

「コーポレートガバナンス・コードの各原則に基づく開示」

【補充原則4-1-1 経営陣に対する委任の範囲】
　当社は、業務執行の監督、経営上の重要事項および企業戦略等の方針決定の機能を担う取締役会においては、事業計画等の経営の基本方針その他の経営上の重要事項、ならびに法令、定款により取締役会が決定すべきこととされている重要な業務執行の意思決定を行うこととしており、取締役会への付議事項を、「取締役会規程」において定めています。
　上記の「取締役会規程」により取締役会が決定すべきこととされている事項以外の事項に関する意思決定およびその執行は、「経営会議規程」および「職務権限規程」において、マネジメントの各階層に対する委任の範囲を具体的に規定しています。経営上重要な事項（経営計画、人事・組織、投融資等）については取締役会に付議し、その他の法令上可能な業務執行の決定は、CEOでもある代表取締役社長、社内取締役およびCFOで構成する経営会議（一部については経営会議での審議を経て代表取締役社長が最終決定）に委任しています。

⑪バンダイナムコホールディングス

「コーポレートガバナンス・コードの各原則に基づく開示」

【補充原則4-1-1：取締役会の役割・責務】
　当社は純粋持株会社であり、事業統括会社の代表取締役社長が当社の取締役等を兼務することで、グループ会社の複数の事業領域にまたがる課題の対策を協議し、具体的な問題を迅速に把握し対処できる体制を取るとともに、一方では、事業の執行に当たっては事業統括会社に大幅な権限を委譲することで迅速な業務執行がなされる体制を構築しております。
　当社取締役会は、法令及び定款に定められた事項や、M&A、組織再編、主要な子会社役員の選任、多額の資産の取得・処分等の当社及び当社グループ会社に係る重要事項を決定しております。当社取締役会で決議する事項と子会社の業務執行として権限を委譲した事項については、取締役会付議基準等の規程を整備し明確化しております。

⑫日本ガイシ

「コーポレートガバナンス・コードの各原則に基づく開示」

【補充原則4-1①.経営陣に対する委任の範囲の概要】
当社は、取締役会において、法令上取締役会において決議することが定められている事項、並びに、これに準ずるものとしてその重要性及び性質等から取締役会において決議することが適当であると認められる事項について、判断・決定を行っております。取締役会は会社の経営理念を達成するための戦略的な方向付けを行うべく経営戦略や経営計画策定等を議論し、その方向性に基づき、業務執行に関する決定を当社の経営陣に委任しております。
取締役会が判断・決定する事項は、具体的には当社定款及び取締役会規則に定めており、その主なものは、全社総合予算、会社の解散・合併・提携等の戦略的計画、株式取扱規則、株主総会の招集の決定、代表取締役の選定及び解職、計算書類及び事業報告等の承認、重要な財産（長期保有の有価証券、土地、設備等）の処分及び譲受、重要な使用人の選解任、重要な組織の設置・変更等です。
当社は執行役員制度を導入して経営の意思決定と業務執行の分離による意思決定の迅速化を図っており、上記以外の事項は、別に定めた職務権限表に基づいて経営陣が決定しております。

補充原則
4-1①

⑬丸　　紅

「コーポレートガバナンス・コードの各原則に基づく開示」

当社では、改訂前コーポレートガバナンス・コードの各原則に基づく開示事項を含め、基本原則・原則・補充原則の各78原則すべてに対する当社の取り組み状況や取り組み方針につき、本報告書の添付、並びに当社ウェブページに掲載しておりますので、そちらを御参照下さい。
(https://www.marubeni.com/jp/company/governance/)

「改訂前コーポレートガバナンス・コードに関する当社の取組み」

　当社は、経営会議体規程において法令及び当社定款に定められた事項、その他経営に関する重要事項につき取締役会に付議することを定めており、その付議基準は取締役会付議基準一覧表によって明確にしています。特に事業の開始・参加・廃止・脱退、固定資産の取得・処分、融資・保証等については金額基準を定め、この金額基準を超える案件については取締役会にて審議・決定しています。同一覧表により、取締役会が決定すべき事項以外の意思決定及びその執行は、代表取締役及び執行役員に委任しています。代表取締役及び執行役員に委任した事項に関する意思決定及び執行状況は、取締役会において各担当取締役より業務

Ⅱ　ガバナンス報告書

執行報告を行っております。取締役会は、この報告等を通じて代表取締役及び執行役員による意思決定及び業務執行を監督しています。

⑭アサヒグループホールディングス

「コーポレートガバナンス・コードの各原則に基づく開示」

(補充原則4-1①)
　取締役会は、取締役会規程により自己の決議事項を定め、決議事項に該当しない事項の決定を代表取締役(CEO)に委任するとともに、その執行を代表取締役(CEO)及び業務執行取締役に委任します。取締役会は、代表取締役(CEO)が当社の経営と執行の最高責任者として、業務執行取締役が各業務の執行責任者として、委任を受けた業務を適切に執行していることにつき報告を受け、監督します。また、当該決議事項については、当社のホームページにて公表しております「コーポレートガバナンス・ガイドライン　5．付帯情報(1)取締役会決議事項一覧」に掲載しておりますので、ご参照ください。
　　(https://www.asahigroup-holdings.com/company/governance/)

「コーポレートガバナンス・ガイドライン　5．付帯情報（1）取締役会決議事項一覧」

1．経営の基本方針に関する事項
 (1) 経営理念の策定及び重要な変更
 (2) 長期ビジョンの策定及び重要な変更
 (3) コーポレート・ガバナンスの基本方針及びガイドラインの策定及び重要な変更
 (4) サクセッション・プランの基本方針の策定及び重要な変更
 (5) 会社法に定める内部統制システムの整備のための基本方針の制定及び変更
2．中期及び年次の経営に関する事項並びに決算に関する事項
 (1) 中期経営方針、年次経営計画の決定及び重要な変更
 (2) 取締役会の実効性評価及びその結果の概要の決定
　　『決算及び配当に関する事項』
3．株主総会に関する事項
　　『法定事項』
4．取締役に関する事項
 (1) 取締役候補者の決定
 (2) 代表取締役の選定、解職
 (3) 代表取締役に事故あるときの職務代行順位
 (4) 取締役会長、取締役社長及びその他役付取締役の選定、解職
 (5) 取締役会長を欠くとき又は事故あるときに、取締役会を招集し、議長となるべき他の取締役の順位の決定、変更
 (6) 取締役の職務担当の決定
 (7) 指名委員及び報酬委員の選任、解任
 (8) 取締役の報酬制度の決定
 (9) 取締役等の賞与の支給に関する事項
 (10) 取締役の報酬にかかる株式交付規程の改廃
 (11) 取締役の競業取引の承認
 (12) 取締役と当会社間の取引又は取締役が第三者のために当会社と取引をする場合の

承認
(13) 当会社と取締役との利益相反する取引の承認
(14) 取締役会規程の改正、指名委員会規程及び報酬委員会規程の改廃

5．人事に関する事項
(1) ＣＥＯ（最高経営責任者）、ＣＸＯの選任、解任
(2) ＲＨＱ（Regional Head Quarter）の代表者の選任、解任に関する認否

6．株式及び社債に関する事項
　『法定事項など』

7．重要な業務執行に関する事項
(1) 当社及び子会社による重要な財産の処分及び譲受け並びに多額の借財
(2) 当社及び重要な子会社の企業再編、合併、会社分割、株式交換、株式移転、事業譲渡・譲受、重要な事業提携・解消又はその他これに類する行為
(3) 当社及び子会社による重要な事業への参入及び撤退
(4) 重要な組織の新設、改廃
(5) 重要な子会社の選定及び変更

8．取締役会規程に定めのない事項であって、法定決議事項又は社内規定により取締役会の決議を必要とする事項
9．株主総会の決議により取締役会に授権された事項
10．その他取締役会長又は取締役社長が必要と認めた事項

⑮日本ハム

「コーポレートガバナンス・コードの各原則に基づく開示」

補充原則4-1①

(補充原則4-1-1)経営陣への委任の範囲の概要
当社取締役会は、法令により取締役会の専決とされる事項及び取締役会規則に定める経営上の重要事項を決定し、それ以外の業務執行の決定権限は代表取締役と各事業本部長及び業務運営組織の長に委譲します。
当社取締役会決議事項は、基本方針の参考資料1「当社取締役会決議事項」をご参照ください。

「ニッポンハムグループ　コーポレートガバナンス基本方針」

参考資料1．当社取締役会決議事項

第1　決議事項
　1　法令に定められた事項
　(1)　株主総会の招集に関する事項の決定(会社法298条4項)
　　　※株主総会において電磁的方法による議決権の行使を認める場合はその旨(同条1項4号)の決定も取締役会決議にて行う。
　(2)　計算書類及び事業報告ならびにこれらの附属明細書の承認(会社法436条3項)
　(3)　連結計算書類の承認(会社法444条5項)
　(4)　代表取締役の選定及び解職(会社法362条2項3号)
　(5)　取締役の競業取引の承認(会社法356条1項1号)
　(6)　取締役が自己または第三者のために行う会社との取引、その他取締役が行う会社と利益相反

する取引の承認(会社法356条1項2号・3号)
(7) 資本金の額の減少(会社法447条3項)
　※株式発行と同時に資本金額を減少する場合で、減少前の資本金額が減少後のそれを下回らないときに限る。
(8) 準備金の額の減少(会社法448条3項)
　※株式発行と同時に準備金額を減少する場合で、減少前の準備金額が減少後のそれを下回らないときに限る。
(9) 株式の分割に関する事項の決定(会社法183条2項)、及び、株式の分割に伴い発行可能株式総数を増加する定款の変更(会社法184条2項)
(10) 自己株式の取得に関する事項(会社法157条2項、会社法197条4項)
(11) 自己株式の子会社からの取得に関する事項(会社法163条)
(12) 自己株式の消却に関する事項(会社法178条2項)
(13) 単元株式数を減少する定款の変更または単元株式についての定款の定めの廃止(会社法195条1項)
(14) 募集株式の募集事項の決定(会社法199条・201条)
(15) 募集新株予約権の募集事項の決定(会社法238条・240条)
　※募集新株予約権が新株予約権付社債に付されたものである場合は、募集社債に関する事項の決定も取締役会決議にて行う(会社法238条1項6号・676条・240条)。
(16) 取得条項付新株予約権の取得に関する事項(会社法273条1項・274条2項)
　※取得する取得条項付新株予約権の決定の他、取得日の決定も取締役会決議にて行う。
　※但し、取得条項付新株予約権の内容として別段の定めがある場合は本号の限りではない(会社法273条1項但書・274条2項但書)。
(17) 自己新株予約権の消却に関する事項(会社法276条2項)
(18) 譲渡制限付新株予約権の譲渡の承認(会社法265条1項)
　※但し、新株予約権の内容として別段の定めがある場合は本号の限りではない(会社法265条1項但書)。
(19) 募集社債に関する事項の決定(会社法362条4項5号)
　※募集社債の総額(会社法676条1号)の決定、その他、会社法施行規則第99条に定める事項の決定は取締役会決議にて行う。
　※募集社債が新株予約権付社債である場合には、上記事項の他、会社法676条2号以下に定める募集社債に関するその他の事項の決定についても取締役会決議にて行う(会社法238条1項6号・240条。上記(15)に同じ。)。
(20) 重要なる財産の処分及び譲受け(会社法362条4項1号)
(21) 多額の借財(会社法362条4項2号)
(22) 支配人その他の重要な使用人の選任及び解任(会社法362条4項3号)
(23) 支店その他の重要な組織の設置、変更及び廃止(会社法362条4項4号)
(24) 取締役の職務の執行が法令及び定款に適合することを確保するための体制の整備(会社法362条4項5号)
(25) 前号の他、当社の業務並びに当社及びその子会社からなる企業集団(以下、「当社グループ」と言う。)の業務の適正を確保するために必要なものとして法務省令が定める以下の各体制の整備(会社法362条4項5号、会社法施行規則100条)
　ア　取締役の職務執行に係る情報の保存及び管理に関する体制

イ　当社の損失の危険の管理に関する規程その他の体制
　　　ウ　取締役の職務執行が効率的に行われることを確保するための体制
　　　エ　使用人の職務執行が法令及び定款に適合することを確保するための体制
　　　オ　当社グループにおける業務の適正を確保するための体制
　　　カ　監査役の監査が実効的に行われることを確保するための体制
　(26)　その他、法令で定められた事項
2　定款に定められた事項
　(1)　株主名簿管理人の選定及びその事務取扱場所の決定(定款第10条)
　(2)　役付取締役の選定及び解職並びに取締役社長の代行の順序決定(定款第21条)
　(3)　顧問及び相談役の設置(定款第27条)
　(4)　株式取扱規程の制定及び変更(定款第11条)
　(5)　基準日の決定(定款第37条2項)
　(6)　剰余金の配当等の決定(定款第36条)
3　経営上の重要事項
　(1)　株主総会の決議により授権された事項の決定
　(2)　基本経営方針の設定及び変更
　(3)　中長期の経営計画の決定
　(4)　取締役会規則の制定及び改廃
　(5)　取締役候補者及び監査役候補者の決定
　(6)　取締役会議長の選定
　(7)　役員報酬内規等、役員内規の制定及び改廃
　(8)　取締役会の任意委員会の設置、委員の選任及び解任
　(9)　取締役会の実効性の評価
　(10)　その他、経営上の重要事項
4　執行役員に関する事項
　(1)　執行役員規則の制定・改廃
　(2)　執行役員の選任及び解任
　(3)　執行役員の昇格、異動、主要な業務分担の変更
　(4)　執行役員の処遇等基本的な制度の新設・改廃
　(5)　執行役員の業績評価の方針の決定
　(6)　執行役員と会社との取引（自己取引・間接取引）の承認
5　その他、取締役会が必要と認めた事項

第2　決議事項の該当性判断基準
1　「重要なる財産の処分及び譲受け」（第1、第1項(20)）の該当性は、以下の基準により判断する。ここでいう関係会社とは実質持株比率が50％超の会社又は当会社がその経営に関与する会社をいう。
　(1)　不動産の取得及び処分　　1件　50億円相当以上
　(2)　出資　　　　　　　　　　1件　50億円以上
　(3)　融資　　　　　　　　　　1件　50億円以上
　　　但し、関係会社に対する融資は除外。
　(4)　担保の提供　　　　　　　1件　50億円以上

> (5) 債務免除　　　　　　1件　5億円以上
>   但し、関係会社に対する債務免除は30億円以上。
> (6) 補償　　　　　　　　1件　5億円以上
> (7) 寄付　　　　　　　　1件　5千万円以上
> 2　「多額の借財」（第1、第1項(21)）の該当性は、以下の基準により判断する。
> (1) 借入金　　　　　　　1件　50億円以上
> (2) 債務保証　　　　　　1件　20億円以上
> 3　「支配人その他の重要な使用人の選任及び解任」（第1、第1項(22)）は、取締役の使用人兼務並びに支社長(支店長)及び本部長・事業部長の人事がこれに該当する。
> 4　「支店その他の重要な組織の設置、変更及び廃止」（第1、第1項(23)）は、本店の移転及び支店の新設・移転・廃止並びに基本組織（本部、事業部等。基本組織規則第5条但書に定める組織）の変更がこれに該当する。
> 5　第1項乃至第4項の基準に満たない業務執行行為についても、当該行為時における会社の規模、当該行為の態様、営業または財産の状況、及び、従来の取扱等の諸事情を勘案し、当該行為が会社にとって重要な業務執行と認められる場合は、取締役会決議事項とする。

⑯日立製作所

「コーポレートガバナンス・コードの各原則に基づく開示」

> ＜補充原則4-1-1＞
> 当社は指名委員会等設置会社であり、監督と執行の分離を徹底することにより、事業を迅速に運営できる執行体制の確立と経営監督機能の実効性の確保に努めている。
> 取締役会は、当社グループの経営の基本方針を決定するとともに、執行役及び取締役の職務執行を監督する役割を担い、法令、定款で定められた事項を除く業務執行の決定は、原則として全て執行役へ委任する。取締役会で決定する経営の基本方針には、中期経営計画や年度予算等を含み、取締役会では、経営の基本方針に関する戦略的な議論にも焦点を当てるものとしている。

⑰日本取引所グループ

「コーポレートガバナンス・コードの各原則に基づく開示」

> 【補充原則4-1-1．経営陣に対する委任の範囲の決定、概要の開示】
> 当社は、指名委員会等設置会社でもあることから、当社の取締役会は、迅速かつ機動的な意思決定及び業務執行者に対する監督強化を目的として、経営の基本方針や執行役の選任等、法令上取締役会の専決事項とされている事項の決定を中心に行い、その他の業務執行の決定については、代表執行役グループCEO以下の執行役に委任することとしています。

⑱三菱電機

「コーポレートガバナンス・コードの各原則に基づく開示」

> 【補充原則4-1-1　取締役会の決定事項等】
> 当社の取締役会は経営の監督に特化し、会社法の許容する範囲内のすべての業務執行権限を執行役へ委譲することを決議しています。

⑲ＬＩＸＩＬ

「コーポレートガバナンス・コードの各原則に基づく開示」

> 【補充原則4-1①　取締役会から執行役への委任の範囲の概要】
> 当社の取締役会は、経営と監督の明確な分離を図るという指名委員会等設置会社の理念を踏まえ、当社基本方針第20条「取締役会の役割・責務」第2項で委任の範囲の概要を定め、取締役会及び執行役会の具体的な決議事項については、「取締役会規則」及び「執行役会規則」で定めております。

「LIXIL コーポレートガバナンス基本方針」

第 20 条　取締役会の役割・責務

<中　略>

2.　取締役会は、業務執行の基本方針の決定や内部統制システムの構築等、法令上指名委員会等設置会社の取締役会の専決事項とされている業務執行の決定を行い、専決事項以外の事項については、原則として執行役及び執行役会に委任する。

---

⑳オリンパス

「コーポレートガバナンス・コードの各原則に基づく開示」

【補充原則4－1－1　経営陣に対する委任の範囲】
当社は執行と監督を分離する方針のもと、取締役会に付議すべき事項は、取締役会が定める取締役会規程および取締役会付議・報告基準に規定し、それらは法定事項、定款所定事項等、経営の基本方針に関する事項や経営戦略等経営上の重要な事項からなっています。経営陣は取締役会で決定された経営の基本方針および経営戦略に即して事業遂行しています。

㉑日東紡績

「コーポレートガバナンス・コードの各原則に基づく開示」

補充原則4－1－1【経営陣への委任の範囲の概要】
　当社の取締役会は、指名委員会等設置会社として、法令上許される範囲で業務の決定を執行役に委任して機動的な業務執行を図っている。
　当社の取締役会は、法令上取締役会の専決事項となっている経営の基本方針の事項に加え、一定額以上の投資案件等グループ経営に多大な影響を与え得る事項を決定する。

㉒ H.U.グループホールディングス

「コーポレートガバナンス・コードの各原則に基づく開示」

【補充原則4-1-1　取締役会の役割・責務(1)】
取締役会が執行役に委任する範囲については、コーポレート・ガバナンス方針の「4. 取締役会から経営陣への委任範囲の概要」に記載しています。

「H.U.グループコーポレート・ガバナンス方針」「4．取締役会から経営陣への委任範囲の概要」

　当社は、経営意思決定の迅速化及び取締役会による監督機能の強化の観点から、定款及び取締役会規程に基づき、取締役会の決議により以下に記載する事項を除く重要な業務執行の決定を執行役に委任します。
・　法令、定款及び取締役会規程において、取締役会決議を要するものと定められた事項
・　当社及び当社子会社が行う重要な決定事項（M&A, 資本政策など）

Ⅱ　ガバナンス報告書

㉓三菱ＵＦＪフィナンシャル・グループ

「コーポレートガバナンス・コードの各原則に基づく開示」

【補充原則4-1-1】
■経営陣に対する委任の範囲の概要
経営陣に対する委任の範囲の概要は、MUFGコーポレートガバナンス方針（https://www.mufg.jp/profile/governance/policy/）の「3-1. 取締役会の役割」に記載しております。

「ＭＵＦＧコーポレートガバナンス方針」

取締役会は、経営の基本方針を決定するとともに、経営監督機能を担う。法令で定められた専決事項以外の業務執行の決定は、原則として執行役へ委任する。
但し、特に重要な業務執行の決定については、取締役会が行う。
以下の事項は取締役会が実施する。

- 当社グループ全体の経営戦略、リスク管理方針、資本政策、資源配分等の、経営の基本方針を決定する。

- 取締役及び執行役の職務執行を監督する。

- 当社グループの内部統制システムの内容を決定し、その構築・運用を監督する。

- 執行役を選任する。

- コーポレートガバナンスの態勢の整備や健全な企業文化の醸成について監督する。

㉔エーザイ

「コーポレートガバナンス・コードの各原則に基づく開示」

【補充原則4－1－1　取締役会の役割・責務(1)】
　当社は指名委員会等設置会社であり、当社取締役会は、法令の許す範囲で業務執行の意思決定を執行役に大幅に委任して経営の活力を増大させるとともに、経営の監督機能に専念しております。
　取締役会は、経営の基本方針、執行役の選任など、法令、定款および取締役会規則で定められた重要事項の意思決定を行いますが、取締役会の決議事項、取締役会への報告事項については、具体的に取締役会細則に定めています。取締役会規則および細則は、当社ホームページにおいて開示しています。
　https://www.eisai.co.jp/company/governance/cgregulations/boardmtg/index.html

---

「同社ホームページ」

取締役会規則

（目的）
第1条　本規則は、エーザイ株式会社の取締役会に関する事項を定めたものである。

（権限）
第2条　取締役会は、法令、定款および本規則で定めた事項について決定を行うとともに、取締役ならびに執

行役の職務の執行を監督する権限を有しており、法令または定款に別段の定めがある場合を除き、「取締役会細則」に定める決議事項の決定を行い、報告事項の報告を受ける。

（構成）
第3条 取締役会は、すべての取締役で組織する。

（招集）
第4条 取締役会は、法令に別段の定めがある場合を除き、議長が招集する。議長に事故がある場合は、あらかじめ取締役会の定めた順序により他の取締役がこれに代わる。

2. 取締役会の招集通知は、日時、場所および議題を掲げ、会日の3日前までに、各取締役に対して、これを発するものとする。ただし、緊急の場合はこの期間を短縮することができる。

3. 取締役全員の同意があるときは、前項の招集手続を経ないで取締役会を開催することができる。

（開催）
第5条 取締役会は、3ヵ月に1回以上開催する。

2. 取締役会は、本社において開催する。ただし、必要があるときは他の場所で開催することができる。

3. 取締役会は、日本語にて開催する。通訳が必要な場合は、同席させることができる。

（議長）
第6条 取締役会の議長は、取締役議長がその任にあたる。取締役議長に事故がある場合は、あらかじめ取締役会の定めた順序により他の取締役がこれに代わる。

（決議の方法）
第7条 取締役会の決議は、議決に加わることができる取締役の過半数が出席し、その取締役の過半数をもって決する。

2. 取締役会の決議につき、特別の利害関係を有する取締役は、議決権を行使することができない。

3. 取締役が取締役会の決議の目的である事項について提案をした場合において、取締役（当該事項について議決に加わることができるものに限る。）の全員が書面または電磁的記録により、その提案に同意の意思表示をしたときは、当該提案を可決する旨の取締役会決議があったものとみなす。この場合において、当該提案について取締役全員が同意の意思表示を完了した日を当該提案の取締役会決議があったものとみなす日とする。

（取締役会への報告の省略）
第8条 取締役または執行役が取締役の全員に対して取締役会に報告すべき事項を書面または電磁的記録により通知したときは、当該事項を取締役会へ報告することを要しない。この場合において、当該事項について取締役全員に対して通知が完了した日を当該事項を取締役会への報告を要しないものとされた日とする。

2. 前項の規定にかかわらず、執行役は、3ヵ月に1回以上、自己の職務の執行の状況を取締役会に報告しなければならない。

（議案関係者の出席）
第9条 取締役会が必要と認めたときは、執行役およびそれ以外の者を取締役会に出席させ、その意見または説明を求めることができる。

Ⅱ　ガバナンス報告書

（議事録）
第10条　取締役会の議事については、法令に従い議事録を作成し、出席した取締役はこれに署名または記名押印する。
　　　　2. 取締役会の議事録は、本店に10年間備え置く。

（事務局）
第11条　取締役会に関する事務は、取締役会事務局がこれにあたる。

（改正）
第12条　本規則は、取締役会の決議により、改正することができる。

附　則

（実施）
第1条　本規則は、1979年7月24日から施行する。
第2条　本規則は、1982年10月1日から施行する。
第3条　本規則は、1990年4月1日から施行する。
第4条　本規則は、2000年6月29日から施行する。
第5条　本規則は、2000年8月25日から施行する。
第6条　本規則は、2002年4月25日から施行する。
第7条　本規則は、2002年6月27日から施行する。
第8条　本規則は、2003年6月24日から施行する。
第9条　本規則は、2003年9月25日から施行する。
第10条　本規則は、2004年6月24日から施行する。
第11条　本規則は、2005年6月24日から施行する。
第12条　本規則は、2006年6月23日から施行する。
第13条　本規則は、2007年5月15日から施行する。
第14条　本規則は、2008年9月26日から施行する。
第15条　本規則は、2009年9月17日から施行する。
第16条　本規則は、2011年4月27日から施行する。
第17条　本規則は、2013年6月21日から施行する。
第18条　本規則は、2014年6月20日から施行する。
第19条　本規則は、2015年5月14日から施行する。
第20条　本規則は、2015年6月19日から施行する。
第21条　本規則は、2016年6月17日から施行する。
第22条　本規則は、2017年6月21日から施行する。

第23条　本規則は、2018年6月20日から施行する。

第24条　本規則は、2020年1月31日から施行する。

第25条　本規則は、2020年6月19日から施行する。

（以上）

取締役会細則

1. 決議事項

1. 株主総会に関する事項

    1) 株主総会の招集の決定（株主総会の招集、当該総会への付議議案は原則として同一取締役会で決定する）

    2) 株主総会の付議議案（取締役、会計参与および会計監査人の選任・解任ならびに会計監査人を再任しないことに関するものを除く）の決定
    （参考：主たる株主総会付議議案は以下のとおり）

        (1) 取締役の選任・解任

        (2) 株式併合

        (3) 自己株式の取得（特定株主からの取得）

        (4) 事業譲渡・譲受け等の承認

        (5) 募集株式の有利発行

        (6) 募集新株予約権の有利発行

        (7) 定款変更

        (8) 株式交換契約の承認

        (9) 株式移転計画の承認

        (10) 新設分割計画の承認

        (11) 吸収分割契約の承認

        (12) 資本金の額の剰余金減少による増加・資本金の額の減少

        (13) 準備金の額の増加・減少

        (14) 損失の処理、任意積立等のための剰余金の処分

        (15) 解散

        (16) 合併契約の承認

        (17) 会計監査人の選任

Ⅱ　ガバナンス報告書

    3）　株主総会招集権者の決定

    4）　株主総会招集権者に事故がある場合の株主総会の招集者代行順序の決定

    5）　株主総会議長の決定

    6）　株主総会議長に事故がある場合の株主総会の議長代行順序の決定

    7）　株主提案に関する事項

2. 取締役会・取締役・執行役に関する事項

    1）　取締役会の議長の選定

    2）　取締役会の議長に事故がある場合の、取締役会の招集者および取締役会の議長代行順序の決定

    3）　役付取締役の選定・解職

    4）　執行役の選任・解任

    5）　代表執行役の選定・解職

    6）　代表執行役の役職名の決定

    7）　役付執行役の選定・解職

    8）　執行役が二人以上ある場合における執行役の職務の分掌および指揮命令の関係その他の執行役相互の関係に関する事項の決定

    9）　取締役会を招集する取締役の選定

    10）　取締役または執行役による競業取引の承認

    11）　取締役または執行役による利益相反取引（直接取引および間接取引）の承認

    12）　執行役から取締役会の招集の請求を受ける取締役の選定

    13）　株主名簿管理人等の決定、または株主名簿管理人等を決定する執行役の選定

    14）　株式取扱規則の制定、変更、または株式取扱規則を制定、変更する執行役の選定

    15）　取締役および執行役の責任の免除の決定

    16）　取締役（業務執行取締役等である者を除く。）の責任免除に関する契約の内容の承認

    17）　コーポレートガバナンス評価の決定（コーポレートガバナンスガイドラインおよび内部統制に関連した取締役会決議の自己レビューならびに取締役会評価

    18）　取締役会評価の制度変更

3. 決算に関する事項

    1）　連結計算書類の承認
       （連結計算書類とは、連結財政状態計算書、連結損益計算書、連結持分変動計算書、連結注記表をいう）

    2）　計算書類およびその附属明細書の承認
       （計算書類とは、貸借対照表、損益計算書、株主資本等変動計算書、個別注記表をいう）

    3）　連結財務諸表（年度および四半期）の承認
       （連結財務諸表とは、連結財政状態計算書、連結損益計算書、連結包括利益計算書、連結持分変動計算書、連結キャッシュ・フロー計算書をいう）

    4）　事業報告およびその附属明細書の承認

5) 臨時計算書類の承認

4. 指名委員会等に関する事項

1) 指名委員会、監査委員会および報酬委員会の各委員会を組織する取締役の選定・解職

2) 指名委員会、監査委員会および報酬委員会の各委員会の委員長の選定・解職

3) 当社と監査委員との間の訴訟において当社を代表する者の決定

4) 指名委員会、監査委員会および報酬委員会以外の取締役会内委員会の設置、変更、廃止およびその委員の選定・解職

5. 経営の基本方針等に関する事項

1) 年度事業計画の大綱の決定

2) 中長期経営計画の基本方針の決定およびその重要な変更

3) 企業価値向上に関する事項の決定

4) 資本政策の基本方針（株主還元に関する事項を含む）の決定

6. 株式、資本等に関する事項

1) 剰余金の配当等の決定

　(1) 自己株式の取得およびその内容

　(2) 準備金の減少およびその内容

　(3) 剰余金の処分およびその内容

　(4) 剰余金の配当およびその内容（配当予想を含む）

2) 譲渡制限株式または譲渡制限新株予約権の譲渡承認および譲渡制限株式の譲渡の相手方の指定

3) 公開買付け・自己株式の公開買付の内容および公開買付けに対する意見表明の内容の決定

4) 社外取締役独立委員会の提案に基づく新株予約権の発行の決定

5) 株主名簿管理人およびその事務取扱場所の決定

補充原則
4-1①

7. 組織再編に関する事項

1) 合併契約の内容の決定（簡易な合併の場合を除く）

2) 吸収分割契約の内容の決定（簡易な吸収分割の場合を除く）

3) 新設分割計画の内容の決定（簡易な新設分割の場合を除く）

4) 株式交換契約の内容の決定（簡易な株式交換の場合を除く）

5) 株式移転計画の内容の決定

8. 規則等の制定、変更、廃止

1) <u>コーポレートガバナンスガイドライン</u>

2) 役員基本規程

3) 取締役会規則（取締役会細則を含む）

Ⅱ　ガバナンス報告書

  4）　取締役会が執行役に委任する事項

  5）　監査委員会の職務の執行のために必要な事項に関する規則（監査委員会の職務の執行のために必要なものとして法務省令で定める事項の決定）

  6）　執行役の職務の執行の適正を確保するために必要な体制の整備に関する規則（執行役の職務の執行が法令および定款に適合することを確保するための体制その他当社の業務ならびに当社およびその子会社から成る企業集団の業務の適正を確保するために必要なものとして法務省令で定める体制の整備の決定）

  7）　<u>指名委員会規則</u>

  8）　<u>監査委員会規則</u>

  9）　<u>報酬委員会規則</u>

  10）　株式取扱規則

9. 株主代表訴訟に関する事項

  1）　監査委員および会計監査人に対しその責任を追及する訴えを提起するよう株主から請求を受けた場合の当該提訴の当否、および不提訴の場合の不提訴理由書の内容の決定

  2）　提訴株主から株主代表訴訟提起の告知を受けた場合、当該訴えに係る当事者が監査委員である場合の訴訟参加の当否の決定

  3）　取締役または執行役に対して株主代表訴訟が提起された場合、当社による取締役または執行役側への補助参加の当否の決定

10. その他の事項

  1）　事業の全部もしくは重要な一部の譲渡、子会社の株式又は持分の全部又は一部の譲渡（会社法467条1項2号の2に該当する場合に限る）、他の会社の事業の全部の譲受け、事業の全部の賃貸借、事業の全部の経営の委任、損益共通契約等の締結、変更もしくは解約または事後設立の契約の内容の決定（簡易な事業譲渡等の場合を除く）

  2）　上場の廃止の決定

  3）　破産、再生手続開始または更生手続開始の申立ての決定

  4）　継続企業の前提に関する事項の注記の内容の決定

  5）　社内取締役および執行役の兼業等の承認（以下を除く）

    (1)　当社の子会社、関連会社の役員、使用人またはそれらに準ずる者になる場合

    (2)　当社と競業関係または取引関係にない非営利団体の代表者もしくは理事等の役員または使用人もしくはそれらに準ずる者になる場合

    (3)　当社と競業関係または取引関係にある非営利団体の代表者ではない理事等の役員または使用人もしくはそれらに準ずる者になる場合

  6）　当社企業価値・株主共同の利益の確保に関する対応方針の維持・改定・廃止

  7）　当社企業価値・株主共同の利益の確保に関する対応方針以外の対応策の導入

  8）　株主総会において取締役会に決定を委任された事項の決定

  9）　その他取締役会が必要と認めた事項の決定

第二部　各原則に基づく開示事項（必要的開示）　第11

2. 報告事項

項目	運用指針
I 指名委員会、監査委員会、報酬委員会および社外取締役独立委員会の報告事項	
1 指名委員会の職務の執行の状況	・指名委員会の年間スケジュール ・取締役の選任に関する株主総会議案および選任理由 ・社外取締役候補者の独立性・中立性についての考え方 ・その他、指名委員会が取締役候補者として決議するに際して留意した事項等 ・取締役候補者に法令、定款等への違反がある場合、その事実等 ・取締役候補者選任に関する諸規則の制定・変更・廃止 ・取締役の解任に関する株主総会議案 ・外部コンサルタントとの契約の締結
2 監査委員会の職務の執行の状況	・監査活動方針 ・監査計画 ・監査委員会における決議および報告の内容ならびに監査調書に係る監査意見 ・年度の監査報告に係る監査意見 ・監査に関する諸規則の制定・変更・廃止 ・会計監査人に関する事項 ・経営監査部員の人事異動の同意および人事評価等に関する事項 ・外部コンサルタントとの契約の締結
3 報酬委員会の職務の執行の状況	・役員の報酬等に関する基本方針 ・役員の報酬体系および個人別の報酬等 ・報酬等に関する諸規則の制定・変更・廃止 ・役員報酬の開示に関する事項 ・役員の報酬等の変更および減額 ・外部コンサルタントとの契約の締結
4 社外取締役独立委員会の職務の執行の状況	・当社企業価値・株主共同の利益の確保に関する対応方針の運用状況（新株予約権の不発行決議を含む） ・社外取締役独立委員会に関する諸規則の制定・変更・廃止
II 執行役の報告事項	報告事項は、取締役会の決議により執行役に委任した事項、株主、顧客および従業員の利益に影響する事項やコンプライアンスに関する事項、課題、問題点、例外的事項を中心とする。原則として四半期業務執行報告の中で報告するが、重要性の高いものは随時報告する。
1 取締役会の決議により執行役に委任した事項	
1）株式、資本および資本調達等に関する事項	・連結対象会社の追加・削除 ・募集株式の発行等（自己株式の処分を含み、有利発行を除く） ・子会社の有する自己株式の取得 ・株式の分割 ・株式の分割による発行可能株式数増加の定款変更 ・単元株式数の減少または単元制の廃止に伴う定款変更 ・社債の発行 ・募集新株予約権の発行（社外取締役独立委員会の提案に基づくものおよび有利発行を除く） ・自己株式・自己新株予約権の消却 ・所在不明株主の株式の競売、売却、買取り ・政策保有株式の状況（保有目的・保有の適否の検証を含む）
2）事業の譲渡等・合併・分割・株式交換に関する事項	・簡易な事業譲渡・譲受け ・簡易な合併契約の締結 ・簡易な吸収分割契約の締結 ・簡易な新設分割計画の承認 ・簡易な株式交換契約の締結
3）重要な業務執行に関する事項	・重要な財産の処分および譲受け ・多額の借財 ・重要な使用人の選任および解任 ・重要な組織の設置、変更、廃止 ・子会社、関連会社の設立、解散ならびに重要な子会社の合併・売却等 ・重要な子会社の役員人事 ・子会社間の資本取引 ・新規事業への進出 ・フェーズII以降の重要な研究開発テーマ開発中止 ・既存事業の廃止および変更 ・重要な業務提携とその解消 ・重要な製品の導入・導出契約 ・企業買収 ・主力製品に関する重要な契約の締結、変更および解約 ・重要な訴訟の提起、応訴の遂行方針、経過、終結 ・公開買付け ・人員削減等の合理化 ・株主総会における議決権行使の結果の分析とその対応 ・決算短信 ・有価証券報告書 ・臨時報告書 ・内部統制報告書 ・コーポレートガバナンス報告書（定時株主総会終了後、最初に東証へ提出するも

補充原則 4-1①

Ⅱ ガバナンス報告書

	の、および東証コーポレートガバナンス・コードの改訂にともない新たに提出するもの等) ・統合報告書 ・取締役会の承認を得て実施した利益相反取引(直接取引または間接取引)
2 定款の定めにより執行役が決定した事項 1)株主名簿管理人およびその事務取扱場所 2)株式取扱規則	
3 業務執行報告 1)事業計画および中長期経営計画の進捗状況に関する報告 2)重要項目、重要な意思決定に関する報告 3)訴訟およびリスク、コンプライアンスに関する報告 4)各執行役の職務分掌に基づく業務執行全般の報告 5)hhc活動に関する報告 6)ESGおよびSDGsに関する報告 7)株主構成に関する報告 8)執行役の職務の執行の適正を確保するために必要な体制の整備に関する規則に定める取締役会への報告事項 9)その他、取締役会が報告を求める事項等	
Ⅲ その他の事項	・年度事業計画の大綱の決定に必要な報告 (中期戦略計画のレビュー、事業計画策定におけるリスク認識、事業計画編成方針、その他、取締役会が報告を求める事項等) ・社外取締役の他の法人等の役員就任のうち重要なもの ・取締役会の承認が不要な役員の兼業のうち重要なもの ・特別に報告する事項 ・その他、法令に定められた事項

㉕日本板硝子

「コーポレートガバナンス・コードの各原則に基づく開示」

【補充原則4-1-1 経営陣に対する委任の範囲の概要】
　取締役会は、事業及び財務戦略並びに年度及び中長期の事業計画を含む経営の基本方針、執行役の選任等の特定の重要事項、その他法令、定款で定められた事項の決定を行います。それ以外の事項に関する業務執行の意思決定については、業務執行の機動性と柔軟性を高め、かつ取締役会による監督の実効性を強化するために、原則として執行役に委任します。
　委任の範囲の概要については、当社ホームページで開示しています。
　https://www.nsg.co.jp/~/media/NSG_JP/sustainability/images_used_in_sustainability_section/corporate_governance/PrincipleofReplenishment_4_1_1_2008_j.pdf

「同社ホームページ」

【補充原則4-1①　経営陣に対する委任の範囲の概要】

　取締役会は、事業および財務戦略ならびに年度および中長期の事業計画を含む経営の基本方針、執行役の選任等の特定の重要事項、その他法令、定款で定められた事項の決定を行います。それ以外の事項に関する業務執行の意思決定については、業務執行の機動性と柔軟性を高め、かつ取締役会による監督の実効性を強化するために、原則として執行役に委任します。

　取締役会の決議事項の概要は以下の表Ⅰに定めるとおりです。また、当該決議事項以外の事項の決定については、NSGグループ　コーポレートガバナンス・ガイドライン第10条第1項第2号に定めるとおり、執行役に委任されます。ただし、以下の表Ⅱの執行役の取締役会への報告事項については、取締役会に報告されます。

　　(注)
　　(1)　以下の表において「当会社」とは、日本板硝子株式会社を指します。
　　(2)　以下の表において「グループ」とは、NSGグループを指し、当会社およびその子会社から成る企業集団を指します。
　　(3)　以下の表において「委員会」とは、指名委員会、報酬委員会もしくは監査委員会またはそれらのすべてを指します。

表Ⅰ：取締役会の決議事項の概要

1.経営の基本方針	(1) グループの中長期経営方針、経営計画、ビジョン等(「中長期経営方針」)の決定およびその重要な変更
	(2) グループおよび当会社の年度事業計画および年度資金計画を含む年度予算の基本方針(「年度計画の大綱」)の決定およびその重要な変更
	(3) グループおよび当会社の企業価値向上の基本方針又は施策に関する事項
	(4) 株主に対する利益還元方針を含む資本政策に関する基本方針の策定
2.内部統制システムの基本方針	(1) 執行役の職務の執行が法令定款に適合することを確保するための体制その他当会社の業務の適正を確保するために必要な体制の整備
	(2) 監査委員会が取締役、執行役の職務執行について、その監査職務を執行するために必要な事項
3.究極親会社レベルにおける重要な社内規則規程	次に掲げる社内規則規程の制定および改廃。ただし、これらの規則規程中において、当該規則規程にかかる一定の改正権限を委員会等の機関へ授権している場合を除く。 (1) コーポレートガバナンス・ガイドライン (2) 取締役会の役割および運営に関する社内規程および取締役会の運営手続および付議基準に関する規則 (3) 指名委員会規程 (4) 報酬委員会規程 (5) 監査委員会規程 (6) 経営会議規程 (7) 取締役会議長、CEO、COOおよびCFO職務分掌規程(その他取締役または執行役の職務または権限を定める規程) (8) 取締役、執行役または執行役員の定年、任期、処遇等の基準、準則等について当会社としての内規を定める場合は、当該内規 (9) 取締役、執行役または執行役員のトレーニングに関する規程 (10) 政策保有株式(上場株式に限る)に関する政策保有に関する基本方針および当該株式に関し適切な対応を確保するための議決権行使に関する基準 (11) 株主との建設的な対話を促進するためのグループ方針
4.株主総会に関する事項	(1) 株主総会の招集および付議議案(取締役および会計監査人の選任および解任ならびに会計監査人を再任しないことに関するものを除く。)ならびに電磁的方法による議決権行使およびこれに付帯関連する事項
	(2) 株主総会の招集権者および当該招集権者に事故あるときの代行順序
	(3) 株主総会の議長および当該議長選定者に事故あるときの代行順序
5.株式の取扱に関する事項	(1) 株主名簿管理人およびその事務取扱場所(定款第9条)
	(2) 株式取扱規則の制定および改廃(定款第10条)
6.取締役会、取締役および執行役に	(1) 役付取締役(取締役会議長、取締役会長、取締役副会長等)の選定、解職
	(2) 取締役会議長に事故あるときの取締役会の議長職を務める取締役の順序

補充原則 4-1①

関する事項	(3) 執行役から取締役会の招集の請求を受ける取締役 (4) 執行役の選任、解任 (5) 代表執行役の選定、解職 (6) 役付執行役（社長、副社長、専務執行役、常務執行役等）の選定、解職 (7) 最高経営責任者（Chief Executive Officer または CEO）、最高執行責任者（Chief Operating Officer または COO）、最高財務責任者（Chief Financial Officer または CFO）、その他その職務に応じてグループにおける最高職位を示す者の選定、解職 (8) 執行役の職務の分掌・指揮命令の関係その他執行役相互の関係に関する事項の決定 (9) 使用人兼務執行役の使用人職務の委嘱および解嘱 (10) 取締役、執行役の競業取引、自己取引および利益相反取引の承認 (11) 社外取締役ではなくかつ執行役を兼任しない取締役、および執行役によるグループ子会社、関連会社およびこれらの子会社等が構成する団体以外の会社、団体等（営利組織であるか否かは問わない。）の役員、理事、使用人等の兼務。 なお、取締役会は、必要に応じて、当該兼務の基準の詳細についてガイドラインを定める。(12) 取締役、執行役、監査役の損害賠償責任の免除 (13) 新任の取締役、執行役、監査役に関する会社補償及び会社が保険料を負担する役員賠償責任保険の提供
7.委員会および委員に関する事項	(1) 指名委員会、報酬委員会および監査委員会を組織する取締役の選定、解職 (2) 各委員会の委員長の選定 (3) 常勤監査委員の設置の有無および設置する場合の選定 (4) 当会社と監査委員間の訴訟において当会社を代表する者の決定 (5) 委員会以外の取締役会内部委員会（ただし、取締役会に対する諮問機関としての性格を持つものに限り、意思決定機能は有さないものに限る。）の設置および改廃
8.組織に関する事項	組織規程の大幅な変更を伴うような特に重要なグループの組織の設置、改編等
9.決算およびその開示に関する事項	(1) 計算書類（貸借対照表、損益計算書、株主資本等変動計算書および個別注記表）およびその附属明細書、事業報告およびその附属明細書ならびに連結決算書類（連結貸借対照表、連結損益計算書、連結持分変動計算書および連結注記表）の承認 (2) 臨時計算書類の承認 (3) 剰余金の配当等の決定（自己株式の取得、準備金の減少および剰余金の処分を含む。） (4) 事業年度末にかかる決算発表の内容（連結財務諸表（連結貸借対照表、連結損益計算書、連結持分変動計算書、連結包括利益計算書および連結キャッシュ・フロー計算書ならびに注記）を含む。）の承認
10.株式、資本等に関する事項	(1) 株主総会の決議に基づく自己株式の取得 (2) 子会社が有する当会社の株式の取得 (3) 自己株式の処分（単元未満株式の買増請求によるもの、新株予約権の行使によるものを除く。） (4) 株式の分割、無償割当

	(5) 単元株式数の減少またはその定めの廃止 (6) 株式の発行（新株予約権の行使によるものを除く。） (7) 新株予約権の発行および当会社が新株予約権を取得することができる事由	
11. 会社法に基づく当会社の組織再編等に関する事項	(1) 当会社の事業の全部もしくは重要な一部の譲渡、他の会社の事業の全部の譲受、事業の全部の賃貸借、事業の全部の経営委任、または損益共通契約等の締結、変更もしくは終了（簡易手続による場合を除く。） (2) 株式交換契約（簡易手続による場合を除く。） (3) 株式移転計画 (4) 合併契約（簡易手続による場合を除く。） (5) 吸収分割契約（簡易手続による場合を除く。） (6) 新設分割計画（簡易手続による場合を除く。） (7) 他社による当社株式の公開買付に対する当会社の意見表明の内容	
12. 株主代表訴訟に関する事項	(1) 監査委員および会計監査人に対する責任追及の訴えが株主から提起された場合の当該提訴の当否および不提訴の場合の不提訴理由書の内容 (2) 株主から株主代表訴訟の提起告知を受けた場合、その相手方が監査委員であるときの当会社による共同訴訟人としての訴訟参加の当否 (3) 取締役または執行役に対して株主代表訴訟が提起された場合、当会社による取締役または執行役側への補助参加の当否	
13. その他の特に重要な事項	(1) 当会社の株主総会の決議により取締役会に委任された事項 (2) グループ全体の観点から、グループ会社のいずれかで行う特に重要な事業または子会社持分等の取得または処分 (3) グループ全体の観点から、グループ会社のいずれかで行う特に重要な有形・無形資産の取得または処分 (4) 上記に定めるほか、重要な借入条件に従い、実施に関して当該債権者の所定の承認を必要とする貸付、保証または損失補償の引受等の財務支援行為および借入、社債発行等の金融負債の負担行為 (5) 当会社およびその他の重要なグループ会社の発行する重要な有価証券の上場およびその廃止 (6) 当会社の破産、民事再生手続開始または会社更生手続開始の申立 (7) 当会社の財務諸表または四半期財務諸表等における継続企業の前提に関する事項の注記 (8) 取締役会、委員会、経営会議、執行役または執行役員の職務執行のレビューの決定 (9) コーポレートガバナンス・コードまたは当社の制定するコーポレートガバナンス・ガイドラインに照らして、新たに「説明」が要請される行為の決定 (10) 当会社の買収防衛策の導入 (11) その他取締役会が必要と認めた事項	補充原則 4-1①

Ⅱ　ガバナンス報告書

表 II: 取締役会に対する報告事項の概要

1.各委員会の取締役会への報告事項	各委員会の職務執行状況
2.執行役の取締役会への報告事項	(1) 「中長期経営方針」の軽微な変更又は「中長期経営方針」に基づき更に詳細を定めるものがあれば、その内容 (2) 「年度計画の大綱」に基づく年度事業計画及び年度資金計画を含む年度予算 (3) グループおよび当会社単体の業績に関する四半期決算及びその発表の内容 (4) 通期業績予想、配当予想の決定および金融商品取引所への開示が必要となる重要な修正 (5) 有価証券報告書の内容の概要 (6) 内部統制システムの全般的な運用状況 (7) サステナビリティおよびコンプライアンスに関するグループレベルの基本方針を含む重要な事項、リスクマネジメントおよび内部統制に関する特記項目（税務、年金、環境債務、事業環境等に関するアップデート、財務報告にかかる年度内部統制報告書の説明を含む。） (8) 取締役、執行役または執行役員のトレーニング状況のレビュー結果 (9) 再任される取締役、執行役または監査役に関する会社補償及び会社が保険料を負担する役員賠償責任保険の提供 (10) グループ倫理規範（行動準則）の策定、実践、遵守状況のレビュー結果 (11) 関連当事者との取引に関するグループレベルの方針の制定および重要な改定 (12) 関係会社管理に関するグループレベルの方針の制定と重要な改定 (13) 利益相反の回避に関するグループレベルの方針の制定と重要な改定 (14) 知的財産権もしくは技術の他との共同開発、他からの取得、導入、他への供与/ライセンス、指導、サービス支援（エンジニアリングサービスの提供を含む。）またはその他の処分に関する重要方針の制定及びその重要な改定 (15) 株式，資本等に関する事項 (16) 資金調達に関する事項 (17) 重要な使用人の選任および解任 (18) 重要な組織の設置、変更、廃止 (19) 重要な対外発表 (20) 重要な研究開発方針および進捗 (21) 第三者に対する重要な知的財産権もしくは技術の供与/ライセンス、重要なエンジニアリングサービスの提供、第三者からの重要な技術導入、または第三者との間の重要な共同開発 (22) 大規模な製品のリコール (23) その他の重要な業務執行に関する事項 (24) 上記の項目のいずれにも該当しないか、または包含されないその他の重要な契約、協定等の締結、重要な変更および解除 (25) 上記に該当しないその他の重要なプロジェクトの開始、重要な変更および中止（重要な新規事業への進出等を含む。） (26) 上記に該当する事項のほか、重要なグループ会社にかかる重要な事項 (27) 取締役会の決議を経た事項の中止もしくは無期の延期、またはその開始時期もしくは完

了時期の重要な遅延
(28) 上記に該当しないその他の重要な業務執行の内容
(29) 行政機関によるグループ会社に対する重要な調査、係争手続きの開始
(30) 重要な係争に関する訴訟等の終結または調停、仲裁、和解等によるその解決
(31) 会計監査人による重要な指摘または要請事項
(32) 会計監査人の報酬
(33) 取締役との責任限定契約の締結及び重要な変更

㉖ソニーグループ

「コーポレートガバナンス・コードの各原則に基づく開示」

　当社のコーポレートガバナンス体制及び具体的な取り組みにつきましては、上記の「1．基本的な考え方　1．3 コーポレート・ガバナンスの概要」に記載のとおりです。コーポレートガバナンス・コードの各原則にもとづく開示内容の記載場所につきましては、対照表（「Ⅴ　その他　■2．その他コーポレート・ガバナンス体制等に関する事項」として添付）をご参照ください。

「1．基本的な考え方　1．3 コーポレート・ガバナンスの概要」

(5)上級役員(執行役、上席事業役員、専務及び常務が相当)

<中　略>

c. 取締役会からの権限委譲【補充原則4−1①】
　取締役会は、グループ経営に関する基本方針その他経営上特に重要な事項について決定するとともに、グループ経営に関する迅速な意思決定を可能にすべく、CEOを含む執行役の担当領域の決定及び上級役員の範囲の設定を行ったうえで、CEOに対して、業務執行に関する決定及び実行にかかる権限を　大幅に委譲しています。CEOはさらに、当該権限の一部を他の上級役員に対して委譲しています。

「同社ホームページ」「取締役会規定」

補充原則
4-1①

別表1：取締役会決議事項

1. 株主総会
株主総会の招集と付議議題内容（指名委員会により決議される取締役の選任・解任の議案および監査委員会により決議される会計監査人の選任・解任・不再任の議案を除く）

2. 株式および会社再編
2.1　株式の証券取引所への上場およびその廃止
2.2　会社の事業の全部もしくは重要な一部の譲渡、事業全部の賃貸、その経営の委任、他人と事業の損益全部を共通にする契約の締結・解約・変更、他社の事業全部の譲受（会社法上の簡易な事業全部の譲受を除く）
2.3　株式交換・株式移転・会社分割・合併等、企業再編に関する事項の株主総会への提案内容（会社法上の簡易株式交換・簡易分割・簡易合併を除く）
2.4　発行済み株式総数の 5％以上の株式・新株予約権の発行または自己株式の

処分
2.5 特に有利な価額・条件での株式・新株予約権の発行または自己株式の処分
2.6 自己株式の取得

3. 決算・計算書類・配当
    3.1 会社法に基づいて提出される単独計算書類および附属明細書、連結計算書類の承認
    3.2 会社法に基づいて提出される事業報告および附属明細書の承認
    3.3 配当および中間配当の有無、金額、支払開始日等

4. 取締役会・委員会・取締役
    4.1 取締役会規定、指名委員会規定、監査委員会規定、報酬委員会規定その他取締役会が定める委員会の規定の制定・改廃
    4.2 取締役会議長・副議長、取締役会議長の代行順序
    4.3 委員会の委員の選定・解職
    4.4 委員会議長、委員会議長の代行順序
    4.5 定款に基づき、会社に対する取締役の損害賠償責任を免除すること
    4.6 業務を執行しない取締役の責任限定契約の内容
    4.7 取締役による競業取引・利益相反取引の承認
    4.8 取締役による競業取引・利益相反取引のおそれのある他の会社・団体の取締役・執行役・監査役・使用人その他の兼任の承認
    4.9 取締役会に対する委員会・上級役員・使用人からの報告事項
    4.10 監査委員が Audit Committee Financial Expert 要件を満たすか否かの判断
    4.11 監査委員会の職務の執行のために必要な事項
        4.11.1 監査委員会の職務を補助すべき取締役および使用人に関する事項
        4.11.2 前号の取締役および使用人の執行役からの独立性に関する事項、ならびに監査委員会の前号の取締役および使用人に対する指示の実効性の確保に関する事項
        4.11.3 取締役(監査委員である取締役を除く)、執行役および使用人が監査委員会に報告をするための体制、ならびにソニーグループ各社の取締役、会計参与、監査役、執行役、業務を執行する社員、会社法第５９８条第１項の職務を行うべき者その他これらの者に相当する者および使用人またはこれらの者から報告を受けた者が監査委員会に報告をするための体制
        4.11.4 前号の報告をした者が当該報告をしたことを理由として不利な取扱いを受けないことを確保するための体制
        4.11.5 監査委員の職務の執行(監査委員会の職務の執行に関するものに限

　　　　　　　る）について生ずる費用の前払または償還の手続きその他の当該職務の執行について生ずる費用または債務の処理に係る方針に関する事項
　　　　4.11.6　その他監査委員会の監査が実効的に行われることを確保するための体制
　　4.12　取締役の処遇に関する規則の制定・改廃
　　4.13　D&O保険の内容、条件の変更

5. 執行役
　　5.1　執行役の選任・解任
　　5.2　代表執行役の選定・解職
　　5.3　執行役が二名以上ある場合における職務の分掌および指揮命令関係その他執行役相互の関係に関する事項
　　　　5.3.1　執行役の職務の分掌
　　　　5.3.2　執行役相互の関係
　　　　5.3.3　Group Leaders Committee の設置、構成員、機能、審議を要する事項
　　5.4　執行役による競業取引・利益相反取引の承認
　　5.5　執行役による競業取引・利益相反取引のおそれのある他の会社・団体の取締役・執行役・使用人その他の兼任の承認
　　5.6　会社に対する執行役の損害賠償責任を免除すること
　　5.7　ソニーグループ㈱役員の処遇に関する規則の制定・改廃

6. ソニーグループの経営の基本方針
　　6.1　ソニーグループの内部統制体制
　　　　6.1.1　ソニーグループおよびソニーグループ㈱の内部統制の基本にかかわる体制の承認
　　　　　　6.1.1.1　ソニーグループ行動規範
　　　　　　6.1.1.2　ソニーグループおよびソニーグループ㈱の統制関連組織の整備に関する事項

　　　　　　6.1.1.3　執行役の職務の執行が法令および定款に適合することを確保するための体制ならびにソニーグループの業務の適正を確保するために必要な体制
　　　　　　　　6.1.1.3.1　執行役および使用人ならびにソニーグループ各社の取締役、執行役および業務を執行する社員、会社法第５９８条第１項の職務を行うべき者その他これらの者に相当する者（以下「ソニーグル

ープ各社の取締役等」という。）の職務の執行が法令および定款に適合することを確保するための体制

    6.1.1.3.2 執行役およびソニーグループ各社の取締役等の職務の執行が効率的に行われることを確保するための体制

    6.1.1.3.3 ソニーグループ㈱およびソニーグループ各社の損失の危険の管理に関する規程その他の体制

    6.1.1.3.4 ソニーグループ各社の取締役等の職務の執行に係る事項のソニーグループ㈱への報告に関する体制

    6.1.1.3.5 執行役の職務の執行に係る情報の保存および管理に関する体制

  6.1.1.4 グローバルインサイダー取引防止ポリシー、インサイダー取引防止規定

  6.1.1.5 その他内部統制の基本に関わる事項

6.2 中期経営計画の承認（連結およびセグメント別）
  6.2.1 中長期経営方針
  6.2.2 長期重要課題

6.3 年度事業計画の承認（連結およびセグメント別）
  6.3.1 年度経営方針・重点施策
  6.3.2 目標数値（KPI）
    6.3.2.1 売上、利益、キャッシュフロー
    6.3.2.2 設備投資、出資、経費、在庫

6.4 年度事業計画の大幅な変更の承認

6.5 取締役会が定める基準に基づき決議を要する、重要な財産の処分・譲受、多額の貸付・信用補完等の個別重要案件

6.6 その他ソニーグループの経営の基本方針（ソニーグループ㈱の経営の基本方針を含む）

7. その他

 7.1 ソニーグループ㈱－取締役間の監査委員が当事者である訴訟において会社を代表する者

 7.2 委員会、上級役員またはその他の使用人よりなされる報告事項のうち、是正措置その他取締役会での対応が必要な事項について、当該是正措置および対応内容

 7.3 その他法令・定款または証券取引所規則により取締役会決議を要する事項

㉗野村ホールディングス

「コーポレートガバナンス・コードの各原則に基づく開示」

<補充原則4-1-1>
当社では、取締役会において付議が必要な事項以外のすべての業務執行の決定権限を執行役に委任しております。取締役会の付議事項については、取締役会規程第10条をご参照ください。
https://www.nomuraholdings.com/jp/company/cg/regulations.html

「同社ホームページ」「取締役会規程」

（付議事項）
第 10 条 次に掲げる事項は、取締役会に付議しなければならない。
  (1) 株主総会に関する事項
    ① 株主総会の招集
    ② 株主総会の付議議案（取締役及び会計監査人の選任及び解任並びに会計監査人を再任しないことに関するものを除く）の内容の決定
  (2) 役員に関する事項
    ① 取締役会長の選定、解職
    ② 指名委員会、監査委員会、報酬委員会を構成する取締役の選定、解職
    ③ 指名委員会、監査委員会、報酬委員会の委員長の選定、解職
    ④ 執行役の選任、解任
    ⑤ 代表執行役の選定、解職
    ⑥ 役付執行役の選定、解職
    ⑦ グループCEO、グループCOO、グループCo-COO及び財務統括責任者（CFO）の選定、解職、委嘱
    ⑧ 執行役の職務分掌及び指揮命令関係その他の執行役の相互の関係に関する事項並びに使用人委嘱の決定
    ⑨ 株主総会の招集者及び議長の選定
    ⑩ 取締役会の招集者及び議長の選定
    ⑪ 取締役又は執行役の競業取引の承認
    ⑫ 取締役又は執行役の利益相反取引の承認
    ⑬ コンプライアンス・ホットラインの通報受領者の指名
  (3) 野村グループに関する事項
    ① 野村グループの経営の基本方針の策定
    ② 部門長の任命
    ③ 執行役が兼務する場合のビジネス部門ヘッド、コーポレートヘッド及びインターナル・オーディットヘッドの任命
  (4) 重要な規程の制定、改廃
    ① 組織規程（「第5章 組織及び業務分掌」及び「第6章 社員及び職務権

補充原則
4-1①

Ⅱ　ガバナンス報告書

　　　　　　限」並びに別表「組織機構図」に係る変更を除く）
　　　　　② 取締役会規程
　　　　　③ 指名委員会規程
　　　　　④ 監査委員会規程
　　　　　⑤ 報酬委員会規程
　　　　　⑥ 経営会議規程
　　　　　⑦ 内部統制委員会規程
　　　　　⑧ 株式取扱規程
　　　　　⑨ 行動規範
　　　(5) 株式及び財務に関する事項
　　　　　① 株主名簿管理人の決定
　　　　　② 計算関係書類並びに事業報告及びその附属明細書の承認
　　　　　③ 剰余金の配当等の方針及びその実施に関する事項
　　　　　④ 決算情報等の開示の承認
　　　(6) 業務の適正を確保するための体制
　　　(7) コーポレート・ガバナンス・ガイドライン
　　　(8) その他法令上取締役会において決定すべき事項
　2. 前項に定める事項以外の業務執行の決定については、執行役にこれを委任する。

㉘ブリヂストン

「コーポレートガバナンス・コードの各原則に基づく開示」

当社では、コーポレートガバナンス・コードの各原則に基づく開示事項を含め、基本原則・原則・補充原則の各78原則すべてに対する当社の取り組み状況や取り組み方針について、コーポレートガバナンス・コードに関するレポート（日本語版・英語版）として、次の当社ホームページに最新及び過去のレポートを記載しております。
https://www.bridgestone.co.jp/corporate/manage/governance/index.html

「コーポレートガバナンス・コードに関する2021年レポート」

補充原則4-1①

取締役会は、取締役会自身として何を判断・決定し、何を経営陣に委ねるのかに関連して、経営陣に対する委任の範囲を明確に定め、その概要を開示すべきである。

　当社は、法令及び定款に定められた事項並びに当社グループにおける経営上重要な事項については取締役会で決定する旨を取締役会規程にて定めています。取締役会が経営戦略に関わる議論へより一層フォーカスすることをねらいとして、継続的改善を重ね、現在は取締役会の決議事項を以下のとおりとしています。
　① 経営の基本方針
　② グループの経営戦略（中長期事業戦略、グループ経営上重要な事業再編、資本政策、多額の借

入/社債の発行/債務保証等）
③ 取締役及び執行役の人事に関する事項
④ 内部統制システムに関する事項
⑤ その他法令又は定款に定める決議事項

その他の事項については、執行部門に委任することによって、業務執行のスピードアップを図っています。

㉙ＨＯＹＡ

「コーポレートガバナンス・コードの各原則に基づく開示」

【補充原則４−１−１ 経営陣への委任の範囲】
取締役会規定において、業務執行については大幅に執行役への権限委譲をおこない、取締役会では経営の方向性ならびに株主の権利と関係する重要事項について審議・決定しております。
URL https://www.hoya.co.jp/csr/pdf/BOD_rule_J.pdf
https://www.hoya.co.jp/english/csr/pdf/BOD_rule_E.pdf

「取締役会規定」

第１１条　（決議事項）
　　次に掲げる事項は、法令または定款に定められた事項およびこれに類する事項であり、取締役会の決議を経なければならない。
（１）グループの経営方針に関する事項
　　ア．経営理念の制定および改廃
　　イ．経営ビジョンの決定
（２）グループの経営計画に関する事項
　　ア．長期・中期の経営目標・計画の決定
　　イ．年度経営目標・計画の決定
　　ウ．四半期予算・決算の決定
（３）株主総会に関する事項
　　ア．株主総会の招集・日時・場所の決定
　　イ．株主総会に付議する議題ならびに提出する議案と書類の決定
　　ウ．株主総会の招集者および議長ならびにその順序の決定
　　エ．議決権行使書面に関する事項の決定
　　オ．株主総会参考書類のウェブ開示に関する事項の決定
（４）計算に関する事項
　　ア．貸借対照表、損益計算書、株主資本等変動計算書、個別注記表、事業報告、およびその附属明細書の承認、ならびに決算の確定
　　イ．連結計算書類の承認
　　ウ．剰余金の配当、自己株式の取得その他会社法第４５９条第１項に掲げる事項の決定

Ⅱ　ガバナンス報告書

　　　（5）取締役および執行役に関する事項
　　　　ア．各委員会の委員の選定・解職
　　　　イ．執行役の選任・解任および代表執行役の選定・解職
　　　　ウ．最高経営責任者（CEO）および最高財務責任者（CFO）の選定・解職
　　　　エ．執行役の職務の分掌および指揮命令関係の決定
　　　　オ．定款の定めにもとづく、取締役および執行役の会社に対する責任免除の決定
　　　　カ．取締役および執行役による競業取引、ならびに取締役および執行役による会社との取引（間接取引を含む。）の承認
　　　　キ．取締役（社外取締役を除く。）および執行役の他社役員兼任の承認
　　　（6）内部統制に関する事項
　　　　ア．監査委員会スタッフに関する事項の決定
　　　　イ．監査委員会スタッフの執行役からの独立性の確保に関する事項の決定
　　　　ウ．執行役および従業員の監査委員会に対する報告に関する事項の決定
　　　　エ．監査委員会の監査の実効性を確保する体制に関する事項の決定
　　　　オ．執行役の職務の執行に関する情報の保存および管理に関する事項の決定
　　　　カ．リスク管理に関する体制に関する事項の決定
　　　　キ．執行役の職務の執行の効率性を確保する体制に関する事項の決定
　　　　ク．コンプライアンスに関する体制に関する事項の決定
　　　　ケ．グループの業務の適正を確保する体制に関する事項の決定
　　　（7）その他の事項
　　　　ア．株主名簿および実質株主名簿にかかわる基準日の決定
　　　　イ．取締役会規定、株式取扱規則、各委員会規則その他重要な規程・規則の制定および改廃の決定
　　　　ウ．関連法令に定める連結会社に関する事項の決定
　　　　エ．金融商品取引法第163条第1項に定める主要株主との取引
　　　　オ．その他、法令、定款または取締役会決議により定める事項

㉚日本郵政

「コーポレートガバナンス・コードの各原則に基づく開示」

当社は、「コーポレートガバナンスに関する基本方針」（以下「当社方針」という。）を策定し、次の当社ホームページに掲載しております。
　https://www.japanpost.jp/group/governance/index02.html
コーポレートガバナンス・コードにおいて開示すべきとされる事項については、当社方針のうち、それぞれ、次の項目を参照ください。

〈中　略〉

【補充原則4−1−1】：当社方針「取締役会の構成及び役割（第4条第2項）」及び「参考3」

「コーポレートガバナンスに関する基本方針」

第4条　取締役会の構成及び役割

1. 取締役会は、豊富な知識・経験と高い見識を有する多様な取締役にて構成するとともに、取締役会の員数は、定款で定める20名以内の適切な人数とし、原則として、その過半数は、独立役員により構成されるものとします。
2. 取締役会は、「取締役会規則」において、法定の取締役会専決事項及び特に重要な業務執行を除き、当社の業務執行に係る権限を全て執行役に委任して経営の迅速な意思決定を促すとともに、当該業務執行について執行役より適時適切に報告を受け、監督する体制を整備します。

「コーポレートガバナンスに関する基本方針　参考3．取締役会規則（第4条第2項関係）」

別紙

取締役会決議・報告事項一覧

Ⅰ　取締役会決議事項

1　株式又は株主等に関する事項
（1）株主総会の招集
（2）株主総会提出議案及び報告事項の決定（取締役及び会計監査人の選任及び解任並びに会計監査人を再任しないことに関するものを除く。）
（3）株主総会の招集権者の決定
（4）執行役社長に事故あるときの株主総会の議長の順序の決定
（5）株主に株式の割当てを受ける権利を与える場合の募集事項等の決定
（6）自己株式の取得
（7）譲渡制限新株予約権の譲渡の承認

2　指名委員会、監査委員会又は報酬委員会に関する事項
（1）指名委員会、監査委員会及び報酬委員会の委員の選定及び解職
（2）指名委員会、監査委員会及び報酬委員会の委員長の決定
（3）指名委員会規則、監査委員会規則及び報酬委員会規則の制定及び改廃

3　取締役、取締役会又は執行役に関する事項
（1）取締役会の招集権者及び議長の決定
（2）取締役会の招集権者及び議長に事故あるときの招集権者及び議長の順序の決定
（3）執行役から取締役会の招集の請求を受ける取締役の決定
（4）取締役又は執行役と当会社との間の取引並びに取締役又は執行役の競業取引の承認
（5）取締役又は執行役の責任軽減の決定
（6）取締役会規則の制定及び改廃
（7）取締役会の実効性の評価
（8）会社法第348条の2第2項に基づく社外取締役に対する業務執行の委託
（9）執行役の選任及び解任

(10) 代表執行役の選定及び解職
(11) 役付執行役の選定及び解職
(12) 執行役の職務の分掌及び指揮命令の関係その他の執行役相互の関係に関する事項の決定
(13) グループCEO（グループ経営責任者）その他のグループCxOの職務を行う執行役の指定及びグループCxO補佐の指定
(14) 執行役選解任基準の制定及び改廃
(15) 会社補償契約の内容の決定
(16) 役員等賠償責任保険契約の内容の決定

4　決算等に関する事項
（1）計算関係書類並びに事業報告及びその附属明細書の承認
（2）剰余金の配当等の決定

5　内部統制及びコーポレートガバナンスに関する事項
（1）監査委員会の職務の執行のため必要なものとして法務省令で定める事項の決定
（2）執行役の職務の執行が法令及び定款に適合することを確保するための体制その他株式会社の業務並びに当会社及び子会社から成る企業集団の業務の適正を確保するために必要なものとして法務省令で定める体制の整備
（3）コーポレートガバナンスに関する基本方針の制定及び改廃

6　組織再編等に関する事項
（1）吸収型再編及び新設型再編に係る契約の締結又は計画の決定
（2）事業譲渡等に係る契約の締結

7　特に重要な業務執行に関する事項
（1）特に重要な業務提携の決定
（2）特に重要な財産の処分及び譲受け並びに多額の借財等の決定（金額基準300億円以上）

8　事業子会社の特に重要な業務執行に関する事項
（1）吸収型再編及び新設型再編に係る契約の締結又は計画の決定の承認（株式会社ゆうちょ銀行及び株式会社かんぽ生命保険にあっては同意）
（2）事業譲渡等に係る契約の締結の承認（株式会社ゆうちょ銀行及び株式会社かんぽ生命保険にあっては同意）
（3）日本郵政グループ協定等に定める事前承認事項（株式会社ゆうちょ銀行及び株式会社かんぽ生命保険にあっては事前協議事項）のうち、特に重要な事項の承認（株式会社ゆうちょ銀行及び株式会社かんぽ生命保険にあっては同意）

9　その他の重要事項
（1）経営の基本方針の決定
（2）監査委員が当事者である訴えに係る訴訟において当会社を代表する者の決定
（3）株主総会の決議により委任された事項の決定
（4）監督官庁への重要な報告内容のうち取締役会で決議することが相当と判断したものの決定
（5）その他法令上又は定款上取締役会において決議すべき事項の決定
（6）その他取締役会で決議することが相当と判断した事項の決定

Ⅱ 取締役会報告事項

1 指名委員会、監査委員会及び報酬委員会の職務の執行の状況

2 執行役の職務の執行の状況

3 取締役又は執行役の競業取引又は利益相反取引に関する重要な事実

4 会社補償契約に基づく補償に関する重要な事実

5 当会社の主要株主と当会社との間の非定型的な取引に関する重要な事実

6 当会社及び子会社への監督官庁からの命令のうち重要なもの

7 監督官庁への重要な報告内容（決議事項を除く。）

8 子会社から監督官庁への報告内容のうち重要なもの

9 その他取締役会に報告することが相当と判断した事項

㉛日本精工

「コーポレートガバナンス・コードの各原則に基づく開示」

【補充原則4-1-1.取締役会の役割・責務について】
取締役会は、当社グループの持続的な成長かつ中長期的な企業価値の向上に貢献することを目的として、経営の基本方針等を決定しています。これに基づいて透明・公正かつ迅速な意思決定を行う経営を実現するため、取締役会は業務執行に関する意思決定を執行役へ積極的に委任するとともにその執行状況を適切に監督しています。なお、取締役会が決議すべき主な事項等については、以下の当社ウェブサイト上で開示しています。
https://www.nsk.com/jp/company/governance/index.html
また、取締役会は、長期的、戦略的な課題について当社グループのステークホルダーの視点を交えて議論を行い、執行役に対して長期的な戦略の立案と実行に助言を与えています。

補充原則 4-1①

「同社ホームページ」「執行と監督の体制」

当社は、指名委員会等設置会社として、執行と監督を分離し、積極的に経営の意思決定を執行機関に委任することにより経営の効率性及び機動性を高めるとともに、取締役会が経営の監督に専念し適切なけん制・統制及び適法性を確保することを重視しています。

具体的には、以下に示す取締役会決議事項を除いて、重要な財産の処分及び譲受け等、業務執行に関する意思決定を執行役に委任しています。

当社の取締役会の主な決議事項は、次のとおりです。

1. 経営の基本方針
2. 執行役の職務分掌及び指揮命令の関係その他の執行役相互の関係に関する事項
3. 内部統制システム構築の基本方針
4. 定款の定めに基づく自己株式の取得
5. 株主総会の招集の決定
6. 関連当事者間の取引の承認
7. 監査/報酬/指名委員会の委員の選定及び解職
8. 執行役の選解任

Ⅱ　ガバナンス報告書

　　9. 代表執行役の選定及び解職
　10. 計算書類、事業報告及びこれらの附属明細書並びに臨時計算書類並びに連結計算書類の承認
　11. 定款に定める剰余金の配当
　12. 重要な業務執行に係る承認
　13. 重要な規則の制定及び改廃
　14. その他法令・定款により執行役に委任できない取締役会決議事項及び執行役に委任した事項のうち取締役会決議の必要が認められる事項

当社の主な株主総会決議事項は、定款の変更、取締役の選解任、会計監査人の選解任及び定款に記載の事項(買収防衛策の導入・変更・存続及び廃止等を含む。)です。

㉜任 天 堂

「コーポレートガバナンス・コードの各原則に基づく開示」

【補充原則4-1-1 経営陣に対する委任の範囲】
当社は、社内規程において取締役会付議事項として、法令・定款に定める事項及びこれに準ずる重要事項を定め、案件に応じて金額基準等を設け、付議基準を明確にしております。また、取締役会付議事項以外の案件についても、案件に応じた金額基準等を設け、経営会議や経営陣以下の各職位の決定権限を社内規程において定めております。

㉝Zホールディングス

「コーポレートガバナンス・コードの各原則に基づく開示」

【補充原則4-1-1：経営陣に対する委任の範囲】
　取締役会は、会社の経営方針、経営戦略、事業計画、重要な財産の取得および処分、重要な組織および人事に関する意思決定ならびに代表取締役の職務執行の監督を行っています。具体的には、M&Aや多額の資産の取得・処分等につきましては取締役会の決議事項とし、その他の個別の業務執行については、取締役会規程に従い、原則として、経営陣にその決定を委任しています。

㉞日清製粉グループ本社

「コーポレートガバナンス・コードの各原則に基づく開示」

【12】取締役会が経営陣に委任する範囲とその概要（補充原則4－1－1）
取締役会が経営陣（業務執行取締役、執行役員及び主要な事業子会社の取締役をいう。以下同じ）に委任する範囲等については、本報告書の末尾に添付の「コーポレートガバナンスに関する基本方針」5(4)に記載しておりますので、ご参照ください。
当社取締役会の決議事項及び報告事項は、当社グループとしての企業価値の極大化、経営資源の配分、当社グループのコンプライアンスに関わるもの等の重要な事項、決算関係事項、重要な事業活動に関する事項（重要な事業の拡張、縮小等）、重要な投融資や支出に関する事項その他会社法に定める事項とし、当社及び各事業子会社の取締役会規程においてその旨を明確にしております。また、会社法の規定により、取締役会の決議によって重要な業務執行の決定の全部又は一部を取締役に委任することができる旨を定款に定めております。なお、決裁規程等により取締役会から経営幹部にその判断を委任する事項と手続を定めております。
取締役会における決議事項の範囲は、経営戦略及び経営計画等について建設的議論を行う時間を確保すること、迅速・果断な意思決定を行うこと、必要な情報が取締役会に提供されることなどの観点から不断の見直しを行います。

㉟ニ コ ン

「コーポレートガバナンス・コードの各原則に基づく開示」

【補充原則4－1－1　経営陣への委任の範囲】
取締役会は、法令及び定款に定められた事項、ならびにニコングループの重要事項について意思決定し、取締役の業務執行の監督を行います。
当社では、経営陣への委任の範囲を明確化し、経営陣による迅速な意思決定と業務執行を可能とするため、取締役会付議・報告基準において、取締役会に付議すべき事項を具体的に定めます。例えば、経営の基本方針、中期経営計画、年度計画、内部統制システムの基本方針、一定の金額水準を超える投融資等の重要な業務執行の決定については、取締役会で行います。

第二部　各原則に基づく開示事項（必要的開示）　第11

㊱日本電産

「コーポレートガバナンス・コードの各原則に基づく開示」

【補充原則4-1-1】
　取締役会は、経営に関わる重要な事項について意思決定を行うとともに、業務執行の監督を行います。経営に対する監督機能を強化し、経営の透明性・客観性を高めるため、独立性の高い社外取締役を選任します。業務執行の組織としては、経営会議とManagement Committeeを設置しております。経営会議は月1回開催され、月次決算の総括や、管理部門、関係会社、事業本部等の重要事案を全社横断的に審議する会議により業務執行状況を把握するとともに、以降の業務執行についての判断を行います。Management Committeeは代表取締役会長の諮問機関として原則月2回開催され、代表取締役社長が議長を務め、全般的業務執行方針や計画の審議及び個別重要案件の審議を行います。さらに経営の効率性を高めるため、執行役員制と事業所制を採用しております。執行役員制により、企業の経営・監督に法的な責任を負う取締役と業務執行を担当する執行役員との役割分担を明確にし、取締役会の役割を全社的な経営判断に集中させ議論を活発化するとともに、取締役会から執行役員への権限委譲による意思決定の迅速化を図ります。事業所制により経営責任の所在を明確にし、実効的な内部統制体制の維持・強化を図ります。なお、取締役会の決議を経るものとしては、取締役会規定に記載された(1)法定の事項(2)重要な業務に関する事項(3)経理・人事に関する事項(4)定款により定められた事項等がございます。

㊲フジクラ

「コーポレートガバナンス・コードの各原則に基づく開示」

【補充原則4-1① 取締役会の決議事項及び取締役会から経営陣への権限委譲範囲】
「Ⅰ 1. 基本的な考え方」で示したとおり、当社では、業務執行取締役が迅速果断な意思決定を行える機動的な体制を構築するため、取締役会から業務執行取締役に大幅に権限委譲しています。他方で、当社の取締役会では、成長戦略の中核となる年度及び中期の経営計画や規模の大きいM＆Aなどの重要な事項を決議します。なお、取締役会においては、事業に精通した社内の業務執行取締役だけでなく、多様な知見を持ち、かつ、社内の事情に左右されない独立した立場にある社外取締役の意見を反映しつつ十分な審議を尽くすことができる体制をとっています。
以上の決定権限の分配（取締役会と業務執行取締役）は、取締役の責任・権限規程として詳細を取締役会で決定しています。

㊳ＴＨＫ

「コーポレートガバナンス・コードの各原則に基づく開示」

【補充原則4-1-1】経営陣に対する委任
　当社は、取締役会規則を定め、次の内容を取締役会で決定すべき主な事項としております。
・法令に定められた事項
・定款に定められた事項および重要な業務に関する事項
・株主総会の決議により委嘱された事項
・重要な規則・規程の制定および改廃
・その他取締役社長または取締役会が必要と認めた事項
　当社の取締役会は、上記取締役会規則において定めた事項以外について、取締役会で決定すべき主な事項としてコーポレートガバナンス・ガイドラインにて明記しております。
・THKグループ　コーポレートガバナンス・ガイドライン　第4章-2-(2)

補充原則
4-1①

㊴岡三証券グループ

「コーポレートガバナンス・コードの各原則に基づく開示」

＜補充原則4-1-1　経営陣に対する委任の範囲の概要＞
当社は、重要な業務執行の決定の全部または一部を取締役に委任できる旨を、定款において定めております。なお、法令や定款で定められた事項のほか、基本的な経営方針などの重要な業務に関する事項については取締役会の決議事項としており、取締役会規程において内容を定めております。
取締役社長等の経営陣にその決定を委任している業務執行上の事項は以下のとおりであります。
・重要な財産の取得および処分等
・金融機関等との重要な取引および1件5億円以上の長期資金の借入れ
・部室長および同待遇者以上の人事
・支店その他の営業所および重要な組織の設置、変更および廃止
・社債の募集に関する重要事項
・規程の制定および改廃（株式取扱規程および取締役会規程を除く。）
・重要な契約の締結（法令または定款の定めにより株主総会または取締役会の決議事項とされるものを除く。）
・重要な訴訟行為
・従業員の採用に関する方針および計画
・従業員の給与および福利厚生に関する基本的事項

249

Ⅱ　ガバナンス報告書

㊵村田製作所

「コーポレートガバナンス・コードの各原則に基づく開示」

【補充原則4－1①　取締役会の役割、経営陣に対する委任の範囲の明確化】
取締役会は、経営方針及び重要な業務執行の意思決定と取締役の職務の執行に対する監督を行うこととし、取締役会規定において取締役会の決議事項・報告事項を定めております。
業務執行取締役による迅速かつ果断な意思決定を可能とするため、重要な財産の取得・処分、組織・人事等の個別の重要な業務執行の決定の一部を業務執行取締役に委任しております。

㊶ニ　ト　リ

「コーポレートガバナンス・コードの各原則に基づく開示」

【補充原則4－1－1　取締役会から経営陣に対する委任の範囲の概要】
当社は、法令定款に基づき、取締役会規程・稟議決裁権限規程において、取締役会で決定すべき重要な業務執行の範囲を明確にしております。
また、監査等委員会設置会社として、取締役会の決議に基づき、重要な業務執行の主要な部分について代表取締役等の業務執行取締役に委任することにより、業務執行に対する監督機能の強化と意思決定の迅速化・効率化を図っております。これによって、取締役会においては、会社の方向性や基本方針の決定等、より戦略的な事項の審議に重点を置く体制としております。
その他の業務執行については、取締役会において定めた業務分掌及び稟議決裁権限規程に基づき、代表取締役等の業務執行取締役にその決定を委任するとともに、執行状況を監督しております。

㊷ニッコンホールディングス

「コーポレートガバナンス・コードの各原則に基づく開示」

【補充原則4－1①　取締役会の役割、経営陣に対する委任の範囲の明確化】
　当社の取締役会は、法令上取締役会の専決事項とされている経営の基本方針等の決定を行い、それ以外の業務執行の決定については、原則として、執行役員会に委任することとしております。

第12　原則4－9に基づく開示

原則4－9

> 取締役会は，金融商品取引所が定める独立性基準を踏まえ，独立社外取締役となる者の独立性をその実質面において担保することに主眼を置いた独立性判断基準を策定・開示すべきである。また，取締役会は，取締役会における率直・活発で建設的な検討への貢献が期待できる人物を独立社外取締役の候補者として選定するよう努めるべきである。

1　背景・趣旨

社外役員の独立性に関しては，金融商品取引所が独立性基準をすでに定めているところである[注34]。原則4－9は，金融商品取引所が定める独立性基準をミニマム・スタンダードと位置づけた上で[注35]，(i)ミニマム・スタンダードに抵触しないというだけで足りるかという点を含め，個々の取締役ごとに実質的に判断することが望ましいという考え方や，(ii)金融商品取引所が定める独立性基準のうち抽象的で解釈に幅のある点について，各社がその個別事情を踏まえて適切に当てはめを行うことは有益であるとの考え方に基づき，各社に対して，独立性の有無についての実質的な判断に資する自社に最適な独立性判断基準の策定を求めるものである[注36]。

独立性判断基準の内容は，第1次的には各社の判断に委ねられる[注37]。したがって，各社の事情を踏まえて検討した結果，独立性を実質面において担保するための自社に最適な基準が金融商品取引所の定める独立性基準と合致するとの判断をすることも，必ずしも否定されるものではないと考えられる。

ただし，前記のとおり，金融商品取引所が定める独立性基準がミニマム・スタンダードと整理されたことに加え，本原則の趣旨のうち前記(ii)の考え方からは，金融商品取引所が定める独立性基準のうち，例えば，「主要な取引先」や「多額の金銭その他の財産」といった抽象的な基準について，より明確・具体的な基準（例えば，金額やその全体に占める割合等の水準）を定めることが望ましい場合もあり得る[注38]。また，金融商品取引所が定める独立性基準が掲げていない要件として，どのようなものを追加するか等についても，各社における検討が求められている。

(注34)　東京証券取引所「上場管理等に関するガイドライン」Ⅲ5(3)の2。
(注35)　平成27年3月5日付金融庁「主なパブリックコメント（和文）の概要及びそれに対する回答」・10番は，「金融商品取引所が定める独立性基準によりその独立性が否定される者は『独立社外取締役』には該当しない」としている。
(注36)　油布志行＝渡邉浩司＝髙田洋輔＝浜田宰「『コーポレートガバナンス・コード原案』の解説〔Ⅳ・

完〕」商事法務2065号（2015）48頁。
(注37) 油布志行＝渡邉浩司＝髙田洋輔＝浜田宰「『コーポレートガバナンス・コード原案』の解説〔Ⅳ・完〕」商事法務2065号（2015）48頁。
(注38) もっとも，「主要な取引先」は，会社法に基づく事業報告の記載事項を画する概念であり（会社法施行規則2条3項19号ロ），事業報告に係る実務においても，具体的な運用がなされてきていることも考慮する必要がある。

2 開示対象

本原則は，取締役会は，金融商品取引所が定める独立性基準を踏まえ，独立社外取締役となる者の独立性をその実質面において担保することに主眼を置いた独立性判断基準を策定・開示すべきとしており，各社で定めた独立性判断基準について開示を求めている。

3 独立性判断基準

(1) 金融商品取引所の定める独立性基準で掲げられている要件を明確化・具体化するもの

a 主要な取引先

金融商品取引所の定める独立性基準においては，(i)「上場会社の主要な取引先又はその業務執行者」及び(ii)「上場会社を主要な取引先とする者又はその業務執行者」の双方について，それぞれ独立性基準に抵触する類型として掲げられている。これらの「主要な取引先」に関して，その数値基準を記載する企業がある（①エーザイ，②コニカミノルタ，③資生堂，④富士フイルムホールディングス，⑤キヤノン，⑥博報堂DYホールディングス，⑦三井住友フィナンシャルグループ，⑧三菱商事，⑨横河電機，⑩ソニーグループ，⑪住友化学，⑫神戸製鋼所，⑬アシックス，⑭ワコールホールディングス，⑮十六フィナンシャルグループ，⑯戸田建設，⑰栗田工業，⑱アサヒグループホールディングス，⑲塩野義製薬，⑳ナブテスコ，㉑オリックス等）。

そのような事例においては，連結売上高その他の各指標[注39]の2％以上（超）となるか否かを基準としている企業が多いが（①エーザイ，②コニカミノルタ，③資生堂，④富士フイルムホールディングス，⑥博報堂DYホールディングス，⑧三菱商事，⑨横河電機，⑩ソニーグループ，⑪住友化学，⑫神戸製鋼所，⑬アシックス，⑭ワコールホールディングス，⑮十六フィナンシャルグループ，⑯戸田建設，⑱アサヒグループホールディングス，⑲塩野義製薬等，㉑オリックス等），連結売上高が1％以上（超）となるか否かを基準とするものも一定数ある（⑤キヤノン，⑳ナブテスコ）。また，(i)についてのみ具体的な基準を記載するもの（⑧三菱商事）や(i)と(ii)の基準の定め方に

差を設けるもの（⑦**三井住友フィナンシャルグループ**，㉒**明治ホールディングス**）なども存在する。

さらに，(i)及び(ii)において米ドルに言及するもの（㉑**オリックス**），自社グループとの過去3年間の各事業年度における取引額が「当該会社の当該事業年度における年間連結売上の2％または100万米ドルに相当する金額のいずれか大きいほうの金額を超える会社」として米ドルの取引額をも基準とするもの（⑩**ソニーグループ**），定量的な基準に加えて「当社グループから受ける融資残高が最上位となっている者であり，かつ仮に当該融資を直ちに回収した場合に事業の継続に深刻な影響を及ぼすなど，当社グループの融資方針の変更により甚大な影響を与える者」といった定性的な基準を併用するもの（⑮**十六フィナンシャルグループ**）もある。

(注39) 連結売上高以外に，連結総資産，連結売上総利益，連結業績粗利益，連結経常収益又は単体売上高などを指標として用いる企業もある（以下，同じ。）。

b 役員報酬以外の多額の金銭の支払いを受けているアドバイザー

金融商品取引所の定める独立性基準に掲げられている「役員報酬以外に多額の金銭その他の財産を得ているコンサルタント，会計専門家又は法律専門家」に関して，その数値基準を記載する企業がある（①**エーザイ**，②**コニカミノルタ**，③**資生堂**，④**富士フイルムホールディングス**，⑤**キヤノン**，⑥**博報堂DYホールディングス**，⑦**三井住友フィナンシャルグループ**，⑧**三菱商事**，⑨**横河電機**，⑪**住友化学**，⑫**神戸製鋼所**，⑬**アシックス**，⑭**ワコールホールディングス**，⑯**戸田建設**，⑱**アサヒグループホールディングス**，⑲**塩野義製薬**，⑳**ナブテスコ**等）。これらの企業の中には，当該アドバイザーが個人の場合と法人の場合で基準の定め方に差を設けるもの（⑤**キヤノン**，⑥**博報堂DYホールディングス**，⑦**三井住友フィナンシャルグループ**，⑨**横河電機**，⑬**アシックス**，⑯**戸田建設**，⑱**アサヒグループホールディングス**）もある。

また，個人の場合については，年間1,000万円以上を「多額の金銭その他の財産」としている企業が存在するが，年間1,000万円又はその者の年収の50％を超える場合等，他の基準を併用する企業もある（⑪**住友化学**）。他方で，法人の場合については，年間1,000万円以上としている企業もあるが，総収入金額等(注40)の2％としている企業がより多く存在する。

なお，ほとんどの企業では取引額の数値基準において日本円のみを基準としているが，「12万米ドルに相当する金額を超える報酬」として米ドルを基準とするもの（⑩**ソニーグループ**），「1000万円／年または10万ドル／年のいずれか大きい額以上の額」という日本円と米ドルの基準を併記するもの（⑫**神戸製鋼所**）もある。

(注40) 総収入金額以外に，単体又は連結の売上高，平均年間総費用などを指標として用いる企業もある（以下，同じ。）。

c その近親者であっても独立性が否定されない「重要」な者

金融商品取引所の定める独立性基準に基づき独立性が否定される者については，「重要でな

Ⅱ　ガバナンス報告書

い者」を除き，その近親者も独立性が否定されているところ，当該「重要」な者の判断基準について記載するもの（③**資生堂**，⑦**三井住友フィナンシャルグループ**，⑭**ワコールホールディングス**等）がある。

(2)　金融商品取引所の独立役員届出書において属性情報として記載が求められる類型に関連する要件を掲げるもの

　　a　多額の寄付

　金融商品取引所の独立役員届出書において属性情報として記載が求められる「寄付」に関連して，多額の寄付を受けている者又は多額の寄付を受けている企業の業務執行者等でないことを，その数値基準とともに独立性判断基準の要件として記載する企業がある（①**エーザイ**，③**資生堂**，④**富士フイルムホールディングス**，⑤**キヤノン**，⑥**博報堂DYホールディングス**，⑦**三井住友フィナンシャルグループ**，⑧**三菱商事**，⑨**横河電機**，⑬**アシックス**，⑭**ワコールホールディングス**，⑯**戸田建設**，⑱**アサヒグループホールディングス**，⑲**塩野義製薬**等）。これらの企業の中には，寄付を受けている者が個人の場合と法人の場合で基準の定め方に差を設けるもの（⑤**キヤノン**，⑯**戸田建設**，㉓**リゾートトラスト**等）もある。

　また，個人の場合については年間1,000万円以上を基準としている企業が存在するが，「過去3事業年度の平均で年間1,000万円又は総収入の2％のいずれか高い額を超える寄附」等，他の基準を併用する企業もある（㉔**住友林業**）。他方で，法人の場合については，年間1,000万円以上を基準としている企業が存在するが，「年間1000万円または当該法人等の当該事業年度における総収入もしくは経常収益の2％のいずれか大きい額を超える」（㉕**ブラザー工業**）等，他の基準を併用する企業も少なくない。

　なお，個人・団体ともに1億円を基準としている企業もある（④**富士フイルムホールディングス**，㉖**SMC**）。

　さらに，「現在，当社が寄付を行っている先の業務執行者（ただし本人のみ）」（⑰**栗田工業**）等，寄付を行っている先の関係者であることをもって，その金額にかかわらず独立性を有しないと判断していると解されるものもある。

　　b　大株主・主要株主の関係者

　金融商品取引所の独立役員届出書において属性情報として記載が求められる「主要株主」に関連して，大株主や主要株主といった多数の議決権を有する者又は多数の議決権を有する企業の業務執行者等でないことを，具体的な議決権割合の基準とともに独立性判断基準の要件として記載する企業がある（①**エーザイ**，②**コニカミノルタ**，③**資生堂**，④**富士フイルムホールディングス**，⑥**博報堂DYホールディングス**，⑧**三菱商事**，⑨**横河電機**，⑪**住友化学**，⑬**アシックス**，⑭**ワ**

第二部　各原則に基づく開示事項（必要的開示）　第12

コールホールディングス，⑯戸田建設，⑰栗田工業，⑱アサヒグループホールディングス，㉗三井住友トラスト・ホールディングス等）。

なお，金融商品取引所の独立役員届出書において属性情報として記載が求められる「主要株主」は，(i)自社の主要株主である場合についてであるが，それとは別に(ii)自社が主要株主である場合についても独立性の要件として記載するもの（⑯戸田建設）もある。(i)及び(ii)のいずれの基準に関しても，総議決権等の10％以上を保有する株主を「主要株主」とする企業が大多数を占めるが，総議決権等の5％以上を保有する株主とする企業（⑭ワコールホールディングス，⑮十六フィナンシャルグループ）もある。

また，議決権割合ではなく，10位以内の大株主といった記載をするもの（㉘第一生命ホールディングス），議決権割合と順位の基準を併記するもの（⑳ナブテスコ）もある。

　　c　役員の相互派遣・相互就任

金融商品取引所の独立役員届出書において属性情報として記載が求められる「社外役員の相互就任」に関連して，役員の相互派遣や相互就任等の関係にある企業等の役職員でないことを要件として記載するもの（①エーザイ，②コニカミノルタ，③資生堂，⑨横河電機，⑫神戸製鋼所，⑭ワコールホールディングス，⑰栗田工業，⑱アサヒグループホールディングス等）がある。

(3)　その他の要件を掲げるもの

　　a　会計監査人の関係者

金融商品取引所の定める独立性基準や属性情報として直接言及はされていないものの，会計監査人である監査法人や法定監査を行う監査法人に属する者等でないことを要件として記載するもの（③資生堂，⑤キヤノン，⑧三菱商事，⑨横河電機，⑪住友化学，⑫神戸製鋼所，⑭ワコールホールディングス，⑯戸田建設，⑱アサヒグループホールディングス，㉑オリックス等）がある。

　　b　主要な借入先

金融商品取引所の定める独立性基準では，主要な取引関係者が要件として掲げられているが，それとは別に，メインバンク等の主要な借入先を独立性が問題となる一つの類型として記載するものがある（④富士フイルムホールディングス，⑧三菱商事，⑪住友化学，⑬アシックス，⑭ワコールホールディングス，⑯戸田建設等）。その中では，借入残高が連結総資産の2％以上となる金融機関を「主要な借入先」とする企業が多いが，1％以上とする企業もある（⑰栗田工業）。また，資金調達において必要不可欠であり代替性がない程度に依存している大口債権者等（㉗三井住友トラスト・ホールディングス）といった定性的な基準を記載するものもある。

Ⅱ　ガバナンス報告書

　　c　通算の社外取締役在任期間・年齢

　金融商品取引所の定める独立性基準や属性情報として直接言及はされていないものの，通算の社外取締役在任期間の上限を要件として記載するものがある。今回集計したTOPIX500構成銘柄企業の中では，34社が社外取締役の在任期間の制限を開示しており，これらのうち，上限を4年とするものが1社，5年とするものが1社，6年とするものが2社，8年とするものが24社（これとは別に，再任を8回以内とするものが2社），10年とするものが4社あった。

　具体的な開示事例としては，在任期間を8年とするもの（⑨**横河電機**，⑯**戸田建設**），10年とするもの（⑱**アサヒグループホールディングス**，⑲**塩野義製薬**）等がある。なお，社外取締役の在任期間10年とは別に，社外監査役についても12年という基準を設けているもの（⑱**アサヒグループホールディングス**，⑲**塩野義製薬**）もある。

　また，取締役会規定において「再選のための社外取締役の指名委員会による指名は5回を上限とし，それ以降の指名は指名委員会の決議に加えて取締役全員の同意を必要とするものとする。ただし，いかなる場合でも，社外取締役の再選回数は8回を超えないものとする。」として，再選回数の上限を定めているもの（⑩**ソニーグループ**）もある。

　　d　競合先企業の関係者

　金融商品取引所の定める独立性基準や属性情報として直接言及はされていないものの，競合先企業の役員等を兼職する者でないことを要件として記載するもの（②**コニカミノルタ**，⑩**ソニーグループ**等）もある。また，競合企業の株式を3％以上保有していないことを要件として記載するもの（②**コニカミノルタ**，⑩**ソニーグループ**）もある。

　　e　主幹事証券会社の関係者

　金融商品取引所の定める独立性基準や属性情報として直接言及はされていないものの，主幹事証券会社の関係者でないことを要件として記載するもの（⑬**アシックス**，⑭**ワコールホールディングス**等）がある。

　　f　近親者に類する者

　金融商品取引所の定める独立性基準では，主要な取引先関係者やアドバイザー等の独立性基準に抵触する者のうち，重要な者の近親者（二親等内の親族）については独立性が否定されているが，近親者（二親等内の親族）だけでなく，「生計を共にする者」（③**資生堂**），「同居の親族」（③**資生堂**）でないことを要件として記載するものなどもある。

g　その他

独立性判断基準における各要件の定め方や分類の方法については，各社の判断に委ねられるところ，各類型について「過去5年間」という限定を設けつつも，すでに5年経過している場合にも別途指名委員会により独立性・中立性が確保されていると判断されることを必要とするもの（①エーザイ）もある。

(4) 金融商品取引所の定める独立性基準と同一であるとするもの

前述のとおり，金融商品取引所が定める独立性基準はミニマム・スタンダードと整理されたが，自社に最適な基準が金融商品取引所の定める独立性基準と合致するとの判断をすることも，必ずしも否定されるものではなく，少なくない企業でそのような選択がなされている。

4　NYSE の独立性基準

各社において独立性判断基準を策定する際には，以下のニューヨーク証券取引所（NYSE）の独立性基準も参考になろう。

NYSE の独立性基準

(i)　取締役が過去3年以内に上場会社の従業員であった場合，又は，その近親者が過去3年以内に上場会社の executive officer であった場合

(ii)　取締役本人若しくはその近親者が，過去3年間のうちのいずれかの12か月間に，取締役若しくは委員会メンバーとしての報酬の支払又は年金その他過去の役務の対価の後払いとしての支払（役務の継続が条件とされているものを除く）以外に，上場会社から直接年間12万ドルを上回る報酬を得ていた場合

(iii)　次のいずれかの要件に該当する場合

　　A　取締役が，現在，上場会社の内部監査人又は外部監査人である firm のパートナー又は従業員である場合

　　B　取締役の近親者が，現在，上記のような firm のパートナーである場合

　　C　取締役の近親者が，現在，上記のような firm の従業員であり，現に当該上場会社の監査に従事している場合

　　D　取締役又はその近親者が，過去3年以内に，上記のような firm のパートナー又は従業員であり，当該期間中に当該上場会社の監査に従事していた場合

(iv)　取締役又はその近親者が，過去3年以内に，当該上場企業の現在の executive officer

Ⅱ　ガバナンス報告書

> が報酬委員会のメンバーである別の企業の executive officer であった場合
>
> (ⅴ) 取締役が現在従業員であり，又はその近親者が現在 executive officer である他の会社が，過去3事業年度中のいずれかの年度において，資産又はサービスの対価として，100万ドル又は当該他の会社の連結総収益の2％のいずれか多い方を超える金額を，当該上場会社に支払うか，又は当該上場会社から受け取っていた場合

5　開示事例

①エーザイ

「コーポレートガバナンス・コードの各原則に基づく開示」

> 【原則4-9　独立社外取締役の独立性判断基準及び資質】
> 　当社は、2004年に委員会等設置会社（現在の指名委員会等設置会社）に移行後、指名委員会において議論を重ね、2006年より「社外取締役の独立性の要件」（現在の「社外取締役の独立性・中立性の要件」）を開示しています。
> 　指名委員会は、社外取締役の選任において社外取締役の独立性・中立性の確保を最も重要視しています。社外取締役候補者の選任作業は、候補者のリストアップより始まります。指名委員会では、現任の取締役のみならず、豊富な人財ネットワークを有する当社の社外取締役経験者にも候補者のリストアップを依頼し、毎年、候補者リストをアップデートしています。指名委員会は、整備した候補者リストについて、独立性、競業等のスクリーニングを行うとともに、当該年度の新任候補者の要件にもとづいて候補者の絞り込みを行い、就任依頼を行う候補者を決定します。その後、指名委員長は、速やかに候補者に面談し、当社取締役への就任依頼を行います。当社の指名委員会は社外取締役4名のみで構成しており、以上のプロセスで取締役候補者の選任を、公正かつ透明性をもって決定しています。また、指名委員会は、自ら定めた「社外取締役の独立性・中立性の要件」を厳格に運用して選任を行っています。新任・再任を問わず、毎年、社外取締役候補者について本要件を満たしているか調査を行い、独立性・中立性に問題がないことを確認しています。
> 　なお、本要件は、法令、証券取引所等の基準変更への対応や、コーポレートガバナンス向上の観点から毎年その内容を点検し、必要に応じて見直しを行っています。

「社外取締役の独立性・中立性の要件」

> 社外取締役の独立性・中立性の要件
> （2017年8月2日改正）
>
> 1. 社外取締役は、現に当社および当社の関係会社（以下当社グループという）の役員（注1）および使用人ではなく、過去においても当社グループの役員および使用人でないこと。
> 2. 社外取締役は以下の要件を満たし、当社グループおよび特定の企業等からの経済的な独立性ならびに中立性を確保していること。
> 　①過去5年間において、以下のいずれにも該当していないこと。
> 　　a）当社グループの主要な取引先（注2）となる企業等、あるいは当社グループを主要な取引先とする企業等の役員および使用人
> 　　b）取引額にかかわらず、当社の事業に欠くことのできない取引の相手方企業等、当社の監査法人等、またはその他当社グループと実質的な利害関係を有する企業等の役員および使用人
> 　　c）当社の大株主（注3）である者または企業等、あるいは当社グループが大株主である企業等の役員および使用人
> 　　d）当社グループから役員報酬以外に多額（注4）の金銭その他の財産を直接受け取り、専門的サービス等を提供する者（コンサルタント、弁護士、公認会計士等）
> 　　e）当社グループから多額（注4）の金銭その他の財産による寄付を受けている者または寄付を受けている法人・団体等の役員および使用人
> 　　f）当社グループとの間で、役員等が相互就任の関係にある企業等の役員および使用人

②なお、5年を経過している場合であっても、前号の各項にある企業等との関係を指名委員会が評価(注5)し、独立性・中立性を確保していると判断されなければならない。

③その他、独立性・中立性の観点で、社外取締役としての職務遂行に支障を来たす事由を有していないこと。

3. 社外取締役は、以下に該当する者の近親者またはそれに類する者(注6)、あるいは生計を一にする利害関係者であってはならない。
 ①当社グループの役員および重要な使用人(注7)
 ②第2項の各要件にもとづき、当社グループおよび特定の企業等からの独立性や中立性が確保されていないと指名委員会が判断する者

4. 社外取締役は、取締役としての職務を遂行する上で重大な利益相反を生じさせるおそれのある事由またはその判断に影響を及ぼすおそれのある利害関係を有する者であってはならない。

5. 社外取締役は、本条に定める独立性・中立性の要件を、取締役就任後も継続して確保するものとする。

注1:「役員」とは、取締役、執行役、監査役、その他の役員等をいう。
注2:「主要な取引先」とは、過去5年間のいずれかの会計年度において、当社グループとの業務・取引の対価の支払額または受取額が、取引先の売上高の2%以上または当社グループの売上高の2%以上である企業等、および当社グループが連結総資産の2%以上の資金を借り入れている金融機関をいう。
注3:「大株主」とは、過去5年間のいずれかの会計年度において、総議決権の10%以上の議決権を直接または間接的に保有する者または保有する企業等をいう。
注4:「多額」とは、過去5年間のいずれかの会計年度において、専門的サービスの報酬もしくは業務・取引の対価等の場合は1,000万円、寄付の場合は1,000万円または寄付を受け取る法人・団体の総収入あるいは経常収益の2%のいずれか高い方を超えることをいう。
注5:「評価」とは、社外取締役と当該企業等との関係を、以下の点について指名委員会が評価することをいう。
 ①当該企業等の株式またはストックオプションの保有
 ②当該企業等から受ける役員退任後の処遇または企業年金等
 ③当社グループと当該企業等の人的交流
注6:「近親者またはそれに類する者」とは、2親等までの親族および個人的な利害関係者等、社外取締役としての職務遂行に支障を来たすと合理的に認められる人間関係を有している者をいう。
注7:「重要な使用人」とは、部長格以上の使用人である者をいう。

②コニカミノルタ

「Ⅱ．経営上の意思決定，執行及び監督に係る経営管理組織その他のコーポレート・ガバナンス体制の状況　1．機関構成・組織運営等に係る事項」

【独立役員関係】

独立役員の人数	5名

その他独立役員に関する事項
　独立役員の資格を充たす社外役員を全て独立役員に指定しております。
　当社の指名委員会では、2007年に「社外取締役の独立性」運用基準を定めました。社外取締役の独立性基準として、以下の事項に該当しないこと と定めております。
（1）コニカミノルタグループ関係者
・本人がコニカミノルタグループの出身者
・過去5年間において、家族（配偶者・子供、2親等以内の血族・姻族）がコニカミノルタグループの取締役・執行役・監査役・経営幹部の場合
（2）大口取引先関係者
・コニカミノルタグループ及び候補者本籍企業グループの双方いずれかにおいて、連結売上高の2％以上を占

Ⅱ ガバナンス報告書

　　　める重要な取引先の業務執行取　締役・執行役・従業員の場合
（3）専門的サービス提供者（弁護士、会計士、コンサルタント等）
・コニカミノルタグループから過去2年間に年間5百万円以上の報酬を受領している場合
（4）その他
・当社の10%以上の議決権を保有する株主（法人の場合は業務執行取締役・執行役・従業員）の場合
・取締役の相互派遣の場合
・コニカミノルタグループの競合企業の取締役・執行役・監査役・その他同等の職位者の場合、又は競合企業の株式を3%以上保有している場合
・その他の重要な利害関係がコニカミノルタグループとの間にある場合

　また、当社は指名委員会の運用基準として、社外取締役の在任期間（再任制限）を「原則4年まで」と定めています。これは在任期間の長期化に伴って社外性が弱まることが懸念されることから定めた基準であります。

③資生堂

「コーポレートガバナンス・コードの各原則に基づく開示」

O6. 社外役員の独立性に関する判断基準　＜原則4-9：独立社外取締役となる者の独立性をその実質面において担保することに主眼を置いた独立性判断基準＞
当社は、社外役員（社外取締役および社外監査役）の独立性について客観的に判断するため、海外の法令や上場ルール等も参考に、独自に「社外役員の独立性に関する判断基準」を定めています。
社外役員候補者の選定にあたっては、コーポレートガバナンスの充実の観点からその独立性の高さも重視しており、同基準を用いて社外役員候補者が高い独立性を有しているかどうかを判断しています。
具体的な内容は、当社の第121回定時株主総会招集ご通知に際してのインターネット開示事項（任意開示事項　2ページ～4ページ）、または本報告書の「経営上の意思決定、執行及び監督に係る経営管理組織その他のコーポレート・ガバナンス体制の状況」の1.機関構成・組織運営等に係る事項のうちの【独立役員関係】に記載の通りです。
https://corp.shiseido.com/jp/ir/shareholder/2021/pdf/info02.pdf

「第121回定時株主総会招集ご通知に際してのインターネット開示事項（任意開示事項）」

●社外役員の独立性に関する判断基準
　当社は、社外役員の独立性について客観的に判断するため、海外の法令や上場ルール等も参考に、独自に「社外役員の独立性に関する判断基準」を定めています。
　社外役員候補者の選定にあたっては、コーポレートガバナンスの充実の観点からその独立性の高さも重視しており、同基準を用いて社外役員候補者が高い独立性を有しているかどうかを判断しています。同基準は以下のとおりです。

「社外役員の独立性に関する判断基準」

株式会社資生堂（以下、当社という）は、当社の社外取締役および社外監査役（以下、併せて「社外役員」という）または社外役員候補者が、当社において合理的に可能な範囲で調査した結果、次の各項目の要件を全て満たすと判断される場合に、当社は当該社外役員または当該社外役員候補者が当社に対する十分な独立性を有しているものと判断します。
1. 現に当社および当社の関係会社（注1）（以下、併せて「当社グループ」という）の業務執行者（注2）ではなく、かつ過去においても業務執行者であったことが一度もないこと。

社外監査役にあっては、これらに加え、当社グループの業務執行を行わない取締役および会計参与（会計参与が法人の場合はその職務を行うべき社員）であったことが一度もないこと。
2. 現事業年度および過去 9 事業年度（以下、これらの事業年度を「対象事業年度」という）において、以下の各号のいずれにも該当していないこと。
 ① 当社グループを主要な取引先としている者（注 3）、またはその業務執行者（対象事業年度において一度でもその業務執行者であった者を含む。以下、本項の第②号ないし第④号において同じ）。
 ② 当社グループの主要な取引先（注 4）、またはその業務執行者。
 ③ 当社の議決権の 10%以上の議決権を直接または間接的に現に保有しもしくは対象事業年度において保有していた当社の大株主、またはその業務執行者。
 ④ 当社グループが総議決権の 10%以上の議決権を直接または間接的に現に保有しもしくは対象事業年度において保有していた者の業務執行者。
 ⑤ 対象事業年度において当社グループから役員報酬以外に多額の金銭その他の財産（注 5）を得ているコンサルタント、会計専門家および法律専門家。なお、これらの者が法人、組合等の団体である場合は当該団体に所属する者（対象事業年度において一度でも当該団体に所属していた者を含む。以下、本項第⑥号および第⑦号において同じ）を含む。
 ⑥ 対象事業年度において当社グループから多額の金銭その他の財産（注 5）による寄付を受けている者。なお、これらの者が法人、組合等の団体である場合は当該団体に所属する者を含む。
 ⑦ 当社の会計監査人（対象事業年度において一度でも当社の会計監査人であった者を含む）。なお、会計監査人が法人、組合等の団体である場合は当該団体に所属する者を含む。
3. 以下の各号に掲げる者の配偶者、2 親等内の親族、同居の親族または生計を共にする者ではないこと。ただし、本項の第②号については、社外監査役の独立性を判断する場合にのみ適用する。
 ① 当社グループの業務執行者のうちの重要な者（注 6）。
 ② 当社グループのいずれかの会社の業務執行をしない取締役。
 ③ 第 2 項第①号ないし第④号に掲げる者。ただし、これらの業務執行者については、そのうちの重要な者（注 6）に限る。
 ④ 第 2 項第⑤号ないし第⑦号に掲げる者。ただし、これらに所属する者については、そのうちの重要な者（注 7）に限る。
4. 以下の各号に掲げる「役員等の相互就任」の状況のいずれにも該当していないこと。
 ① 当社の社外役員本人または当社の社外役員候補者本人が現に当社以外の国内外の会社の業務執行者、社外取締役、監査役またはこれらに準ずる役職（注 8）に就いている場合において、当社グループの業務執行者、社外取締役、監査役（当該社外役員本人または社外役員候補者本人を除く）またはこれらに準ずる役職（注 8）にある者が、当該会社の取締役（社外取締役を含む）、執行役、監査役（社外監査役を含む）、執行役員またはこれらに準ずる役職（注 8）に就任している状況。
 ② 当社の社外役員本人または当社の社外役員候補者本人が現に当社以外の法人（会社を除く）、その他の団体の業務執行者、役員または役員に準ずる役職（注 9）に就いている場合において、当社グループの業務執行者、社外取締役、監査役（当該社外役員本

人または社外役員候補者本人を除く)またはこれらに準ずる役職(注 8)にある者が、当該団体の役員または役員に準ずる役職(注 9)に就任している状況。
5. 前記 1.ないし 4.の他、独立した社外役員としての職務を果たせないと合理的に判断される事情を有していないこと。
6. 現在において、今後前記 1.ないし 5.の定めに該当する予定がないこと。

以　上

(注釈)
注 1:「関係会社」とは、会社計算規則(第 2 条第 3 項第 22 号)に定める関係会社をいう。
注 2:「業務執行者」とは、株式会社の業務執行取締役、執行役、執行役員、持分会社の業務を執行する社員(当該社員が法人である場合は、会社法第 598 条第 1 項の職務を行うべき者その他これに相当する者)、会社以外の法人・団体の業務を執行する者および会社を含む法人・団体の使用人(従業員等)をいう。
注 3:「当社グループを主要な取引先としている者」とは、次のいずれかに該当する者をいう。
　① 当社グループに対して製品もしくはサービスを提供している(または提供していた)取引先グループ(直接の取引先が属する連結グループに属する会社)であって、当社の各対象事業年度における当社グループと当該取引先グループの間の当該取引に係る総取引額が 1 事業年度につき 1,000 万円以上でかつ当該事業年度内に終了する当該取引先グループの連結会計年度における連結売上高(当該取引先グループが連結決算を実施していない場合にあっては、当該取引先単体の売上高)の 2%を超える者。
　② 当社グループが負債を負っている(または負っていた)取引先グループであって、当社の各対象事業年度末における当社グループの当該取引先グループに対する負債の総額が 1,000 万円以上でかつ当該事業年度内に終了する当該取引先グループの連結会計年度における連結総資産(当該取引先グループが連結決算を実施していない場合にあっては、当該取引先単体の総資産)の 2%を超える者。
注 4:「当社グループの主要な取引先」とは、次のいずれかに該当する者をいう。
　① 当社グループが製品もしくはサービスを提供している(または提供していた)取引先グループであって、当社の各対象事業年度における当社グループの当該取引先グループに対する当該取引に係る総取引額が 1 事業年度につき 1,000 万円以上でかつ当社グループの当該事業年度における連結売上高の 2%を超える者。
　② 当社グループが売掛金、貸付金、その他の未収金(以下、「売掛金等」という)を有している(または有していた)取引先グループであって、当社の各対象事業年度末における当社グループの当該取引先グループに対する売掛金等の総額が 1,000 万円以上でかつ当社グループの当該事業年度末における連結総資産の 2%を超える者。
　③ 当社グループが借入れをしている(またはしていた)金融機関グループ(直接の借入先が属する連結グループに属する会社)であって、当社の各対象事業年度末における当社グループの当該金融機関グループからの借入金の総額が当社グループの当該事業年度末における連結総資産の 2%を超える者。
注 5:「多額の金銭その他の財産」とは、その価額の総額が 1 事業年度につき 1,000 万円以上のものをいう。
注 6:業務執行者のうちの「重要な者」とは、取締役(社外取締役を除く)、執行役、執行役員お

よび部長格以上の上級管理職にある使用人をいう。
注7：第2項第⑤号ないし第⑦号に掲げる「当該団体に所属する者」のうちの「重要な者」とは、監査法人または会計事務所に所属する者のうち公認会計士、法律事務所に所属する者のうち弁護士（いわゆるアソシエイトを含む）、財団法人・社団法人・学校法人その他の法人（以下、「各種法人」という）に所属する者のうち評議員、理事および監事等の役員をいう。所属先が監査法人、会計事務所、法律事務所および各種法人のいずれにも該当しない場合には、当該所属先において本注釈前記に定める者と同等の重要性を持つと客観的・合理的に判断される者をいう。
注8：「業務執行者、社外取締役、監査役またはこれらに準ずる役職」とは、注2に定める業務執行者、業務執行者以外の取締役（社外取締役を含む）、監査役（社外監査役を含む）のほか、「相談役」、「顧問」等、取締役、監査役、執行役または執行役員を退任した者で会社に対し助言を行う立場にある役職を含む。
注9：「役員または役員に準ずる役職」とは、理事、監事および評議員のほか、「相談役」、「顧問」等、理事、監事または評議員を退任した者で当該団体に対し助言を行う立場にある役職を含む。

④富士フイルムホールディングス

「コーポレートガバナンス・コードの各原則に基づく開示」

【原則4-9　独立社外取締役の独立性判断基準及び資質】
ガイドラインの第5章13「社外役員の独立性判断基準」及び(別紙)「社外役員の独立性判断基準」をご参照ください。

「富士フイルムホールディングス株式会社コーポレートガバナンス・ガイドライン　別紙　社外役員の独立性判断基準」

（別紙）

社外役員の独立性判断基準

当社における社外取締役及び社外監査役のうち、以下の要件のいずれにも該当しない場合には独立性を有するものと判断する。

1. 現在または過去における当社グループの業務執行者（※1）
2. 現在または過去3事業年度において、以下の要件に該当する者
   (1) 当社グループと主要な取引先の関係（※2）にある者またはその業務執行者
   (2) 当社グループの主要な借入先（※3）またはその業務執行者
   (3) 当社の大株主（※4）またはその業務執行者
   (4) 当社グループから役員報酬以外に多額の金銭その他の財産（※5）を得ている法律専門家、会計専門家またはコンサルタント等（当該財産を得ている者が法人、組

　　　　　合等の団体である場合には、当該団体に所属する者をいう）
　　（5）　当社と社外役員の相互就任の関係にある先の業務執行者
　　（6）　当社グループから多額の寄付（※6）を受ける者またはその業務執行者
3. 自己の配偶者または二親等以内の親族が上記1.または2.に該当する者（重要でない者は除く）、（なお、社外監査役を独立役員として選任する場合においては、当社または子会社の業務執行者でない取締役の配偶者または二親等以内の親族を含む）

※1 会社法施行規則第2条第3項第6号に規定する業務執行者をいい、当社においては代表取締役、執行役員、使用人を含む
※2 主要な取引先の関係とは、直近の事業年度において、当社グループとの取引額が双方いずれかにおいて連結売上高の2%以上である場合をいう
※3 主要な借入先とは、直近の事業年度末において、当社連結貸借対照表の資産合計額の2%以上の長期借入れがある場合をいう
※4 大株主とは、直近の事業年度末における議決権保有比率が総議決権の10%以上を保有する者をいう
※5 多額の金銭その他の財産とは、過去3事業年度の平均で、個人の場合は年間1,000万円、団体の場合は当該団体の連結売上高の2%を超える場合をいう
※6 多額の寄付とは、過去3事業年度の平均で、年間1億円を超える場合をいう

⑤キヤノン

「コーポレートガバナンス・コードの各原則に基づく開示」

【原則4-9　独立社外取締役の独立性判断基準】
当社は、金融商品取引所が定めるコーポレートガバナンス・コード（原則4-9）および独立性基準を踏まえ、独立社外取締役および独立社外監査役の独立性を担保するための基準を明らかにすることを目的として、全監査役の同意のもと、当社取締役会の決議をもって「独立社外役員の独立性判断基準」を制定しております。

※「独立性判断基準」は、下記の当社ウェブサイトにて公表されております。
https://global.canon/ja/ir/strategies/governance.html

『独立社外役員の独立性判断基準』
当社は、社外取締役・社外監査役の要件および金融商品取引所の独立性基準を満たし、且つ、次の各号のいずれにも該当しない者をもって、独立社外役員（当社経営陣から独立し、一般株主と利益相反が生じるおそれのない者）と判断する。
1. 当社グループ（当社およびその子会社をいう。以下同じ。）を主要な取引先とする者もしくは当社グループの主要な取引先またはそれらの業務執行者
2. 当社グループの主要な借入先またはその業務執行者
3. 当社の大株主またはその業務執行者
4. 当社グループから多額の寄付を受けている者またはその業務執行者
5. 当社グループから役員報酬以外に多額の金銭その他の財産を得ているコンサルタント、会計専門家または法律専門家（法人、組合等の団体である場合は当該団体に所属する者をいう。）
6. 当社グループの会計監査人である監査法人に所属する公認会計士（当社の直前3事業年度のいずれかにおいてそうであった者を含む。）
7. 社外役員の相互就任関係となる他の会社の業務執行者
8. 各号に該当する者のうち、会社の取締役、執行役、執行役員、専門アドバイザリーファームのパートナー等、重要な地位にあるものの近親者（配偶者および二親等以内の親族）

「独立社外役員の独立性判断基準」

独立社外役員の独立性判断基準

当社は、社外取締役・社外監査役の要件および金融商品取引所の独立性基準を満たし、且つ、次の各号のいずれにも該当しない者をもって、「独立社外役員」（当社経営陣から独立し、一般株主と利益相反が生じるおそれのない者）と判断する。

1. 当社グループ（当社およびその子会社をいう。以下同じ。）を主要な取引先とする者もしくは当社グループの主要な取引先またはそれらの業務執行者
2. 当社グループの主要な借入先またはその業務執行者
3. 当社の大株主またはその業務執行者
4. 当社グループから多額の寄付を受けている者またはその業務執行者
5. 当社グループから役員報酬以外に多額の金銭その他の財産を得ているコンサルタント、会計専門家または法律専門家（法人、組合等の団体である場合は当該団体に所属する者をいう。）
6. 当社グループの会計監査人である監査法人に所属する公認会計士（当社の直前3事業年度のいずれかにおいてそうであった者を含む。）
7. 社外役員の相互就任関係となる他の会社の業務執行者
8. 各号に該当する者のうち、会社の取締役、執行役、執行役員、専門アドバイザリーファームのパートナー等、重要な地位にあるものの近親者（配偶者および二親等以内の親族）

（注）
* 1号の「主要な」とは、当社グループと当該取引先との間の取引金額（直前3事業年度のいずれか）が、当該取引先または当社の連結売上高の1%を超える場合をいう。
* 2号の「主要な」とは、当社の直前3事業年度のいずれかにおける借入金残高が、当社の連結総資産の1%を超える場合をいう。
* 3号の「大株主」とは、当社の議決権の5%以上を保有する株主をいう。
* 4号の「多額」とは、当社の直前3事業年度のいずれかにおいて、寄付受給額が（イ）年1,200万円超（個人の場合）または（ロ）当該寄付先の年間総収入の1%超（団体の場合）に該当する場合をいう。
* 1号から4号までおよび7号の「業務執行者」とは、業務執行を担当する取締役・理事、執行役、執行役員、支配人その他の使用人（1号から4号にあっては直前3事業年度中にその職にあった者を含む。）をいう。
* 5号の「多額」とは、当社の直前3事業年度のいずれかにおいて、当該コンサルタント等の収受財産の額が（イ）年1,200万円超（個人の場合）または（ロ）当該コンサルタント等の売上高の1%超（団体の場合）に該当する場合をいう。

以 上

Ⅱ ガバナンス報告書

⑥博報堂DYホールディングス

「コーポレートガバナンス・コードの各原則に基づく開示」

当社は、「博報堂DYホールディングス コーポレートガバナンス・ガイドライン」を制定し、当社HPに開示しております。
各原則の実施状況については、ガイドラインの別添資料④「コーポレートガバナンス・コード実施対応表」をご参照ください
https://www.hakuhodody-holdings.co.jp/assets/pdf/group/governance/guideline.pdf

「博報堂ＤＹホールディングス　コーポレートガバナンス・ガイドライン　別添資料２」

【社外役員の独立性に関する基準】

当社は、社外取締役及び社外監査役の独立性について、以下に該当する場合、「独立性」があると判断します。

1．現在及び過去10年間[※1]において、当社又は当社の子会社の取締役（社外取締役を除く）、執行役員又は使用人であったことがないこと

2．以下の①～③に、現在及び過去3年間において該当しないこと
　① 当社の主要な取引先[(注1)]の取締役、執行役員又は使用人
　② 当社から役員報酬以外に多額の金銭[(注2)]その他の財産上の利益を得ている弁護士、公認会計士、コンサルタント等[※2]
　③ 当社の主要株主[(注3)]又はその取締役、執行役員又は使用人

3．当社との間で、取締役、監査役又は執行役員を相互に派遣している法人、組合等の団体の取締役、執行役員又は使用人でないこと

4．当社から多額の寄付[(注4)]を受ける法人、組合等の団体の取締役、執行役員又は使用人でないこと

5．1及び2に該当する者が重要な者[(注5)]である場合において、その配偶者又は二親等内の親族でないこと

※1 但し、過去10年内のいずれかの時において当社又は子会社の非業務執行取締役又は監査役であったことのある者にあっては、それらの役職への就任の前10年間
※2 但し、それらが法人、組合等の団体である場合は、当該団体に所属している者

(注1) 主要な取引先とは、当社との取引額が、当社又は取引先の年間連結売上高の2％以上を占めている企業をいう
(注2) 多額の金銭とは、個人の場合は年間1,000万円以上、団体の場合は、当該団体の連結売上高の2％以上を超えることをいう
(注3) 主要株主とは、議決権所有割合の10％以上（直接保有、間接保有の双方を含む）の株主をいう
(注4) 多額の寄付とは、年間1,000万円又は寄付先の連結売上高もしくは総収入の2％のいずれか大きい額を超えることをいう
(注5) 重要な者とは、取締役（社外取締役を除く）、執行役員、部長及びそれと同等の管理職にある使用人をいう

⑦三井住友フィナンシャルグループ

「コーポレートガバナンス・コードの各原則に基づく開示」

○当社は、「SMFGコーポレートガバナンス・ガイドライン」の「取締役候補者の選定基準等」の項目にて、社外取締役の独立性に関する基準を定め、開示することを規定しています。本規定を受け、同ガイドラインの参考6として「社外取締役の独立性に関する基準」を制定し、開示しております。また、当社では、定期的に社外取締役の独立性を確認することとしており、現任の社外取締役7名について、同基準に照らし、全員が当社の定める独立性を有していることを確認しております。【原則4-9】

[社外取締役の独立性に関する基準]
当社では、社外取締役が独立性を有すると判断するためには、現在または最近(※1)において、以下の要件の全てに該当しないことが必要である。
(1) 主要な取引先(※2)
・当社・株式会社三井住友銀行を主要な取引先とする者、もしくはその者が法人等(法人その他の団体をいう。以下同じ)である場合は、その業務執行者。
・当社・株式会社三井住友銀行の主要な取引先、もしくはその者が法人等である場合は、その業務執行者。
(2) 専門家
・当社・株式会社三井住友銀行から役員報酬以外に、過去3年平均で、年間10百万円超の金銭その他の財産を得ているコンサルタント、会計専門家または法律専門家。
・当社・株式会社三井住友銀行から、多額の金銭その他の財産(※3)を得ている法律事務所、会計事務所、コンサルティング会社等の専門サービスを提供する法人等の一員。
(3) 寄付
当社・株式会社三井住友銀行から、過去3年平均で、年間10百万円または相手方の年間売上高の2%のいずれか大きい額を超える寄付等を受ける者もしくはその業務執行者。
(4) 主要株主
当社の主要株主、もしくは主要株主が法人等である場合は、その業務執行者(過去3年以内に主要株主もしくはその業務執行者であった者を含む)。
(5) 近親者(※4)
次に掲げるいずれかの者(重要(※5)でない者を除く)の近親者。
・上記(1)～(4)に該当する者。
・当社又はその子会社の取締役、監査役、執行役、執行役員等の使用人。

※1.「最近」の定義
実質的に現在と同視できるような場合をいい、例えば、社外取締役として選任する株主総会の議案の内容が決定された時点において主要な取引先であった者は、独立性を有さない
※2.「主要な取引先」の定義
・当社・株式会社三井住友銀行を主要な取引先とする者：当該者の連結売上高に占める当社・株式会社三井住友銀行宛売上高の割合が2%を超える場合
・当社・株式会社三井住友銀行の主要な取引先：当社の連結総資産の1%を超える貸付を株式会社三井住友銀行が行っている場合
※3.「多額の金銭その他の財産」の定義
当社の連結経常収益の0.5%を超える金銭その他の財産
※4.「近親者」の定義
配偶者または二親等以内の親族
※5.「重要」である者の例
・各会社の役員・部長クラスの者
・会計専門家・法律専門家については、公認会計士、弁護士等の専門的な資格を有する者

⑧三菱商事

「Ⅱ．経営上の意思決定，執行及び監督に係る経営管理組織その他のコーポレート・ガバナンス体制の状況，1．機関構成・組織運営等に係る事項」

その他独立役員に関する事項

■ 社外取締役及び社外監査役の状況
当社の社外取締役は5名であり、また、社外監査役は3名であります。
a. 社外取締役及び社外監査役の独立性
当社は、社外取締役・社外監査役の機能の明確化・強化を図るため、社外役員が過半数を占めるガバナンス・指名・報酬委員会で審議の上、取締役会にて「社外役員選任基準」を次のとおり制定しています。社外取締役5名及び社外監査役3名は、いずれも、(株)東京証券取引所等、国内の金融商品取引所が定める独立役員の要件及び当社が定める「社外役員選任基準」を満たしています。
＜社外取締役選任基準＞
イ．社外取締役は、企業経営者としての豊富な経験に基づく、実践的な視点を持つ者、及び世界情勢、社会・経済動向等に関する高い見識に基づく、客観的かつ専門的な視点を持つ者から複数選任し、多様な視点から、取締役会の適切な意思決定、経営監督の実現を図る。
ロ．社外取締役選任の目的に適うよう、その独立性(注)確保に留意し、実質的に独立性を確保し得ない者は社外取締役として選任しない。
ハ．広範な事業領域を有する当社として、企業経営者を社外取締役とする場合、当該取締役の本務会社との取引において利益相反が生じる可能性もあるが、個別案件での利益相反には、取締役会での手続において適正に対処するとともに、複数の社外取締役を置き、多様な視点を確保することにより対応する。
＜社外監査役選任基準＞
イ．社外監査役は、様々な分野に関する豊富な知識・経験を有する者から選任し、中立的・客観的な観点から監査を行うことにより、経営の健全性

Ⅱ ガバナンス報告書

を確保する。
ロ．社外監査役選任の目的に適うよう、その独立性(注)確保に留意し、実質的に独立性を確保し得ない者は社外監査役として選任しない。
(注)社外役員選任基準に関する独立性の考え方
(株)東京証券取引所など国内の金融商品取引所が定める独立役員の要件に加え、本人の現在及び過去3事業年度における以下(1)～(7)の該当の有無を確認の上、独立性を判断する。
(1) 当社の大株主(直接・間接に10%以上の議決権を保有する者)またはその業務執行者(※1)
※1 業務執行者とは、業務執行取締役、執行役、執行役員その他の使用人等をいう(以下同様)。
(2) 当社の定める基準を超える借入先(※2)の業務執行者
※2 当社の定める基準を超える借入先とは、当社の借入額が連結総資産の2%を超える借入先をいう。
(3) 当社の定める基準を超える取引先(※3)の業務執行者
※3 当社の定める基準を超える取引先とは、当社との取引額が当社連結収益の2%を超える取引先をいう。
(4) 当社より、役員報酬以外に1事業年度当たり1,000万円を超える金銭その他の財産上の利益を得ているコンサルタント、弁護士、公認会計士等の専門的サービスを提供する者
(5) 当社の会計監査人の代表社員または社員
(6) 当社より、一定額を超える寄附(※4)を受けた団体に属する者
※4 一定額を超える寄附とは、1事業年度当たり2,000万円を超える寄附をいう。
(7) 当社の社外役員としての任期が8年を超える者
なお、上記(1)～(7)のいずれかに該当する場合であっても、当該人物が実質的に独立性を有すると当社が判断した場合には、社外役員選任時にその理由を説明・開示する。

⑨横河電機

「コーポレートガバナンス・コードの各原則に基づく開示」

【原則4-9】
当社は、「社外役員の独立性に関する基準」を策定し、これをコーポレートガバナンス・ガイドラインおよび本報告書「Ⅱ. 経営上の意思決定、執行及び監督に係る経営管理組織その他のコーポレート・ガバナンス体制の状況、1. 機関構成・組織運営等に係る事項、【独立役員関係】、その他独立役員に関する事項」に記載しています。
当社の独立社外取締役はこの独立性の基準を満たすとともに、経営者としての高い見識と当社とは異なった市場での豊富な経験を有しており取締役会等において多面的な意見陳述を極めて有効かつ適切に行っています。

「Ⅱ．経営上の意思決定，執行及び監督に係る経営管理組織その他のコーポレート・ガバナンス体制の状況，1．機関構成・組織運営等に係る事項」

その他独立役員に関する事項

当社は、社外役員における独立性の基準を以下のとおり定めています。

＜社外役員の独立性に関する基準＞
当社において独立役員であるというためには、以下のいずれかに該当する者であってはならない。
[1] 当社およびその連結子会社(以下「当社グループ」という)の業務執行者またはその就任の前10年間においてそうであった者(注1)
[2] 当社の現在の主要株主(議決権割合10%以上)または最近5年間においてそうであった者(注2)
[3] 当社が現在主要株主である会社の業務執行者
[4] 当社グループの主要な取引先(直近事業年度または先行する3事業年度のいずれかにおける年間連結総売上高の2%を超える支払いをしているもしくは支払いを受けている)の業務執行者
[5] 当社グループから一定額(過去3事業年度の平均で1,000万円または当該組織の平均年間総費用の30%のいずれか大きい額)を超える寄付または助成を受けている公益財団法人、公益社団法人、非営利法人等の業務執行者
[6] 当社グループから取締役を受け入れている会社の業務執行者
[7] 当社グループの主要な借入先の業務執行者または最近3年間においてそうであった者(注3)
[8] 当社グループの会計監査人または監査法人等の関係者または最近3年間においてそうであった者(注4)
[9] 上記[8]に該当しない弁護士、公認会計士または税理士その他のコンサルタントであって、当社グループから役員報酬以外に過去3年間の平均で年間1,000万円以上の報酬を得ている者
[10] 上記[8]に該当しない法律事務所、監査法人、税理士法人またはコンサルティング・ファームであって、当社グループを主要な取引先とするファーム(過去3事業年度の平均で、その連結総売上高の2%を超える支払いを当社グループから受けた)の関係者(注5)
[11] 上記[1]から[10]([5]を除く)の親族(配偶者または二親等以内の親族もしくは同居の家族)
[12] 独立役員としての通算の在任期間が8年を超える者

注1：業務執行取締役、執行役員その他これらに準じる者および使用人(本基準において「業務執行者」という)。
注2：当社の現在または最近5年間においての主要株主。主要株主が法人である場合には当該主要株主又はその親会社もしくは重要な子会社の業務執行者。
注3：当社グループが借入れを行っている金融機関グループ(直接の借入先が属する連結グループに属するものをいう)であって、その借入残高が当社事業年度末において当社の連結総資産の2%を超える金融機関グループ。
注4：当社グループの会計監査人または監査法人の社員、パートナーまたは従業員である者、または最近3年間においてそうであった者(現在退職している者を含む)。
注5：当該ファームの社員、パートナー、アソシエイトまたは従業員である者。

⑩ソニーグループ

「コーポレートガバナンス・コードの各原則に基づく開示」

---

d. 取締役の資格要件及び再選回数制限【原則4-9、補充原則4-11②】
　当社が取締役に関して、取締役会規定に定める資格要件は次のとおりです。2021年6月22日時点での在任取締役は、いずれも同日時点において以下の取締役共通の資格要件を満たしており、また、社外取締役については、社外取締役の追加資格要件を満たすとともに、東京証券取引所有価証券上場規程に定める独立役員としての届出を同取引所に対して行っています。

＜取締役共通の資格要件＞
・ソニーグループの重要な事業領域においてソニーグループと競合関係にある会社（以下「競合会社」）の取締役、監査役、執行役、支配人その他の使用人でないこと、また競合会社の3％以上の株式を保有していないこと。
・取締役候補に指名される前の過去3年間、ソニーグループの会計監査人の代表社員、社員であったことがないこと。
・そのほか、取締役としての職務を遂行する上で、重大な利益相反を生じさせるような事項がないこと。

＜社外取締役の追加資格要件＞
・取締役もしくは委員として受領する報酬・年金又は選任前に提供を完了したサービスに関して選任後に支払われる報酬以外に、過去3年間のいずれかの連続する12ヵ月間において12万米ドルに相当する金額を超える報酬をソニーグループより直接に受領していないこと。
・ソニーグループとの取引額が、過去3年間の各事業年度において、当該会社の当該事業年度における年間連結売上の2％又は100万米ドルに相当する金額のいずれか大きいほうの金額を超える会社の業務執行取締役、執行役、支配人その他の使用人でないこと。

なお、再選のための社外取締役の指名委員会による指名は5回を上限とし、それ以降の指名は指名委員会の決議に加えて取締役全員の同意が必要です。さらに、取締役全員の同意がある場合であっても、社外取締役の再選回数は8回までを限度としています。

「取締役会規定」

（取締役の資格要件）

第4条

（1）全ての取締役は、以下の各号の要件を全て充足しなければならない。

① ソニーグループの重要な事業領域においてソニーグループと競合関係にある会社（以下「競合会社」という。）の取締役、監査役、執行役、支配人その他の使用人でないこと、また競合会社の3％以上の株式を保有していないこと。

② 取締役候補に指名される前の過去3年間、ソニーグループの会計監査人の代表社員、社員であったことがないこと。

③ そのほか、取締役としての職務を遂行する上で、重大な利益相反を生じさせるような事項がないこと。

（2）執行役を兼務する取締役は、本条第1項各号の要件に加えて、以下の要件を充足しなければならない。

　執行役として、ソニーグループの経営全体を統括すること、またはソニーグループの経営において重要かつ広範な本社機能を所管すること。

（3）当会社の社外取締役は、社外取締役の要件として法令に定めるものおよび本条第1項各号の要件に加えて、以下の各号の要件を全て充足しなければならない。

① 取締役もしくは委員として受領する報酬・年金または選任前に提供を完了したサービスに関して選任後に支払われる報酬以外に、過去3年間のいずれかの連続する12ヶ月間において12万米ドルに相当する金額を超える報酬をソニーグループより直接に受領して

Ⅱ　ガバナンス報告書

いないこと。
② ソニーグループとの取引額が、過去３年間の各事業年度において、当該会社の当該事業年度における年間連結売上の２％または１００万米ドルに相当する金額のいずれか大きいほうの金額を超える会社の業務執行取締役、執行役、支配人その他の使用人でないこと。

（社外取締役の再選回数）
第５条　再選のための社外取締役の指名委員会による指名は５回を上限とし、それ以降の指名は指名委員会の決議に加えて取締役全員の同意を必要とするものとする。ただし、いかなる場合でも、社外取締役の再選回数は８回を超えないものとする。

⑪住友化学

「コーポレートガバナンス・コードの各原則に基づく開示」

<原則4-9>
当社は、社外取締役および社外監査役を独立役員として指定する基準を定めています。当該基準につきましては、当社ホームページに公表していますので、ご参照ください。
https://www.sumitomo-chem.co.jp/company/governance.html

「コーポレートガバナンス・ガイドライン」

別紙2

【独立役員の指定に関する基準】（2015年6月23日改訂）

1. 本基準は、当社が、当社の社外役員（社外取締役および社外監査役をいう）を、国内各証券取引所の有価証券上場規程に規定する「独立役員」に指定するにあたっての要件を定めるものとする。

2. 以下の①ないし⑨に定める要件のいずれにも該当しない場合は、原則として、当社と重大な利害関係がないものとみなし、独立役員に指定することができるものとする。
① 当社および当社グループ会社の業務執行者（社外取締役を除く取締役、執行役員および従業員（名称の如何を問わず当社および当社グループ会社と雇用関係にある者））
② 当社の主要な顧客・取引先の業務執行者。主要な顧客・取引先とは、次のいずれかに該当する者をいう。
(ｱ) 当社に製品またはサービスを提供している取引先、または当社が製品またはサービスを提供している取引先のうち、独立役員に指定しようとする直近の事業年度１年間の取引総額が、当社単体売上高の2％を超える者または当社への売上高が2％を超える者。
(ｲ) 当社が借入れを行っている金融機関のうち、独立役員に指定しようとする直近の事業年度末における借入総額が、当社単体借入総額の2％を超える者。ただし、2％以下であっても、有価証券報告書、事業報告等の対外公表文書に借入先として記載している金融機関は主要取引先に含める。
③ 当社から役員報酬以外の報酬を得ているコンサルタント、公認会計士、弁護士等の専門家のうち、独立役員に指定しようとする直近の事業年度における当社からの役員報酬以外の報酬

支払総額が 1,000 万円を超える者。ただし、1,000 万円以下であっても、該当者の年収の 50%を超える場合は、多額の報酬を得ているものとして取り扱う。

④ 当社と取引のあるコンサルティング・ファーム、税理士法人、法律事務所等の法人もしくは組合等の団体のうち、独立役員に指定しようとする直近の事業年度における当社への売上高が 2%もしくは 1,000 万円のいずれか高い方を超える団体に所属する者。

⑤ 当社の株主のうち、独立役員に指定しようとする直近の事業年度末における議決権保有比率が総議決権の 10%以上（直接保有および間接保有の合算比率）である者またはその業務執行者

⑥ 当社が株式を保有している会社のうち、独立役員に指定しようとする直近の事業年度末における当社の議決権保有比率が総議決権の 10%以上（直接保有および間接保有の合算比率）である者またはその業務執行者

⑦ 当社の法定監査を行う監査法人に所属する者

⑧ 過去において上記①に該当していた者、ならびに前 1 年間もしくはそれと同視できる期間において上記②ないし⑦に該当していた者

⑨ 次のいずれかに該当する者の配偶者または 2 親等以内の親族

(ｱ) 上記①ないし⑦に掲げる者

(ｲ) 前 1 年間もしくはそれと同視できる期間において、当社および当社グループ会社の業務執行者に該当していた者（社外監査役を独立役員に指定する場合には、業務執行者でない取締役または会計参与（当該会計参与が法人である場合は、その職務を行うべき社員を含む））

(ｳ) 上記(ｱ)および(ｲ)に定める業務執行者とは、各会社および取引先の業務執行取締役、執行役員および部長職相当の従業員である重要な業務執行者をいい、部長職相当未満の者を含まない。

(ｴ) 上記(ｱ)にかかわらず、上記④における「団体に所属する者」とは、「重要な業務執行者およびその団体が監査法人や法律事務所等の会計や法律の専門家団体の場合は公認会計士、弁護士等の専門的な資格を有する者」でない者を含まない。

(ｵ) 上記(ｱ)にかかわらず、上記⑦の「監査法人に所属する者」においては、「重要な業務執行者および公認会計士等の専門的な資格を有する者」でない者を含まない。

3．上記2に規定する要件に該当しない場合であっても、独立役員としての責務を果たせないと判断するに足る事情があるときには、当該社外役員を独立役員に指定しないこととする。

4．上記にしたがい独立役員に指定すべきとする社外役員につき、本人の書面による同意に基づき独立役員に指定し、当社が上場している証券取引所に届出を行う。なお、届出の前に、取締役会および監査役会にて報告するものとする。

⑫神戸製鋼所

「コーポレートガバナンス・コードの各原則に基づく開示」

当社はこれまで定めてきた企業理念や企業倫理綱領、その他コーポレートガバナンスに関する様々な取り組みについて、改めて体系立てて整理し、「神戸製鋼所のコーポレートガバナンスに対する基本的な考え方、取組み」として開示しております。
「神戸製鋼所のコーポレートガバナンスに対する基本的な考え方、取組み」は、当社ホームページ http://www.kobelco.co.jp/about_ kobelco/kobesteel/governance/index.html をご覧ください。

なお、「神戸製鋼所のコーポレートガバナンスに対する基本的な考え方、取組み」は、有価証券上場規程に定めるコーポレートガバナンス・コードに対する当社の対応状況を示しております。

Ⅱ　ガバナンス報告書

「神戸製鋼所のコーポレートガバナンスに対する基本的な考え方，取組み　Ⅳ．経営の透明性維持，適切なリスクテイクを支える環境整備　1．役員候補者の指名について」

②独立役員の基準
当社の社外取締役（監査等委員である社外取締役を含む。）は、以下の要件のいずれにも該当しない場合に、独立性を有するものとします。ただし、L）は監査等委員である社外取締役についてのみ適用されるものとします。

A) 現在または過去における当社グループ（当社およびその子会社をいう。以下同じ。）の業務執行者（業務執行取締役、執行役および執行役員その他の使用人をいう。以下同じ。）

B) 現在または過去5年間において、近親者（2親等以内の親族をいう。以下同じ。）が当社グループの業務執行者であるもの

C) 現在または過去3年間における当社の主要な株主（議決権保有割合10％以上の株主をいう。）またはその業務執行者

D) 現在または過去3年間における当社の主要な取引先（直近3事業年度における当社に対する支払額のうち最も高い額が当社の連結総売上高の2％を超える取引先をいう。）またはその業務執行者

E) 現在または過去3年間において当社を主要な取引先とする者（直近3事業年度における当社の支払額のうち最も高い額がその者の連結総売上高の2％を超える取引先をいう。）またはその業務執行者

F) 現在または過去3年間において当社の資金調達に必要不可欠であり、代替性がない程度に依存している金融機関その他の大口債権者またはその業務執行者

G) 現在または過去3年間において当社から役員報酬以外に多額の金銭その他の財産（個人の場合には1000万円／年または10万ドル／年のいずれか大きい額以上の額のものをいい、法人、組合等の団体である場合にはその団体の連結総売上高の2％以上の額のものをいう。）を得ているコンサルタント、会計専門家または法律専門家（当該財産を得ているものが法人、組合等の団体である場合は、当該団体に所属する者。但し、当該団体から報酬の支払を受けず、独自に自己の職務を遂行する者を除く。）

H) 当社の会計監査人である公認会計士、または当社の会計監査人である監査法人に所属する公認会計士

I) 直近事業年度において、当社から1000万円／年または10万ドル／年もしくは当該組織の平均年間総費用の30％のいずれか大きい額を超える寄附または助成を受けている組織の代表者もしくはそれに準ずる者

J) 当社グループと社外役員の相互派遣の関係（当社グループに在籍する業務執行者が他の会社の社外役員であり、かつ当該他の会社に在籍する業務執行者が当社の社外役員である場合をいう。）を有する会社の業務執行者

K) 近親者が上記C)～J)（業務執行者については、取締役、執行役および執行役員に限り、法律事務所等の専門的アドバイザリーファームに所属する者については、社員およびパートナーに限る。）に該当する者

L) 以下のa.からc.に該当する者の近親者
　a. 現在または過去1年間における当社の子会社の非業務執行取締役

b. 現在または過去1年間における当社の子会社の会計参与（当該会計参与が法人である場合は、当該法人に所属する公認会計士もしくは税理士）
　　c. 過去1年間における当社の非業務執行取締役

⑬アシックス

「コーポレートガバナンス・コードの各原則に基づく開示」

【原則4－9．独立社外取締役の独立性判断基準及び資質】
　当社では、会社法上の要件に加え、独自の基準である「独立社外取締役に関する基準」を策定し、同基準に則って、独立社外取締役候補者を選任しております。個別の独立社外取締役の選任理由は、コーポレートガバナンス報告書（その他独立役員に関する事項）に掲載しております。

「Ⅱ．経営上の意思決定、執行及び監督に係る経営管理組織その他のコーポレート・ガバナンス体制の状況、1．機関構成・組織運営等に係る事項」

その他独立役員に関する事項

当社は、独立役員の資格を充たす社外役員を全て独立役員に指定しています。

当社は、適正なコーポレートガバナンスの確保のために、社外取締役の資質および独立性について「独立社外取締役に関する基準」を独自に定めております。その内容は次のとおりです。

第1条（社外取締役の要件）
1. 当社の社外取締役の要件について、本基準により定める。
2. 社外取締役の要件は、選任時および在任期間中を通じて、満たすことを要する。

第2条（資質に関する要件）
　グローバルに事業を展開する当社および当社の関係会社（以下、「当社グループ」という。）において、コーポレートガバナンスを強化するとともに、グローバルレベルでの事業の拡大を図るため必要となる資質として、企業経営者、弁護士、公認会計士、学識経験者としての実績があり、豊富な経験と専門的知見を有すること。

第3条（独立性に関する要件）
1. 社外取締役の当社グループからの独立を保つため、以下の各号を満たすこと。
（1）過去に、当社グループの役員および執行役員（以下、「役員」という。）、会計参与または使用人でないこと。
（2）現在および過去5年間、以下に該当しないこと。
ア (a) 当社グループの大株主（総議決権の10％以上を保有する者をいい、間接保有形態を含む。）または大株主である組織の使用人等（業務執行取締役、使用人等の業務執行を行う者をいう。以下、同じ。）
(b) 当社グループが大株主である組織の使用人等
イ 当社グループの主要な借入先（1会計年度末時点において当社連結総資産の2％以上の負債を負担する先をいう。以下、同じ。）または主要な借入先である組織（グループ企業である場合はグループ単位とする。以下、同じ。）の使用人等
ウ 当社グループの主幹事証券会社の使用人等
エ (a) 当社グループの主要な取引先（1会計年度の連結売上高の2％以上の取引先をいう。以下、同じ。）または主要な取引先である組織の使用人等
(b) 当社グループを主要な取引先とする者またはその使用人等
オ 当社グループの会計監査人である監査法人に所属する者
カ コンサルタント、会計専門家または法律専門家として、社外取締役としての報酬以外に、当社グループから多額の金銭その他の財産（1会計年度あたり1,000万円以上をいう。）を得る者または当社グループから多額の金銭その他の財産（当該団体の1会計年度の売上高の1％以上をいう。）を得る団体に所属する者
キ 当社グループから多額の寄付金（1会計年度あたり1,000万円以上をいう。）を受け取る者または多額の寄付金を受け取る団体に所属する者
ク 当社グループと役員の相互就任の関係にある者
（3）以下の者の近親者（配偶者および2親等以内の親族をいう。）でないこと。
ア 現在または過去に、当社グループの役員または重要な使用人である者
イ 前号に該当する者（重要でない使用人および所属する者は除く。）
2. 前項の要件を満たさない場合であっても、その者を社外取締役としても一般株主の利益相反を生じないと認められ、かつ前項の要件を満たす社外取締役全員の同意がある場合については、会社法の要件を満たす限りにおいて、社外取締役とすることがある。この場合、株主総会参考書類、有価証券報告書等に、該当する事実および選任する理由等を明記するものとする。

Ⅱ ガバナンス報告書

⑭ワコールホールディングス

「Ⅱ．経営上の意思決定，執行及び監督に係る経営管理組織その他のコーポレート・ガバナンス体制の状況　1．機関構成・組織運営等に係る事項」

その他独立役員に関する事項

＜社外役員の独立性に関する考え方＞
当社では2015年4月30日開催の取締役会にて、新たに「役員の選任基準」ならびに「社外役員の独立性基準」を明文化し、「役員の選任基準」は、2019年6月27日開催の取締役会にて、一部改訂を行いました。

＜役員の選任基準＞
株式会社ワコールホールディングス（以下「当社」といいます）は取締役および監査役（以下「役員」と総称します）を選任するにあたっては、以下に定める選任解任基準に従います。取締役候補者は役員指名諮問委員会の構成で厳格な審査に基づいて、取締役会で決定されます。監査役候補者は監査役会の同意を得た上で、取締役会で決定されます。その後、それぞれの候補者を株主総会の議案として提出します。
・選任基準
1.人格、見識にすぐれ、心身ともに健康であること。
2.違法精神に富んでいること。
3.事業運営、会社経営、法曹、行政、会計、教育、文化芸術のいずれかの分野で豊富な経験を有すること。また再任時には、さらに任期中の経営実績やグループ経営への貢献度を考慮されること。
4.取締役のうち1/3以上は社外取締役とし、社外取締役および社外監査役（以下「社外役員」と総称します）については、当社が別途定める「社外役員の独立性基準」に抵触しないこと。
5.社外役員については、現に4社以上の上場会社の役員に任ぜられていないこと。
6.当該候補者が選任されることで、取締役会および監査役会それぞれが、知識・経験・専門能力のバランスがとれ、ジェンダーや国際性などの 多様性が確保されること。
・解任基準
1.公序良俗に反する行為を行った場合。
2.職務懈怠等により、その機能を十分に発揮していないと認められる場合。

＜社外役員の独立性基準＞
株式会社ワコールホールディングス（以下「当社」といいます）は、社外取締役および社外監査役（以下「社外役員」と総称します）は当社の一般株主と利益相反関係を生じないよう、十分な独立性を有していることが望ましいと考えます。かかる観点から当社は、以下に掲げる事項のいずれにも該当しない者を社外役員候補者として選定することとします。
1.当社およびその連結子会社（以下「当社グループ」と総称する）に過去に一度でも業務執行者（注1）として所属したことがある者
2.当社の株式を自己または他者の名義をもって議決権ベースで5％以上保有する大株主。当該大株主が法人、組合等の団体（以下「法人等」という）である場合は当該法人等に所属する業務執行者
3.次のいずれかに該当する者
（1）当社グループの主要な取引先、または当社グループを主要な取引先とする者。当該者が法人等である場合は当該法人等に所属する業務執行者（注2）
（2）当社グループの主要な借入先。当該借入先が法人等である場合は当該法人等に所属する業務執行者（注3）
（3）当社の主幹事証券会社に所属する業務執行者
（4）当社グループが議決権ベースで5％以上の株式を保有する法人等に所属する業務執行者
4.当社グループの会計監査人である監査法人に所属する公認会計士
5.当社グループから多額（注4）の金銭その他財産を得ている弁護士、会計士、税理士、弁理士、コンサルタント等の専門家。当該者が法人等である場合は当該法人等に所属するこれら専門家
6.当社グループから多額の寄付を受けている者（注5）。当該者が法人等である場合は当該法人等に所属する業務執行者
7.社外役員の相互就任関係となる他の会社に所属する業務執行者
8.上記1から7までのいずれかに該当する者（重要な者に限る）の配偶者または2親等以内の親族（注6）
9.最近3年間において、上記2から8までのいずれかに該当していた者
10.その他当社の一般株主と利益相反関係が生じうる特段の理由が存在すると認められる者
なお、上記2から9までのいずれかに該当する者であっても、当該人物が会社法上の社外役員の要件を充足しており、当社が社外役員としてふさわしいと判断する場合は、判断する理由を示したうえで例外的に社外役員候補者とする場合があります。

以 上

注1　業務執行者とは、業務執行取締役、執行役、執行役員その他これらに準じる使用人をいう。
注2　主要な取引先とは、当社グループまたは相手方から見た販売先、仕入先であって、その最近3年間における年間取引高の平均が、当社グループまたは相手方の連結売上高の2％を超えるものをいう。
注3　主要な借入先とは、当社グループが借入れを行なっている金融機関または個人であって、最近3年間における事業年度末における借入金残高の平均が、当社または当該借入先の連結総資産の2％を超えるものをいう。
注4　多額とは、当該専門家が、個人として当社グループに役務提供する場合か、当該専門家が所属する団体がこれをする場合かを問わず、役務の対価が最近3年間の平均で年間1千万円を超えることをいう。
注5　多額とは、寄附金額が最近3年間の平均で年間1千万円を超えることをいう。
注6　重要な者とは、(i)監査法人または会計事務所に所属する公認会計士の場合、社員またはこれと同等の者、法律事務所に所属する弁護士の場合、パートナーまたはこれと同等の者、その他法人等に所属する専門家の場合、これらと同等の者、また、(ii)法人等の業務執行者である場合には、業務執行取締役、執行役、執行役員、部長格以上の上級管理職にある使用人、および評議員、理事、監事等の役職者、ならびにこれらと同等の重要性を持つと客観的・合理的に判断される者をいう。

⑮十六フィナンシャルグループ

「コーポレートガバナンス・コードの各原則に基づく開示」

【原則4-9】
　社外取締役（監査等委員である者を含む）の独立性を判断するための基準については、当社ホームページに掲載しております「コーポレート・ガバナンスに関する基本方針」の「独立性判断基準（第9条）」および別紙「独立性判断基準」に規定しておりますので、ご参照ください。
（https://www.16fg.co.jp/company/governance/）

「コーポレート・ガバナンスに関する基本方針　別紙」

【 独立性判断基準 】

　当社は、社外取締役（監査等委員である者を含む）の独立性の判断基準として、当社が上場する金融商品取引所の定める「独立性基準」に加えて、以下の基準を定める。
　1．次のいずれかに該当する者は、独立性の要件を満たしていない者とする。
　（1）当社グループに対する売上高の合計が直近事業年度の連結売上高の2％以上となる者
　（2）当社グループから受ける融資残高が最上位となっている者であり、かつ仮に当該融資を直ちに回収した場合に事業の継続に深刻な影響を及ぼすなど、当社グループの融資方針の変更により甚大な影響を与える者
　（3）当社の総株主の議決権数に対する所有議決権数の割合が5％を超える者
　（4）当社グループから過去3年平均で合計年間1千万円以上の金銭その他財産を役員報酬以外に受領した者
　2．前項の規定にかかわらず、他の合理的な理由を含めて総合的に判断した結果、実質的に独立性があると判断される場合には、独立性を認めることができる。
　3．第1項の「者」が法人等である場合には、会社法施行規則第2条第3項第6号に規定する当該法人等の業務執行者をいう。

⑯戸田建設

「コーポレートガバナンス・コードの各原則に基づく開示」

【原則4-9】独立社外取締役の独立性判断基準および資質
　当社では、当社の適正なガバナンスにとって必要な客観性と透明性を確保するため、「社外取締役の独立性に関する判断基準」を定めております。またその職務遂行に必要な条件について「役員等人事評価基準」を定めております。「戸田建設コーポレートガバナンス基本方針」第6条（取締役の資質及び指名手続）をご参照ください。

「コーポレートガバナンス基本方針」

第6条（取締役の資質及び指名手続）

1　社内取締役候補者は、次の指名方針に沿って、幅広い多様な人材の中から決定する。
　（1）　当社及び子会社等の経営及び事業運営に関する豊富な知識、経験を有する者。
　（2）　当社及び子会社等の事業における社会的な責任及び使命を十分に理解し、高い自己規律に基づいて取締役職務を遂行できる者。

2　社外取締役候補者は、次の指名方針に沿って、幅広い多様な人材の中から決定する。
　（1）　経営、経済、法務、財務・会計等の分野に関する豊富な知識、経験を有する者。

II　ガバナンス報告書

(2) 当社及び子会社等の事業における社会的な責任及び使命を十分に理解し、高い自己規律に基づいて取締役職務を遂行できる者。

(3) 別途定める「社外取締役の独立性に関する判断基準[※1]」を満たす者。

※1 社外取締役の独立性に関する判断基準

戸田建設株式会社（以下、「当社」という）は、当社における社外取締役の独立性に関する判断基準を以下のとおり定め、社外取締役（その候補者を含む）がいずれの項目にも該当しない場合に十分な独立性を有しているものとみなす。

なお、社外取締役は、本基準に定める独立性を退任まで維持するように努め、本基準に定める独立性を有しないことになった場合には、直ちに当社に告知するものとする。

1. 当社および子会社等（以下、「当社グループ」という）の業務執行者[※1]
2. 当社の主要な株主[※2]またはその業務執行者
3. 当社グループが主要な株主となっている者またはその業務執行者
4. 当社グループを主要な取引先とする者[※3]またはその業務執行者
5. 当社グループの主要な取引先[※4]またはその業務執行者
6. 当社グループの主要な借入先[※5]またはその業務執行者
7. 当社グループから一定額を超える寄付を受けている者[※6]
8. 当社グループの会計監査人である監査法人に所属する者
9. 当社グループから役員報酬以外に一定額を超える金銭その他の財産を得ているコンサルタント、会計専門家または法律専門家等[※7]
10. 当社グループの業務執行者が他の会社において社外役員に就いている場合において、当該他の会社の業務執行者
11. 過去3年間において、上記2から10までのいずれかに該当していた者
12. 上記1から11までのいずれかに該当する者の配偶者または二親等内の親族若しくは同居の親族
13. 現在独立社外取締役の地位にあり、再任された場合の通算在任期間が8年を超える者
14. 上記各項のほか、当社と利益相反が生じうるなど、独立性を有する社外取締役としての職務を果たすことができない特段の事由を有している者

以上

※1　業務執行者とは、法人等の業務執行取締役、執行役、執行役員、その他これらに類する役職者および使用人等の業務を執行する者をいう。

※2　主要な株主とは、総議決権の10％以上の議決権を直接または間接的に保有している者をいう。

※3　当社グループを主要な取引先とする者とは、直近事業年度における当社グループとの取引額が当該取引先の連結売上高2％を超える者をいう。

※4　当社グループの主要な取引先とは、直近事業年度における当社グループの当該取引先との取引額が当社グループの連結売上高の2％を超える者をいう。

※5　当社グループの主要な借入先とは、直近事業年度末における当社グループの当該借入先からの借入額が当社グループの連結総資産の2％を超える者をいう。

※6　当社グループから一定額を超える寄付を受けている者とは、過去3事業年度の平均で年間1,000万円を超える寄付または助成を受けている者をいう。ただし、当該寄付を受けている者が法人、組合等の団体である場合

第二部　各原則に基づく開示事項（必要的開示）　第12

> には、当該団体の総費用の30％を超える団体に所属する者をいう。
>
> ※7　当社グループから役員報酬以外に一定額を超える金銭その他の財産を得ているコンサルタント、会計専門家または法律専門家等とは、直近事業年度において、役員報酬以外に1,000万円を超える財産を得ている者をいう。ただし、当該財産を得ている者が法人、組合等の団体である場合には、当該団体の連結売上高または総収入の2％を超える団体に所属する者をいう。

3　前1項及び2項に係る細目に関して「役員等人事評価基準」を別途定める。

4　取締役候補者は、人事・報酬諮問委員会における審査を経た上で、取締役会にて決定される。

5　取締役の任期は、定款で定める1年とする。

⑰栗田工業

「コーポレートガバナンス・コードの各原則に基づく開示」

> 【原則4－9．独立社外取締役の役割、責務および独立性判断基準】
> 　独立社外取締役は、企業理念、企業ビジョン、中期経営計画および単年度事業計画に照らして、クリタグループの経営活動の成果ならびに取締役および執行役員の業務執行の状況を評価し、クリタグループの持続的な成長と中長期的な企業価値向上を図る、との観点から取締役会において意見を表明するものとします。
>
> 　独立社外取締役は、取締役候補者の指名および取締役の報酬その他取締役会の重要な意思決定において、独立した立場および経営を監督する立場に立って取締役会で意見を表明するものとします。
>
> 　独立社外取締役候補者選定における独立性の判断基準は、独立社外取締役候補者本人またはその近親者(注4)が次の各号に該当しないこととします。
> a. 現在および過去10年以内の、当社または当社の子会社の業務執行者
> b. 現在および過去1年以内に、当社を主要な取引先とする者(注5)またはその業務執行者
> c. 現在および過去1年以内の、当社の主要な取引先(注6)またはその業務執行者
> d. 現在および過去1年以内に、当社から役員報酬以外に多額の金銭その他の財産(注7)を得ているコンサルタント、会計専門家、法律専門家
> e. 現在の、当社の主要株主(注8)またはその業務執行者
> f. 現在、社外役員の相互就任の関係にある先の業務執行者（ただし本人のみ）
> g. 現在、当社が寄付を行っている先の業務執行者（ただし本人のみ）
>
> 注4本方針において「近親者」とは、二親等以内の親族をいいます。
> 注5「当社を主要な取引先とする者」とは、当社との取引における売上高が当該取引先の連結売上高の2％以上を占めるものをいいます。
> 注6「当社の主要な取引先」とは、当該取引先との取引における売上高が当社の連結売上高の2％以上を占めるものまたは当該取引先からの借入金額が当社連結総資産の1％以上を占めるものをいいます。
> 注7「多額の金銭その他の財産」とは、役員報酬以外の年間1,000万円以上の金銭その他の財産のことをいいます。
> 注8「当社の主要株主」とは、当該株主の保有する議決権が当社議決権の10％以上を占めるものをいいます。

⑱アサヒグループホールディングス

「Ⅱ．経営上の意思決定，執行及び監督に係る経営管理組織その他のコーポレート・ガバナンス体制の状況　1．機関構成・組織運営等に係る事項」

> ### その他独立役員に関する事項
>
> 　当社は、当社の持続的な成長と中長期的な企業価値の向上に資するため、社会的価値の向上に資する、幅広いステークホルダーの視点を持つ独立社外取締役3名及び独立社外監査役3名を選任します。
> 　当社は、社外取締役及び社外監査役（以下「社外役員」という。）の独立性を客観的に判断するため、以下のとおり社外役員の独立性の基準を定め、社外役員が以下のいずれかの項目に該当する場合には、当社にとって十分な独立性を有していないとみなすことにしています。
> 1. 当社及び当社の子会社（以下、総称して「当社グループ」という。）の業務執行者※1又は過去において業務執行者であった者
> 2. 当社グループを主要な取引先とする者※2（当該取引先が法人である場合には当該法人の業務執行者）
> 3. 当社グループの主要な取引先である者※3（当該取引先が法人である場合には当該法人の業務執行者）
> 4. 当社グループから役員報酬以外に多額の金銭その他の財産※4を得ているコンサルタント、公認会計士等の会計専門家又は弁護士等の法律専門家（当該財産を得ている者が法人、組合等の団体である場合は、当該団体に所属する者）
> 5. 当社グループの会計監査人である監査法人に所属する公認会計士
> 6. 当社グループの主要株主※5（当該主要株主が法人である場合には当該法人の業務執行者）
> 7. 当社グループが主要株主である法人の業務執行者
> 8. 社外役員の相互就任の関係※6にある他の会社の業務執行者

Ⅱ　ガバナンス報告書

9. 当社グループから多額の寄附※7を受けている者（当該寄附を受けている者が法人、組合等の団体である場合には、当該団体の業務執行者）
10. 上記第1項から第9項までのいずれかに該当する者（第1項を除き、重要な者※8に限る。）の近親者※9
11. 過去5年間において、上記第2項から第10項までのいずれかに該当していた者
12. 当社が定める社外役員としての在任年数※10を超える者
13. 前各項の定めにかかわらず、一般株主と利益相反の生じるおそれがあると判断される特段の事由が認められる者

※1 業務執行者とは、会社法施行規則第2条第3項第6号に規定する業務執行者をいい、業務執行取締役のみならず使用人を含むが、監査役は含まれない。
※2 当社グループを主要な取引先とする者とは、直近事業年度における取引額が、当該事業年度における当該取引先グループの連結売上高の2%以上の者をいう。
※3 当社グループの主要な取引先である者とは、直近事業年度における取引額が、当社の連結売上収益の2%以上の者又は直近事業年度末における当社の連結資産合計の2%以上の額を当社グループに融資している者をいう。
※4 多額の金銭その他の財産とは、直近事業年度における、役員報酬以外の年間1,000万円以上の金銭その他の財産上の利益をいう（当該財産を得ている者が法人、組合等の団体である場合は、当該団体の直近事業年度における総収入額の2%以上の金銭その他の財産上の利益をいう。）。
※5 主要株主とは、総議決権の10%以上の議決権を直接又は間接的に保有する者又は保有する法人をいう。
※6 社外役員の相互就任の関係とは、当社グループの業務執行者が他の会社の社外役員であり、かつ、当該他の会社の業務執行者が当社の社外役員である関係をいう。
※7 多額の寄附とは、直近事業年度における、年間1,000万円以上の寄附をいう。
※8 重要な者とは、取締役（社外取締役を除く。）、執行役、執行役員及び部長職以上の業務執行者並びに監査法人又は会計事務所に所属する者のうち公認会計士、弁護士法人又は法律事務所に所属する者のうち弁護士、財団法人・社団法人・学校法人その他の法人に所属する者のうち評議員及び理事等の役員、その他同等の重要性を持つと客観的・合理的に判断される者をいう。
※9 近親者とは、配偶者及び二親等内の親族をいう。
※10 当社が定める社外役員としての在任年数とは、取締役は10年、監査役は12年をいう。

⑲塩野義製薬

「Ⅱ．経営上の意思決定，執行及び監督に係る経営管理組織その他のコーポレート・ガバナンス体制の状況　1．機関構成・組織運営等に係る事項」

その他独立役員に関する事項

独立社外役員の選任にあたっては、金融商品取引所の定める独立性基準とともに、その役割・責務を果たしていただくために当社が定めた「要件」及び「独立性判断基準」に基づき、候補者を決定しております。

≪要件≫
①経営に関する経験や専門的知識に基づく優れた識見や能力を備え、それらを適切に発揮できる
②社外役員としての役割を認識し、時機を失することなく当社経営陣に忌憚のない意見・提言ができる
③当社経営陣のみならずステークホルダーの皆さまに真摯に向き合う人格を有する
④一般株主と利益相反のおそれがなく、当社と社外役員個人との間に利害関係がない

≪独立性判断基準≫
①当社グループの主要株主（総議決権の10%以上の株式を保有する株主もしくは上位10位内の株主）、もしくは、当該主要株主が法人・機関等である場合には当該法人・機関等の取締役・監査役・執行役員または社員でないこと
②当社グループが主要株主（総議決権の10%以上を保有する会社もしくは上位10位内の会社）である会社の取締役・監査役・執行役員または社員でないこと
③当社グループの主要な取引先の取締役・監査役・執行役員または社員でないこと
なお、「当社グループの主要な取引先」とは次のいずれかをいう
a.当社グループの直近事業年度を含む過去3年の事業年度の平均において、当社グループからの当該取引先への支払額が、当社グループの連結売上高の2%以上となる取引先
b.当社グループの直近事業年度を含む過去3年の事業年度の平均において、当社グループによる当該取引先からの受取額が、当社グループの連結売上高の2%以上となる取引先
④当社グループを主要な取引先とする取引先の取締役・監査役・執行役員または社員でないこと
なお、「当社グループを主要な取引先とする」とは次のいずれかをいう（⑤が適用される場合は除く）
a. 当該取引先の直近事業年度を含む過去3年の事業年度の平均において、当該取引先からの当社グループへの支払額が、当該取引先の連結売上高の2%以上となる取引先
b. 当該取引先の直近事業年度を含む過去3年の事業年度の平均において、当該取引先による当社グループからの受取額が、当該取引先の連結売上高の2%以上となる取引先
⑤本人がコンサルタント、会計専門家もしくは法律専門家である場合、本人もしくは本人の所属する法人・機関等が、当社グループから本人の取締役・監査役報酬以外に以下の報酬を受け取っていないこと
a.(個人の場合)年間1,000万円以上の報酬
b.(法人・機関等の場合)本人の所属する法人・機関等の直近事業年度を含む直近過去3年の事業年度の平均において、当該法人・機関等の連結売上高の2%もしくは年間1,000万円のいずれか高い方の額以上の報酬
⑥当社グループから年間1,000万円以上の寄附を受けている法人・団体等に属していないこと
⑦当社グループの社外取締役の在任期間が10年を超えていないこと
⑧当社グループの社外監査役の在任期間が12年（3期）を超えていないこと

⑳ナブテスコ

「コーポレートガバナンス・コードの各原則に基づく開示」

【原則4-9】独立社外取締役の独立性判断基準および資質
　基本方針第18条（独立社外取締役）をご参照ください。

「コーポレートガバナンス基本方針」

（独立社外取締役）

第18条　当社は、当社の持続的かつ中長期的な企業価値の向上に寄与する助言、経営の監督等を行うことのできる独立社外取締役を2名以上選任する。

2. 全ての独立社外取締役は、豊富な経験及び幅広い知見並びに様々なステークホルダーの視点を持ち、かつ、当社の定める「社外役員の独立性に関する基準」を全て充足する者とする。

3. 独立社外取締役は、必要に応じて独立社外役員のみによって構成される会議を招集・開催し、自由な議論を通じて、業務の執行から独立した客観的な立場に基づく情報交換・認識交換を図る。

＜中　略＞

社外役員の独立性に関する基準

当社は、東京証券取引所が定める独立役員の要件に加え、以下のすべての要件に該当する場合、当該社外役員（社外取締役および社外監査役）に独立性があると判断する。

①当社の現在の大株主（＊）又はその業務執行者でないこと
　＊総議決権の5%超の議決権を直接又は間接的に保有している者又は直近の株主名簿上の大株主上位10位以内の者
②当社グループの主要な借入先（＊）の業務執行者でないこと
　＊当社グループが借入れをしている金融機関グループ（直接の借入先が属する連結グループに属する者をいう。）であって、直前事業年度末における当社グループの当該金融機関グループからの全借入額が当社グループの連結総資産の2%を超える者
③当社グループの主要な取引先（年間取引額が連結売上高の1%を超える）又はその業務執行者でないこと
④当社グループを主要な取引先（年間取引額が相手方の連結売上高の1%を超える）とする者又はその業務執行者でないこと
⑤コンサルタント、会計専門家、法律専門家として、当社グループから役員報酬以外に多額の報酬（年間600万円以上）を受けていないこと（当該社外役員が属する法人、組合等の団体が報酬を受けている場合を含む。）
⑥当社グループから多額の寄付（年間600万円以上）を受けている法人、組合等の団体の業務執行者でないこと
⑦当社グループの業務執行者の配偶者又は2親等以内の親族でないこと
⑧過去3年間において、上記①から⑥までのいずれにも該当していない者
⑨当社の社外役員としての在任期間が通算8年を超えない者

㉑オリックス

「Ⅱ．経営上の意思決定，執行及び監督に係る経営管理組織その他のコーポレート・ガバナンス体制の状況　1．機関構成・組織運営等に係る事項」

その他独立役員に関する事項

(1) 独立役員の状況
現在在任中のすべての社外取締役は、当社の指名委員会において定めた「独立性を有する取締役の要件」を満たしています。また、当社は、これらの社外取締役全員を、東京証券取引所が一般株主保護のため確保することを義務づけている独立役員に指定しています。
社外取締役が執行役等（業務執行取締役を含む。）を務める会社は、当社の主要な取引先ではなく、また、当社は、これらの者への高額な寄付等の重要な利害関係はありません。なお、「主要な取引先」、「高額」と見なす金額基準については、下記の「独立性を有する取締役の要件」に定めています。

＜独立性を有する取締役の要件＞

ⅰ）現在および過去1年間において、オリックスグループの主要な取引先*または主要な取引先の執行役等もしくは使用人に該当しないこと。
*「主要な取引先」とは、直近事業年度およびこれに先行する3事業年度のいずれかの事業年度において、その者とオリックスグループとの取引額が、オリックスグループまたはその者のいずれかの連結総売上高（オリックスグループの場合は連結営業収益）の2％または100万米ドルに相当する金額のいずれか大きい額以上である者をいう。

ⅱ）直近事業年度およびこれに先行する3事業年度のいずれにおいても、オリックスグループから、取締役としての報酬以外に高額（年間10百万円以上）の報酬を直接受け取っている者でないこと。また、現在および過去1年間において、コンサルタント、会計専門家、法律専門家として所属する法人等がオリックスグループから、高額（連結営業収益（または連結総売上高）の2％または100万米ドルに相当する金額のいずれか大きい額以上）の報酬を受け取っていないこと。

ⅲ）現在、当社の大株主（発行済株式総数の10％以上を保有する株主）、またはその利益を代表する者でないこと。

ⅳ）直近事業年度およびこれに先行する3事業年度のいずれにおいても、当社との間で、取締役の相互兼任*の関係がある会社の執行役等に該当しないこと。
*「取締役の相互兼任」とは、本人が執行役等として所属する会社において、当社または子会社の執行役等が当該会社の取締役に就任している場合において、本人が当社の社外取締役に就任する場合を指す。

ⅴ）オリックスグループから高額（過去3事業年度の平均で年間10百万円以上）の寄付または助成を受けている組織（公益社団法人、公益財団法人、非営利法人等）の理事（業務執行に当たる者に限る。）その他の業務執行者（当該組織の業務を執行する役員、社員または使用人をいう。）に該当しないこと。

ⅵ）直近事業年度およびこれに先行する3事業年度のいずれにおいても、オリックスグループの会計監査人または会計参与である公認会計士（もしくは税理士）または監査法人（もしくは税理士法人）の社員、パートナーまたは従業員であって、オリックスグループの監査業務を実際に担当（ただし補助的関与は除く。）していた者に該当しないこと。

ⅶ）その親族*に、以下に該当する者がいないこと。
・過去3年間においてオリックスグループの執行役等または執行役員等の重要な使用人であった者。
・上記ⅰ）からⅲ）、ⅴ）およびⅵ）の各要件に該当する者。ただし、ⅰ）については、使用人の場合には執行役員である者に限り、ⅱ）の第二文については、当該法人等の社員またはパートナーである者に限り、ⅵ）については執行役等またはオリックスグループの監査を直接担当する使用人に限る。
*「親族」とは、配偶者、二親等以内の血族・姻族、またはそれ以外の親族で当該取締役と同居している者をいう。

ⅷ）その他、取締役としての職務を執行する上で重大な利益相反を生じさせるような事項または判断に影響を及ぼすおそれのあるような利害関係がないこと。

㉒明治ホールディングス

「Ⅱ．経営上の意思決定，執行及び監督に係る経営管理組織その他のコーポレート・ガバナンス体制の状況　1．機関構成・組織運営等に係る事項」

その他独立役員に関する事項

当社は、社外取締役および社外監査役の独立性に関する判断基準（独立性判断基準）を次のとおり定めております。
社外取締役および社外監査役が独立性を有するという場合は、当該社外取締役および社外監査役が以下のいずれにも該当してはならないこととしております。
(1)当社またはその子会社の業務執行者
(2)当社の親会社または兄弟会社の業務執行者
(3)当社を主要な取引先とする者もしくはその業務執行者または当社の主要な取引先もしくはその業務執行者
(4)当社から役員報酬以外に多額の金銭その他の財産を得ているコンサルタント、会計専門家または法律専門家（当該財産を得ている者が法人、組合等の団体である場合は、当該団体に所属する者をいう。）
(5)就任前10年間において(1)に該当していた者

(6) 就任前1年間において(2)から(4)までに該当していた者
(7) 現在または就任前1年間において、(1)から(4)に該当していた者(重要でない者を除く。)の2親等内の近親者
(注)
1.「当社を主要な取引先とする者」とは、直近事業年度においてその者の年間連結総売上高の2%または1億円のいずれか高い方の額以上の支払いを、当社から受けた者をいうこととしております。
2.「当社の主要な取引先」とは、直近事業年度において当社の年間連結総売上高の2%以上の支払いを当社に行った者をいうこととしております。
3.「当社から役員報酬以外に多額の金銭その他の財産を得ているコンサルタント、会計専門家または法律専門家」とは、直近事業年度において役員報酬以外にその者の連結売上高の2%または1,000万円のいずれか高い方の額以上の金銭または財産を当社から得た者をいうこととしております。

㉓ リゾートトラスト

「Ⅱ．経営上の意思決定，執行及び監督に係る経営管理組織その他のコーポレート・ガバナンス体制の状況　1．機関構成・組織運営等に係る事項」

その他独立役員に関する事項

当社は社外取締役6名(男性4名、女性2名)を、独立社外取締役に指名しております。

当社の独立社外取締役の独立性に関する基準は以下の通りであります。
(1)当社における独立社外取締役の独立性に関する基準は下記の通りとし、いずれにも該当しない者は独立性を有するものと判断する。
1 当社及び連結子会社の業務執行取締役および執行役員等の重要な使用人である者。
2 当社の大株主(直近の事業年度末における議決権保有比率が総議決権の10%以上を保有する者)、又はその業務執行者である者。
3 当社を主要な取引先※とする者、又はその業務執行者である者。
4 当社の主要な取引先※、又はその業務執行者である者。
5 当社又は連結子会社の会計監査人又はその社員等として、当社又は連結子会社の監査業務を担当している者。
6 当社から役員報酬以外に、年間1,000万円を超える金銭その他の財産を得ているコンサルタント、会計専門家、法律専門家。
ただし、当該財産を得ている者が法人、組合等の団体である場合は、当社から得ている財産が年間収入の2%を超える団体の業務執行者である者。
7 当社の主要借入先(直近の事業年度にかかる事業報告において主要な借入先として氏名又は名称が記載されている借入先)又はその業務執行者である者。
8 当社から年間1,000万円を超える寄附を受けている者。
ただし、当該寄附を得ている者が法人、組合等の団体である場合は、当社から得ている財産が年間収入の2%を超える団体の業務執行者である者。
9 過去3年間において、上記2から8のいずれかに該当していた者。
10 上記1から9のいずれかに掲げる者(ただし、重要な者に限る。)の二親等内の親族。
11 前各号のほか、当社と利益相反関係が生じうるなど、独立性を有する社外取締役としての職務を果たすことができない特段の事由を有している者。
※「主要な取引先」とは、直近の事業年度の年間連結売上高が2%を超える場合をいう。

(2)(1)の基準に加え、当社取締役の法令順守や経営管理に対する監査・監督に必要な幅広い知識と豊富な経験を有することを独立社外取締役選任の目安とする。

㉔ 住友林業

「Ⅱ．経営上の意思決定，執行及び監督に係る経営管理組織その他のコーポレートガバナンス体制の状況　1．機関構成・組織運営等に係る事項」

その他独立役員に関する事項

【独立性基準】
次に掲げるいずれにも該当しない者について、独立性を有する者と判断します。
1. 会社の業務執行者
　当社、当社の子会社又は関係会社の業務執行取締役又は執行役員、支配人その他の使用人(以下「業務執行者」)
2. コンサルタント等
(1)当社又は当社の子会社の会計監査人である監査法人に所属する社員、パートナー又は従業員
(2)弁護士、公認会計士又は税理士その他のコンサルタントであって、
　　当社又は当社の子会社から役員報酬以外に過去3事業年度の平均で年間1,000万円以上の金銭その他の財産上の利益を得ている者
(3)法律事務所、監査法人、税理士法人又はコンサルティングファームその他のアドバイザリーファームであって、
　　当社又は当社の子会社を主要な(過去3事業年度の平均でその連結総売上高の2%以上の支払いを
　　当社又は当社の子会社から受けた)取引先とするファームの社員、パートナー、アソシエイト又は従業員
3. 大株主(被所有)
　当社の総議決権の10%以上を直接又は間接的に保有する者(法人の場合はその業務執行者)

Ⅱ　ガバナンス報告書

> 4. 大株主(所有)
>   総議決権の10%以上を当社又は当社の子会社が保有している法人の業務執行者
> 5. 取引先
>   (1)販売先(主要な取引先)：当社の販売額が当社の連結売上高の2%以上である者(法人の場合はその業務執行者)
>   (2)仕入先(当社を主要な取引先とする者)：当社の仕入額が仕入先の連結売上高の2%以上である者(法人の場合はその業務執行者)
> 6. 借入先
>   当社の借入額が当社の連結総資産の2%を超える借入先(法人の場合はその業務執行者)
> 7. 寄附先
>   当社又は当社の子会社が、過去3事業年度の平均で年間1,000万円又は総収入の2%のいずれか高い額を超える寄附を行っている者(法人の場合はその業務執行者)
> 8. 親族
>   本基準において独立性を否定される者(重要でない者(※))を除く)の配偶者又は二親等以内の親族
> 9. 過去要件
>   1については過去10年間、2ないし7については過去5年間のいずれかの時点において該当していた者
> 10. 社外役員の相互就任関係
>   当社又は当社の子会社の業務執行取締役、常勤監査役を社外役員として受け入れている会社の業務執行者、常勤監査役
> ※重要でない者とは、金融商品取引所が定める独立性基準を踏まえ、以下のとおりとする。
>   ・各会社については、業務執行取締役、執行役員、支配人及び部長クラスの従業員以外の者をいう。
>   ・法律事務所又は監査法人等のアドバイザリーファームについては、ファームの社員、パートナー及びアソシエイト以外の者をいう。
>
> また、独立役員の資格を充たす社外役員を全て独立役員に指定しています。

㉕ブラザー工業

「Ⅱ．経営上の意思決定，執行及び監督に係る経営管理組織その他のコーポレート・ガバナンス体制の状況　1．機関構成・組織運営等に係る事項」

> **その他独立役員に関する事項**
>
> 独立役員の資格を充たす社外役員を全て独立役員に指定しております。
>
> なお、当社の社外役員の独立性基準は以下の通りです。
> ＜ブラザー工業　社外役員の独立性基準＞
> 1. 当社は、以下のいずれかに該当する者は当社からの「独立性」を有していないものと判断する。
>   (1)現在および過去において、当社および当社子会社(以下、「当社等」という)の取締役、執行役または支配人その他の使用人(執行役員を含む)である者
>   (2)現在および直近の過去5年間において、以下のいずれかに該当する法人その他の団体(以下、「法人等」という)の業務執行者(注1)である場合
>   ・当社の主要株主(注2)である法人等
>   ・当社等が主要株主である法人等
>   ・当社等に、当社の当該事業年度の連結売上高の2%以上の金額を支払っている法人等
>   ・当社等から、年間1000万円または当該法人等の当該事業年度の連結売上高の2%のいずれか大きい金額を支払われている法人等
>   ・当社等から、年間1000万円または当該法人等の当該事業年度における総収入もしくは経常収益の2%のいずれか大きい額を超える寄付または助成を受けている法人・団体等
>   (3)現在および直近の過去5年間において、当社等から取締役を受け入れている会社の業務執行者である者
>   (4)現在および直近の過去5年間において、当社等の会計監査人または会計監査人である監査法人に所属する公認会計士
>   (5)現在および直近の過去5年間において、その事業年度の総売上高の2%以上の金額または1000万円のいずれか高い方の額(役員報酬を除く)を当社等から支払われているコンサルタント、会計専門家または法律専門家(当該報酬を得ている者が法人、組合等の団体である場合は、当該団体に所属するコンサルタント、会計専門家または法律専門家)
>   (6)現在および直近の過去5年間において、上記(1)から(5)に掲げる者(重要な者(注3)でない者を除く)の近親者(注4)
> 2. 社外役員の候補者選定にあたっては、指名委員会および取締役会において「独立性」の有無を確認するものとする。
>
> 注1：業務執行者とは、法人その他の団体の業務執行取締役、執行役その他の法人等の業務を執行する役員、業務を執行する社員、会社法第598条第1項の職務を行うべき者その他これに類する者、使用人、理事(外部理事を除く。)、その他これに類する役職者および使用人等の業務を執行する者をいう。
> 注2：議決権保有割合10%以上の株主をいう。
> 注3：上記1(1)から(3)の場合は取締役、執行役または部長職以上の使用人(執行役員を含む)をいう。上記1(4)の場合は各監査法人に所属する公認会計士をいう。上記1(5)の場合は取締役、執行役もしくは部長職以上の使用人(執行役員を含む)、各監査法人に所属する公認会計士または各法律事務所に所属する弁護士をいう。
> 注4：2親等以内の親族をいう。

㉖ＳＭＣ

「コーポレートガバナンス・コードの各原則に基づく開示」

> 【原則4-9　独立社外取締役の独立性判断基準及び資質】

第二部　各原則に基づく開示事項（必要的開示）　第12

社外取締役の独立性の基準として、法令の定める要件のほか、東京証券取引所の定める基準に当社の考え方を加え、次の基準を設定しています。
直近連結会計年度（末）において、以下のいずれにも該当しないこと。
(1) 当社グループの業務執行者（業務執行取締役、執行役、従業員等をいう。以下同じ。）
(2) 当社グループの主要な取引先(*)又はその業務執行者
　(*) 主要な取引先とは、以下に該当するものをいう。
　　・当社グループの連結売上高の2%以上を占める販売先
　　・連結売上高の2%以上が、当社グループに対するものである仕入先又は業務委託先
　　・当社グループの連結総資産の2%以上の金額を、当社グループに融資等している借入先
(3) 当社の主要株主（総議決権の10%以上を保有している株主をいう。）又はその業務執行者
(4) 当社グループに対して法定の監査証明業務を提供する公認会計士又は監査法人に所属する者
(5) 当社グループとの間で、役員又は執行役員を相互に兼任する関係にある会社の業務執行者
(6) 当社グループから、役員報酬以外に1,000万円以上の報酬等の支払を受けた弁護士、公認会計士、税理士、コンサルタント等の専門家（これらの者が法人その他の団体であるときは、それに所属する者）
(7) 当社グループから、1億円以上の寄付を受けた個人又は団体若しくはその業務執行者
(8) 過去10年間において、上記(1)に該当していた者及び過去3年間において、上記(2)～(7)に該当していた者
(9) 上記(1)～(8)に掲げる者の配偶者及び2親等内の親族。ただし、「業務執行者」については、重要な業務執行者（業務執行取締役、執行役、執行役員等の役員に準ずる高位の従業員をいう。）に限る。

㉗三井住友トラスト・ホールディングス

「Ⅱ．経営上の意思決定，執行及び監督に係る経営管理組織その他のコーポレート・ガバナンス体制の状況　1．機関構成・組織運営等に係る事項」

その他独立役員に関する事項

当社は独立役員にかかる独立性判断基準を制定し、当該基準を満たし、一般株主との間で利益相反が生ずるおそれが無いと認められる社外取締役を全て独立役員に指定しています。
なお、当社の独立役員にかかる独立性判断基準の内容は次の通りです。
「独立役員にかかる独立性判断基準」
1. 以下各号のいずれにも該当しない場合に、当該候補者は当社に対する十分な独立性を有するものと判定する。
(1) 当社又は当社の関係会社の業務執行者（業務執行取締役、執行役、執行役員、もしくは支配人その他の使用人）である者、又は過去において業務執行者であった者
(2) 当社又は当社の中核子会社たる三井住友信託銀行株式会社（以下、「中核子会社」という。）を主要な取引先とする者。それらの者が会社等の法人である場合、当該法人、その親会社、又はその重要な子会社の業務執行者（業務執行取締役、執行役、執行役員、もしくは支配人その他の使用人）である者、又は最近3年間において業務執行者であった者
(3) 当社又は中核子会社の主要な取引先である者。それらの者が会社等の法人である場合、当該法人、その親会社、又はその重要な子会社の業務執行者（業務執行取締役、執行役、執行役員、もしくは支配人その他の使用人）である者、又は最近3年間において業務執行者であった者
(4) 当社の現在の大株主（議決権所有割合10%以上）である者。それらの者が会社等の法人である場合、当該法人、その親会社、又はその重要な子会社の業務執行者（業務執行取締役、執行役、執行役員、もしくは支配人その他の使用人）である者、又は最近3年間において業務執行者であった者
(5) 当社又は中核子会社の資金調達において必要不可欠であり、代替性がない程度に依存している大口債権者等。それらの者が会社等の法人である場合、当該法人、その親会社、又はその重要な子会社の業務執行者（業務執行取締役、執行役、執行役員、もしくは支配人その他の使用人）である者、又は最近3年間において業務執行者であった者
(6) 資金調達において、当社の中核子会社に対し、代替性がない程度に依存している債務者等。それらの者が会社等の法人である場合、当該法人、その親会社、又はその重要な子会社の業務執行者（業務執行取締役、執行役、執行役員、もしくは支配人その他の使用人）である者、又は最近3年間において業務執行者であった者
(7) 現在、当社又は中核子会社の会計監査人又は当該会計監査人の社員等である者、又は最近3事業年度において当該社員等として当社又は中核子会社の監査業務に従事した者
(8) 当社の主幹事証券会社の業務執行者（業務執行取締役、執行役、執行役員、もしくは支配人その他の使用人）である者、又は最近3年間において業務執行者であった者
(9) 最近3年間において、当社又は中核子会社から多額の金銭を受領している弁護士、公認会計士又は税理士その他のコンサルタント等の個人
(10) 法律事務所、監査法人、税理士法人、コンサルティングファーム等であって、当社又は中核子会社を主要な取引先とする法人等の業務執行者（業務執行取締役、執行役、執行役員、もしくは支配人その他の使用人）である者、又は最近3年間において業務執行者であった者
(11) 当社及び中核子会社から多額の寄付金を受領している者。それらの者が会社等の法人である場合、当該法人、その親会社、又はその重要な子会社の業務執行者（業務執行取締役、執行役、執行役員、もしくは支配人その他の使用人）である者、又は最近3年間において業務執行者であった者
(12) 当社又は当社の関係会社から、取締役を受け入れている会社、又はその親会社もしくはその重要な子会社の取締役、監査役、執行役、執行役員である者
(13) 上記(1)、(2)、(3)、(9)及び(10)のいずれかの者の近親者（配偶者、三親等内の親族または同居の親族）である者
2. 上記の各号のいずれかに該当する者であっても、当該人物の人格、見識等に照らし、当社の独立役員としてふさわしいと当社が考える者については、当社は、当該人物が独立役員としての要件を充足しており、当社の独立役員としてふさわしいと考える理由を対外的に説明することによって、当該人物を当社の独立役員候補者とすることができる。
3. 当社は、取引先（法律事務所、監査法人、税理士法人、コンサルティングファーム等を含む）又は寄付金先（弁護士、公認会計士又は税理士その他のコンサルタント等の個人への支払いを含む）について、下記の軽微基準を充足する場合には、当該独立役員（候補者を含む）の独立性が十分に認められるものと判断し、「主要な取引先」ないし「多額の寄付金等」に該当しないものとして、属性情報等の記載を省略するものとする。
＜取引先＞
・当社及び中核子会社の当該取引先（取引先、その親会社、重要な子会社）への支払額が、当該取引先の過去3事業年度の平均年間連結総売上高の2%未満であること
・当該取引先（取引先、その親会社、重要な子会社）による当社及びその子会社の粗利益が、当社の連結業務粗利益の2%未満であること

Ⅱ ガバナンス報告書

<寄付金等>
・受領者が個人の場合：当社及びその子会社から収受する金銭が、過去3年平均で年間1,000万円未満であること
・受領者が法人の場合：当社及びその子会社から収受する金銭が、過去3年平均で年間1,000万円又は当該法人の年間総費用の30％のいずれか大きい金額未満であること

「コーポレートガバナンス基本方針別紙1　独立役員に係る独立性判断基準」

1. 以下の各号のいずれにも該当しない場合に、当該候補者は当社に対する十分な独立性を有するものと判定する。
   ① 当社又は当社の関係会社の業務執行者（業務執行取締役、執行役、執行役員、もしくは支配人その他の使用人）である者、又は過去において業務執行者であった者
   ② 当社又は当社の中核子会社たる三井住友信託銀行株式会社（以下、「中核子会社」という。）を主要な取引先とする者。それらの者が会社等の法人である場合、当該法人、その親会社、又はその重要な子会社の業務執行者（業務執行取締役、執行役、執行役員、もしくは支配人その他の使用人）である者、又は最近3年間において業務執行者であった者
   ③ 当社又は中核子会社の主要な取引先である者。それらの者が会社等の法人である場合、当該法人、その親会社、又はその重要な子会社の業務執行者（業務執行取締役、執行役、執行役員、もしくは支配人その他の使用人）である者、又は最近3年間において業務執行者であった者
   ④ 当社の現在の大株主（議決権所有割合10％以上）である者。それらの者が会社等の法人である場合、当該法人、その親会社、又はその重要な子会社の業務執行者（業務執行取締役、執行役、執行役員、もしくは支配人その他の使用人）である者、又は最近3年間において業務執行者であった者
   ⑤ 当社又は中核子会社の資金調達において必要不可欠であり、代替性がない程度に依存している大口債権者等。それらの者が会社等の法人である場合、当該法人、その親会社、又はその重要な子会社の業務執行者（業務執行取締役、執行役、執行役員、もしくは支配人その他の使用人）である者、又は最近3年間において業務執行者であった者
   ⑥ 資金調達において、当社の中核子会社に対し、代替性がない程度に依存している債務者等。それらの者が会社等の法人である場合、当該法人、その親会社、又はその重要な子会社の業務執行者（業務執行取締役、執行役、執行役員、もしくは支配人その他の使用人）である者、又は最近3年間において業務執行者であった者
   ⑦ 現在、当社又は中核子会社の会計監査人又は当該会計監査人の社員等である者、又は最近3事業年度において当該社員等として当社又は中核子会社の監査業務に従事した者
   ⑧ 当社の主幹事証券会社の業務執行者（業務執行取締役、執行役、執行役員、もしくは支配人その他の使用人）である者、又は最近3年間において業務執行者であった者
   ⑨ 最近3年間において、当社又は中核子会社から多額の金銭を受領している弁護士、公認会計士又は税理士その他のコンサルタント等の個人
   ⑩ 法律事務所、監査法人、税理士法人、コンサルティングファーム等であって、当社又は中核子会社を主要な取引先とする法人等の業務執行者（業務執行取締役、執行役、執行役員、もしくは支配人その他の使用人）である者、又は最近3年間において業務執行者であった者
   ⑪ 当社及び中核子会社から多額の寄付金を受領している者。それらの者が会社等の法人である場合、当該法人、その親会社、又はその重要な子会社の業務執行者（業務執行取締役、執行役、執行役員、もしくは支配人その他の使用人）である者、又は最近3年間において業務執行者であった者
   ⑫ 当社又は当社の関係会社から、取締役を受け入れている会社、又はその親会社もしくはその重要な子会社の取締役、監査役、執行役、執行役員である者
   ⑬ 上記①、②、③、⑨及び⑩のいずれかの者の近親者（配偶者、三親等内の親族または同居の親族）である者

2. 上記の各号のいずれかに該当する者であっても、当該人物の人格、見識等に照らし、当社の独立役員としてふさわしいと当社が考える者については、当社は、当該人物が独立役員としての要件を充足しており、当社の独立役員としてふさわしいと考える理由を対外的に説明することによって、当該人物を当社の独立役員候補者とすることができる。

3. 当社は、取引先（法律事務所、監査法人、税理士法人、コンサルティングファーム等を含む）又は寄付金等（弁護士、公認会計士又は税理士その他のコンサルタント等の個人への支払いを含む）について、下記の軽微基準を充足する場合には、当該独立役員（候補者を含む）の独立性が十分に認められるものと判断し、「主要な取引先」ないし「多額の寄付金等」に該当しないものとして、属性情報等の記載を省略するものとする。

取引先	・当社及び中核子会社の当該取引先（取引先、その親会社、重要な子会社）への支払額が、当該取引先の過去3事業年度の平均年間連結総売上高の2％未満であること ・当該取引先（取引先、その親会社、重要な子会社）による当社及びその子会社の粗利益が、当社の連結業務粗利益の2％未満であること
寄付金等	・受領者が個人の場合： 　当社及びその子会社から収受する金銭が、過去3年平均で年間1,000万円未満であ

・受領者が法人の場合：
当社及びその子会社から収受する金銭が、過去3年平均で年間1,000万円又は当該法人の年間総費用の30％のいずれか大きい金額未満であること

㉘第一生命ホールディングス

「Ⅱ．経営上の意思決定，執行及び監督に係る経営管理組織その他のコーポレート・ガバナンス体制の状況　1．機関構成・組織運営等に係る事項」

その他独立役員に関する事項

独立役員の資格を充たす社外取締役を全て独立役員に指定しています。

社外取締役の独立性を判断するための基準（社外取締役の独立性基準）は以下のとおりです。

当社の社外取締役について、以下のいずれにも該当しない場合に、当社からの独立性があると判断する。

1. 当社、当社の子会社もしくは関連会社の業務執行者であること、または過去において業務執行者であったこと
2. 当社または当社の特定関係事業者の業務執行者（ただし重要でないものを除く）の配偶者または三親等以内の親族
3. 当社または当社の子会社の業務執行者が役員に就任している会社の業務執行者
4. 当社の最新の株主名簿の10位以内の大株主、または大株主である団体の業務執行者
5. 直近3会計年度において、当社および当社の連結子会社（有価証券報告書上の連結子会社をいう）からの年間の支払金額が、その連結売上高の2％以上となる取引先およびその連結子会社（有価証券報告書上の連結子会社をいう）の業務執行者
6. 直近3会計年度において、当社および当社の連結子会社（有価証券報告書上の連結子会社をいう）の年間の受取金額が、当社の連結売上高の2％以上となる取引先およびその連結子会社（有価証券報告書上の連結子会社をいう）の業務執行者
7. 直近3会計年度における当社または当社の子会社の会計監査人（法人である場合は、当該法人のパートナーその他業務執行者）
8. 直近3会計年度において、当社または当社の子会社から役員報酬等以外に平均して年1,000万円以上の金銭その他の財産上の利益を得ているコンサルタント、会計専門家もしくは法律専門家（それらが法人、組合等の団体である場合は、当該団体のパートナーその他業務執行者）
9. 直近3会計年度において、総収入もしくは経常収益の2％以上の寄付を当社または当社の子会社から受けている非営利団体の業務執行者
10. 4～9の団体または取引先において過去に業務執行者であった場合、当該団体または取引先を退職後5年以内であること

Ⅱ　ガバナンス報告書

第13　補充原則4−10①に基づく開示

補充原則4−10①

> 上場会社が監査役会設置会社または監査等委員会設置会社であって，独立社外取締役が取締役会の過半数に達していない場合には，経営陣幹部・取締役の指名（後継者計画を含む）・報酬などに係る取締役会の機能の独立性・客観性と説明責任を強化するため，取締役会の下に独立社外取締役を主要な構成員とする独立した指名委員会・報酬委員会を設置することにより，指名や報酬などの特に重要な事項に関する検討に当たり，ジェンダー等の多様性やスキルの観点を含め，これらの委員会の適切な関与・助言を得るべきである。
> 　特に，プライム市場上場会社は，各委員会の構成員の過半数を独立社外取締役とすることを基本とし，その委員会構成の独立性に関する考え方・権限・役割等を開示すべきである。

1　背景・趣旨

経営陣幹部・取締役の指名・報酬は，企業統治の根幹をなすことから，補充原則4−10①は，最低限これらの事項について独立社外取締役を主要な構成員とする独立した指名委員会・報酬委員会の適切な関与・助言を得ることを求めるものであると考えられる[注41]。

これを受けて，実務上，任意の指名委員会・報酬委員会の設置は一定程度進んでいたところであるが，フォローアップ会議において，これらの委員会の独立性の確保が現状では十分でないとの指摘や，これらの委員会にいかなる役割や権限が付与され，どのような活動が行われているのかが開示されていない場合が多いとの指摘がされたことから[注42]，2021年の改訂において同補充原則が改訂され，「独立した指名委員会・報酬委員会」を設置することが必須とされ，また，プライム市場上場会社について，委員会構成の独立性に関する考え方・権限・役割等を開示することが求められることとなった。

(注41)　油布志行＝渡邉浩司＝髙田洋輔＝浜田宰「『コーポレートガバナンス・コード原案』の解説〔Ⅳ・完〕」商事法務2065号（2015）56頁注53参照。
(注42)　島崎征夫＝池田直隆＝浜田宰＝島貫まどか＝西原彰美「コーポレートガバナンス・コードと投資家と企業の対話ガイドラインの改訂の解説」商事法務2266号（2021）8頁。

2　開示対象

本補充原則は，監査役設置会社又は監査等委員会設置会社であって，独立社外取締役が取締

役会の過半数に達していないプライム市場上場会社に対し，当該会社が設置している指名委員会・報酬委員会構成の独立性に関する考え方・権限・役割等を開示することを求めている。なお，委員会構成の独立性について，プライム市場上場会社においては，「各委員会の構成員の過半数を独立社外取締役とすることを基本と」するとされている。「基本と」するとの文言のとおり，委員会の独立性を確保する方法が構成員の過半数を独立社外取締役とすることに限られるわけではないが，その場合以外に，各社において必要な独立性が確保されていると考えるときは，委員会構成の独立性に関する考え方の開示において，わかりやすく説明することが求められる[注43]。

また，委員会の「権限・役割等」には，委員の氏名や活動状況等も含まれ得ると考えられる[注44]。

(注43) 島崎征夫＝池田直隆＝浜田宰＝島貫まどか＝西原彰美「コーポレートガバナンス・コードと投資家との企業の対話ガイドラインの改訂の解説」商事法務2266号（2021）8頁〜9頁。

(注44) 東証「『フォローアップ会議の提言を踏まえたコーポレートガバナンス・コードの一部改訂に係る上場制度の整備について（市場区分の再編に係る第三次制度改正事項）』に寄せられたパブリック・コメントの結果について」(2021年6月11日) 160番。

3 開示の傾向[注45]

(1) 委員会の独立性についての考え方

委員会の独立性については，過半数を（独立）社外取締役とする旨を記載する例が多い（①アスクル，②アイシン，③丸井グループ，④ロート製薬等）。また，それに加えて委員長を独立社外取締役としている旨を記載する例もあり（⑤あおぞら銀行，⑥Ｊ－オイルミルズ，⑦アズビル等），その中には，委員長は委員の互選により選ばれる旨を記載するものもある（⑧アサヒグループホールディングス，⑨古河電気工業，⑩テルモ）。

(2) 委員会の権限・役割

補充原則4－10①への対応として任意に設置される指名・報酬委員会は，取締役会からの諮問を受けて答申をすること（①アスクル，⑥Ｊ－オイルミルズ，⑧アサヒグループホールディングス，⑩テルモ）や，取締役会に上程される内容を検討・審議することを役割とするものが多い（②アイシン，④ロート製薬，⑪東京エレクトロン）。他方で，諮問に対する答申だけでなく，一定の事項について取締役会の委任を受けて決定する権限を与えられている旨を開示するもの（③丸井グループ，⑨古河電気工業）もある。

補充原則4－10①は，指名委員会と報酬委員会を別の委員会として設置することを必須としているわけではないと考えられるところ，委員会を一つ設置している場合には，それが指名委員会と報酬委員会の双方の機能を担っていることを明記する例（⑦アズビル，⑫コスモエネル

Ⅱ　ガバナンス報告書

ギーホールディングス）がある。また，従前は一つの委員会を置いていたところ，指名委員会と報酬委員会（に相当する委員会）に改組した旨を開示するものもある（⑬鹿島建設）。

　また，2021年の改訂により，指名委員会の役割として後継者計画が含まれる旨が明記された。この点に関し，後継者計画に関する事項が指名委員会（委員会を一つ設置している場合には，指名・報酬委員会）の権限に含まれる旨を明示する例（①アスクル，⑦アズビル，⑧アサヒグループホールディングス，⑨古河電気工業），指名委員会が「CEO及び取締役候補者の提案に加え，後継候補者群の見直しや拡充，育成計画に関する意見交換などの活動」を行っている旨等を開示するもの（⑪東京エレクトロン），「計画の妥当性及び定期的な候補者の見直し等について審議」する旨を開示するもの（⑭T＆Dホールディングス）がある。さらに，2021年の改訂では，ジェンダー等の多様性やスキルの観点を含めて指名・報酬委員会の適切な関与・助言を得るべきである旨も追記された。この点に関し，独立社外取締役からダイバーシティ推進の観点も踏まえた意見を得ている旨を記載するもの（②アイシン）がある。

(3)　その他

　「権限・役割等」には，委員の氏名や活動状況等も含まれ得ると考えられところ，委員の氏名を明示する例は多く見られるほか，活動状況の記載としては委員会の開催回数を記載するもの（①アスクル，⑤あおぞら銀行），各委員の出席率を記載するもの（⑧アサヒグループホールディングス，⑨古河電気工業，⑩テルモ），検討された委員会の日付等は特定せず対象期間内に議論されたテーマを挙げるもの（⑪東京エレクトロン，⑬鹿島建設），各回の検討内容を詳細に記載するもの（⑥J-オイルミルズ，⑦アズビル，⑫コスモエネルギーホールディングス，⑭T＆Dホールディングス）がある。

　委員会の出席者等について，外部コンサルタントを活用している旨や外部専門家が同席した旨を開示するもの（⑪東京エレクトロン，⑮住友電気工業），説明者として社長ほかの経営陣幹部が参加する旨を開示するもの（⑬鹿島建設）もある。

　その他に，委員会の事務局に言及する例もあり，秘書室が事務局となるとするもの（⑩テルモ，⑫コスモエネルギーホールディングス，⑬鹿島建設）や人事担当役員が事務局として出席するとするもの（⑮住友電気工業）がある。

（注5）　脱稿時点において，プライム市場上場会社向けの補充原則に対応することを明示した開示を行っている例が乏しいため，そのような例に限らず，対応する事項を任意に開示している例を紹介している。

第二部 各原則に基づく開示事項（必要的開示） 第13

4 開示事例

①アスクル

「コーポレートガバナンス・コードの各原則に基づく開示」

【補充原則4-10-1 指名委員会・報酬委員会】

当社においては、指名・報酬委員会を設置しており、当該委員会が指名委員会と報酬委員会の双方の機能を担っております。
同委員会は、所管する審議事項について、自ら調査をし、取締役会に対して意見を述べ、助言、勧告をすることができます。また、答申・勧告等を行った事項につき、株主総会等で意見を表明することができます。
詳細につきましては、本報告書の「Ⅱ経営上の意思決定、執行及び監督に係る経営管理組織その他のコーポレート・ガバナンス体制の状況」の「1．機関構成・組織運営等に係る事項」における「指名委員会又は報酬委員会に相当する任意の委員会の有無」、および、「2．業務執行、監査・監督、指名、報酬決定等の機能に係る事項（現状のコーポレート・ガバナンス体制の概要）」における「4．指名・報酬委員会」の項目に記載しております。
なお、当社の指名・報酬委員会の構成員の過半数は独立社外取締役となっております。

「Ⅱ経営上の意思決定，執行及び監督に係る経営管理組織その他のコーポレート・ガバナンス体制の状況」

1．機関構成・組織運営等に係る事項

＜中 略＞

指名委員会又は報酬委員会に相当する任意の委員会の有無	あり

＜中 略＞

2．業務執行、監査・監督、指名、報酬決定等の機能に係る事項（現状のコーポレート・ガバナンス体制の概要） [更新]

＜中 略＞

4．指名・報酬委員会

指名・報酬委員会は、当社および当社グループの適切なコーポレート・ガバナンスの構築および経営の透明性の確保に資することを目的に、取締役会の常設の諮問および勧告機関として、すべての独立社外取締役およびCEOで構成され、取締役会の諮問に基づき、以下の事項について審議し、取締役会に答申します。
・取締役、代表取締役、CEO、重要な役職員の選解任、および、監査役の選任に関する基本方針の策定
・株主総会に提出する取締役、監査役の選任および解任に関する議案
・取締役会に提出する重要な役職員の選任および解任に関する議案
・代表取締役、CEO、取締役および重要な役職員のサクセッション・プランの策定および運用
・CEO、取締役、監査役および重要な役職員の報酬における基本方針の策定
・CEO、取締役および重要な役職員の報酬の算定方法の案並びに個人別の報酬額の案
・その他経営上の重要事項で、取締役会が必要と認めた事項

同委員会は、上記の各事項について、自ら調査をし、取締役会に対して意見を述べ、助言、勧告をすることができます。また、答申・勧告等を行った事項につき、株主総会等で意見を表明することができます。
第58期（2021年5月期）においては、19回開催いたしました。

なお指名・報酬委員会の委員は以下の通りであります。
社外取締役・独立役員　塚原　一男（委員長）

Ⅱ ガバナンス報告書

```
社外取締役・独立役員  市毛 由美子
社外取締役・独立役員  後藤 玄利
社外取締役・独立役員  髙 巌
代表取締役社長 CEO  吉岡 晃
```

②アイシン

「コーポレートガバナンス・コードの各原則に基づく開示」

【原則4-10. 任意の仕組みの活用】
補充原則4-10(1)
取締役・執行役員の指名・報酬については、独立社外取締役が過半数を占める役員人事審議会および報酬審議会での検討・審議を経て取締役会に上程することで、独立性や客観性を高めています。当社の取締役・執行役員候補の指名や後継者計画に関しては、ビジョンや経営方針に従い、毎年、社内外を問わず最適なメンバーを選任・解任し、最適な配置がなされるよう、役員人事審議会にて、独立社外取締役よりダイバーシティ推進の観点も踏まえたご意見をいただき検討しています。また、報酬に関しても、適切な報酬が支払われるよう、報酬審議会にて、独立社外取締役ご意見をいただき検討しています。

「Ⅱ経営上の意思決定，執行及び監督に係る経営管理組織その他のコーポレート・ガバナンス体制の状況　２．業務執行，監査・監督，指名，報酬決定等の機能に係る事項（現状のコーポレート・ガバナンス体制の概要）」

このほかに、役員人事審議会及び報酬審議会を設置しています。取締役及び執行役員の指名・報酬については、独立社外取締役が過半数を占める役員人事審議会及び報酬審議会において検討・審議し、取締役会に上程することで独立性や客観性を高めています。
両審議会ともに取締役社長・社長執行役員吉田守孝を議長として、取締役・副社長執行役員伊藤慎太郎及び3名の独立社外取締役を含む5名で構成され、原則として年2回開催しています。役員人事審議会では、当社のビジョンや経営方針に従い、役員制度・体制に関する基本方針を検討・策定しています。また、基本方針に基づき、取締役・監査役の選解任案を検討・審議のうえ取締役・監査役候補者として選出し、取締役会に上程しています。指名及び選解任にあたっての手続きとしては、取締役については取締役会での内定の決議を踏まえ、株主総会で審議したうえで決定しています。
また、監査役については取締役会での内定の決議を踏まえ、監査役会の合意を経て、株主総会で審議したうえで決定しています。報酬審議会では、適切な役員報酬が支払われるよう報酬体系、決定方針や方法等とともに、役職ごとの支給水準及び個人別報酬額を審議しています。

③丸井グループ

「コーポレートガバナンス・コードの各原則に基づく開示」

補充原則4-10-1 任意の仕組みの活用
　指名・報酬委員会は、取締役および役付執行役員の選定、ならびに取締役および執行役員報酬制度に関する審議プロセスの透明性と客観性を高めることを目的として設置します。
・指名・報酬委員会は、委員3名以上で組織し、原則として、そのうち2名以上を社外取締役で構成します。
・指名・報酬委員会の委員は、取締役会の決議により選任します。
・指名・報酬委員会は、取締役会の諮問に基づき、取締役および執行役員の指名に関する次の事項を審議します。
　(ア)株主総会に提出する取締役候補選任に関する事項
　(イ)役付執行役員選任に関する事項
　(ウ)上記のほか、取締役会から諮問のあった事項
・指名・報酬委員会は、取締役会の委任に基づき、取締役の報酬については株主総会で決議された報酬制度および報酬限度額の範囲内で、取締役および執行役員の報酬に関する次の事項を審議・決定します。
　(ア)取締役および執行役員の個別報酬に関する事項
　(イ)取締役および執行役員の報酬制度の変更に関する事項
　(ウ)上記のほか、取締役会から諮問・委任のあった事項

なお、当社では、指名・報酬委員会の構成について、「委員3名以上で組織し、原則としてそのうち2名以上を社外取締役で構成」することを社内規程にて定めておりますが、その独立性を確保する見地から社内の委員は代表取締役1名のみとしております。現在は代表取締役1名と社外取締役2名で構成しており、社外取締役が過半数を占める構成となっております。

④ロート製薬

「コーポレートガバナンス・コードの各原則に基づく開示」

■原則4-10, 補充原則4-10-1 任意の仕組みの活用
当社は、取締役会から独立した任意の委員会として、取締役の選定等および取締役の個別報酬等決定プロセスの透明性・客観性および説明責任を高めることを目的として、指名委員会および報酬委員会を設置しております。
報酬委員会の委員は、社外取締役鳥井信吾、社外取締役入山章栄、代表取締役会長山田邦雄の3名で、委員長は代表取締役会長山田邦雄が

第二部　各原則に基づく開示事項（必要的開示）　第13

務めております。報酬委員会は、取締役会の委任を受けて、個別報酬額の策定等を行います。また、取締役報酬方針・制度・体系に関する原案の策定及び取締役報酬に関して株主総会の承認を必要とする議案の原案の策定と取締役会への提案を行います。
指名委員会は、取締役3名で構成し、半数以上を社外取締役としております。指名委員会の委員は、社外取締役鳥井信吾、社外取締役入山章栄、代表取締役会長山田邦雄の3名で、委員長は社外取締役鳥井信吾が務めております。指名委員会は、取締役会より権限を付与された取締役選任・解任議案、代表取締役の選定・解職議案、取締役の役位に関する議案等の原案の策定と取締役会への提案を行います。

⑤あおぞら銀行

「コーポレートガバナンス・コードの各原則に基づく開示」

【補充原則4-10①】（指名報酬委員会の独立性に関する考え方・権限・役割）
本報告書「Ⅱ．1．機関構成・組織運営等に係る事項【取締役関係】任意の委員会の設置状況、委員構成、委員長（議長）の属性・補足説明」をご参照ください。

「Ⅱ経営上の意思決定，執行及び監督に係る経営管理組織その他のコーポレート・ガバナンス体制の状況　1．機関構成・組織運営等に係る事項　【取締役関係】」

任意の委員会の設置状況、委員構成、委員長（議長）の属性

	委員会の名称	全委員（名）	常勤委員（名）	社内取締役（名）	社外取締役（名）	社外有識者（名）	その他（名）	委員長（議長）
指名委員会に相当する任意の委員会	指名報酬委員会	3	0	1	2	0	0	社外取締役
報酬委員会に相当する任意の委員会	指名報酬委員会	3	0	1	2	0	0	社外取締役

補足説明　更新

指名報酬委員会は、指名委員会と報酬委員会の双方の機能を担っております。
2020年度は指名報酬委員会を7回開催しております。
指名報酬委員会の構成員のうち、過半数を独立社外取締役としており、また委員長は独立社外取締役が務めており、指名報酬委員会の独立性を確保しております。
指名報酬委員会は、取締役会より委譲された権限を有し、取締役候補者・監査役候補者・重要な使用人候補者の選任等についての取締役会への意見具申や、取締役及び業務執行役員の報酬の決定ならびに監査役の報酬に係る各監査役への意見具申等を行うことにより、取締役会の取締役及び業務執行役員に対する監督機能を補完する役割を担っております。
指名報酬委員記に加え、監査コンプライアンス委員会も任意に設置しております。
詳細は、本報告書「Ⅱ．2．業務執行、監査・監督、指名、報酬決定等の機能に係る事項」をご参照ください。

⑥J-オイルミルズ

「コーポレートガバナンス・コードの各原則に基づく開示」

補充原則4-10①

【補充原則4-10-1】（指名委員会・報酬委員会）
指名諮問委員会は、取締役会の諮問機関として取締役及び執行役員の指名、選解任等について審議し、取締役会に答申します。指名諮問委員会の委員は、取締役会の決議により選任し、委員数は合計4名。その構成は、社外取締役3名（委員長：新宅祐太郎氏　委員：石田友豪氏、小出寛子氏）、社内取締役1名（委員：八馬史尚氏）から成ります。
委員長及び委員の過半数を独立社外取締役とすることで、委員会の独立性を担保し、一方で委員会での議論の実質化を高めるために社内取締役が入った構成となっております。
2020年8月から2021年3月に合計7回開催し、全委員会に、全委員が出席の上、審議を行いました。各委員会の審議内容は以下のとおりです。
第1回　2020年度活動計画
第2回　経営人財の後継者計画および次期中計に向けた組織体制
第3回　計画のプロセスとロードマップ
第4回　後継者計画に向けた候補者について
第5回　後継者候補の育成計画
第6回　人財要件とコンピテンシー、次期中計に向けた役員体制
第7回　2021年度に向けたスケジュール

報酬諮問委員会は、取締役会の諮問機関として、取締役及び執行役員の役員報酬制度・評価制度の改訂の要否及び報酬の妥当性について審議し、取締役会に答申します。報酬諮問委員会の委員は、取締役会の決議により選任し、委員数は合計5名。その構成は、社外取締役3名（委員長：石田友豪氏　委員：新宅祐太郎氏、小出寛子氏）、社内取締役1名（委員：八馬史尚氏）および社内監査役1名（委員：小松俊一氏）から成ります。

Ⅱ ガバナンス報告書

委員長および委員の過半数を独立社外取締役 とすることで、委員会の独立性を担保しております。
2020年8月から2021年6月に合計6回開催し、全委員会に、全委員が出席の上、審議を行いました。各委員会の審議内容は以下のとおりです。
第1回　2020年度活動計画
第2回　次期中期経営計画を見据えた役員報酬戦略
第3回　役員報酬の水準と構成
第4回　役員報酬の水準と構成及び変動報酬の決定基準
第5回　役員報酬の改定案(委員会決議)
第6回　2020年度役員業績評価と次年度目標

⑦アズビル

「コーポレートガバナンス・コードの各原則に基づく開示」

【補充原則4-10-1】[任意の委員会の活用等]
取締役会の諮問機関である任意の「指名・報酬委員会」の詳細につきましては、本報告書のⅡ「経営上の意思決定、執行及び監督に係る経営管理組織その他のコーポレート・ガバナンス体制の状況」に記載の「指名委員会又は報酬委員会に相当する任意の委員会の有無」の「補足説明」(P8)欄に記載しておりますのでご参照ください。

「Ⅱ経営上の意思決定，執行及び監督に係る経営管理組織その他のコーポレート・ガバナンス体制の状況」

指名委員会又は報酬委員会に相当する任意の委員会の有無	あり

<中　略>

補足説明 更新

取締役会の諮問機関として、任意の「指名・報酬委員会」を設置しております。本委員会は、指名委員会と報酬委員会の双方の機能を担っており、会社の永続的な発展と中長期的な収益性・生産性を高めることに資するため、役員の指名及び報酬の決定プロセスについて、より高い公正性・客観性・透明性を確保することを目的としております。本委員会の委員長は、独立社外取締役の中から互選にて定め、委員の過半を独立社外取締役で構成する規定としており、現在、田辺 克彦氏(独立社外取締役)が委員長を、伊藤 武氏(独立社外取締役)、藤宗 和香氏(独立社外取締役)、曽禰 寛純氏(代表取締役)及び山本 清博氏(代表取締役)が委員を務め、独立社外取締役が過半数となる構成となっております。
本委員会では、役員の指名、報酬、後継者計画等について、取締役会の委任に基づき、以下の役割と権限を有しております。

役員の指名に関し、取締役候補者、代表取締役候補者、取締役会議長、役付執行役員、執行役員等の原案の審議、決定、取締役会への提案及びCEO以下の経営陣幹部(社長／CEO並びに副社長等)候補者の原案の作成、審議、決定、取締役会への提案を行う役割を担っております。また、取締役の解任、代表取締役の解職、取締役会議長の解職、役付執行役員、執行役員等の解任についての原案の審議、決定と取締役会への提案及びCEO以下の経営陣幹部(社長／CEO並びに副社長等)の解任についての原案の作成と審議、決定、取締役会への提案を行う役割を担っております。

役員の報酬に関しては、代表取締役、取締役、役付執行役員、執行役員の報酬制度、報酬体系の制定と改廃、取締役報酬枠の改定の原案の審議、決定、取締役会への提案及び代表取締役社長、代表取締役兼役付執行役員、役付執行役員、執行役員の職責グレード、基本報酬額、個人業績評価、賞与支給額を審議、決定しております。また、社外取締役、専任取締役の報酬額を審議、決定しております。

後継者計画、後継者育成に関しては、後継者育成の全体計画の作成、審議、決定と後継者候補の選定、個別育成計画を審議、決定しております。また後継者育成状況の定期的な確認も行っております。
その他、役員の兼任、役員の処遇等について定めた規程類の制定、改廃についての審議、決定、取締役会への提案を行うこととしております。

これらの権限を委任した理由は、前述のとおり、委員の過半数を独立社外取締役で構成し、委員長を独立社外取締役が務める取締役会の諮問機関である指名・報酬委員会で審議・決定することが、公正性・客観性・透明性が高いと判断したからであります。なお、代表取締役に関する議案の審議・決定にあたっては、当該代表取締役は審議に参加せず決定する仕組みとしております。

2020年度は指名・報酬委員会を5回開催し、委員全員が出席のうえ、2020年5月には、執行を兼務する取締役と執行役員の2019年度個人業績目標に対する結果の評価と個々の賞与支給額、並びに執行を兼務する取締役及び社外取締役の2020年度の基本報酬額の審議を行いました。2020年6月には、独立社外取締役の田辺 克彦氏を委員長とする新たな指名・報酬委員会体制にて、委員会の責務を再確認するとともに、後継者育成計画としての役員面談の結果について確認いたしました。2021年1月には、経営体制交代に関わる選任プロセスについての評価結果と後継者育成計画の進捗状況を確認いたしました。2021年2月には、2021年度の執行体制、グループ子会社の役員体制について審議のうえ取締役会に報告し、取締役会において2021年度の役員体制が決定されました。2021年3月には、海外グループ会社の役員体制及びグローバル人材制度の運用状況の確認、指名・報酬委員会規程の改定、常勤役員の他会社の役職兼任について審議いたしました。2021年5月には、当社の中期経営計画の実現等、経営戦略に照らして、取締役に期待するスキル等を定め、現在の取締役会における独立性・多様性・期待するスキルを確認いたしました。また、2020年8月、2021年2月の取締役会において、指名・報酬委員会の活動状況について報告いたしました。

第二部 各原則に基づく開示事項(必要的開示) 第13

⑧アサヒグループホールディングス

「Ⅱ経営上の意思決定,執行及び監督に係る経営管理組織その他のコーポレート・ガバナンス体制の状況」

指名委員会又は報酬委員会に相当する任意の委員会の有無	あり

＜中　略＞

補足説明 更新

　指名委員会は、取締役及び監査役の候補者などに関する取締役会の諮問に対し、答申を行います。社外取締役2名、社外監査役1名及び社内取締役2名で構成され、委員は取締役会にて選出されます。委員長は互選により社外取締役が、事務局は人事を担当する組織の責任者がそれぞれ務めております。2020年度は9回開催され、主に取締役会スキルマトリックス、CEOスキルセット、サクセッション・プラン及びその計画に基づく役員人事、重要な子会社の代表者人事などの答申を行いました。委員の出席率は100.0%となっております。
2021年3月25日現在、委員長及び委員は次の通りになります。
＜委員長＞
・社外取締役(独立役員)　小坂　達朗
＜委員＞
・社外取締役(独立役員)　新貝　康司
・社外監査役(独立役員)　斎藤　勝利
・取締役会長 兼 取締役会議長　小路　明善
・代表取締役社長 兼 CEO兼 日本統括本部長　勝木　敦志
(注)CEO: Chief Executive Officer

　報酬委員会は、取締役の報酬制度・報酬額に関する取締役会の諮問に対し、答申を行います。社外取締役2名、社外監査役1名及び社内取締役2名で構成され、委員は取締役会にて選出されます。委員長は互選により社外取締役が、事務局は人事を担当する組織の責任者がそれぞれ務めております。2020年度は5回開催され、主に役員の個人評価及びそれに基づく賞与額などの答申を行いました。委員の出席率は100.0%となっております。
2021年3月25日現在、委員長及び委員は次の通りになります。
＜委員長＞
・社外取締役(独立役員)　新貝　康司
＜委員＞
・社外取締役(独立役員)　クリスティーナ・アメージャン
・社外監査役(独立役員)　早稲田　祐美子
・常務取締役 兼 常務執行役員 兼 CFO　北川　亮一
・取締役 兼 執行役員 兼 CHRO　谷村　圭造
(注)CFO: Chief financial Officer、CHRO; Chief Human Resources Officer

⑨古河電気工業

「Ⅱ経営上の意思決定,執行及び監督に係る経営管理組織その他のコーポレート・ガバナンス体制の状況」

補充原則
4-10①

指名委員会又は報酬委員会に相当する任意の委員会の有無	あり

＜中　略＞

補足説明 更新

　当社は、「指名・報酬委員会」を設置しており、同委員会は指名委員会と報酬委員会の双方の機能を担っております。同委員会は、取締役等の人事や報酬等を審議することにより、これらの事項に関する客観性および透明性を確保して、コーポレートガバナンスの強化を図ることを目的とし、取締役会決議により取締役中より選任された5名以上の委員(過半数は社外取締役)で構成されるものとし、委員の互選により、原則として社外取締役の中から委員長を選定することとしております。本報告書提出日における同委員会の委員は、塚本修社外取締役、塚本隆史社外取締役

293

Ⅱ　ガバナンス報告書

（委員長）、御代川善朗社外取締役、籔ゆき子社外取締役、斎藤保社外取締役、柴田光義取締役会長および小林敬一代表取締役社長の7名です。
　2020年度においては、同委員会を7回開催し、主な検討事項として、指名に関しては本年4月からの経営執行体制について、報酬に関しては役員報酬制度について、審議等いたしました。
　また、2020年度における本委員会への個々の委員の出席状況は以下のとおりです。
[氏名／出席状況]
　藤田純孝社外取締役（委員長）／7回中7回（100%）
　塚本修社外取締役／7回中7回（100%）
　中本晃社外取締役／7回中7回（100%）
　御代川善朗社外取締役／7回中7回（100%）
　籔ゆき子社外取締役／7回中7回（100%）
　柴田光義取締役会長／7回中7回（100%）
　小林敬一代表取締役社長／7回中7回（100%）

同委員会における審議・決定事項は以下のとおりです。
(1)取締役会の諮問に基づき審議・答申する事項
　①株主総会に提出する取締役、監査役の選任・解任に関する議案の内容
　②代表取締役、取締役会長、取締役社長の選定・解職
　③執行役員の選任・解任
　④役付執行役員（執行役員副社長、執行役員専務、執行役員常務）の選定・解職
　⑤取締役、執行役員の報酬等に関する方針
(2)取締役会の委任に基づき審議・決定する事項
　①取締役、執行役員の評価
　②上記(1)⑤の答申を得て取締役会が決定した方針に基づく取締役、執行役員の報酬等に関する制度
　③上記(1)⑤の答申を得て取締役会が決定した方針に基づく取締役、執行役員の個人別の報酬等の内容
　④株主総会に提出する取締役、監査役の報酬等に関する議案の内容
　⑤関係会社代表者の報酬等に関するガイドライン
　⑥取締役、執行役員の任期上限および退任後の取扱いに関する方針
　⑦特別顧問・名誉顧問の選任・解任、報酬に関する案の内容
　⑧経営陣のサクセッションプランの内容
(3)取締役、監査役、執行役員のトレーニングの内容および方針についての審議・決定

⑩　テルモ

「Ⅱ経営上の意思決定，執行及び監督に係る経営管理組織その他のコーポレート・ガバナンス体制の状況」

指名委員会又は報酬委員会に相当する任意の委員会の有無	あり

<中　略>

補足説明　更新

[指名委員会]
(1)役割
　コーポレート・ガバナンスの観点から、取締役会にとって最重要の責務の一つである社長および会長の後継者人事ならびに取締役・執行役員の選任および解任に関する事項について、取締役会の諮問機関として審議を行います。委員会は、審議の内容を適宜取締役会へ報告します。

(2)構成
　・委員会は、取締役の中から取締役会が選任する委員をもって構成し、独立社外取締役を過半数とします。
　・委員長は、委員の互選により社外取締役の中から選定します。ただし、委員長に事故があるときは、委員の互選により選定された他の独立社外取締役がこれに代わるものとします。

(3)活動状況
　2020年度の開催回数は8回で、各委員の出席状況は次の通りです。
　　上田龍三（社外取締役）　　　　　　　8/8（出席率100%）
　　黒田由貴子（社外取締役）　　　　　　8/8（出席率100%）
　　西秀訓（社外取締役）　　　　　　　　7/7（出席率100%）※2020年6月25日の就任以降に開催された委員会のみ対象
　　中村雅一（社外取締役（監査等委員））　8/8（出席率100%）
　　宇野総一郎（社外取締役（監査等委員））8/8（出席率100%）
　　三村孝仁（代表取締役会長）　　　　　8/8（出席率100%）
　　佐藤慎次郎（代表取締役社長CEO）　　 8/8（出席率100%）
　委員会の事務局は、秘書室が担当しております。

[報酬委員会]
(1) 役割
　経営の健全性とコーポレート・ガバナンスの維持向上の観点から、次の事項に関し、取締役会の諮問機関として、審議および助言を行います。委員会は、審議の内容を適宜取締役会へ報告します。ただし、監査等委員の報酬に関する事項については、会社法第361条の規定に反してはならないものとします。
　・取締役および執行役員の報酬に関する事項（報酬等の額またはその算定方法の決定に関する方針等）
　・その他、取締役会から委員会に委嘱された事項、または委員会がその目的の遂行のために必要と認めた事項

(2) 構成
　・委員会は、取締役の中から取締役会が選任する委員をもって構成し、その過半数は独立社外取締役、また少なくとも1名は代表取締役とします。
　・委員長は、委員の互選により社外取締役の中から選定します。ただし、委員長に事故があるときは、委員の互選により選定された他の独立社外取締役がこれに代わるものとします。

(3) 活動状況
　2020年度の開催回数は5回で、各委員の出席状況は次の通りです。
　　上田龍三(社外取締役)　　　　　　　　5/5(出席率100%)
　　黒田由貴子(社外取締役)　　　　　　　5/5(出席率100%)
　　西秀訓(社外取締役)　　　　　　　　　3/3(出席率100%)※2020年6月25日の就任以降に開催された委員会のみ対象
　　中村雅一(社外取締役(監査等委員))　　5/5(出席率100%)
　　宇野総一郎(社外取締役(監査等委員))　5/5(出席率100%)
　　三村孝仁(代表取締役会長)　　　　　　5/5(出席率100%)
　　佐藤慎次郎(代表取締役社長CEO)　　　 5/5(出席率100%)
　委員会の事務局は、秘書室が担当しております。

[コーポレート・ガバナンス委員会]
(1) 役割
　経営の健全性とコーポレート・ガバナンスの維持向上の観点から、次の事項に関し、取締役会の諮問機関として、審議および助言を行います。なお、委員会での審議内容は適宜取締役会へ報告します。
　・コーポレート・ガバナンスに関する基本的な事項
　・コーポレート・ガバナンス体制の構築、整備および運用に関する重要事項
　・環境(Environment)・社会(Society)分野における体制整備、持続可能性(Sustainability)のための取組み等、コーポレート・ガバナンスと密接に関連する重要事項
　・その他、取締役会から委員会に委嘱された事項、または委員会がその目的の遂行のために必要と認めた事項

(2) 構成
　・委員会は、取締役の中から取締役会が選任する委員をもって構成し、その過半数は独立社外取締役、また少なくとも1名は代表取締役とします。
　・委員長は、委員の互選により独立社外取締役の中から選定します。ただし、委員長に事故があるときは、委員の互選により選定された他の独立社外取締役がこれに代わるものとします。

(3) 活動状況
　2020年度の開催回数は7回で、各委員の出席状況は次の通りです。
　　上田龍三(社外取締役)　　　　　　　　7/7(出席率100%)
　　黒田由貴子(社外取締役)　　　　　　　7/7(出席率100%)
　　西秀訓(社外取締役)　　　　　　　　　5/5(出席率100%)※2020年6月25日の就任以降に開催された委員会のみ対象
　　中村雅一(社外取締役(監査等委員))　　7/7(出席率100%)
　　宇野総一郎(社外取締役(監査等委員))　7/7(出席率100%)
　　三村孝仁(代表取締役会長)　　　　　　7/7(出席率100%)
　　佐藤慎次郎(代表取締役社長CEO)　　　 7/7(出席率100%)
　委員会の事務局は、秘書室が担当しております。

⑪東京エレクトロン

補充原則 4-10①

「Ⅱ経営上の意思決定，執行及び監督に係る経営管理組織その他のコーポレート・ガバナンス体制の状況」

指名委員会又は報酬委員会に相当する任意の委員会の有無	あり

<中　略>

補足説明 更新

当社では、取締役会内に指名委員会と報酬委員会を設置し、それぞれCEO及び取締役候補者の指名、役員報酬制度についての積極的な議論

Ⅱ ガバナンス報告書

をおこなっております。

(指名委員会)
　当社は取締役会の内部委員会として、指名委員会を設置しております。指名委員会の役割は、株主総会で選任される取締役候補者及び取締役会で選任されるCEO候補者を指名し取締役会へ提案することであり、経営の公正性、実効性確保の観点から、CEOは委員には加わらず社外取締役もしくは社外監査役を含む3名以上の委員で構成しております。また、後継候補者育成プランに関連する活動に関しましても、モニタリングと助言をおこなっております。
　指名委員会は、年10回(2021年3月期実施)の会議を全ての委員の出席のもと開催し、CEO及び取締役候補者の提案に加え、後継候補者群の見直しや拡充、育成計画に関する意見交換などの活動をおこないました。
　なお、2022年3月期の委員は、佐々木道夫取締役(社外)、長久保達也取締役、春原清取締役、布川好一取締役の4名となります。委員長は各委員の互選により、佐々木道夫取締役が務めております。

(報酬委員会)
　当社は取締役会の内部委員会として、報酬委員会を設置しております。報酬委員会の役割は、外部専門家からのアドバイスを活用し、国内外の同業企業等との報酬水準等の分析比較をおこなった上で、取締役の報酬方針、グローバルに競争力があり当社グループに最も適切な報酬制度及び代表取締役の個別報酬額等を取締役会に対し提案することであります。経営の透明性・公正性、報酬の妥当性を確保するため、社外取締役を含む3名以上の委員(代表取締役を除く)で構成しております。
　報酬委員会は、年7回(2021年3月期実施)の会議を全ての委員の出席のもと開催し、ESGの報酬への反映やクローバックポリシー、株式保有ガイドラインを含む報酬制度、決定プロセス、代表取締役の個別年次業績連動報酬額に反映される個人評価の実施など、当社の報酬の基本方針に則り数多くの議論を重ねました。これらに関する報酬委員会並びに取締役会の活動内容は以下の通りです。開催したすべての報酬委員会には外部専門家が同席しました。

・報酬制度及びプロセスに関する議論
・クローバックポリシー及び株式保有ガイドラインに関する議論
・中期業績連動報酬2020年設定プランの決定
・代表取締役のミッション並びに個人評価の決定
・代表取締役の基本報酬、年次業績連動報酬額の決定
・業務執行取締役の報酬決定プロセスの決定
・役員報酬制度に関する開示並びに株主総会議案の決定

　なお、2022年3月期の委員は、チャールズ・ディトマース・レイク二世取締役(社外)、長久保達也取締役、三田野好伸取締役、江田麻季子取締役(社外)の4名となります。委員長は各委員の互選により、チャールズ・ディトマース・レイク二世取締役が務めております。

　両委員会の存在が、当社経営の公正性等を担保し、当社の健全な「攻めのガバナンス」を支えています。

⑫コスモエネルギーホールディングス

「Ⅱ経営上の意思決定，執行及び監督に係る経営管理組織その他のコーポレート・ガバナンス体制の状況」

指名委員会又は報酬委員会に相当する任意の委員会の有無	あり

＜中　略＞

補足説明 更新

　当社は、取締役の候補者および報酬の決定プロセスに関する透明性と客観性を確保することを目的として、過半数が独立社外取締役により構成される指名・報酬諮問委員会を設置しています。
　当委員会は、指名委員会と報酬委員会の双方の機能を担っており、取締役の候補者案と報酬制度について審議し、取締役会への答申を行います。当委員会の事務局は、秘書室に設置しています。

指名・報酬諮問委員会の構成

	委員長(社外)	委員(社外)	委員(社内)
2020年6月定時株主総会から2021年6月定時株主総会まで	神野　榮取締役	髙山　靖子取締役	桐山　浩代表取締役社長
2021年6月定時株主総会から	浅井　恵一取締役	髙山　靖子取締役	桐山　浩代表取締役社長

・2020 年度出席状況
神野取締役(委員長) 7 回中 7 回
高山取締役 7 回中 7 回
桐山社長 7 回中 7 回

・2020 年度 指名・報酬諮問委員会の活動状況
2020 年度は、指名・報酬諮問委員会を合計 7 回開催し、主に以下の議題について審議しました。

	審議・確認事項(指名分野)	審議・確認事項(報酬分野)
2020 年 5 月 7 日	・取締役会の役割・機能の最新環境に関する報告 ・2020 年度スキルマトリクス策定	・2019 年役員報酬実績のレビュー ・2020 年度役員報酬制度の確定 ・報酬開示内容の確認
2020 年 6 月 16 日	・人材要件の変更要否の確認 ・役員目標内容の確認	・論点整理と 2020 年度検討課題の明確化
2020 年 8 月 13 日	・今後の取締役体制の検討	
2020 年 10 月 9 日	・後継者指名等に関する現行プロセスの確認	
2020 年 12 月 18 日	・当社および中核 3 社役員の業績評価について ・役員多面評価の結果確認	・経営者報酬を取り巻く環境に関する報告 ・現行の報酬方針の妥当性に関する検証 ・報酬制度の内容確認と検討課題への対応
2021 年 1 月 21 日	・当社及び中核事業会社の役員人事 ・指名制度の開示案検討	・社外取締役報酬の検討
2021 年 3 月 24 日	・2021 年度スキルマトリクス策定 ・2020 年度実効性評価	・個人評価の報酬反映の検討 ・マルス・クローバック条項の検討 ・2020 年度実効性評価

⑬鹿島建設

「Ⅱ経営上の意思決定,執行及び監督に係る経営管理組織その他のコーポレート・ガバナンス体制の状況」

指名委員会又は報酬委員会に相当する任意の委員会の有無	あり

<中　略>

補足説明 更新

取締役等の人事・報酬を含むガバナンス全般に関わる重要事項を協議し、取締役会に対し助言するなど当社コーポレートガバナンス体制において必要な役割を果たしてきた「社外役員諸問会議」(2018年12月の設置以来、計8回開催)を、2020年12月に発展的に改組し、新たに「人事委員会」と「ガバナンス・報酬委員会」の2つの委員会を取締役会の諮問機関として設置しています。

「人事委員会」
取締役等の人事について協議し、取締役会に対し提言を行う会議体として、社長及び以下の社外取締役を構成員とする「人事委員会」を設置し、客観性と透明性の確保を図っています。
なお、秘書室が同委員会の事務局として支援業務を担当します。

<構成員と出席状況(2020年12月~2021年6月)>
社内取締役(1名)
天野 裕正(一 回/一 回 出席)※1

補充原則
4-10①

Ⅱ ガバナンス報告書

社外取締役(3名)
古川 洽次(議長、4回/4回 出席)
坂根 正弘(4回/4回 出席)
齋藤 聖美(4回/4回 出席)

＜主な検討テーマ＞
・取締役会の構成や経営陣幹部の要件、指名方針

構成員は2021年6月25日時点のものです。
※1 天野 裕正は2021年6月25日に社長に選任(前社長の押味 至一は、4回/4回出席)

「ガバナンス・報酬委員会」
取締役等の報酬を含むガバナンスに関する重要事項について協議し、取締役会に対し提言を行う会議体として、社外取締役及び社外監査役を構成員とする「ガバナンス・報酬委員会」を設置し、客観性と透明性の確保を図っています(「その他」の構成員は社外監査役)。
なお、秘書室が同委員会の事務局として支援業務を担当し、議案内容に応じ社長ほかの経営陣幹部等が説明者として参加します。

＜構成員と出席状況(2020年12月～2021年6月)＞
社外取締役(4名)
古川 洽次(議長、1回/1回 出席)
坂根 正弘(1回/1回 出席)
齋藤 聖美(1回/1回 出席)
鈴木 庸一(ー回/ー回 出席)※2
社外監査役(3名)
中川 雅博(1回/1回 出席)
寺脇 一峰(1回/1回 出席)
藤川 裕紀子(1回/1回 出席)

＜主な検討テーマ＞
・役員報酬制度のあり方(報酬の構成、報酬水準、報酬の決定方針など)
・取締役会の実効性向上に向けた運営改善等

構成員は2021年6月25日時点のものです。
※2 鈴木 庸一は2021年6月25日に社外取締役に選任

⑭ T＆Dホールディングス

「Ⅱ経営上の意思決定，執行及び監督に係る経営管理組織その他のコーポレート・ガバナンス体制の状況」

指名委員会又は報酬委員会に相当する任意の委員会の有無	あり

＜中　略＞

補足説明 更新

指名・報酬委員会の概要
【目的】
・当社は、役員の選解任(後継者計画を含む)及び役員報酬等に関する公正性・妥当性について審議し、経営の透明性の確保および説明責任の向上を通じて当社及び当社グループのコーポレート・ガバナンス態勢の強化を図るため、取締役会の諮問機関として、指名・報酬委員会を設置しております。
【構成】
・当委員会の委員は、取締役社長及び社外取締役で構成され、独立性及び中立性を確保するために、委員の過半数を社外取締役から選任しております。また、委員長は、社外取締役の中から、委員の互選により選定することとしております。
【任務】
・当委員会は、当社及び直結子会社の役員の選解任及び役員報酬に関する事項や当社の代表取締役社長後継者計画に関する事項などについて審議し、取締役会に対して審議結果を報告するとともに必要に応じて意見具申を行っております。
(代表取締役社長及び経営陣幹部の選解任への関与状況)
・当委員会は、代表取締役社長及び経営陣幹部について、会社業績評価や担当部門評価等に基づく役員別評価結果の審議を行っております。代表取締役社長及び経営陣幹部の選解任(再任・不再任)は、役員別評価に加え適格性を確認のうえ審議し、審議結果を取締役会に報告するとともに必要に応じて意見具申を行っております。
(代表取締役社長後継者計画への関与状況)
・後継者計画に関する事項については、当委員会において計画の妥当性及び定期的な候補者の見直し等について審議し、取締役会に対して審議結果を報告するとともに必要に応じて意見具申を行っております。

【指名・報酬委員会の活動状況】
2020年度は全9回開催し、各回ともに委員の出席率は100%となっております。主な審議・報告内容は以下のとおりです。

第1回：監査等委員でない取締役・監査等委員である取締役・補欠の監査等委員
　　　　である取締役候補者の選任等について
　　　　直接子会社の取締役・監査役候補者の選任等について
　　　　監査等委員でない取締役・監査等委員である取締役の報酬等の額の設定について
　　　　顧問の委嘱について
第2回：2019年度取締役・執行役員の評価結果について
　　　　2019年度 直接子会社の代表取締役の評価結果について
　　　　直接子会社の役員処遇等に係る役員内規について
第3回：指名・報酬委員の選定について
第4回：指名・報酬委員会の委員長の選定について
第5回：サクセッションプランについて
第6回：直接子会社の役員処遇等に係る役員内規について
第7回：直接子会社の社長交代について
第8回：執行役員の選任等について
　　　　直接子会社の執行役員の選任等について
第9回：直接子会社の取締役候補者および執行役員の選任等について

【各委員の出席状況】
（委員の肩書き）（氏名）　　（役職）　　　（出席状況）
委員長　　　松山　遙　　社外取締役　　9回すべてに出席
委員　　　　大庫　直樹　社外取締役　　9回すべてに出席
委員　　　　渡邊　賢作　社外取締役　　6回すべてに出席
委員　　　　上原　弘久　代表取締役社長　9回すべてに出席

⑮住友電気工業

「Ⅱ経営上の意思決定，執行及び監督に係る経営管理組織その他のコーポレート・ガバナンス体制の状況」

指名委員会又は報酬委員会に相当する任意の委員会の有無	あり

<中　略>

補足説明 更新

透明性・公正性の確保のため、独立社外取締役を委員長とし、独立社外取締役が過半数を占める経営陣幹部・取締役等の指名及び報酬に関する諮問委員会を設置しております。指名諮問委員会では、当社の取締役・監査役の候補者案、及びそれらに関する会社の重要な規程等の制定、改廃案等について、また、報酬諮問委員会では、当社の取締役、執行役員の報酬制度案や個人別の報酬額案、及びそれらに関する会社の重要な規程等の制定、改廃案等について審議を行っております。

各委員会の委員は取締役会の決議により選定することとしており、現時点での委員および2020年6月に開催された定時株主総会以降1年間（以降、2020年度指名諮問委員会／2020年度報酬諮問委員会）の出席状況は※1　2020年度指名諮問委員会・報酬諮問委員会委員及び出席状況のとおりです。また、人事担当役員が事務局として委員会の審議に出席し議事録の作成や、運営の支援を行うほか、必要により補佐役を出席させる場合があります。また、当社の報酬諮問委員会は、外部の報酬コンサルタントであるウイリス・タワーズワトソンをアドバイザーとして起用し、同社より提供された客観的かつ必要十分な情報に基づき、適切な審議を行っております。同社の役割は、報酬諮問委員会における実効的な審議の進行や合意形成の側面支援に留まり、取締役会への提言内容は、報酬諮問委員会として判断しております。

補充原則
4-10①

※1　2020年度指名諮問委員会・2020年度報酬諮問委員会の委員及び出席状況（委員の役職は参加時点の役職）

氏名　　　　　　　　　　　指名諮問委員会／　報酬諮問委員会
佐藤　廣士（社外取締役）　　5回すべて出席　※2020年度 委員長　／　5回すべて出席　※2020年度 委員長
松本　正義　　　　　　　　5回すべて出席　／　5回すべて出席
井上　治　　　　　　　　　5回すべて出席　／　5回すべて出席
土屋　裕弘（社外取締役）　　5回すべて出席　／　5回すべて出席
クリスティーナ・アメージャン（社外取締役）　5回すべて出席　／　5回すべて出席
渡辺　捷昭（社外監査役）　　5回すべて出席　／　5回すべて出席

活動状況につきましては、2020年度報酬諮問委員会、2020年度指名諮問委員会ともに計5回開催いたしました。具体的な審議事項については下

Ⅱ ガバナンス報告書

記の※2 指名諮問委員会・報酬諮問委員会審議内容をご参照ください。
指名諮問委員会については、2020年9月28日の取締役会において、他社や株主等ステークホルダーの動向等を踏まえた当社取締役会構成の妥当性並びに候補者の選定について指名諮問委員会への諮問を行い、2020年10月5日、12月7日、2021年2月3日、4月5日、6月1日の同委員会において、他社のガバナンス体制等も踏まえながら当社の取締役会の在り方、候補者案等について審議し、取締役会へ答申致しました。その答申を受けて、5月13日の取締役会にて当社の取締役の候補者案等について審議を行いました。
さらに、監査役の候補者案については、2021年1月26日の監査役会からの候補者選任の照会に基づき、2月3日の取締役会において、監査役候補者の選定について指名諮問委員会への諮問を行い、2月3日及び4月5日の同委員会において当社の監査役の候補者案等について審議し、取締役会へ答申を行いました。
報酬諮問委員会についても、2020年9月28日の取締役会において、役員の月報酬及び賞与の枠組みや算定方法に関する方針並びに役員報酬の具体的金額について報酬諮問委員会への諮問を行い、2020年10月5日、12月7日、2021年2月3日、4月5日、6月1日の報酬諮問委員会において、報酬の枠組みや決定方針、当期賞与の総額や各人の賞与額、7月以降の報酬額の妥当性のほか、社会動向等を踏まえた当社の役員報酬制度のあり方などについて審議を行い、取締役会へ答申しました。その答申を受けて、6月25日の取締役会にて取締役各人の月報酬・賞与の決定方針及び算定方法について審議を行いました。

※2 2020年度指名諮問委員会・2020年度報酬諮問委員会審議内容

開催日	指名諮問委員会	報酬諮問委員会
2020年10月5日	ガバナンス体制の世間動向の確認、役員体制のレビュー等	ガバナンス法規制に関する研究、役員報酬に関する規定の確認 等
2020年12月7日	役員体制のレビュー、コーポレートガバナンス・コード改定に関する研究等	役員報酬制度の考え方の整理、会社法改正に関する研究等
2021年2月3日	新役員体制の審議、コーポレートガバナンスコード改定の対応に関する審議等	取締役の個人別の報酬決定に関する方針の確認、役員報酬開示内容の審議、役員賞与の方針・考え方確認、等
2021年4月5日	新役員体制の審議、社外監査役任期満了に伴う対応に関する審議、役員退任者の取扱いに関する審議、当社取締役会の構成に関する審議等	役員賞与支給総額検討、役員賞与査定の方針確認、役員報酬開示内容の審議等
2021年6月1日	新役員体制の審議、当社取締役会の構成に関する審議等	役員賞与査定の考え方確認、個人別役員賞与・月報酬額審議等

第14　補充原則4−11①に基づく開示

補充原則4−11①

> 取締役会は，経営戦略に照らして自らが備えるべきスキル等を特定した上で，取締役会の全体としての知識・経験・能力のバランス，多様性及び規模に関する考え方を定め，各取締役の知識・経験・能力等を一覧化したいわゆるスキル・マトリックスをはじめ，経営環境や事業特性等に応じた適切な形で取締役の有するスキル等の組み合わせを取締役の選任に関する方針・手続と併せて開示すべきである。その際，独立社外取締役には，他社での経営経験を有する者を含めるべきである。

1　背景・趣旨

　取締役会のバランスや多様性，適正規模に関する考え方があらかじめ定まっていることは，その構成員たる取締役の指名・選任を適切に行うこと，ひいては取締役会がその役割・責務を実効的に果たすことの前提条件になると考えられる。こうした観点から，補充原則4−11①は，取締役会のバランスや多様性，適正規模に関する考え方について開示を求めている[注46]。

（注46）　油布志行＝渡邉浩司＝髙田洋輔＝浜田宰「『コーポレートガバナンス・コード原案』の解説〔Ⅳ・完〕」商事法務2065号（2015）50頁。

2　開示対象

　本補充原則は，取締役会の全体としての知識・経験・能力のバランス，多様性及び規模に関する考え方について開示を求めている。なお，本補充原則で併せて開示することが求められている「取締役の選任に関する方針・手続」とは，原則3−1(iv)を指し，開示の方法として，本補充原則と原則3−1(iv)とを一体のものとしてひとまとまりで開示するか否か等は，各社の判断に委ねられる[注47]。

　また，2021年6月の改訂により，「経営戦略に照らして自らが備えるべきスキル等を特定」することが求められることとなり，その上で，いわゆるスキル・マトリックス等の形で取締役の有するスキル等の組み合わせを開示すべきとされた[注48]。

　なお，取締役会の多様性に関しては，原則4−11について，2018年6月の改訂により「ジェンダーや国際性の面」が，2021年6月の改訂により「職歴，年齢」がそれぞれ多様性に含まれることを明確にする改訂が行われている。本原則においても，これらの改訂も踏まえた，自社

(注47) 油布志行＝渡邉浩司＝髙田洋輔＝浜田宰「『コーポレートガバナンス・コード原案』の解説〔Ⅳ・完〕」商事法務2065号（2015）50頁・56頁（注54）。
(注48) スキル・マトリックスは，スキル等の組み合わせを開示するための方法の一つとして掲げられているものであり，スキル・マトリックス以外の方法によっても，コードの趣旨に沿ったわかりやすい開示をすることができるのであれば，他の方法によることもできる（2021年コード改訂パブコメ回答96番）。

3　開示の傾向

(1)　知識・経験・能力のバランス及び多様性

a　社外取締役・非業務執行者の選任割合

独立社外取締役の選任割合については，取締役会の全体としての知識・経験・能力のバランス及び多様性の観点から重要であるため，本補充原則の開示事項として，社外取締役や独立社外取締役の選任割合に言及するもの（①アサヒグループホールディングス，②丸井グループ，③三菱地所，④グローリー）や，非執行取締役の選任割合に言及するもの（⑤みずほフィナンシャルグループ）がある。

b　社外取締役の任期制限

定期的かつ継続的に社外取締役の交替を行うことを目的として，社外取締役の通算任期又は平均通算任期に制限を設けるもの（⑤みずほフィナンシャルグループ，⑥ＭＳ＆ＡＤインシュアランスグループホールディングス，⑦第一生命ホールディングス）がある。

c　取締役会の構成員の資質・能力

取締役会の構成員の資質・能力については，原則３−１(ⅳ)の取締役・監査役候補の指名を行うに当たっての方針として開示されることが多いものの，本補充原則が「取締役の選任に関する方針・手続と併せて開示すべき」としているように，取締役会の全体としての知識・経験・能力のバランス及び多様性に関する考え方にも関連するものといえる。

本補充原則の開示事項としては，役員の職責ごとに求められる資質・能力・知識・経験・専門性に言及するもの（④グローリー，⑧三菱ケミカルホールディングス）が多い。東京証券取引所が公表した2019年11月29日付「コーポレート・ガバナンスに関する開示の好事例集」においても，社外取締役に求められる経験等を具体的に開示する例（⑧三菱ケミカルホールディングス，⑨日立製作所）が紹介されている。また，監査役又は監査委員のうち少なくとも１名に財務及び会計に関する一定以上の知見を求める旨を明記するもの（⑩京都銀行，⑪ＬＩＸＩＬ）や，社

外取締役の1名以上を財務・会計及び内部統制の専門的知見を有する者とするもの（⑤みずほフィナンシャルグループ），企業の経営者としての経験に言及するもの（①アサヒグループホールディングス，⑧三菱ケミカルホールディングス）もある。

d 多様性

多様性に関する開示事項としては，性別，年齢，人種又は国籍等を問わないことを明示するもの（⑫イオンモール，⑬日産化学）や，女性や外国人等による多様な視点の重要性（⑪ＬＩＸＩＬ，⑭花王），女性の価値観・発想の重要性（⑫イオンモール，⑮マツキヨココカラ＆カンパニー）に言及するもの等がある。

加えて，実際に行っている女性活躍の取組みについて開示するもの（⑭花王）もある。

e その他

その他，取締役会の全体としての知識・経験・能力のバランス及び多様性等を考える際の視点として，自社の業種・業務（⑫イオンモール），持株会社といった会社形態（⑯コロワイド，⑰メディパルホールディングス）に言及するものもある。

(2) 規　　模

取締役会の規模については，人数が少なすぎる場合には上記の知識・経験・能力のバランス及び多様性を確保するのが困難となる反面，多すぎる場合には効率的な取締役会の運営に支障をきたすおそれがある。それらを踏まえて，取締役会の規模に関する考え方として，具体的な役員数の目安や幅に言及するもの（⑱東京海上ホールディングス），上限（定款で定めた上限を記載するものも含む。）に言及するもの（⑨日立製作所，⑩京都銀行，⑫イオンモール，⑯コロワイド）もあるが，適切な規模とするにとどまるもの（⑭花王，⑲パン・パシフィック・インターナショナルホールディングス）もある。

また，現在の役員数を示した上で，現状の規模に対する自社の評価を記載するもの（⑳サンリオ）や，少人数体制を維持する旨を明示するもの（㉑小松製作所）もある。

(3) スキル・マトリックス[注49]

a スキル等の特定

スキル・マトリックスに列挙されたスキルについて，それを特定した経緯等については特段の記載をしない例も多いが，企業理念や経営戦略を踏まえて期待するスキル等の選定をした旨を記載する例（㉒日本電信電話，㉓参天製薬），取締役会又は指名委員会やそれに相当する任意の委員会が取締役に期待するスキル等を定義・決定した旨を記載する例（㉔日本板硝子，㉕ア

Ⅱ　ガバナンス報告書

ズビル）がある。

b　スキル等の表示

スキル・マトリックスにおいては，ある程度抽象的な項目がスキルとして列挙される場合が多いが，各スキルを求める趣旨等について補足的な説明を行う例がある（㉔日本板硝子，㉖サトーホールディングス）。列挙するスキルの内容は各社において様々であるが，サステナビリティに関連するスキルを挙げる例（㉓参天製薬，㉕アズビル，㉗日本瓦斯）や年齢・ジェンダーを併せて記載する例（㉕アズビル）もある。2021年改訂コードの補充原則4－11①は，独立社外取締役に他社での経営経験を有する者を含めるべきとしているところ，スキル・マトリックス上のスキルとして他社での経営経験を示す項目を挙げる例もある（⑧三菱ケミカルホールディングス，㉘アルコニックス）。

各取締役が有するスキルは，表の中に「〇」印等で表示されることが一般的であるが，工夫された開示例として，各人が保有するスキルのうち特に強みがあるもの等に限定して表示している旨を記載する例（㉓参天製薬）や，各取締役が有するスキルの中でも特に高いものを区別して表示する例（㉙日本エスコン）もある。

c　対象となる役員

補充原則4－11①は，取締役のスキル等の開示を求めるものであるが，任意に監査役を含めることも考えられ，そのような例も多い（㉒日本電信電話，㉓参天製薬，㉖サトーホールディングス，㉗日本瓦斯，㉘アルコニックス）。また，執行役員を含める例もある（㉙日本エスコン）。

(4)　その他

本原則の開示として，グループ間の取締役の兼任体制を記載するもの（㉚三菱ＵＦＪフィナンシャル・グループ，㉛ＫＯＡ）がある。また，構成員の性別・国籍・年齢等に言及するもの（⑪ＬＩＸＩＬ，㉕アズビル，㉜味の素）がある。

(注49)　2021年の改訂前から，取締役の知識・経験・能力等を一覧化したいわゆるスキル・マトリックスを開示する例は既に一定数見られていたところであり，以下では，そのような例（必ずしも改訂後のコードに対応している旨を明示していない）も紹介している。

4　開示事例

①アサヒグループホールディングス

「コーポレートガバナンス・コードの各原則に基づく開示」

（補充原則4－11①）
　取締役会は，当社の持続的な成長と中長期的な企業価値の向上に必要な，取締役会全体としての知識・経験・能力のバランス，多様性を確保

第二部　各原則に基づく開示事項（必要的開示）　第14

するため、当社のグループ理念『AGP』やアサヒグループ行動規範、経営戦略から導いた役員に求める要件を明確化する「取締役会スキルマトリックス」に照らし、当社が必要とする豊富な経験・高い見識・高度な専門性を有する当社取締役に相応しい人物により構成することとし、そのうち社外取締役は、企業経営者、有識者など、取締役の1／3以上を当社で定める独立役員の要件を満たす人物とすることとしています。
取締役会は、取締役及び監査役並びに代表取締役及びCEO等の候補者の推薦、また、取締役の報酬制度の策定について、高い公平性、客観性と透明性を確保するため、取締役会の諮問機関として、独立社外取締役2名、独立社外監査役1名と社内取締役2名の5名で構成し、社外取締役を委員長とする指名委員会と報酬委員会を設置し、取締役会議により定めた規定に基づき、重要事項につき審議し又は決定します。

②丸井グループ

「コーポレートガバナンス・コードの各原則に基づく開示」

補充原則4－11－1　取締役会および監査役会の構成についての考え方
　取締役会は、専門知識や経験等のバックグラウンドが異なり、ジェンダーや国際性、職歴、年齢などを踏まえて多様な取締役で構成します。員数は定款の定めに従い、以下の観点から最も効果的・効率的に取締役会の機能が発揮できる適切な員数を維持します。
1. 経営の意思決定および監督を行うために十分な多様性を確保できること
2. 取締役会において独立社外取締役を中心とした議論の活性化が図れること
社外での豊富な経験や専門性を当社の経営に活かすとともに、取締役会の監督機能強化と経営の透明性向上を図るため、原則として3分の1以上を独立社外取締役とします。
また、監査役には、適切な経験・能力および必要な財務・会計・法務に関する知識を有する者を選任し、特に財務・会計に関する専門性を有する者を1名以上選任します。員数は、定款の定めに従い、うち半数以上を社外監査役とします。

また、当社では、2019年以降、外部機関による客観的な調査を活用しながら、取締役・監査役・執行役員が備える特徴的な資質および多様性を最大限に活かす経営陣であることを、「共創経営レポート」にて開示してまいりました。今後も求められるスキル・資質について継続して検討を行い、適時、開示してまいります。
なお、本報告書「II－1【取締役関係】」に記載のとおり、当社の独立社外取締役には、他社での経営経験を有する者を含んでおります。

共創経営レポート
(https://www.0101maruigroup.co.jp/ir/pdf/i_report/2020/i_report2020_a3.pdf)

③三菱地所

「コーポレートガバナンス・コードの各原則に基づく開示」

○補充原則4-11-1. 取締役会構成についての考え方
当社ガイドライン第5条（取締役会の構成）に記載の通りです。
なお、現在、15名の取締役のうち、多様なバックグラウンドを有する社外取締役を7名選任しており、うち1名は女性となっております。

「三菱地所コーポレートガバナンス・ガイドライン」

（取締役会の構成）
第5条　取締役会は、定款上の員数である18名以内の取締役にて構成することとし、取締役会全体として、各取締役の経験、専門知識や知見等のバックグラウンドの多様性及び適切なバランスの確保に努める。
　2．取締役会は、その3分の1以上を社外取締役とする。
　3．取締役会は、その過半数を、執行役を兼務しない取締役（社外取締役を含む。以下「非業務執行取締役」という。）とする。

補充原則
4-11①

④グローリー

「コーポレートガバナンス・コードの各原則に基づく開示」

＜補充原則4－11－1　取締役会全体のバランス、多様性及び規模＞
　当社の取締役会は、当社グループが国内外で展開する各事業または会社業務に精通する業務執行取締役に加え、企業経営、法律、財務・会計等に関する専門的知見等を有し、幅広い視点から経営に対し的確な提言・助言を行うことのできる社外取締役により構成すべきと考えており、取締役会全体としての知識・経験・能力のバランス、多様性を確保することが重要であると考えております。
　取締役会の人数は、意思決定の迅速化や取締役会の活性化を図るため、監査等委員でない取締役については10名以内、監査等委員である取締役については5名以内としており、経営の監督機能が適切に発揮されるよう、当社の持続的な成長と中長期的な企業価値向上に資する資質を備えた独立社外取締役の比率を3分の1以上とすることにしております。
　なお、当社の取締役会が備えるべきスキル等につきましては、第75回定時株主総会招集ご通知に記載しております。

Ⅱ　ガバナンス報告書

■株主総会招集通知
https://www.glory.co.jp/ir/meeting/

⑤みずほフィナンシャルグループ

「コーポレートガバナンス・コードの各原則に基づく開示」

【補充原則4-11①】（取締役会の実効性確保のための前提条件）
　取締役会の全体としての知識・経験・能力のバランス、多様性および規模に関する考え方、取締役候補者の決定に関する方針・手続については、「コーポレート・ガバナンスガイドライン」の「取締役会の構成」、「取締役の選解任」、および「指名委員会の運営」に規定しておりますので、ご参照ください。
（日本語）https://www.mizuho-fg.co.jp/company/structure/governance/g_report.html#guideline
（英語）https://www.mizuho-fg.co.jp/company/structure/governance/g_report.html#guideline

　なお、現在の取締役会は、企業経営者、金融機関経営者、弁護士、公認会計士等の経験を有する社外取締役6名、業務執行者を兼務しない社内取締役2名、および執行役を兼務する取締役5名の合計13名（うち女性1名）の取締役にて構成されています。各取締役のスキル（経験・専門性）については、「第19期定時株主総会招集ご通知」に記載しておりますので、ご参照ください。
（日本語）https://www.mizuho-fg.co.jp/investors/stock/meeting/pdf/callnotice_19.pdf
（英語）https://www.mizuhogroup.com/binaries/content/assets/pdf/mizuhoglobal/investors/financial-information/stock-information/meeting19_3_eng.pdf

「コーポレート・ガバナンスガイドライン」

（取締役会の構成）
第7条　取締役会は、定款上の員数である15名以内とし、取締役会を実効的かつ安定的に運営するために、次に掲げる事項を原則とした構成とする。
(1) 取締役会による経営に対する監督機能という役割を踏まえ、社外取締役、および社内取締役（社外取締役以外の取締役をいう）のうち、当社または当社の子会社の執行役、執行役員、使用人または業務執行取締役を兼務しない者（以下、「社内非執行取締役」といい、社外取締役と併せて「非執行取締役」という）の人数を取締役会の過半数とする。
(2) 取締役会は、前条に定める役割を果たすため、6名以上の取締役を社外取締役とし、そのうち1名以上を財務・会計および内部統制の専門的知見を有する者とする。なお、全社外取締役の平均通算在任期間は、原則として、6年を超えないこととし、定期的かつ継続的に社外取締役の交替を行う。
(3) 金融業務・規制や＜みずほ＞のビジネスモデルに精通した取締役による、専門性も含めた意思決定における質の確保と実効性のある監督により、金融機関としての業務の健全かつ適切な運営を確保することを目的として、十分な数の社内取締役を構成員とする。
2. 取締役会の議長については、取締役会の経営に対する監督という役割を踏まえ、原則として社外取締役（少なくとも非執行取締役）とする。

⑥ＭＳ＆ＡＤインシュアランスグループホールディングス

「コーポレートガバナンス・コードの各原則に基づく開示」

(10)[補充原則4-11-1]　取締役会の全体としての知識・経験・能力のバランス、多様性及び規模に関する考え方並びに取締役の選任に関する方針・手続
a. 取締役会全体としての知識・経験・能力のバランス、多様性及び規模に関する考え方
・取締役会は、取締役10名（男性8名、女性2名）のうち4名、監査役4名（男性2名、女性2名）のうち2名を社外から選任することで、経営から独立した社外人財の視点を取り入れて監視・監督機能を強化し、透明性の高い経営を行っています。次のように、取締役会全体としての知識・経験・能力のバランスを考慮するとともに、性別や人種・国籍などを含めた多様性の確保に努めています。
・社外取締役は、会社法及び保険業法に規定された適格性の要件を充足するとともに、保険会社の経営管理を的確かつ公正に遂行するため、一般事業会社の役員経験者、行政官経験者、弁護士、学者及び社会・文化・消費生活の有識者等、専門性を踏まえて選任しています。
・社外取締役以外の取締役については、法的な適格性を充足するとともに、保険会社において豊富な業務経験を有し保険会社の経営管理に携わっている等、多様性・専門性の高い経験を有し、リーダーシップの発揮により、経営理念等を体現すること及び保険会社の経営全般を的確かつ公正に監督できる知見を有していること等を踏まえて選任しています。

・監査役のうち最低1名は経理又は財務に関して十分な知識を有する者を選任することとしています。
なお、社外監査役 千代田邦夫氏については、公認会計士の資格を有し、財務及び会計に関する相当程度の知見を有しております。

b．取締役候補の選任基準の概要
添付の「コーポレートガバナンス基本方針 別紙 取締役候補・監査役候補の選任基準」をご覧ください。

c．取締役の選任手続の概要
取締役の選任については人事委員会において審議の上、取締役会において候補者を決定し、株主総会で決議しています。
下記Ⅱ 1.「任意の委員会の設置状況、委員構成、委員長（議長）の属性」補足説明「1．人事委員会（指名決定のプロセス）」をご覧ください。

「コーポレートガバナンスに関する基本方針」

３．取締役会の構成と社外取締役の役割
(1) 取締役会は、多様な知見と専門性を備えたバランスの取れた構成とし、人数は、定款で定める１５名以内とします。取締役候補者は、「取締役候補・監査役候補の選任基準（別紙）」に基づき、取締役会が選任します（下記１０．指名決定のプロセス参照）。
　また、取締役のうち３分の１以上を独立した社外取締役として選任するものとし、経営から独立した視点を取り入れ、監視・監督機能を強化し、透明性の高い経営を行います。
(2) 社外取締役に期待する役割は次のとおりです。
・経営の方針や経営改善について、自らの職歴や経歴、知識等に基づき、会社の持続的な成長を促し中長期的な企業価値の向上を図る、との大局的な観点から意見を述べること。
・取締役会の重要な意思決定を通じ、経営の監督を行うこと。
・会社と経営陣(注)・主要株主等の関連当事者との間の利益相反を監督すること。
・経営から独立した立場で、株主をはじめとするステークホルダーに対する説明責任が果たせるか、という観点等からの監督機能を果たすこと。
　（注）当社及び当社が直接出資するグループ国内保険会社の取締役・監査役・執行役員の総称（以下同じ）

「取締役候補・監査役候補の選任基準」

取締役候補・監査役候補の選任基準

１．社外取締役候補及び社外監査役候補
次に掲げる要件を満たすこと。
・会社法が定める取締役、監査役の欠格事由に該当しないこと。
・保険業法が定める保険持株会社の取締役、監査役の欠格事由に該当しないこと。
・十分な社会的信用を有すること。
・社外監査役にあっては保険業法等が定める保険会社の監査役の適格性を充足すること。
加えて以下(1)～(3)を満たすこと。

(1) 適格性
会社経営に関する一般的常識及び取締役会・取締役会の在り方についての基本的理解に基づき、経営全般のモニタリングを行い、アドバイスを行うために必要な次に掲げる資質を有すること。
・資料や報告から事実を認定する力
・問題及びリスク発見能力・応用力
・経営戦略に対する適切なモニタリング能力及び助言能力
・率直に疑問を呈し、議論を行い、再調査、継続審議、議案への反対等の提案を行うことができる精神的独立性

(2) 専門性
経営、経理、財務、法律、行政、社会文化等の専門分野に関する知見を有し、当該専門分野で相応の実績を挙げていること。

(3) 独立性
次に掲げる者に該当しないこと。
① 当社又は当社の子会社の業務執行者
② 当社の子会社の取締役又は監査役
③ 当社を主要な取引先とする者（その直近事業年度における年間連結売上高の2％以上の支払いを当社又は当社の子会社から受けた者）又はその業務執行者（コンサルティングファーム、監査法人又は法律事務所にあっては、当該法人、組合等の団体に所属するコンサルタント、会計専門家又は法律専門家）
④ 当社の主要な取引先（当社の直近事業年度における連結元受正味収入保険料（除く積立保険料）の2％以上の支払いを当社の子会社に対して行った者）又はその業務執行者
⑤ 当社の上位10位以内の株主（当該株主が法人である場合は当該法人の業務執行者）
⑥ 当社又は当社の子会社が取締役を派遣している会社の業務執行者
⑦ 当社又は当社の子会社から役員報酬以外に過去3年間の平均で年間1,000万円以上の金銭その他の財産上の利益を得ているコンサルタント、会計専門家又は法律専門家
⑧ 過去5年間において上記②から⑦のいずれかに該当していた者
（注）「過去5年間において」とは、社外取締役又は社外監査役として選任する株主総会の議案の内容が取締役会で決議された時点から過去5年間をいう。
⑨ 過去に当社又は当社の子会社の業務執行者であった者（社外監査役にあっては、過去に当社又は当社の子会社の取締役であった者を含む。）
⑩ 上記①から⑨までに掲げる者（業務執行者については業務執行取締役、執行役員又は部長職以上の使用人をいう。）の配偶者又は二親等内の親族

(4) 通算任期
2015年4月1日以降に新たに就任する社外取締役及び社外監査役の通算任期を次のとおりとする。
① 社外取締役にあっては、4期4年を目処とし、最長8期8年まで再任を妨げない。
② 社外監査役にあっては、原則として1期4年とするが、最長2期8年まで再任を妨げない。

2．社外取締役以外の取締役候補及び社外監査役以外の監査役候補
次に掲げる要件を満たすこと。
・会社法が定める取締役、監査役の欠格事由に該当しないこと。
・保険業法が定める保険持株会社の取締役、監査役の欠格事由に該当しないこと。
・保険業法等が定める保険会社の常務に従事する取締役、監査役の適格性を充足すること。
加えて、多様な経験や専門性の高い経験等を有し、リーダーシップの発揮により企業理念を体現すること。

⑦第一生命ホールディングス

「コーポレートガバナンス・コードの各原則に基づく開示」

【補充原則4-11①　取締役会の構成に関する考え方および各取締役のスキル・選任】
コーポレートガバナンス基本方針にて、取締役会全体の構成に関する考え方について定め、開示しています。また、取締役に必要な見識および経験を定め、各取締役が有する見識および経験を一覧化したスキルマトリクスをアニュアルレポートおよび株主総会招集通知にて開示しています。

＜コーポレートガバナンス基本方針（抜粋）＞
○取締役会全体の構成
当社の取締役会は、取締役に求められる義務を履行可能な者の中で、様々な知識、経験、能力を有する者により構成し、定款の定めに従い、取締役（監査等委員である取締役を除く）の員数を15名以内、監査等委員である取締役の員数を5名以内とする。また、社外の企業経営者や学識経験者等、豊富な経験および見識を有する者による意見を当社の経営方針に適切に反映させるため、社外取締役を原則として取締役の3分の1以上選定する。

○取締役の選任
当社の取締役会は、社内取締役候補者について、第一生命グループの経営を的確、公正かつ効率的に遂行することができる知識および経験を

第二部　各原則に基づく開示事項（必要的開示）　第14

有し、かつ、十分な社会的信用を有する者を選任する。また、社外取締役候補者について、監督機能を十分に発揮するため、原則として次に掲げる事項を充足する者を選任する。
・企業経営、リスク管理、法令遵守等内部統制、企業倫理、経営品質、グローバル経営、マクロ政策等のいずれかの分野における高い見識や豊富な経験を有すること
・別に定め開示する社外役員の独立性基準に照らし、当社の経営からの独立性が認められること
当社の取締役会は、執行役員について、会社の業務に精通しその職責を全うすることのできる者を選任する。当社の取締役候補者の選任について、指名諮問委員会にて審議、取締役会にて決定することとし、選任理由を開示する。

〇取締役の任期
当社の取締役（監査等委員である取締役を除く）の任期は、定款の定めるところにより、選任後1年以内に終了する事業年度のうち最終のものに関する定時株主総会の終結の時までとする。なお、社外取締役（監査等委員である取締役を除く）については、独立性確保の観点から、在任期間の上限を8年とする。

＜アニュアルレポート＞
https://www.dai-ichi-life-hd.com/investor/library/annual_report/2021/pdf/index_001.pdf
＜株主総会招集通知＞
https://www.dai-ichi-life-hd.com/investor/share/meeting/pdf/index_070.pdf

⑧三菱ケミカルホールディングス

「コーポレートガバナンス・コードの各原則に基づく開示」

〈補充原則4−11−1 取締役会の構成についての考え方〉
（コーポレートガバナンス基本方針「経営の健全性と効率性を高める体制の整備」2(2)）
　当社グループの経営の基本方針を策定し、適切に経営を監督するため、経営経験、財務・会計、科学技術・IT・生産、リスクマネジメント、事業戦略・マーケティング、法務・法規制等、国際性・多様性の各項目の観点で高度な専門的知識と高い見識を有する取締役を選任します。
　また、取締役会の監督機能の強化を図るため、取締役の過半数は執行役を兼任しません。
　なお、上記に関するスキル・マトリックスについては、株主総会招集通知をご参照ください。
（https://www.mitsubishichem-hd.co.jp/ir/pdf/01073/01231.pdf）

「第16回定時株主総会招集ご通知」

議案　取締役12名選任の件

取締役12名全員は、本総会終結の時をもってその任期を満了いたしますので、指名委員会の決定に基づき、取締役12名をご選任願いたいと存じます。
なお、社外取締役候補者である政井貴子氏の選任が承認された場合、就任時期は2021年7月1日となります。
取締役候補者は、次のとおりであります。

候補者番号	氏名	現在の当社における地位及び担当		取締役候補者に特に期待する分野※						
				経	財	技	リ	戦	法	国
1	小林　喜光	取締役会長　指名委員	再任	●	●					●
2	ジョンマーク・ギルソン	執行役社長	新任	●				●		●
3	伊達　英文	取締役兼執行役常務　報酬委員	再任		●		●			
4	藤原　謙	取締役兼執行役常務　報酬委員	再任				●		●	
5	グレン・フレデリクソン	取締役	再任			●				
6	小林　茂	取締役　監査委員	再任			●				
7	片山　博史	取締役　監査委員	再任			●			●	
8	橋本　孝之	取締役　指名委員、報酬委員	再任 社外 独立役員	●				●		●
9	程　近智	取締役　指名委員、報酬委員	再任 社外 独立役員			●				●
10	菊池　きよみ	取締役　指名委員、監査委員	再任 社外 独立役員		●				●	

補充原則4-11①

Ⅱ　ガバナンス報告書

| 11 | 山田　辰巳 | 取締役
監査委員、報酬委員 | 再任　社外　独立役員 | ● | ● | | ● |
| 12 | 政井　貴子 | | 新任　社外　独立役員 | ● | ● | | |

※ご参考までに、各取締役候補者に特に期待する分野を3つまで記載しております。

- 経：経営経験
- 財：財務・会計
- 技：科学技術・IT・生産
- リ：リスクマネジメント
- 戦：事業戦略・マーケティング
- 法：法務・法規制等
- 国：国際性・多様性

なお、当社では「三菱ケミカルホールディングス・コーポレートガバナンス基本方針」を制定し、取締役会の構成、取締役候補者の指名方針等について規定しております。概要は次のとおりです。

取締役会の構成

当社グループの経営の基本方針を策定し、適切に経営を監督するため、経営経験、財務・会計、科学技術・IT・生産、リスクマネジメント、事業戦略・マーケティング、法務・法規制等、国際性・多様性の各項目の観点で、高度な専門的知識と高い見識を有する取締役を選任する。

取締役会の監督機能の強化を図るため、取締役の過半数は執行役を兼任しない。

取締役候補者の指名方針

指名委員会は、以下の基準を満たす人物を取締役候補者として指名する。
- 指名委員会等設置会社における取締役の責務を果たすのに必要な高い見識と洞察力、客観的かつ公平・公正な判断力を有していること
- 高い倫理観、遵法精神を有していること
- 取締役としての責務を果たすのに十分な健康状態であること
- 社外取締役については、別に定める独立性の基準（20頁）を満たし、かつ職務遂行のための十分な時間が確保できる者。加えて、社外取締役間の多様性が確保できること

---

⑨日立製作所

「コーポレートガバナンス・コードの各原則に基づく開示」

＜補充原則4-11-1＞
当社コーポレート・ガバナンス・ガイドライン第2条乃至第5条において、取締役会の規模、取締役の構成・適性及び社外取締役の独立性の判断基準について定めている。上記＜原則3-1．情報開示の充実＞(4)参照。

「株式会社日立製作所　コーポレートガバナンスガイドライン」

第4条（取締役の適性）

指名委員会は、取締役候補者を決定する際、以下の事項を考慮するものとする。

1. 取締役候補者が、人格、識見に優れた者であること
2. 社外取締役候補者が、第5条に定める独立性の判断基準を満たすことに加え、会社経営、法曹、行政、会計、教育等の分野で指導的役割を務めた者又は政策決定レベルでの経験を有する者であること

第二部　各原則に基づく開示事項（必要的開示）　第14

⑩京都銀行

「コーポレートガバナンス・コードの各原則に基づく開示」

【補充原則4－11－1】
取締役会は、当行の業務及び金融、財務、リスク管理、法令遵守等に関する多様な知見を備えた社内取締役に加え、独立した客観的な立場から経営陣・取締役に対する監督を行う独立社外取締役により構成し、取締役会全体として、知識・経験・能力の適切なバランスを確保しています。また、監査役には財務・会計・法務等に関する適切な知見を有している者を選任しています。
また、当行は、2名の女性社外取締役を選任し、取締役会の多様性の観点から、機能強化を図っております。
取締役会の機能を効果的・効率的に発揮するため、定款に定める20名以内で適切な人数の取締役を選任します。
取締役の専門性については、「株主総会招集通知」に一覧を記載しておりますので、ご参照ください。

⑪ＬＩＸＩＬ

「コーポレートガバナンス・コードの各原則に基づく開示」

【補充原則4－11① 取締役会の構成に関する考え方】
当社は、2020年3月期に続き、2021年3月期においても、2020年9月から10月にかけて、「取締役会の構成に関する評価」を指名委員会主導にて実施いたしました。

意見集約にあたっては、以下の8つの観点から取締役9名全員に対してアンケート調査を実施し、その集計結果を基に指名委員会にて2021年6月以降の取締役候補者、取締役会及び委員会構成、当社基本方針第25条「取締役候補者の指名及び取締役の解任方針」の内容（2020年12月1日に改定）等について、審議を行いました。

①取締役会の適正人数
②執行役兼任社内取締役、非執行役社内取締役、社外取締役の適切な人数配分
③社外取締役における独立性基準の考え方（今期追加）
④社外取締役の適切な交代人数（今期追加）
⑤社外取締役の兼務状況への制限の要否
⑥社外取締役の継続年数の制限の要否（今期追加）
⑦社外取締役就任（新任・再任）時の年齢制限の要否（今期追加）
⑧社外取締役の多様性

また、当社は、取締役会の人員構成については多様性の確保に重点を置いており、当社基本方針第21条「取締役会の構成」にその考え方を示しております。現在は、社内取締役のうち1名が外国籍の女性、社外取締役のうち2名が日本国籍の女性です。また、当社基本方針第23条「指名委員会、監査委員会、報酬委員会及びガバナンス委員会の構成」において、「監査委員には、適切な経験・能力及び必要な財務・会計・法務に関する知識を有する者を選任し、特に財務・会計に関する十分な知見を有する者として、原則として公認会計士として経験を有する者を1名以上選任する」と定めており、現在1名がこれに該当しています。

「ＬＩＸＩＬコーポレートガバナンス基本方針」

第21条　取締役会の構成
1. 当社の取締役会は、取締役の全員をもって構成される。取締役会は定款上の定員である16名以内で構成され、充実した議論を行うための適正規模を維持する。
2. 当社の取締役会の人員構成については、前条の役割・責務を果たすため、ジェンダーや国際性の面を含む多様性の確保に重点を置き、性別・国籍・年齢のみならず、知識・経験・見識・バックグラウンドも含めた多様な構成を目指す。
3. 取締役会議長は、独立社外取締役が務める。
4. 取締役会は、前項の取締役会議長の選定及び解職を指名委員会に対して諮問するものとし、指名委員会は検討及び審議の上、取締役会にその意見を答申する。

補充原則
4-11①

⑫イオンモール

「コーポレートガバナンス・コードの各原則に基づく開示」

【補充原則4－11－1. 取締役会全体のバランス、多様性及び規模に関する考え方】
当社の取締役会は、活発な審議と迅速な意思決定ができるよう、定款に基づき20名以内の員数とし、現在、そのうち5名を独立性の高い社外取締

Ⅱ　ガバナンス報告書

役で構成しています。社内取締役においては、業務全般を把握し活動できるバランス感覚と実績、決断力を有し、多様な専門性を持ったメンバーで構成しています。また、社外取締役においては、多様な視点、豊富な経験、高い見識と専門性を持った独立性のある多種多様な業界の経営経験者・専門家等で構成しています。さらに、ショッピングモールを開発・管理・運営する業務内容から、女性の価値観・発想は重要であり、取締役会構成メンバーに女性が入ることのダイバーシティ経営を推進し、国籍・人種・性別・年齢・学歴・宗教等にかかわりなく多様な人材を活用します。
尚、取締役候補の指名については、代表取締役社長が提案し、社外取締役の意見を聴取した上で、株主総会付議議案として取締役会で決議し、株主総会議案として提出しています。

⑬日産化学

「コーポレートガバナンス・コードの各原則に基づく開示」

【補充原則4-11-1　取締役会の全体としての知識・経験・能力のバランス、多様性および規模に関する考え方】
経営の迅速な意思決定・監督機能と執行機能を明確化することで双方の機能を強化し、経営戦略の構築力・実現力の向上を図るためには、取締役会での実質的な審議の確保が図られる必要があります。また、当社は化学品・機能性材料・農業化学品・医薬品等の多様な分野の事業活動について適切かつ機動的な意思決定と執行の監督を行うことができるよう、取締役会全体としての知識・経験・能力等のバランスと、ジェンダーおよび国際性の面を含む多様性を確保することが必要であると考えております。また、多様性の観点から、特定の性別、国籍・出身国、人種・民族であることを理由に取締役候補の対象外とすることはありません。そのため、当社取締役会は、性別、国籍、人種等を問わず、当社の多様な事業分野の経営に精通し、または経営管理等について専門能力・知見等多様な経験等を有する複数名の社外取締役を含む12名以内の取締役で構成することとしております。

なお、現在は、取締役10名（独立社外取締役4名（男性3名、女性1名）を含む）で構成されております。国際的な事業展開における豊富な知識・経験・能力を備え、多様性に富んだ構成となっており、実効性のある取締役会として十分に機能していると考えております。

⑭花　　王

「コーポレートガバナンス・コードの各原則に基づく開示」

6　取締役会の知識・経験・能力のバランス、多様性及び規模に関する考え方（原則 4-11、4-11-1、原則 2-4）

取締役会において、出席者である取締役及び監査役が、経営戦略等の大きな方向性を示し、その妥当性、実現に当たってのリスク等を客観的、多面的に審議し、執行状況を適切に監督・監査するためには、多様な知識、経験、能力等を有する社内外の者が様々な観点から意見を出し合い建設的な議論を行うことが重要であると考えています。

当社は、豊かな生活文化の実現を使命として、基盤研究を含めた広範囲にわたる研究開発から生まれた高い技術力に基づき、世界の消費者・顧客が求める製品・サービスをお届けするとともに、ESG 活動を積極的に進めています。また、花王グループ中期経営計画「K25」において「豊かな持続的社会への道を歩む Sustainability as the only path」をビジョンとして掲げ、地球環境や人の生命にも目を向け、デジタルトランスフォーメーションを活用しながら「未来の命を守る」新たな事業を生み出す事を目指します。

これらを実現するため、取締役会は社内外の取締役及び監査役が以下の知識・経験・能力を補完しあい、全体としての高い実効性を発揮できることが重要と考えます。

- 当社グループの事業の根幹にある"よきモノづくり"に関わる研究開発、マーケティング及び販売に関する高い専門性と経験、そして製品やサービスを有効かつ効率的に提供するためのテクノロジーに関する知識・経験
- 企業が果たすべき責任と役割が大きな転換期を迎えている中で、従来の延長線上にない事業構築するための革新を推進する能力
- 「豊かな持続的社会」に貢献するための ESG に関する知識・経験
- 当社グループの事業成長のための機会を最大化し、リスクを最小化するためのリスク・危機管理に関する知識・経験
- 当社グループの広範な事業領域を見通すことができる経営経験
- 当社グループのグローバルな事業展開に対応できるグローバル経験
- 内部統制の整備と運用及び執行状況を適切に監督・監査するための会計・財務及び法規制に関する知識・経験

また、知識・経験・能力だけでなく、性別、国籍、人種、年齢の面を含む取締役会の多様性から生まれる多角的な視点が事業の推進やグローバル拡大、適切な監督や監査に資するとの認識に立ち、これらの多様な人財の取締役及び監査役への登用を進めます。なお、取締役会の女性比率は 2025 年までに 30％を目標とします。
（女性の活躍については、「株主その他の利害関係者に関する施策の実施状況　3．ステークホルダーの立場の尊重に係る取組み状況　その他（多様性推進に向けた取組みについて）」参照

取締役会の規模については、適正配置した執行役員への権限委譲を前提として、事業の拡大等に対応した意思決定の迅速化を図るも小規模の取締役会を目指しつつ、適切な審議や執行の監督を行うために必要な多様な人財のバランスを勘案し、適切な規模とします。また、社外取締役は、取締役会の多様性及び発言力の確保のため取締役の約半数を目途とし、独立性も重視します。監査役会の過半数は独立基準を満たす社外監査役とします。

⑮マツキヨココカラ＆カンパニー

「コーポレートガバナンス・コードの各原則に基づく開示」

【補充原則4-11-1　取締役会の全体としての知識・経験・能力のバランス，多様性及び規模に関する考え方】
・当社は、取締役会へ、業種・人種・性別を問わず会社経営の経験の豊富な社外取締役を招聘し、それぞれの経験、知識を活かして、客観的かつ株主様をはじめとするステークホルダーと同様の視点より当社経営に携わっていただき多様性を確保します。
・当社は、取締役の員数の上限を15名とし、その取締役の任期を1年とします。

⑯ コロワイド

「コーポレートガバナンス・コードの各原則に基づく開示」

【補充原則4-11①】(取締役会の全体としての知識・経験・能力のバランス、多様性及び規模に関する考え方)
1. 当社は、事業子会社を傘下に持つ持株会社であることから、業務執行の多くをグループの各事業子会社に委ねる一方、持株会社ではグループ戦略の構築と、各事業子会社の業務執行状況の管理・監督を行う体制となっております。取締役会もグループ戦略と各事業部門をカバーできる知識・経験・能力のバランスを確保しつつ、ジェンダーや国際性の面を含む多様性を確保し、且つ経営判断に優れた取締役により構成しております。
また、監査等委員に関しては、財務・会計・法務に関する知見・経験を有するものを選任するものとしております。
  (1) 当社グループでは、「持続的な成長と中長期的な企業価値の向上」を念頭に、長期ビジョンとして「外食日本一企業の実現、そしてグローバル外食企業へ」を据え、M&Aと積極的な出店を成長戦略の柱としております。成長と共に拡大する組織の適時・適切な再編による経営効率の維持向上と、中長期的な成長には不可避である海外展開も重要な実施事項としております。
  (2) これらの方針に基づき、各事業子会社の事業計画・年度予算は策定・遂行されており、これを統括・管理し、グループ全体として「持続的な成長と企業価値の向上」を図ることが当社の役割となります。
  (3) 事業子会社には上場会社も含まれ、これら子会社の筆頭株主として各社の独自性を尊重しつつ、グループ全体の経営効率の向上を通し、グループの「持続的な成長と中長期的な企業価値の向上」を目指しております。
  (4) 以上を踏まえ、持株会社としてグループ全体の成長戦略、営業戦略、購買・物流戦略、財務戦略、海外戦略等の分野を含む、幅広い経営判断・意思決定及び監督・監査に必要な知識・経験・能力のバランスと多様性を当社取締役会として確保しております。
  (5) 当社は、コーポレート・ガバナンス体制として監査等委員会設置会社を選択しており、取締役会における議決権を有する監査等委員である取締役が監査を行うことにより、監査・監督の実効性の向上が図れるものと考えております。
2. 取締役会の規模に関しては、監査等委員でない取締役の人員枠を10名、監査等委員である取締役の人員枠を5名としております。
  (1) 各事業子会社の業務の遂行と経営の監督・監査は、それぞれの事業子会社の取締役会が行い、それらの現状報告をグループ役員会で受ける体制であることから、当社の取締役会規模は、現状、監査等委員でない取締役が6名、監査等委員である取締役が4名としております。
  (2) 今後も、上記人員枠内で「持続的な成長と企業価値の向上」に資する取締役会の質と規模を継続的に確保するものといたします。

⑰ メディパルホールディングス

「コーポレートガバナンス・コードの各原則に基づく開示」

【補充原則4-11① 取締役会の構成】
当社の取締役会は、主要な連結子会社の代表取締役等が取締役に就任するなどして、グループを統括する持株会社として実効性ある経営体制を構築するとともに、多様性及び専門性の観点にも配慮しながら、活発に実質的な議論ができる構成としております。
当社では、各役員が有する知識や経験を可視化することを目的として、株主総会招集通知においてスキルマトリックスを開示しております。今後は、スキルマトリックスの項目と中長期的な戦略や課題との関連性を明確化するとともに、当社にとって必要なスキルおよび人材の検討を通じて、後継者計画も含めて、サステナブルな経営に資するガバナンス体制を構築してまいります。

⑱ 東京海上ホールディングス

「コーポレートガバナンス・コードの各原則に基づく開示」

(5) 取締役および監査役の多様性(補充原則4-11①)
取締役会の構成に関する考え方として、取締役の数は、10名程度とし、このうち、原則として3名以上を社外取締役とすることとしております。また、取締役会の実効性を確保するために、取締役の選任にあたっては、多様な分野の知見、専門性を備えたバランスのとれた構成とすることとしております。なお、取締役の任期は1年とし、再任を妨げないものとします。監査役の選任にあたりましても、取締役同様、バランスの取れた構成とすることとしております。
また、当社は取締役・監査役のスキルについて以下のように考えております。

＜取締役・監査役のスキルについての考え方＞
1. 東京海上グループは、保険グループとしてグローバルに事業を展開しています。そのなかで、当社はグループを統括する保険持株会社として、健全で透明性の高いコーポレートガバナンス・内部統制を構築し、グループ会社を適切に統治します。
2. 監査役会設置会社である当社の取締役会は、重要な業務執行の決定を行うとともに、取締役の職務の執行を監督します。取締役会がその役割を適切に果たすためには、東京海上グループの事業内容、事業展開、統治構造等を踏まえ、取締役会全体として必要なスキルが備わっていることが必要です。また、必要とされるスキルは、事業環境の変化に伴い変化します。
3. 当社において重要な業務執行の決定や監督を適切に行うためには、まずは、ビジネスを深く理解していること、すなわち、「保険事業」に精通していることが求められます。
また、「金融経済」、「財務会計、ファイナンス」、「法務コンプライアンス」、「人事労務」、「ガバナンス、リスクマネジメント」のスキルはあらゆる判断のベースとなります。
さらに、技術革新が目覚ましく、事業変革において「テクノロジー」が必須とされる昨今、このスキルの重要性はますます高まっています。
加えて、特に社外取締役には、「国際性」、「企業経営」のスキルを期待しています。これは、グローバルに事業展開する東京海上グループにとって、グローバルな環境認識や企業経営の知見が大変有益であるためです。
4. 監査役においても、取締役の職務の執行を適切に監査するためには、上記の取締役同様のスキルを備える形で監査役会が構成されることが望ましいと考えています。そのなかでも、「財務会計、ファイナンス」のスキルの重要性は特に高く位置付けられます。
5. 下記の表は、現在の取締役・監査役とその有するスキルを一覧にしたものですが、全体として必要なスキルが備わっているものと考えています。

補充原則4-11①

Ⅱ ガバナンス報告書

氏名	性別	地位および主な担当		スキル								
				企業経営	金融経済	財務会計ファイナンス	法務コンプライアンス	人事労務	ガバナンスリスクマネジメント	テクノロジー	国際性	保険事業
永野 毅	男性	取締役会長		○	○						○	○
小宮 暁	男性	取締役社長	グループCEO グループカルチャー総括	○	○			○			○	○
湯浅 隆行	男性	取締役副社長	グループ資本政策総括	○	○	○	○		○		○	○
原島 朗	男性	専務取締役	海外事業総括 Co-Head of International Business	○							○	
岡田 健司	男性	常務取締役	グループ法務コンプライアンス総括 グループリスク管理総括			○	○		○			○
遠藤 良成	男性	常務取締役	グループ資産運用総括		○	○						○
森脇 陽一	男性	常務取締役	グループ事業戦略・シナジー総括 グループサステナビリティ総括	○	○			○	○	○		○
広瀬 伸一	男性	取締役		○	○			○				○
三村 明夫	男性	社外取締役		○	○				○		○	
江川 雅子	女性	社外取締役		○	○	○			○		○	
御立 尚資	男性	社外取締役		○	○	○			○	○	○	
遠藤 信博	男性	社外取締役		○	○					○	○	
片野坂 真哉	男性	社外取締役		○	○			○	○		○	
大薗 恵美	女性	社外取締役		○	○	○			○		○	
森 正三	男性	常勤監査役							○			○
藤田 裕一	男性	常勤監査役				○	○		○		○	
堀井 昭成	男性	社外監査役			○	○			○		○	
和仁 亮裕	男性	社外監査役				○	○		○		○	
大槻 奈那	女性	社外監査役			○	○			○		○	

こうした方針に基づき、社外取締役には企業経営経験者4名（うち1名は企業経営のコンサルタントとしての豊富な経験を有する）に加え、学識経験者2名を選任しております。また、社外監査役にも、日本銀行理事経験者、弁護士、アナリストを選任しております。また、社外役員全員が豊富な国際経験を有しております。このように多様なスキルを有するメンバーで取締役会を構成しております。社外役員は、取締役会等の場においてこうしたスキルに基づき、当社の経営に対するアドバイスを行っています。
加えて、ジェンダーの面においても、2名の女性取締役、1名の女性監査役を選任しており、取締役と監査役をあわせた取締役会メンバー全体に占める女性の割合は15％を超えております。

⑲パン・パシフィック・インターナショナルホールディングス

「コーポレートガバナンス・コードの各原則に基づく開示」

【原則4-11-1 取締役選任の方針・手続き】
当社の継続的な成長及び企業価値の向上を図るため、また、取締役会における迅速かつ合理的な意思決定を行うため、当社の取締役会は、優れた人柄であることはもちろんのこと、当社の主力事業である小売業を始めとする各種事業における豊富な知識や経験、能力を有する者を取締役候補者として株主総会に諮り、適切な人数を選任することとしております。
また、社外取締役については、公正・中立な観点から当社の経営を監視していただくため、要職歴任者、経営者及び各方面の識者等から適切な人数を選任することとしております。

⑳サンリオ

「コーポレートガバナンス・コードの各原則に基づく開示」

（補充原則4-11-1）
当社取締役会は、当社の国内外に広がる多様な業務とその業務機能、的確で迅速な意思決定、適切なリスク管理、等々に対応すること及び取

第二部　各原則に基づく開示事項（必要的開示）　第14

締役会の独立性・客観性等を総合的に勘案し、取締役会の規模と取締役の選任を検討しております。取締役数は9名ですが、これは当社の国内外に広がる多様な業務とその業務機能、的確で迅速な意思決定、適切なリスク管理、等々に対応すること及び取締役会の独立性・客観性等を勘案し、適正規模と考えております。
社外取締役については、企業経営、国際性、マーケティング等の専門分野から選任しております。

㉑小松製作所

「コーポレートガバナンス・コードの各原則に基づく開示」

補充原則4－11－1
　当社は取締役会での議論の実質性を高めるために、取締役会の少人数体制を維持する一方、社外取締役及び社外監査役を選任し、経営の透明性と健全性の維持に努めています。
　現在取締役9名となっており、そのうち4名は独立社外取締役です。社内出身の取締役は、開発・生産・営業・人事・経理財務等の会社の主要な各機能の幹部層から選出し、社外取締役、社外監査役は、現下の主要な経営課題に即して期待する専門性・知見・経験等を明確にして選任しています。なお、取締役、監査役の選任にあたっては、性別、国籍、人種などの多様性についても考慮しています。
　当社では、社外取締役4名（うち1名を委員長とする）、会長及び社長で構成される人事諮問委員会において、取締役、監査役候補者の指名及び社長（CEO）を含む執行役員等の選解任を審議し、取締役会に答申します。取締役会では、その答申を踏まえ、審議、決定します。

㉒日本電信電話

「コーポレートガバナンス・コードの各原則に基づく開示」

■取締役会の構成、役員の選解任手続き等（補充原則4－11①）
　当社の取締役会の構成は、「NTTグループ人事方針」における経営陣の選任の方針に基づき、NTTグループの課題解決に資するスキルを有する人材をグループ内外から幅広く選任していきます。なお、社外役員については、幅広い経営視点・専門家としての意見を期待するとともに、社内外の取締役については、ダイバーシティの推進も踏まえて選任することとしております。取締役会は、独立社外取締役4名（うち女性1名）を含む取締役8名で構成され、社外取締役比率は50％となっております。また、選解任については、独立社外取締役3名を含む5名の取締役で構成される人事・報酬委員会での審議を経て行うこととします。なお、当社においては、法令の定め（「日本電信電話株式会社等に関する法律」第10条第1項）により、外国人を取締役とすることはできません。

「NTTグループ人事方針」
【基本的な考え方】
　NTTグループは、信頼され選ばれ続ける「Your Value Partner」として、お客様に対してワールドワイドに新たな価値を創造することを通じて、社会的課題の解決と安心・安全で豊かな社会の実現に寄与していきます。その価値観を共有できる人材をNTTグループ全体のトップマネジメント層にグループ内外から幅広く選任していくこととします。

【取締役候補の選任】
　取締役候補は、NTTグループ全体の企業価値の向上のために、グループトータルの発展に寄与する幅広い視野と経験を有し、マネジメント能力とリーダーシップに優れ、経営センスと意欲のある人材を選任します。取締役会は、事業内容に応じた規模とし、専門分野等のバランス及び多様性を考慮した構成とします。
　なお、業務執行の監督機能を強化する観点から、一般株主と利益相反を生じるおそれのない人材を独立社外取締役とし、原則、複数名選任します。

【監査役候補の選任】
　監査役候補は、専門的な経験、見識等からの視点に基づく監査が期待できる人材を選任することとします。
　なお、取締役の業務執行を公正に監査する観点から、一般株主と利益相反を生じるおそれのない人材を社外監査役とし、会社法に則り監査役の半数以上を選任します。

　なお、取締役候補の選任にあたっては、独立社外取締役3名を含む5名の取締役で構成される人事・報酬委員会の審議を経て取締役会で決議し、株主総会に付議することとしています。また、監査役候補の選任にあたっては、監査役候補の選任方針に基づき取締役が提案する監査役候補について、社外監査役が半数以上を占める監査役会における審議・同意を経て取締役会で決議し、株主総会に付議することとしています。

（参考）取締役・監査役のスキルマトリックス

補充原則
4-11①

　NTTグループ中期経営戦略の実現に向け、特に期待する分野を、①経営管理、②マーケティング・グローバルビジネス、③IT・DX・研究開発、④法務・リスクマネジメント・公共政策、⑤HR、⑥財務・ファイナンスの分野と定義しております。個々の取締役メンバーのスキルについても過不足なく適切に配置しており、その一覧は下表のとおりです。

氏名	分野					
	経営管理	マーケティング・グローバルビジネス	IT・DX・研究開発	法務・リスクマネジメント・公共政策	HR	財務・ファイナンス
篠原　弘道	●					
澤田　純	●	●	●		●	●

Ⅱ　ガバナンス報告書

		1	2	3	4	5	6
取締役	島田　明		●		●	●	●
	澁谷　直樹	●	●	●	●		
	白井　克彦			●			
	榊原　定征	●	●		●		
	坂村　健	●					
	武川　恵子	●			●	●	
監査役	前澤　孝夫	●			●	●	●
	髙橋　香苗			●	●	●	●
	飯田　隆				●	●	
	神田　秀樹				●	●	●
	鹿島　かおる				●	●	●

(注)　各取締役・監査役に特に期待する分野を、最大5つまで記載しております。
　　　上記一覧表は、各取締役・監査役の有するすべての知見・経験を表すものではありません。

㉓参天製薬

「コーポレートガバナンス・コードの各原則に基づく開示」

【補充原則4-11①】
【取締役会の構成等に関する考え方】
当社は、業務の執行と一定の距離を置く社外取締役を複数人選任します。その上で、当社の取締役会は、会社法および当社定款に定める人数の範囲内において、その役割・責務を実効的に果たすための知識・経験・能力をバランスよく備え、多様性と適正規模を両立させる形で構成します。

(取締役・監査役のスキルマトリックス)
当社は、その取締役・監査役候補者の指名において、①取締役会においてその出席者である取締役および監査役が経営戦略の妥当性、実現にあたってのリスク等を多面的に審議すると共に、その執行状況を適切に監督することならびに、②監査役会が、取締役会および執行部門に対し、適法性と合わせ妥当性・有効性も視野に入れた監査を実施し、その機能を十分に発揮すること、の両面をもって、持続的な企業価値向上に向けた実効性のあるガバナンス体制を確立することが重要と考えています。
一方、当社は、WORLD VISION「Happiness with Vision」および新長期ビジョン「Santen 2030」の下、医療関係者や患者さんに寄り添い、製薬の枠を超えたSocial Innovatorとして革新的な価値を提供することで、目を通じた社会課題の解決に取り組んでおります。また、これらの取組みにおいては、国・地域により異なる眼科医療ニーズを踏まえ、幅広く世界の人々に貢献できるよう、グローバルにリーダーシップを発揮してまいります。
当社は、企業戦略の立案・実行、適切な経営管理に加え、上述の当社理念・目指す事業の方向性に鑑み、下表の知識・経験・能力を特に重要と考えております。ライフサイエンス事業およびグローバルな視点に加え、今後も、ESG・社会貢献に関する領域等にもさらに力点を置いてまいります。取締役・監査役の登用においては、多角的な観点で経営に助言、監督が行えるよう、専門知識や経験等のバックグラウンドが異なる人材を登用することでバランスと多様性を確保し、一切の制約を設けず人物本位を重視していきます。また、議論の客観性を担保するための社内・社外取締役のバランスに配慮するとともに、とりわけ監査役会については、監査の独立性・中立性を高めるため過半数を独立性基準を満たす社外監査役としています。

取締役・監査役(現任・候補者含む)		企業経営	ライフサイエンス事業	医療現場・患者様理解	グローバルリーダーシップ	財務・会計	法務・リスク管理	ESG・社会貢献
取締役	黒川　明(代表取締役)	●	●		●			
	谷内　樹生(代表取締役)	●	●		●			
	伊藤　毅(取締役)		●	●				
	大石　佳能子(社外取締役)	●		●				●
	新宅　祐太郎(社外取締役)	●	●		●			
	皆川　邦仁(社外取締役)	●				●	●	
監査役	井阪　広(常勤監査役)	●		●				
	宮坂　泰行(社外監査役)					●	●	
	安原　裕文(社外監査役)	●				●	●	
	伊藤　ゆみ子(社外監査役)			●			●	●

> ＊各人保有スキルのうち、とりわけ強みのあるもの／当社事業との関連性が強いものを2〜3個(最大3個)記載しています

㉔日本板硝子

「コーポレートガバナンス・コードの各原則に基づく開示」

> 【補充原則4-11-1 取締役会全体としての知識・経験・能力のバランス、多様性及び規模に関する考え方並びに取締役候補者の選任に関する方針・手続】
> 取締役会は、グローバルに及ぶ当社グループの事業運営を背景に、技能、専門知識や経験等のバックグラウンドが異なる多様な取締役で構成されるものとし、取締役会の機能が効果的・効率的に発揮される適切な員数を維持します。その趣旨は、CGガイドライン第9条に記載しており、「取締役候補の選任基準」を当社ホームページでも開示しています。また、取締役候補の選任にあたっては、この選任基準の合致に加えて、中期経営計画の実行のために、当社が置かれている状況や解決すべき重要課題を踏まえて、指名委員会において新たに取締役候補が有することが重要な経験、専門性をスキルとして定義し、そのスキルへの合致、多様性にも配慮し、全体としてバランスの取れた取締役構成としています。 スキルマトリックスについては、株主総会招集通知においても開示しています。
>
> https://www.nsg.co.jp/~/media/NSG JP/sustainability/images used in sustainability section/corporate governance/PrincipleofReplenishment_4_11_1_2107.pdf

「第155回定時株主総会招集通知」

> (ご参考)
>   当社取締役会は、当社グループの企業価値を持続可能な方法で中長期的に高めていくために、経営陣による適切なリスクテイクを支持する環境を整備しつつ、効果的に執行役等の職務執行を監督することが求められます。2022年3月期から始まる3年間の中期経営計画の実行において、当社が置かれている状況や解決すべき課題を踏まえて、指名委員会が特に重要と考える取締役候補者の経験・専門性分野について以下のとおり定義した上で、多様性に考慮し全体としてバランスのとれた取締役構成としています。

氏名	グローバル経営	財務・会計・金融	リスクマネジメント／ガバナンス	ポートフォリオマネジメント／新規事業開発	オペレーショナルエクセレンス／サプライチェーンマネジメント	マーケティング／営業
木本　泰行	●	●	●			
ヨーク・ラウパッハ・スミヤ	●		●	●		
石野　博	●	●	●		●	
皆川　邦仁	●	●	●			
黒井　義博	●	●	●	●		
森　重樹	●	●	●	●	●	●

> ・グローバル経営：
>   グローバル又は多国籍事業環境でのマネジメント経験が求められ、当社の取締役候補者の選任基準で明確にしている核となる項目
> ・財務・会計・金融：
>   監査委員会をリードし、またファイナンス面から監督するという観点から求められる項目
> ・リスクマネジメント／ガバナンス：
>   取締役会の重要な役割の1つである職務執行の監督という観点、またESGへの取り組みがより一層重要であり、ESも意識したガバナンスという観点から求められる項目
> ・ポートフォリオマネジメント／新規事業開発：
>   新規事業開発や高収益事業へのポートフォリオ転換など事業構造改革の施策遂行に対する、効果的かつ効率的な監督という観点から求められる項目
> ・オペレーショナルエクセレンス／サプライチェーンマネジメント：
>   調達・製造から物流まで各ファンクションの垣根を越えたコスト構造改革、最適な製造/供給体制構築の施策遂行に対する、効果的かつ効率的な監督という観点から求められる項目
> ・マーケティング／営業：
>   事業構造改革、顧客志向の企業風土改革など戦略的マーケティングの施策遂行に対する、効果的かつ効率的な監督という観点から求められる項目

補充原則4-11①

Ⅱ ガバナンス報告書

㉕アズビル

「コーポレートガバナンス・コードの各原則に基づく開示」

【補充原則4-11-1】［取締役会全体の知識・経験・能力のバランス、多様性及び規模に関する考え方］
当社では、変化の激しい事業環境の中、中長期的な企業価値の向上に資する知識・経験等のバランスがとれ、多様性のある取締役会の構成が必要と考えております。こうした基本的な考えに基づき、当社事業及び経営の経験を積んだ業務執行に携わる取締役と、独立性があり、多様なバックグラウンドを背景に企業経営・監督等の幅広い経験や優れた専門性・知見を有した社外取締役を選任しております。なお、11名の取締役のうち、女性が2名（うち1名が外国籍）となっております。また当社は、2021年5月14日開催の取締役会において、当社の中期経営計画の実現等、経営戦略に照らして、取締役に期待するスキル等を定め、現在の取締役会における独立性・多様性・期待するスキルを確認しております。当社の取締役に期待するスキル等（スキル・マトリックス）はⅤ．その他　2．「その他コーポレート・ガバナンス体制等に関する事項」に掲載しております。取締役の選任にあたっては、独立社外取締役と代表取締役（過半数は独立社外取締役）にて構成され、委員長を独立社外取締役が務める任意の指名・報酬委員会の審議を踏まえ、取締役会が候補者を決定することとしております。
監査役についても財務・会計・法務に関する知識を有し、また少なくとも1名は財務・会計に関して十分な知見を有する監査役を選任するほか、公認会計士資格を有する1名を含め社外監査役を3名（監査役総数は5名）選任して監査機能の充実を図るなど、取締役会全体としてバランスのとれた構成としております。
なお、2021年6月24日現在で、当社事業及び経営に経験を積んだ業務執行に携わる取締役6名と、独立性があり、幅広い経験や優れた専門性・知見を有し、国際性やジェンダー等の多様性に富む社外取締役を5名選任しており、取締役会における社外取締役の割合は3分の1を超えております（取締役総数は11名）。

「Ⅱ　1.機関構成・組織運営等に係る事項　［取締役関係］補足説明」

2020年度は指名・報酬委員会を5回開催し、委員全員が出席のうえ、2020年5月には、執行を兼務する取締役と執行役員の2019年度個人業績目標に対する結果の評価と個々の賞与支給額、並びに執行を兼務する取締役及び社外取締役の2020年度の基本報酬額の審議を行いました。2020年6月には、独立社外取締役の田辺　克彦氏を委員長とする新たな指名・報酬委員会体制にて、委員会の責務を再確認するとともに、後継者育成計画としての役員面談の結果について確認いたしました。2021年1月には、経営体制交代に関わる選任プロセスについての評価結果と後継者育成計画の進捗状況を確認いたしました。2021年2月には、2021年度の執行体制、グループ子会社の役員体制について審議のうえ取締役会に報告し、取締役会において2021年度の役員体制が決定されました。2021年3月には、海外グループ会社の役員体制及びグローバル人材制度の運用状況の確認、指名・報酬委員会規程の改定、常勤役員の他会社の役職兼任について審議いたしました。2021年5月には、当社の中期経営計画の実現等、経営戦略に照らして、取締役に期待するスキル等を定め、現在の取締役会における独立性・多様性・期待するスキルを確認いたしました。また、2020年8月、2021年2月の取締役会において、指名・報酬委員会の活動状況について報告いたしました。

「Ⅴ　2.その他コーポレート・ガバナンス体制等に関する事項」

取締役に期待するスキル等（スキル・マトリックス）

当社は、2021年5月14日開催の取締役会において、当社の中期経営計画の実現等、経営戦略に照らして、取締役に期待するスキル等を定め、以下のとおり、現在の取締役会における独立性・多様性・期待するスキルを確認しております。

氏名（年齢）	現在の地位等	独立性（独立役員）	多様性（ジェンダー）	期待するスキル 企業統治/サステナビリティ等	グローバルビジネス	財務・会計・ファイナンス	IT・テクノロジー/情報・自動化ビジネス	営業・マーケティング	製造・研究開発	法務・リスク管理・コンプライアンス
菅原　寛純（66）	代表取締役会長 執行役員会長 取締役会議長 指名・報酬委員会委員		M	○			○	○		○
山本　清博（56）	代表取締役社長 執行役員社長 指名・報酬委員会委員		M	○	○		○	○		
横田　隆幸（60）	取締役 執行役員専務		M	○	○					○
岩崎　雅人（61）	取締役 執行役員常務		M				○	○	○	

北條　良光 (58)	取締役 執行役員常務		M		○	○	○	○	
濱田　和康 (57)	取締役 執行役員常務		M		○		○	○	
田辺　克彦 (78)	社外取締役 指名・報酬委員会委員長	○	M	○					○
伊藤　武 (77)	社外取締役 指名・報酬委員会委員	○	M		○	○			
藤宗　和香 (72)	社外取締役 指名・報酬委員会委員	○	F	○					○
永濱　光弘 (67)	社外取締役	○	M	○	○	○			
アンカー・ツェーバン (57)	社外取締役	○	F	○					○

(注)「企業経営／サステナビリティ」にはサステナビリティの観点から人事や人財育成を含んでおります。

㉖ サトーホールディングス

「コーポレートガバナンス・コードの各原則に基づく開示」

【補充原則4-11-1 取締役会の多様性及び規模に関する考え方】
異なる視点から生み出される考え方や意見、価値観の違いを経営に活かすため、取締役会はプロフェッショナルで多様なバックグラウンドを持つ取締役で構成することとしており、選任・解任に関する基準とプロセスを明確に定めています。また、活発な議論を行うために総数は12名以内としており、各取締役の知識・経験・能力等のスキルについては、スキルマトリックスとして開示しております。
詳細は、2. 業務執行、監査・監督、指名、報酬決定等の機能に係る事項（現状のコーポレート・ガバナンス体制の概要）の取締役候補者の選任と解任に記載しました。

「Ⅴ 2. その他コーポレート・ガバナンス体制等に関する事項」

「取締役・監査役のスキルマトリックス」

取締役会が備えるべきスキルと、各取締役・監査役のスキル対応関係について、下記3つの観点から取り纏めました。

＜適切に経営・事業をリードするための知見・経験＞
企業経営・組織運営　　　上場企業（子会社含む）の経営・役員としての経験、もしくは公的かつ独立した組織の運営責任者としての経験
業界知見（営業・技術）　本業である自動認識業界に関する実務経験
国際ビジネス　　　　　　海外駐在を含むグローバルビジネス経験

＜適正な経営基盤を確立・維持するための知見・経験＞
財務・会計　　　　　　　実務経験及び専門性
法務・リスクマネジメント　実務経験及び専門性
人事・労務　　　　　　　実務経験及び専門性

＜持続性を担保するための俯瞰的観点＞
ガバナンス・サステナビリティ　健全性・透明性、持続的成長を実現するためのガバナンス知見
多様性・異業種経験　　　　　　ジェンダー・国籍、異業種役職経験等の多様性

個々の取締役・監査役のスキルについては、バランス良く適切に配置しており、その一覧は下表のとおりとなります。

			適切に経営・事業をリードするための知見・経験			適正な経営基盤を確立・維持するための知見・経験			持続性を担保するための俯瞰的視点	
業務執行	独立	氏名	企業経営 組織運営	業界知見（営業・技術）	国際ビジネス	財務・会計	法務 リスクマネジメント	人事・労務	ガバナンス サステナビリティ	多様性 異業種経験
●	−	小瀧　龍太郎	●	●					●	

補充原則
4-11①

Ⅱ　ガバナンス報告書

取締役	●	-	阿部 圀一	●		●		●	●	●
	●	-	小沼 宏行	●						●
	-	-	鳴海 達夫	●				●	●	
	-	●	田中 優子	●			●		●	
	-	●	伊藤 良二	●	●	●				
	-	●	山田 秀雄	●				●	●	
	-	●	藤重 貞慶	●					●	●
	-	●	野々垣 好子	●					●	●
監査役	-	●	横井 信宏	●						●
	-	●	永倉 淳一	●		●	●		●	
	-	●	八尾 紀子	●					●	
	-	●	久保 直生	●				●		

上記の一覧表は各氏の経験等を踏まえて、より専門性が発揮できる領域を記載しており、有する全ての知見を表すものではありません。

㉗日本瓦斯

「コーポレートガバナンス・コードの各原則に基づく開示」

【補充原則4-11-①】(取締役会及び監査役会の構成についての考え方)※2021年6月の改訂後のコードに基づき記載しております。
取締役会出席者の過半数は社外役員(監査役含む)です。中長期的な成長に向けた全社戦略の決定及び機動的な業務執行を高いレベルで監督、当社企業価値向上の実現に求められるスキル(豊富な経験、高い見識、専門性)を備えた人材を取締役及び監査役に配置しております。また、独立社外取締役は、他社での経営経験を有する者を含んでおります。

■取締役、監査役のスキルマトリクス

◎主なスキル　○その他スキル

社内4名、社外5名		経営戦略	営業	業界経験・オペレーション	DX戦略・テクノロジー	イノベーション・アライアンス	財務・会計	法務・リスク管理	ESG経営
代表取締役社長執行役員	和田 眞治	◎	◎	◎	◎	◎			◎
代表取締役専務執行役員	渡辺 大乘	◎		◎	◎	○	○	○	○
代表取締役専務執行役員	柏谷 邦彦	◎			○		◎	◎	◎
取締役(社外)	井出 隆	○					◎		◎
取締役(社外)	河野 哲夫	◎					◎		◎
常勤監査役	安藤 克彦						◎	◎	
監査役(社外)	山田 剛志				○			◎	◎
監査役(社外)	中嶋 克久	◎	○				◎	◎	
監査役(社外)	五味 祐子							◎	◎

取締役会の役割・責務については、「ガイドライン」第15条(取締役会の役割・責務)をご覧ください。

㉘アルコニックス

「コーポレートガバナンス・コードの各原則に基づく開示」

補充原則4-11-1
(取締役会の全体としての知識・能力・経験・バランス、多様性及び規模に関する考え方)
当社は、グローバルなビジネス展開を手掛ける商社と、高い技術力と競争力を保有する製造業の両面を併せ持つ総合企業として、持続的な成長に向けた実効性のある企業統治体制の確立のため、幅広い事業経験及び多岐にわたる専門性・知識を有する取締役、及び監査役を取締役会のメンバーとしております。当社の取締役、及び監査役の経験及び専門性は、2021年6月23日開催の第40回当社定時株主総会招集通知に掲載し

第二部 各原則に基づく開示事項（必要的開示） 第14

た「＜ご参考＞取締役・監査役のスキルマトリックス」に記載の通りであり、具体的な専門性及び経験は9分野としております。
なお、当社の定款では取締役は10名以内、監査役は4名以内と定めており、現在、取締役8名（うち、社外取締役3名）及び監査役4名（うち、社外監査役3名）を選任しております。

「第40回定時株主総会招集通知」

＜ご参考＞取締役・監査役のスキルマトリックス

当社は、グローバルなビジネス展開を手掛ける商社と、高い技術力と競争力を保有する製造業の両面を併せ持つ総合企業として、持続的な成長に向けた実効性のある企業統治体制の確立のため、幅広い事業経験及び多岐にわたる専門性・知識を有する取締役、及び監査役を選任しております。本総会に上程する第2号議案が承認された後の当社の取締役及び監査役の経験と専門性は次の通りであります。

氏名	地位	独立性 (社外のみ)	兼職数 (社外のみ)	主な専門性								
				社長経験	財務会計税務	業界の知見	営業販売	国際ビジネス	製造・研究	法務	M&A、JV	リスクコンプライアンスガバナンス
取締役												
竹井　正人	代表取締役社長			○		○	○	○			○	
手代木　洋	取締役 専務執行役員			○		○	○	○			○	
鈴木　匠	取締役 常務執行役員					○	○	○			○	
今川　敏哉	取締役 常務執行役員					○	○	○			○	○
高橋　伸彦	取締役 執行役員				○							
久田　眞佐男	社外取締役	○	2	○								
菊間　千乃	社外取締役	○	4							○		○
津上　俊哉	社外取締役	○	2					○				
監査役												
西村　昌彦	常勤監査役				○	○	○					○
荻　茂生	社外監査役	○	2		○							○
大賀　公子	社外監査役	○	3				○					○
武田　涼子	社外監査役	○	2							○		○

(注) 1. 役付取締役はその後の取締役会にて決定いたします。
　　 2. 上記の一覧表は各氏の経験等を踏まえて、より専門性が発揮出来る領域を記載しており、有する全ての知見を有するものではありません。

補充原則4-11①

㉙日本エスコン

「コーポレートガバナンス・コードの各原則に基づく開示」

補充原則4-11-1
当社の取締役会は、過去の実務経験と実績等を踏まえて選任された監査等委員である取締役以外の取締役、並びに法務・会計・税務の専門家としての有資格者であること及び監査経験を踏まえて選任された監査等委員である取締役で構成されており、下表の役員スキルマトリックスのとおり、知識・経験・能力のバランスと多様性を確保しております。
また、取締役会の規模につきましては、定款に監査等委員である取締役以外の取締役10名以内、監査等委員である取締役5名以内と定めております。現状の取締役会の構成は適正な規模と判断しております。

スキルマトリックス（◎：極めてスキルが高い、○：スキルが高い）

氏名	伊藤 貴俊	中西 稔	藤田 賢司	川島 敦 ※1	大槻 容子 ※1	西岳 正義	溝端 浩人 ※1	福田 正 ※1	江頭 智彦 ※2
役職	代表取締役 社長	専務取締役 管理本部長	取締役 社長室長	社外取締役 (独立役員)	社外取締役 (独立役員)	社外取締役 監査等委員	社外取締役 監査等委員 (独立役員)	社外取締役 監査等委員 (独立役員)	常勤執行役員 開発事業本部長

321

Ⅱ ガバナンス報告書

<備考>
※1 独立役員として東京証券取引所に独立届出をしております
※2 委任型の執行役員です
川島 敦、大槻 啓子の両氏は2021年3月26日付新任取締役です

㉚ 三菱ＵＦＪフィナンシャル・グループ

「コーポレートガバナンス・コードの各原則に基づく開示」

【補充原則4-11-1】
■取締役会全体としての知識・経験・能力のバランス、多様性及び規模に関する考え方
取締役会全体としての知識・経験・能力のバランス、多様性及び規模に関する考え方を定めた取締役の選任に関する方針・手続きは、MUFGコーポレートガバナンス方針(https://www.mufg.jp/profile/governance/policy/1)の「5-1. 取締役会の構成」、「5-2. 取締役の選任」に記載しております。

「ＭＵＦＧコーポレートガバナンス方針」

5-1. 取締役会の構成

取締役会は、その実効性を確保するため、20名以下の取締役により構成する。
取締役会は、当社グループの事業に関する深い知見を備えるとともに、金融、財務会計、リスク管理及び法令遵守等に関する多様な知見・専門性を備えた、全体として適切なバランスの取れた構成とする。
従って取締役会は、特に以下の点を満たすものとする。

取締役会は、当社グループの事業に精通した社内取締役と、独立した客観的な立場から経営陣・取締役に対する監督を行う独立社外取締役との、適切なバランスで構成する。

独立社外取締役の比率は原則として過半数とする。

取締役会による当社グループの経営監督の実効性を確保するため、株式会社三菱UFJ銀行、三菱UFJ信託銀行株式会社及び三菱UFJ証券ホールディングス株式会社の頭取及び社長は、原則として当社の取締役を兼ねることとする。

㉛ ＫＯＡ

「コーポレートガバナンス・コードの各原則に基づく開示」

【補充原則4-11-1】
当社の取締役会は、必要最小限の員数により、的確・迅速な意思決定をしていくことを方針としております。そのため、それぞれ当社の経営機能に

最も精通した取締役を選任しております。加えて一体的な連結経営のために当社取締役は関連する国内外の子会社の取締役も兼任することとしており、担当分野のみならず経営全般に関して、例えば「企業戦略や会社経営、品質、技術、生産、営業、海外事業、教育」等の各分野に関して知識・経験が求められております。これらの分野に精通した人材を求めるとともに、ジェンダーや国際性の面を含み多様性に留意した知識・経験・能力のバランスがとれた取締役会の構成を追求しております。以上の条件に基づき、役員選任議案を取締役会で決議しております。

㉜味の素

「コーポレートガバナンス・コードの各原則に基づく開示」

【補充原則4-11-1】(取締役会の全体としての構成、多様性の考え方)
取締役会の構成・多様性についての考え方は、「コーポレート・ガバナンスに関する基本方針」の「第4章1.(2)取締役会の構成・多様性」に記載のとおりです。当社は、取締役会が自ら備えるべきスキル等について継続検討し、速やかに開示します。
現在、取締役会は、独立役員である社外取締役6名(うち、女性2名)と社内取締役5名(うち、女性1名)で構成されています。
なお、取締役候補者の能力要件については、「コーポレート・ガバナンスに関する基本方針」の「第5章1.(2)取締役候補者の能力要件」に記載のとおりです。

第15　補充原則4－11②に基づく開示

補充原則4－11②

> 社外取締役・社外監査役をはじめ，取締役・監査役は，その役割・責務を適切に果たすために必要となる時間・労力を取締役・監査役の業務に振り向けるべきである。こうした観点から，例えば，取締役・監査役が他の上場会社の役員を兼任する場合には，その数は合理的な範囲にとどめるべきであり，上場会社は，その兼任状況を毎年開示すべきである。

1　背景・趣旨

取締役会及び監査役会の実効性確保のための前提条件として，補充原則4－11②では，社外取締役・社外監査役をはじめ，取締役・監査役がその役割・責務を適切に果たすために必要となる時間・労力を取締役・監査役の業務に振り向けるべきとしている。そして，そのためには他社との兼任状況を合理的な範囲にとどめる必要があり，株主が取締役・監査役を評価する上での重要な判断材料として兼任状況についての開示を求めている。なお，兼任数の「合理的な範囲」については，一律に数値基準を置くことはせず，その解釈を当該取締役・監査役の良識に委ねることとされている[注50]。

(注50)　油布志行＝渡邉浩司＝髙田洋輔＝浜田宰「『コーポレートガバナンス・コード原案』の解説〔Ⅳ・完〕」商事法務2065号（2015）50頁。

2　開 示 対 象

本補充原則は，取締役・監査役が他の上場会社の役員を兼任する場合には，その兼任状況を毎年開示することを求めている。

3　開示の傾向

取締役・監査役による他の上場会社の役員の兼任状況については，従前より事業報告又は株主総会参考書類等の開示書類において，重要な兼職の状況として開示する企業が多かった。そのため，ガバナンス報告書においては，同報告書の本補充原則に関する開示項目において，特定時点の兼務状況を記載する企業もあるものの，事業報告等の他の開示書類において毎年開示を行っている旨を記載するにとどめる企業も多い。

(1) ガバナンス報告書に記載する例

他の上場会社役員の兼任状況について，ガバナンス報告書の本補充原則に関する開示項目に直接記載するもの（①キヤノン，②Ｚホールディングス等）がある。

(2) 事業報告・株主総会参考書類等に記載している旨を記載する例

他の上場会社役員の兼任状況について，他の開示書類において毎年開示を行っている旨を記載するにとどめるもの（③楽天グループ，④清水建設等）があり，ガバナンス報告書に直接記載する例よりも多い。また，自社のホームページにおいて開示を行っている旨を記載するもの（⑤オリックス）もある。

なお，事業報告等における開示に言及した上で，「本報告書の更新日時点における社外取締役の重要な兼職の状況」としてガバナンス報告書の他の記載箇所を参照するもの（⑥大正製薬ホールディングス）もある。

(3) 役員の兼任数の上限を記載する例

役員の兼任数の上限等を記載する例も見られ，取締役及び監査役の兼任に関して，社外役員を除く取締役・監査役について原則として当社グループ以外の上場会社の役員（取締役，監査役又は執行役）の兼職を禁止するもの（⑦第一三共），当社以外の兼職を原則として3社以内とするもの（⑧コニカミノルタ），他の上場会社の役員等の兼任を3社以内に限定するもの（⑨SMC，⑩三菱地所），当社を含め4社以内であることが望ましいとするもの（⑪五洋建設），原則として当社以外に4社以上の上場会社の取締役を兼任できないとするもの（⑫旭化成），他の上場会社の役員を兼務する場合は，原則として当社を含め4社程度とするもの（⑬前田道路），当社の他に4社を超える上場会社の役員（取締役，監査役又は執行役）を兼職しないことが望ましいとするもの（⑭日立建機），他の上場会社の役員を兼職する場合には，当社又は兼職先の業務執行者であるときには当該業務執行を行う会社のほか1社のみ，それ以外のときには当社以外に4社までであることが望ましいとするもの（⑮日本電気），他の上場会社の兼任状況は，原則として5社以内にとどめるとするもの（⑯大日本印刷）等がある。上限数に自社を含んでいるかどうか，兼任先は上場会社の場合のみを制限の対象とするかどうか，自社や兼任先において業務執行者であるかどうかに着目するかなど，微妙に差異がある点には留意が必要である。

また，社外役員（社外取締役・社外監査役）のみの兼任数の上限を記載する例としては，非常勤の独立社外役員については，当社を含めて3社を超える上場会社等の取締役または監査役を兼任しないものとするもの（⑰栗田工業），社外役員の他の上場会社の役員への兼任は，4社未満とするもの（⑱ワコールホールディングス），当社以外の社外役員等の兼職（上場会社等の

Ⅱ　ガバナンス報告書

役員就任）については，原則4社以内とするもの（⑲**小野薬品工業**），社外役員の他の会社の役員等を兼任する場合の上限を5社とするもの（⑳**東洋水産**），社外役員について，他の上場会社の役員を兼任する場合，5社を上限とすることを求めるとするもの（㉑**SANKYO**）等がある。

(4) その他

他の上場会社役員の兼任状況に関連するものとして，社外取締役以外の取締役及び監査役は他の上場会社の役員を兼任しておらず，当社グループの業務に専念している旨を記載するもの（㉒**シチズン時計**），合理的な上場企業役員兼務数の範囲を定めた上で，それを超える場合にはそのリスクについて取締役会で検討し，問題がない場合に兼務を了承する決議を行う旨を記載するもの（㉓**亀田製菓**），他の会社の役員を兼任する場合には取締役会の承認を要する旨を記載するもの（㉔**サンリオ**，㉕**ユニ・チャーム**），現在の役員の兼務先の数の合理性についての自社の評価を記載するもの（㉔**サンリオ**，㉖**バンダイナムコホールディングス**），社外役員は他の上場会社の役員との兼任が最大2社までにとどまっており，その役割及び責務を適切に果たすために必要となる時間を確保できている旨を記載するもの（㉗**宝ホールディングス**）等もある。

4　開示事例

①キヤノン

「コーポレートガバナンス・コードの各原則に基づく開示」

【補充原則4－11－2　取締役・監査役の兼任状況】
当社では，取締役または監査役の選任議案がある株主総会の招集通知参考書類において，その候補者の選任理由とともに，重要な兼職の状況を開示しております。
また，少なくとも年1回，全取締役・監査役の兼任状況を確認のうえ，開示いたします。
なお，現在の兼任状況（他の上場会社の役員を含む）は次のとおりです。

【取締役】
御手洗　冨士夫
・株式会社読売新聞グループ本社監査役

齊田　國太郎
・住友大阪セメント株式会社取締役
※齊田氏は，弁護士であります。

川村　雄介
・三井製糖株式会社取締役
・日本証券業協会特別顧問
・一般社団法人グローカル政策研究所代表理事

【監査役】
田中　豊
・金融庁法令等遵守調査室室長
※田中氏は，弁護士であります。

吉田　洋
・株式会社アイネス監査役

【補充原則4－11－3　取締役会の実効性についての分析・評価】

326

当社では、年1回、以下の項目について各取締役および各監査役にアンケート調査を行い、その結果を踏まえて取締役会において取締役会全体の実効性に関する分析・評価を実施いたします。
・取締役会の運営について（資料の配布時期、開催頻度、審議時間の妥当性など）
・取締役会の意思決定・監督機能について（取締役会付議事項、付議基準、報告内容の妥当性など）
・監査役・社外取締役の役割について（会社の業務・組織を理解する研修等の機会の必要性など）

2020年度については、2021年2月開催の取締役会において、議案に関する社外取締役・監査役会への事前説明、経営戦略会議等への社外取締役の出席を通じた経営に関する情報共有、監査役の監査結果に基づく社外取締役・監査役会間の定期的な意見交換の他、当年度より各事業部門から社外取締役・監査役への事業戦略の個別説明の機会を設けるなど、取締役会における審議の充実のための継続的な工夫が図られていることから、取締役会の実効性に問題はない旨の評価がなされました。
今後も、年1回の分析・評価を継続し、結果概要を開示するとともに、必要に応じて取締役会の運営等につき改善を図ってまいります。

②Ｚホールディングス

「コーポレートガバナンス・コードの各原則に基づく開示」

【補充原則4-11-2：取締役の他の上場企業での役員兼任状況】
重要な兼職
・川邊健太郎：ソフトバンクグループ㈱取締役、ソフトバンク㈱取締役、㈱ZOZO取締役
・小澤隆生：アスクル㈱社外取締役、㈱ZOZO取締役
・舛田淳：㈱出前館 取締役
・蓮見麻衣子：㈱サイバー・バズ社外取締役、ニューラルポケット㈱社外取締役
・國廣正：オムロン㈱社外監査役
・鳩山玲人：ピジョン㈱社外取締役、トランス・コスモス㈱社外取締役

③楽天グループ

「コーポレートガバナンス・コードの各原則に基づく開示」

＜原則4－11－2：取締役及び監査役の重要な兼職の状況＞
当社は、取締役及び監査役の重要な兼職の状況を、定時株主総会招集通知や有価証券報告書等の書類において毎年開示しています。

④清水建設

「コーポレートガバナンス・コードの各原則に基づく開示」

【補充原則4－11－2．取締役・監査役の兼任状況】
　当社では、取締役候補者・監査役候補者の人選にあたり、上場会社の役員の兼任状況を確認し、当社の取締役・監査役の役割・責務を適切に果たす上で支障がないか確認しています。
　また、当社の取締役・監査役の他社（関係会社を除く。）の役員引受についても、当社の取締役・監査役の役割・責務を適切に果たす上で支障がないか事前に確認しています。
　当社は、取締役及び監査役の重要な兼職の状況を事業報告で毎年開示しています。

⑤オリックス

「コーポレートガバナンス・コードの各原則に基づく開示」

【原則4-11-2　取締役会・監査役会の実効性確保のための前提条件】
・取締役の兼任状況につきましては、当社ホームページに掲載の取締役の略歴の中に記載しています。
（ご参照：https://www.orix.co.jp/grp/company/about/officer/）
また、社外取締役の重要な兼職につきましては、「II-1.【取締役関係】会社との関係(2)」をご参照ください。

「同社ホームページ　役員情報」

役員情報

取締役　　　　　　　　　　　執行役　　　　　　　　　　　グループ執行役員

II ガバナンス報告書

2021年9月1日現在

取締役

取締役

(写真) **井上 亮**
取締役 兼 代表執行役社長・グループCEO
グループ戦略部門管掌

(写真) **入江 修二**
取締役 兼 専務執行役
事業投資本部長

(写真) **谷口 祥司**
取締役 兼 専務執行役
財経本部統括役員
ERM本部統括役員
グループ広報・渉外部管掌
グループCEO補佐

(写真) **松﨑 悟**
取締役 兼 専務執行役
法人営業本部長
オリックス自動車(株)代表取締役会長
オリックス・レンテック(株)代表取締役会長

(写真) **鈴木 喜輝**
取締役 兼 専務執行役
ORIX Corporation USA 社長 兼 CEO

(写真) **スタン・コヤナギ**
取締役 兼 常務執行役
グローバルジェネラルカウンセル

社外取締役

(写真) **竹中 平蔵**
社外取締役
(株)パソナグループ 取締役会長
アカデミーヒルズ理事長
SBIホールディングス(株)社外取締役

(写真) **マイケル・クスマノ**
社外取締役
マサチューセッツ工科大学スローン経営大学院副学部長
マサチューセッツ工科大学スローン経営大学院経営学部教授
東京理科大学上席特任教授
Multitude SE 社外取締役

(写真) **秋山 咲恵**
社外取締役
(株)サキコーポレーション ファウンダー
ソニー(株)社外取締役
日本郵政(株)社外取締役
三菱商事(株)社外取締役

(写真) **渡辺 博史**
社外取締役
公益財団法人国際通貨研究所理事長
三菱マテリアル(株)社外取締役

（写真）	関根 愛子 社外取締役 早稲田大学商学学術院教授 国際会計士連盟 指名委員会委員 国際評価基準審議会 評議員 日本公認会計士協会 相談役 住友理工（株）社外監査役 （株）IHI 社外監査役	（写真）	程 近智 社外取締役 コニカミノルタ（株）社外取締役 （株）三菱ケミカルホールディングス 社外取締役

⑥大正製薬ホールディングス

「コーポレートガバナンス・コードの各原則に基づく開示」

【補充原則4－11②】
当社は、取締役候補者および取締役の重要な兼職の状況を、「株主総会招集ご通知」の参考書類や事業報告等の開示書類において毎年開示しております。本報告書の更新日時点における社外取締役の重要な兼職の状況については、本報告書の「Ⅱ－1.【取締役関係】【監査役関係】」にも掲載しておりますので、ご参照ください。

⑦第一三共

「コーポレートガバナンス・コードの各原則に基づく開示」

【補充原則4-11-2　役員の他の上場会社の役員との兼職状況】
　当社は、役員が職務を遂行するにあたって、その職責・心構え等を、取締役規程及び監査役監査基準に定めております。同規程・基準において、他社役員の兼職に関し、社外取締役・社外監査役を除く取締役・監査役は、原則として、当社グループ以外の上場会社の役員（取締役、監査役又は執行役）を兼職してはならないこととしております。また、社外取締役・社外監査役が上場会社の役員への就任要請を受諾しようとする場合には、社外取締役については事前に取締役会議長等に、社外監査役については事前に監査役会議長に連絡することとしております。
　なお、現時点で当社経営に影響をあたえるような兼職はありません。各役員の重要な兼職の状況は、「定時株主総会 招集ご通知」「有価証券報告書」において毎年開示しておりますので、下記をご参照ください。

　定時株主総会　招集ご通知　https://www.daiichisankyo.co.jp/investors/shareholders/meetings/
　有価証券報告書　https://www.daiichisankyo.co.jp/investors/library/securities_ reports/

⑧コニカミノルタ

「コーポレートガバナンス・コードの各原則に基づく開示」

【補充原則4-11-2　取締役の兼任状況】
　当社の指名委員会は、社外取締役の選任基準として「職務遂行を行うための十分な時間が確保できること」と定めるとともに、候補者の選定においてはその兼任状況を慎重に確認しております。なお、第117回定時株主総会で選任された取締役の兼任状況は以下のとおりであります。
なお、当社は、全ての取締役に対して、80％以上の出席率を要請するとともに、その実現のために当社以外の兼職（会社法上の役員就任）は原則3社以内を目安としています。
＜主な兼任状況(2021年7月1日現在)＞
・松﨑　正年（取締役会議長）
　いちご株式会社（社外取締役）、株式会社LIXIL（社外取締役）
・藤原　健嗣（社外取締役）
　旭化成株式会社（特別顧問）、コクヨ株式会社（社外取締役）
・程　近智（社外取締役）
　アクセンチュア株式会社（相談役）、三井住友DSアセットマネジメント株式会社（社外取締役）、株式会社マイナビ（社外取締役）、株式会社三菱ケミカルホールディングス（社外取締役）、オリックス株式会

Ⅱ ガバナンス報告書

　　社（社外取締役）
・橘・フクシマ・咲江（社外取締役）
　　Ｇ＆Ｓグローバル・アドバイザーズ株式会社（代表取締役社長）、ウシオ電機株式会社（社外取締役）、九州電力株式会社（社外取締役）
・佐久間　総一郎（社外取締役）
　　日本製鉄株式会社（顧問）
・市川　晃（社外取締役）
　　住友林業株式会社（代表取締役会長）

⑨ＳＭＣ

「コーポレートガバナンス・コードの各原則に基づく開示」

【補充原則4-11②　取締役及び監査役の兼任状況の開示】
　社外取締役及び社外監査役を含む取締役及び監査役については、当社の取締役及び監査役としての職務に精励するため、他の上場会社の取締役又は監査役の兼任は、3社までに限定しています。
　このほか、業界団体の役員等への就任を含め、当社以外の法人その他の団体における活動は、当社の取締役及び監査役としての職務の遂行に支障がない範囲に限定しています。
　なお、取締役及び監査役の重要な兼職の状況については、法令にしたがい適切に開示します。

⑩三菱地所

「コーポレートガバナンス・コードの各原則に基づく開示」

○補充原則4-11-2.　取締役の兼任状況
取締役の兼任に関する方針については、当社ガイドライン第13条（取締役の兼任）に記載の通りです。
社外取締役を含む、当社の取締役の上場会社の役員兼任状況については、重要な兼職の状況として株主総会招集通知及び事業報告に記載しております。
https://www.mec.co.jp/j/investor/stock/shareholder/index.html

「三菱地所コーポレートガバナンス・ガイドライン」

（取締役の兼任）
第13条　当社の取締役は、職務の遂行に必要な時間を確保するべく、当社のほかに3社を超える上場会社の取締役、監査役又は執行役を兼任しないこととする。

⑪五洋建設

「コーポレートガバナンス・コードの各原則に基づく開示」

【補充原則4-11②　取締役・監査役の兼任状況】
　取締役、監査役は当社の取締役会、監査役会への出席準備のための十分な時間と労力を確保するため、他の会社の役員との兼任は、当社を含め4社以内であることが望ましいと考えております。
　なお、現在の取締役、監査役の兼任状況は、「定時株主総会招集ご通知」の参考書類、有価証券報告書等で開示しています。

⑫旭化成

「コーポレートガバナンス・コードの各原則に基づく開示」

[補充原則4-11-2]（取締役及び監査役の兼任状況の開示）
　当社の取締役は原則として当社以外に4社以上の上場会社の取締役を兼任できない旨の基準を定めています。取締役・監査役の他の上場会社役員の兼任状況につきましては、当社ホームページ掲載の直近の定時株主総会招集通知の記載のとおりです。
　（株主総会招集通知等）

https://www.asahi-kasei.com/jp/ir/stock_information/meeting/

⑬前田道路

「コーポレートガバナンス・コードの各原則に基づく開示」

【補充原則4-11-2】
　取締役・監査役は、その役割・責務を適切に果たすために必要となる時間・労力を取締役・監査役の業務に振り向けるべきであることから、他の上場会社の役員を兼務する場合は、原則として当社を含め4社程度とします。
　兼務状況については、コーポレート・ガバナンス報告書「Ⅱ．1．機関構成・組織運営等に係る事項【取締役関係】及び【監査役関係】」及び株主総会招集通知に記載しております。
https://ssl.maedaroad.co.jp/ir/

⑭日立建機

「コーポレートガバナンス・コードの各原則に基づく開示」

〈補充原則4-11-2〉
　当社の取締役会の重要な兼職の状況については、株主総会招集通知で開示しています。
【定時株主総会招集ご通知】https://www.hitachicm.com/global/jp/ir/stock-and-bond/smeeting/
なお、上場会社の役員の兼職に関する方針は当社「コーポレートガバナンスガイドライン」第6条（他社役員の兼職）において以下のとおり定めています。
https://www.hitachicm.com/global/jp/sustainability/governance/corpgovernance/
第6条（他社役員の兼職）
取締役は、当社の事業等を理解し、取締役会に出席し、また、その準備を行うために必要な時間を確保することが求められることから、当社の他に4社を超える上場会社の役員（取締役、監査役又は執行役）を兼職しないことが望ましい。
取締役が他社から役員就任の要請を受けたときは、その旨を第7条に定める取締役に通知する。

⑮日本電気

「コーポレートガバナンス・コードの各原則に基づく開示」

（補充原則4-11-2）
社内取締役が他社の取締役・監査役に就任するに当たっては、当社の取締役としての業務執行への影響などの観点から取締役会で審議し、承認を得ています。
また、取締役および監査役の選任にあたり、他の上場会社の取締役または監査役を兼職する場合、次に定める兼職数を超えないことが望ましいと考えています。ただし、取締役および監査役が、当社または兼職先のグループ会社内にて複数の兼務をしている場合、当該グループ会社内の兼職数は1社とみなします。
・当社または兼職先の業務執行者であるとき、当該業務執行を行う会社のほか1社のみ。
・上記以外のとき、当社以外に4社まで。
なお、取締役・監査役の重要な兼職については、当社ホームページ上の「役員」および「株主総会招集ご通知」の参考書類をご参照ください。
当社ホームページ上の「役員」：
(https://jpn.nec.com/profile/corp/executives.html)
「株主総会招集ご通知」：
(https://jpn.nec.com/ir/pdf/report/183/report183_01.pdf)

⑯大日本印刷

「コーポレートガバナンス・コードの各原則に基づく開示」

【補充原則4-11-2　取締役・監査役の他社兼任状況】
　取締役および監査役の他社役員の兼任については、合理的な範囲であることとし、これを取締役会で決議しています。また、他の上場会社の兼任状況は、原則として5社以内にとどめることとし、事業報告等で開示しています。

⑰栗田工業

「コーポレートガバナンス・コードの各原則に基づく開示」

【補充原則4-11-2．取締役および監査役の兼任制限】
　常勤取締役および常勤監査役は、他の上場会社等の取締役または監査役を兼任しないものとします。非常勤の独立社外取締役および独立社外監査役は、当社を含めて3社を超える上場会社等の取締役または監査役を兼任しないものとします。なお、兼任状況は毎年開示します。

Ⅱ　ガバナンス報告書

⑱ワコールホールディングス

「コーポレートガバナンス・コードの各原則に基づく開示」

＜補充原則4-11-2＞
1. 別途定めるコーポレートガバナンスガイドライン（https://www.wacoalholdings.jp/group/files/governance_guideline.pdf）において、取締役及び監査役の責務を定めています。
2.「役員の選任基準」において、社外取締役、社外監査役の他の上場会社の役員への兼任は、4社未満と定めています。
3. 社内取締役、社内監査役においては、他の上場会社の役員を兼任している者はありません。

---

⑲小野薬品工業

「コーポレートガバナンス・コードの各原則に基づく開示」

【補充原則4-11-2 取締役・監査役の兼任状況】
　取締役・監査役の重要な兼職の状況は、招集通知や有価証券報告書等において毎年開示しています。また、社外取締役・社外監査役の候補者選定にあたっては、取締役会・監査役会への出席をはじめ、当社の取締役・監査役としてその役割・責務を適切に果たしていただけるかどうかという観点から判断しています。
　そのため、特に非常勤の社外役員候補者に対しては、取締役会および監査役会（社外監査役のみ）への出席率が75％以上確保できることを事前に確認しています。また、社外取締役（候補者）に対しては、「役員人事案検討会議」および「役員報酬案検討会議」の構成員として、各会議に原則100％出席していただくことを前提にしています。なお、当社以外の社外役員等の兼職（上場企業等の役員就任）については、当社役員としての職務に専念できる時間を考慮して、原則4社以内としています。

---

⑳東洋水産

「コーポレートガバナンス・コードの各原則に基づく開示」

---
8. 補充原則4-11(2)　社外取締役及び社外監査役の他社兼任状況
　社外取締役及び社外監査役が経営状況の把握や業務執行の監督を十分に果たすことができるよう、他の会社の役員等を兼任する場合の上限を5社と定め、当社における役割と責務を適切に果たすための時間を確保しております。各社外取締役の兼任状況については、株主総会招集通知の参考書類、有価証券報告書等で開示しております。

㉑ＳＡＮＫＹＯ

「コーポレートガバナンス・コードの各原則に基づく開示」

【補充原則4-11-2】取締役会・監査役会の実効性確保のための前提条件
当社の社外取締役および社外監査役が他の上場会社の役員を兼任する場合においては、役割・責務を適切に果たすために必要となる活動時間を取締役・監査役の業務に振り向けるという観点から、取締役会に80％以上出席し、他の上場会社の役員を兼任する場合、5社を上限とすることを求めるものとしています。またその兼任状況は、毎年、招集通知で開示いたします。

㉒シチズン時計

「コーポレートガバナンス・コードの各原則に基づく開示」

【原則4-11-2　取締役、監査役の他社兼任】
　取締役及び監査役の兼任状況につきましては、事業報告及び株主総会参考書類において開示しております。社外取締役3名は、他の上場会社の社外役員を兼務しておりますが、他の取締役及び監査役は、他の上場会社の役員を兼任しておらず、当社グループの業務に専念しております。

㉓亀田製菓

「コーポレートガバナンス・コードの各原則に基づく開示」

【補充原則4-11-2】
　他社の役員の兼任については、当社の取締役・監査役業務に時間・労力を振り向けることができる合理的な上場企業役員兼務の範囲につき原則として当社を含め4社にとどめることとし、これを超える場合には、そのリスクについて取締役会で検討し、問題がない場合は兼務を了承する旨の決議を行うこととしております。

㉔サンリオ

「コーポレートガバナンス・コードの各原則に基づく開示」

(補充原則4-11-2)
当社では、取締役・監査役が、新たに他社の役員を兼任する場合には、取締役会の承認が必要となります。現状取締役3名、監査役3名の6名が他の会社の役員を兼務しておりますが、兼任数は当社を除き1-2社と合理的な範囲と考えられ、又、取締役・監査役としての役割・責務を十分果たしており支障はございません。尚、当社は、株主総会参考書類、有価証券報告書にて役員の兼任状況を毎年開示しております。

㉕ユニ・チャーム

「コーポレートガバナンス・コードの各原則に基づく開示」

【補充原則4-11-2】取締役の時間・労力の確保
当社では、取締役が他の会社の役員を兼任する場合には、取締役会の承認を必要としています。
取締役が他の会社の役員を兼任する場合には、当社の取締役としての役割・責務を適切に果たすために必要となる時間・労力を確保できるか等の観点から審議します。兼任状況は、事業報告書にて、毎年開示します。

㉖バンダイナムコホールディングス

「コーポレートガバナンス・コードの各原則に基づく開示」

【補充原則4-11-2：取締役会・監査役会の実効性確保のための前提条件】
当社の社外取締役4名のうち3名は他の上場会社の役員を兼務しており、社外監査役3名のうち1名は、他の上場会社の役員を兼務しております。兼任社数は合理的な範囲であると考えており、当社の監督ないしは監査業務を適切に果たすことができるものと考えております。
社外取締役及び社外監査役の他社との重要な兼任状況は、株主総会招集通知や有価証券報告書、コーポレートガバナンス報告書等を通じて、毎年、開示を行っております。

㉗宝ホールディングス

「コーポレートガバナンス・コードの各原則に基づく開示」

(補充原則4-11② 社外取締役・社外監査役の兼任状況)
当社は、現在、社外取締役3名、社外監査役3名を選任していますが、他の上場会社の役員との兼任は最大2社までにとどまっており、その役割・責務を適切に果たすために必要となる時間は確保できております。なお、社外取締役および社外監査役の兼任状況については、本報告書「Ⅱ．経営上の意思決定、執行及び監督に係る経営管理組織その他のコーポレート・ガバナンス体制の状況 1．機関構成・組織運営等に係る事項【取締役関係】および【監査役関係】の[会社との関係（2）]」に記載のとおりです。

Ⅱ　ガバナンス報告書

第16　補充原則4－11③に基づく開示

補充原則4－11③

> 取締役会は，毎年，各取締役の自己評価なども参考にしつつ，取締役会全体の実効性について分析・評価を行い，その結果の概要を開示すべきである。

1　背景・趣旨

取締役会の実効性評価の目的は，取締役会全体が適切に機能しているかを定期的に検証し，その結果を踏まえ，問題点の改善や強みの強化等の適切な措置を講じていくという継続的なプロセスにより，取締役会全体の機能向上を図ることにあるとされる。また，評価の結果の概要を開示することで，投資家をはじめとしたステークホルダーの信認を獲得し，自社に対する支持基盤の強化につながることが期待されている[注51]。

(注51)　油布志行＝渡邉浩司＝髙田洋輔＝浜田宰「『コーポレートガバナンス・コード原案』の解説〔Ⅳ・完〕」商事法務2065号（2015）50～51頁，高山与志子「取締役会評価とコーポレート・ガバナンス―形式から実効性の時代へ―」商事法務2043号（2014）17頁。

2　開示対象

本補充原則に基づく開示対象は，「取締役会全体の実効性」の「結果の概要」である。なお，各取締役の自己評価については，その実施は求められるものの，自己評価自体の内容を開示することまでは求められていない。

3　開示の傾向

本補充原則に基づく開示例においては，前提として(ⅰ)分析・評価の手法について説明した上で，(ⅱ)当該手法による評価の結果の概要の開示を行う例が多い。特に，(ⅰ)分析・評価の手法については，本補充原則においては手法が特定されておらず，各社の合理的な判断に委ねられていることから[注52]，下記のように，アンケートの利用が多いが，開示される内容には多様なものが存する。

(注52)　油布志行＝渡邉浩司＝髙田洋輔＝浜田宰「『コーポレートガバナンス・コード原案』の解説〔Ⅳ・完〕」商事法務2065号（2015）51頁。

(1) 分析・評価の手法

　まず，分析・評価の手法としては，取締役会議長等が中心となって取締役会が自ら評価を行う自己評価と，外部の専門家等の第三者が評価に関与する第三者評価の手法が存する。現時点では，まずは自己評価の手法にとどめ，第三者評価の手法については，その必要性を引き続き検討するといった対応がとられることが多い。

　自己評価の方法としては，各取締役に対してアンケートを行うとするもの（①**第一生命ホールディングス**，②**大和ハウス工業**）が非常に多い。アンケート以外，あるいはアンケートに加えて実施する方法として，インタビューを行うとするもの（③**ヤマトホールディングス**），報酬委員会が取締役会全体の実効性について分析・評価を行うとするもの（④**ケーズホールディングス**）などがある。なお，取締役等にアンケートを実施する際に，匿名性に配慮している旨を開示する例が見受けられる（②**大和ハウス工業**，⑤**日油**）。

　他方，第三者評価まで行う例は，必ずしも多数派とはいえないものの，一定の第三者の関与の下で評価を行う例が存する。今回集計したTOPIX500構成銘柄企業の中では137社が何らかの形で実効性評価について第三者を利用しており，昨年度の集計結果（125社）よりも増加している。

　第三者評価の場合は，取締役及び監査役のアンケートの回答及び個別ヒアリングに基づき外部専門家も含めて評価・分析を行うとするもの（⑥**清水建設**，⑦**大成建設**）や，アンケート回答の集計・分析やそれを踏まえたヒアリングを第三者機関が実施するもの（⑧**りそなホールディングス**，⑨**日本精工**）が多い。取締役会や各委員会の議事録の閲覧，アンケート調査，インタビューの実施，それらを受けた評価等，広く第三者機関が関与するもの（⑩**三菱ケミカルホールディングス**）や，第三者機関に委託して，全ての取締役に対するアンケート，個別インタビュー及び取締役会へのオブザーバー参加による調査を実施したもの（⑪**九州旅客鉄道**），評価プロセス，アンケート内容の検証を第三者機関に委託するもの（⑫**沖電気工業**）もある。

　さらに，社外取締役ミーティングにおいて，質問票の回答に基づいた取締役会のあるべき姿及び現状についての議論を行うとするもの（⑧**りそなホールディングス**），取締役会を客観的な視点から評価することを目的に，独立役員のみで構成される独立役員会を設置した上で，当該独立役員会が取締役から得た質問票への回答を分析・検証し取締役会への提言を行うとするもの（⑬**バンダイナムコホールディングス**）もある。

(2) 分析・評価の項目・内容

　次に，評価の項目・内容としては，取締役会の規模・構成について言及するもの（⑤**日油**，⑧**りそなホールディングス**，⑭**アマノ**），取締役会の意思決定・監督機能について言及するもの（⑬**バンダイナムコホールディングス**，⑮**三菱自動車工業**），取締役会の議題や役員への情報提供

Ⅱ　ガバナンス報告書

について言及するもの（⑭**アマノ**），取締役会への取締役の出席率に言及するもの（⑭**アマノ**），職務の執行が自社のガイドラインに沿って行われているかを評価項目とするもの（⑯**エーザイ**），取締役会と事前説明会の一体的な運営と取締役会の議事運営に言及するもの（⑰**ＳＯＭＰＯホールディングス**）等様々であり，取締役等へのアンケートの質問項目を開示すること等を通じて，具体的な評価項目そのものを開示している事例（⑱**ＳＭＣ**）も少なからずある。

さらに，本補充原則においては，各取締役が，取締役会全体に対する評価に加え，自分自身に対する評価も行うことが求められていると考えられるところ[注53]，取締役会の実効性に関する取締役の自己評価を行う旨を明示するもの（⑰**ＳＯＭＰＯホールディングス**），各取締役が自身の取締役としての業績について自己評価を行う旨を明示するもの（⑲**青山商事**），業務執行取締役同士の相互評価を行うとするもの（⑳**大東建託**）などがある。

(注53)　油布志行＝渡邉浩司＝髙田洋輔＝浜田宰「『コーポレートガバナンス・コード原案』の解説〔Ⅳ・完〕」商事法務2065号（2015）51頁。

(3)　結果の概要の開示

結果の概要の開示としては，取締役会の実効性に関する課題については特段言及しない開示例として，実効性があるとの結果を端的に記載するもの（㉑**任天堂**）があるほか，その理由等に触れつつ実効性がある旨開示するもの（㉒**カネカ**）がある。

また，本補充原則は取締役の自己評価を開示することまでは求めていないが，取締役による取締役会の運営に関する自己評価アンケートをまとめた結果を開示するもの（①**第一生命ホールディングス**，⑱**ＳＭＣ**）もある。

他方，課題についても言及するものが今回集計したTOPIX500構成銘柄企業のうち358社（本原則の実施企業の中で74.1％）あった。

その課題として，「取締役会の構成」に言及する会社はTOPIX500構成銘柄企業のうち84社，「社外取締役（取締役会）への情報提供」は110社，「経営戦略への関与」は135社，「後継者の計画（サクセッションプラン）への関与」は41社，「取締役会付議事項の見直し」は56社となり，「経営戦略への関与」や「社外取締役（取締役会）への情報提供」に言及するものが比較的多かった。

さらに，取締役会の実効性評価は毎年実施することとなっており，前年や過去の評価結果を踏まえた課題への対応について開示する例（⑦**大成建設**，㉓**日本郵船**）が増えており，前年のアンケート結果を踏まえた今年度の取組み状況について具体的に開示する例（①**第一生命ホールディングス**）もある。

(4) リリース等による開示

取締役会の実効性の分析・評価について，ガバナンス報告書と併せて，自社ウェブサイトにおけるリリースとして開示を行う例もある。この場合のガバナンス報告書における記載としては，当該リリースを参照することにより詳述を避けるもの（㉔富士フイルムホールディングス），一定の内容を記載した上で詳細はリリースを参照するもの（㉕みずほフィナンシャルグループ）等がある。

4 任意的開示

本補充原則において開示が求められているのは，取締役会全体の実効性の分析・評価の結果の概要であるが，本補充原則の開示に関連して，その他の事項についても開示する例もある。

まず，法定または任意の委員会を評価対象として加える例がある（「会社の持続的成長と中長期的な企業価値の向上に向けた取締役会のあり方『スチュワードシップ・コード及びコーポレートガバナンス・コードのフォローアップ会議』意見書（2）」（平成28年2月18日）においても，取締役会を適切に評価するための取組みの例として，「任意の委員会も含め，取締役会に設置された各委員会の運営状況等も評価の対象とする。」が挙げられており，このような議論も踏まえて，2021年改訂後の対話ガイドライン3-7は，「取締役会の実効性確保の観点から，各取締役や法定・任意の委員会についての評価が適切に行われているか。」を挙げている。）。例えば，指名委員会等設置会社における各委員会の実効性について，その結果を開示する例（⑯エーザイ），任意の諮問委員会や監査等委員会の実効性について全取締役による自己評価を行い，その結果を開示する例（㉖カゴメ）がある。

また，監査役監査や監査役会の実効性評価を実施してその結果等を開示するもの（㉗KDDI，㉘花王）もある。

5 開示事例

①第一生命ホールディングス

「コーポレートガバナンス・コードの各原則に基づく開示」

【補充原則4-11③　取締役会全体の実効性についての分析・評価の結果の概要】
コーポレートガバナンス基本方針にて、毎年、自己評価等の方法により、取締役会の有効性・実効性の分析を行う旨定めるとともに、その結果の概要について、ホームページにて開示しています。
また、監査等委員会においても、監査等委員会の実効性についての評価を実施しています。監査等委員会の活動について監査等委員会で協議し、評価を実施した結果、当社の監査等委員会の実効性は確保されているとの認識で一致しています。

＜コーポレートガバナンス基本方針（抜粋）＞
〇取締役会の実効性評価
取締役会は、意思決定の有効性・実効性を担保するために、毎年、自己評価等の方法により、会議運営の効率性および決議の有効性・実効性に

Ⅱ　ガバナンス報告書

ついて分析を行い、その結果の概要を開示する。

＜取締役会の自己評価＞
https://www.dai-ichi-life-hd.com/about/control/governance/pdf/governance_002.pdf

「当社取締役会の実効性に関する自己評価結果（概要）」

　当社は、持続的成長を支える経営管理態勢を確立すべく、２０１６年１０月に持株会社・監査等委員会設置会社となり、コーポレートガバナンスの強化に取り組んできております。

　また、取締役会の実効性向上に向けた課題を明らかにし、改善を図ることを目的として、２０１４年度より取締役会の実効性に関する自己評価を実施しております。

　２０２０年度につきましても取締役会の実効性に関する自己評価を実施し、引き続き、取締役会だけでなく、監査等委員会および任意の指名諮問委員会・報酬諮問委員会も含めたガバナンス体制全般に関して評価を行いました。

１．評価プロセス

　取締役会の実効性等に関するアンケート用紙を、取締役会メンバーである全取締役に配布し、回答を得ました。回答結果に基づき、外部コンサルタントの協力のもと、取締役会として取締役会の実効性に関する分析、自己評価を行うとともに、改善策を策定しました。

対象者	全取締役（１６名）
回答方式	無記名方式
主な評価項目	① 取締役会の運営（総論） ② 取締役会の構成 ③ 取締役会での審議充実に向けて ④ 監査等委員会・指名諮問委員会・報酬諮問委員会の役割と運営状況 ⑤ 取締役間のコミュニケーションの活性化 ⑥ 株主等との関係 ⑦ ガバナンス体制・取締役会の実効性全般
結果の集計	アンケート結果は外部コンサルタントに取りまとめを依頼、集計結果は取締役会に提出された上で、取締役会として取締役会の実効性に関する分析、自己評価を行うとともに、改善策を策定しました。

【主な評価項目（詳細）】
　　① 取締役会の運営（総論）
　　　・取締役会運営および議論の内容の適切性
　　　・重要なテーマ（例：中期経営計画、経営戦略、内部統制態勢　等）の議論の十分性
　　　・持株会社取締役会としての適切な監督機能の発揮

② 取締役会の構成
　・取締役会の機能を踏まえた取締役会の構成

③ 取締役会での審議充実に向けて
　・経営に関する情報提供・説明の適切性
　・資料や説明における議論のポイントの明確性
　・各委員会における議論に関する取締役会への情報共有の適切性

④ 監査等委員会・指名諮問委員会・報酬諮問委員会の役割と運営状況
　・重要な課題に関する議論の十分性
　・事前準備のための情報提供と時間確保の十分性

⑤ 取締役間のコミュニケーションの活性化
　・社外取締役間のコミュニケーションの十分性
　・社内外取締役間のコミュニケーションの十分性

⑥ 株主等との関係
　・株主とのコミュニケーション結果に関する情報提供の十分性
　・資本市場への発信の十分性

⑦ ガバナンス体制・取締役会の実効性全般
　・取締役会の実効性
　・取締役会における取締役自身の役割・貢献

２．取締役会の実効性向上に向けた取組み

アンケート結果も踏まえ、継続的に実効性向上に向けた取組みを進めております。

課題	改善策
取締役会と各委員会との情報連携強化	・各委員会でなされた議論のポイントを委員長（社外取締役）より取締役会へ報告
社外取締役の当社グループ事業への理解促進	・国内外事業所の視察と経営幹部との意見交換 ・重要テーマに関する担当役員とのディスカッションの拡充 ・過去分も含めた取締役会・経営会議資料及び議事録のタブレット端末での提供
審議事項・報告事項の内容、論点・議論のポイント等の明確化	・取締役会資料のサマリーにおける審議事項・報告事項の内容、論点・議論のポイント等の一層の明確化とサマリーのみでの説明の徹底
重要案件の議論の一層の深掘り	・経営会議等、執行部門における議論のポイントの口頭補足の徹底 ・検討・別途報告とされた事項の取締役会での共有化とフォロー

補充原則
4-11③

Ⅱ　ガバナンス報告書

	・社外取締役のみでの意見交換等の場の設定
監督機能の強化、重要案件の議論の更なる充実	・上程すべき議案の更なる精査を実施し、事業戦略・M＆A等の特に重要な案件について、より一層の審議時間を確保
社内外取締役のコミュニケーション充実	・取締役会以外のコミュニケーション機会として、取締役会事前説明（12回）、意見交換会（10回）、社外取締役ミーティング（24回）を実施

　従来の取組みに加え、今回の自己評価に基づき、２０２１年度も引き続き改善に向けた取組みを進めてまいります。

課題	改善策
モニタリングボードとしての更なる監督機能強化	・上程議案の更なる精査により、監督に関わる議案の議論機会、議論時間を重点的に確保 ・取締役会での論点を明示する等の資料のレベルアップ ・新中期経営計画の進捗について、取締役会と取締役会に関わる複数の会議体でモニタリング・議論を実施
社内外取締役のコミュニケーションの更なる充実	・意見交換会やエグゼクティブ・セッション（※）等も活用したコミュニケーション機会の更なる増加 （※）社外取締役からの要望を受け、要望テーマの担当役員が出席し意見交換を行うミーティング

　これらの施策を通じて、取締役会運営の実効性を向上させ、監督機能の向上およびコーポレートガバナンスの一層の強化に努めてまいります。

②大和ハウス工業

「コーポレートガバナンス・コードの各原則に基づく開示」

【補充原則4-11③　取締役会評価の結果の概要】
当社では、アンケート方式での取締役による自己評価結果に基づき、監査役会・取締役会により、取締役会全体の分析・評価を行っております。

[2020年の評価結果の概要]
2020年においては、外部機関の協力を得てアンケートを実施し、回答方法は外部機関に直接回答することで匿名性を確保いたしました。外部機関からの集計結果の報告を踏まえたうえで、取締役会の構成、意思決定プロセス、業績管理等の取締役会の運営状況、社外取締役へのサポート状況、取締役の職務執行状況等を確認した結果、当社取締役会の実効性は十分確保されているものと評価しました。
一方、子会社を含めたグループガバナンスの強化等の課題について共有いたしました。また、中長期的な経営課題に対するより充実した議論の必要性についても認識いたしました。

（コーポレートガバナンスガイドライン第18条　取締役会評価）
1. 取締役会は、毎年、各取締役の自己評価等も参考にしつつ、取締役会全体の実効性について分析・評価を行い、その結果の概要を開示する。
2. 取締役会評価にあたっては、CEOを実施責任者、経営管理本部長を実施担当者とし、評価を行う。
3. 監査役会は、毎年、取締役会の監督機能ならびに業務執行機能について、ビジネス、ガバナンス、リスク管理に関する事項等を含む取締役会全体の実効性について、監査役会としての分析・評価を行い、意見を述べる。当該評価に際しては、社外取締役へのヒアリング等を行ったうえで、取締役会のあり方について、建設的な意見を述べる。

③ヤマトホールディングス

「コーポレートガバナンス・コードの各原則に基づく開示」

【補充原則4-11-3：取締役会の実効性についての分析・評価】
当社では、取締役会の実効性を検証すべく、全取締役および全監査役に対して取締役会の構成や運営状況に関するアンケートを毎年実施し、その結果に基づき取締役会の運営状況、審議状況等の実効性について評価を行っております。また、2020年3月期より、実効性評価をより有用なものにすべく、アンケートに加え議長（取締役会長）によるインタビューを実施しております。
2021年3月期の実効性評価においては、取締役会の構成、運営状況や審議状況は取締役会が監督機能を果たす体制としては概ね適切であり、また取締役会において出席者が積極的に発言し、闊達な議論が行われる風土が定着しているとの評価が得られました。

第二部　各原則に基づく開示事項（必要的開示）　第16

これらを踏まえ、取締役会は当社のコーポレートガバナンスの基本方針である「経営の健全性の確保」および「迅速かつ適正な意思決定と事業遂行の実現」に資する実効性を発揮できていると確認しております。

なお、2021年1月に発表した中期経営計画「Oneヤマト2023」については、その策定段階において、取締役会として積極的な意見交換を実施し、経営構造改革プラン「YAMATO NEXT100」策定時からの外部環境変化等を踏まえ、本中期経営計画の実効性を担保すべく十分に議論いたしました。2021年4月に実施した組織再編の影響を含め、本中期経営計画の進捗について定期的にモニタリングを進めてまいります。

今後につきましては、ヤマトグループ全体の経営の健全性を高めるため、コーポレートガバナンスの更なる強化とともに、中期経営計画「Oneヤマト2023」で掲げる成長戦略の実行に向け、取締役会の実効性の維持・向上に継続的に取り組んでまいります。

④ケーズホールディングス

「コーポレートガバナンス・コードの各原則に基づく開示」

（補充原則4-11-3）
当社は、報酬委員会による取締役会全体の実効性について分析・評価することとしており、報酬委員会による、分析・評価をもとに、取締役会にてより実効性の高いガバナンス体制の検討を継続して実施いたしております。

⑤日　　油

「コーポレートガバナンス・コードの各原則に基づく開示」

【補充原則4-11-3　取締会全体の実効性についての分析・評価】
　当社は、年に1回、取締役会の実効性に関する分析・評価を行います。
　当社は、2016年から実効性評価を毎年実施しておりますが、2020年度は外部機関による質問票を用い、全取締役・監査役計11名を対象に、2020年度取締役会実効性評価アンケートを実施しました。
　アンケートは、5段階評価と自由記載を組み合わせることで、定量評価と定性評価の両側面から、現状の把握と課題の抽出を図りました。
　回答方法は外部機関に直接回答することで匿名性を確保しました。また、質問票の集計、分析についても、客観性を確保し、今後の取締役会の実効性をさらに高めることを目的に外部機関に委託しております。

アンケートの質問事項（全30問）は次のとおりです。
　(1)取締役会の役割・機能（全5問）
　(2)取締役会の規模・構成（全4問）
　(3)取締役会の運営（全5問）
　(4)監査機関等との連携（全4問）
　(5)社外取締役との関係（全3問）
　(6)株主・投資家との関係（全3問）
　(7)取締役会機能の今後の方向性（全1問）
　(8)改善度（全1問）
　(9)自由記載（全4問）

　外部機関の集計、分析結果をもとに、同年4月および5月の取締役会で審議、評価いたしました。2020年度の実効性評価の結果と今後の改善点については、以下の通りです。
＜2020年度の実効性評価の結果の概要＞
　当社取締役会は、社外役員に対し会社理解に必要な情報を提供していること、社外役員のキャリア・専門性等の多様性が一層向上し、自由闊達な意見交換がなされていることなど全体としては概ね適切に運営されていることを確認しました。
　2019年度実効性評価で認識された課題のうち、経営トップの後継者計画については、取締役会でも従前より一歩踏み込んだ議論がスタートしたとの意見があるものの、全体として引き続き課題として認識すべきとの意見が多く出されました。
＜今後の改善点＞
　引き続き課題と認識された経営トップの後継者計画については、取締役会の実効性をさらに高めていく観点から議論を深め、継続的に改善を図っていくことを確認しました。

⑥清水建設

「コーポレートガバナンス・コードの各原則に基づく開示」

【補充原則4-11-3.　取締役会の実効性の評価】
　当社の取締役会は、毎年1回、取締役会全体の実効性について分析・評価を行うこととしています。2020年の評価方法及び評価結果の概要は以下のとおりです。
(1)評価方法
　全取締役及び全監査役へのアンケートを実施、第三者（弁護士）による分析を踏まえて、取締役会で全取締役及び全監査役によるディスカッション（自己評価）を実施。
　　・対　象　期　間：2020年1月から12月（1年間）
　　・実　　施　　日：2021年2月24日、3月9日取締役会
　　・主な評価項目：取締役会の構成・運営、経営戦略・経営監督機能、企業倫理・リスク管理、経営陣の選解任・評価・報酬の決定プロセス、
　　　　　　　　　　株主・投資家との対話等
(2)評価結果の概要

補充原則
4-11③

341

Ⅱ　ガバナンス報告書

結論：当社の取締役会は、取締役会全体の実効性が確保されていると評価しました。
① 前回(2019年12月)の実効性評価で示された課題への対応状況
　課題の解決に向けて下記のとおり着実に取り組み、改善が図られていることを確認しました。引き続き、さらなる改善に努めていきます。
　a．グローバル、グループを意識した経営戦略及び経営監督機能の強化
　　海外組織の一部再編及び国内子会社の一部再編、グローバル、グループのガバナンス体制の強化を実施。
　b．重要事項を審議する十分な時間の確保に向けた、取締役会付議基準の見直しと取締役会の効率的な運営
　　付議基準の一部見直しと取締役会における簡潔・明瞭な説明を実施。
　c．取締役会議案の事前説明の早期化と経営に資する情報提供のさらなる充実
　　非業務執行取締役(社外取締役を含む)、監査役への取締役会議案の丁寧な事前説明、その他現場視察、執行部門による事業概要説明等を計画的に実施。
　d．取締役会とは別に、会長・社長と非業務執行取締役(社外取締役を含む)あるいは社外監査役が意見交換する機会の増加
　　「会長・社長と非業務執行取締役(社外取締役を含む)の意見交換会」、「会長・社長と社外監査役の意見交換会」の開催を定例化。
　e．IR活動等を通じて得られた株主・投資家からの意見の取締役会へのタイムリーな報告
　　IR活動等の概要について取締役会への報告を定例化。
② 今回の実効性評価で示された主な検討課題
　a．中長期的な経営戦略・経営監督テーマに関する議論の拡充とその方策の検討
　b．社外取締役と経営陣(執行役員、事業部門長を含む)とのコミュニケーションのさらなる促進(自由闊達なディスカッションの場の創出)
　c．取締役会付議基準の見直し、取締役会と執行側のあるべき役割分担を勘案した権限移譲及び取締役会による経営監督機能の一層の強化
　d．取締役会の事前審査・事前説明時に示された意見・提案等の取締役会における情報共有と取締役会のさらなる活性化
　e．長年にわたって受け継がれた当社の伝統や特長を生かしたガバナンス向上の取組み
(3) 今後の取組み
　当社は、取締役会の実効性評価の結果を踏まえて、PDCAのサイクルを回して改善を図り、取締役会の実効性向上とコーポレート・ガバナンスのさらなる充実を目指していきます。

⑦大成建設

「コーポレートガバナンス・コードの各原則に基づく開示」

【補充原則4-11-3】(取締役会全体の実効性の分析・評価)
　当社取締役会は、毎年1回、取締役会の実効性について分析・評価を行い、その結果を開示しています。
Ⅰ．2019年度評価に対する2020年度の取組み
　当社は、2020年度から、取締役会審議の活性化・実質化と監督機能の一層の強化を目的として、ガバナンス体制を見直し、業務執行の意思決定機関である「経営会議」を設置して、執行サイドへの権限委譲範囲の拡大により意思決定の迅速化を図りました。
ガバナンス体制見直しにあたり、2019年度実効性評価において、次のような課題を確認しました。
・中長期的な観点からの議論の一層の充実
・競争力の維持・強化に向けた、新たなガバナンス体制の十分な活用
・状況に応じた継続的で柔軟な運用の見直し
・要点を絞った簡潔な資料作成
・適時の情報共有のための情報機器の活用
これらの評価結果を踏まえ、2020年度は以下の点に取り組みました。
【中期経営計画策定の審議の充実】
　中期経営計画(2021-2023)の策定にあたり、取締役会や経営会議で、10年後の当社の目指す姿(【TAISEIVISION 2030】)やその実現に向けた今後3年間の取組みについて、複数回にわたって十分な時間をかけて審議し、議論の充実化を図りました。
【新たなガバナンス体制の運用状況の確認】
　取締役会委員会であるガバナンス体制検討委員会において、取締役会議題分析を行い、付議内容や件数・所要時間等に関し、前年度と比較・検証しました。その検証結果を踏まえ、付議事項の見直しを行うこととするなど、ガバナンスの一層の充実に向けた検討を実施しました。
【情報機器の活用】
　クラウド環境の整備とタブレット端末の活用により、取締役会構成員が資料を事前に閲覧できる環境を整備しました。また、取締役会の事前説明を行う際に、一部Web会議を導入しました。

Ⅱ．2020年度評価概要
新体制の運用初年度となった2020年度の実効性評価の方法及び結果の概要は以下のとおりです。
① 評価方法・プロセス
・自己評価に際して、事務局が自己評価アンケート(取締役会評価シート)を作成し、その内容を取締役会にて承認の上、各取締役及び監査役が、当該アンケートにて自己評価を行いました。
・アンケートの評価項目は次のとおりで、1〜4については、設問に対する5段階評価と自由記述とし、5、6については、自由記述としました。
≪評価項目≫
「1.取締役会構成員としての自己評価」「2.取締役会の構成・運営」「3.取締役会の実効性」
「4.サポート体制」「5.中期経営計画策定の審議プロセス・内容」「6.取締役会全般」
・事務局が自己評価結果をとりまとめ、それに対し、社外取締役が全体評価を行いました。
・また並行して、弁護士が、自己評価結果に対する第三者意見を作成しました。
・その上で、取締役会にて、全体評価や第三者意見等に基づき、審議を行いました。
② 取締役会実効性評価の結果
・分析の結果、中期経営計画などの重要事項についての審議が充実・活発化し、サポート体制においても資料の効率的共有がなされるなど、取締役会が実効的に機能していると評価しました。

Ⅲ．今後の取組み
当社取締役会では、更なる実効性向上に向け、今後以下の課題に取り組み、取締役会運営の充実を図っていきます。
・中期経営計画のフォローアップと、中長期的な企業価値向上に向けた重要課題についての議論の実施
・重要な経営課題を中心とした議題設定(議案数の絞り込み)、資料の簡素化、説明の簡略化等による審議時間の一層の確保
・自由討議等による社外役員と社内役員の間の意識の共有・擦り合わせ

第二部　各原則に基づく開示事項（必要的開示）　第16

・グループガバナンスの実効性強化に向けた具体的検討
・取締役会委員会の構成・機能・討議方法の中長期的な見直し
・BCPの観点によるオンライン会議等、一層の環境整備

⑧りそなホールディングス

「コーポレートガバナンス・コードの各原則に基づく開示」

【補充原則4-11-3　取締役会全体の実効性について分析・自己評価】
【2020年度取締役会評価の実施概要及び評価結果の概要について】
「コーポレートガバナンスに関する基本方針」第9条（自己評価）に記載のとおり、取締役会は、毎年、各取締役による取締役会の運営、議題及び機能等に対する評価及び意見をもとに、取締役会全体の実効性等について分析及び評価を行っております。
2020年度は、独立性を有した第三者評価機関による各取締役への質問票(*)に加えて、各取締役に対するインタビューも含めて評価を実施しております。その上で、社外取締役ミーティングにおいて、質問票の回答に基づいた取締役会のあるべき姿及び現状についての議論を行い、その議論の内容を踏まえ、2021年4月に開催された取締役会において、自己評価結果及び今後の対応に関する審議を行いました。
2020年度の評価では、取締役会の役割や構成など実効性に関わる主要な項目のほとんどにおいて高い評価がなされております。昨年度の評価において認識された課題（りそなグループ全体戦略に対する更なる議論の高度化、取締役会審議内容の更なる充実）についても、一定の取り組み・改善がなされたと評価しております。以上から、当社取締役会は全体として有効に機能しており、引き続き高い実効性が確保されているものと評価しております。
一方で、グループ全体の視点、中長期の視点での議論についてはまだ不十分であり、議題の設定や資料の内容などについても改善の余地がある点は、今後取り組むべき課題であることを認識しました。

【取締役会の実効性向上に向けた2021年度の取り組みについて】
当社取締役会は、取締役会の監督機能と意思決定機能を更に強化・発揮していくために、2021年度は以下の事項について取り組んでまいります。
①年間を通じて取締役会として議論していくテーマを設定
・「取締役会における議論の方向性」をより明確にするために、年間テーマを新たに設定し、グループ全体の視点で各種戦略に対する監督機能の一層の発揮に繋げてまいります
・また、引き続きフリーディスカッションを活用し、「長期」視点での戦略に関する議論なども実施してまいります

②審議内容の理解促進に向けた取り組みの強化
・執行部門における各種取り組みや当社を取り巻く環境に対する社外取締役の理解を深めるために、勉強会に加えて執行部門との意見交換の場などを設けてまいります
・また、社外取締役に対する事前説明について、各所管部が直接説明する合同事前説明会へ形式を変更することに加えて、事務局が個別にフォローする体制に改めることで、取締役会における審議内容の深掘に努めてまいります

(*)質問票の主な項目について
・取締役会の役割・機能（今後の取締役会の役割/構成、筆頭社外取締役等）
・取締役会の規模・構成（規模（人数）、社内/社外の構成割合、今後の取締役会の構成等）
・取締役会の運営状況（開催頻度、議題の内容、資料の内容/質、リスク許容度等）
・昨年の課題への対応
・委員会（指名・報酬・監査）の構成と役割
・社外取締役に対する支援体制
・投資家・株主との関係
・当社のガバナンス体制・取締役会の実効性全般
・各取締役会の自己評価
・委員会（指名・報酬・監査）の運営状況

※2020年度評価結果については、当社ウェブサイトの以下のページをご覧ください。
https://www.resona-gr.co.jp/holdings/about/governance/governance/pdf/evaluation.pdf

⑨日本精工

「コーポレートガバナンス・コードの各原則に基づく開示」

【補充原則4-11-3.取締役会の実効性評価について】
当社は、持続的な成長と中長期的な企業価値の向上に向けて、当社取締役会が適切に機能しているかを検証し、かつその実効性の更なる強化を目的とした取締役会の評価を毎年実施しています。評価に際しては、客観性を確保するため外部の専門家に委託し、アンケート及びインタビューによる評価を実施し、その結果について取締役会で議論しています。
(評価プロセス)
・各取締役に対しアンケートを実施
・各取締役に対し各1時間の個別インタビュー　※2020年度は対面またはリモート形式で実施

(アンケートの主な内容)
2020年度に実施したアンケートの主な内容は、次のとおりです。
・経営戦略・リスク管理
・取締役会の構成、役割、プロセス
・ステークホルダーエンゲージメント
・CEO後継者計画

補充原則
4-11③

Ⅱ ガバナンス報告書

・各委員会（指名・監査・報酬）の運営

（評価結果及び今後の取組み）
2020年度の外部の専門家による評価は、持続的成長と中長期的な企業価値の向上に向けて実効性をもって運営されているというものでした。主な評価結果は次のとおりです。
・幅広い知見を有する社外取締役を含む取締役全員が、相互の緊密な信頼関係を背景に、これまでと同様に活発な議論に貢献している。
・社外取締役が過半数を占める取締役会構成としたことに加え、取締役会が業務執行機関に対してさらなる権限移譲を行ったことで、モニタリングに注力するとともに、中長期の戦略討議に取り組む体制が整った。

今後は、社外取締役が過半数を占める取締役会にて、コーポレートガバナンス体制のより一層の強化を行うとともに、取締役会はモニタリングの機能強化に注力し、また、長期的な経営の方向性に関する議論により重点を置くことで、当社の一層の企業価値向上に資するよう、取締役会の実効性の向上を図っていきます。

⑩三菱ケミカルホールディングス

「コーポレートガバナンス・コードの各原則に基づく開示」

〈補充原則4−11−3 取締役会の実効性についての分析・評価〉
・取締役会の実効性評価の実施
　当社は、コーポレートガバナンス基本方針において、取締役会は毎年その実効性を評価し、結果の概要を開示すると定めています。

・評価方法・プロセス
　2020年度は、第三者機関により、取締役会、執行役員議会及び指名・監査・報酬の各委員会の議事録の閲覧、取締役会議長を含む全取締役を対象としたアンケート調査（各項目を5段階で評価するほか、コメントを記載する形式）及び取締役1人当たり約1時間のインタビューを実施し、これらを受けた第三者機関の専門的知見に基づく評価を実施しました。この結果に基づき、今後の課題・取り組み内容について取締役会において議論し、これらを踏まえ、取締役会議長が今後の課題・取り組み内容を取締役会に報告しました。
・評価結果の概要
第三者機関による取締役会の実効性評価結果の概要は以下のとおりです。
ⅰ）取締役会の実効性は、指名委員会等設置会社の機関設計を採用する等、形式面では確保されているものの、実質面では幾つかの重要な課題が存在することが明らかになった。
　・多数の取締役から、持株会社取締役会としての実効性が十分確保されていない状況が指摘され、取締役会の役割を明確化の上、アジェンダを見直す必要性が指摘された。
ⅱ）昨年度指摘事項への対応は、改善した項目がある一方で、持株会社の役割議論・取締役会資料の事前送付などにつき、社外取締役から厳しい指摘がなされ、課題への対応が未だ十分ではないものがあることが判明した。
ⅲ）当社の企業価値向上を外部から招聘した新社長に託す上で、その監督を担う取締役会の実効性向上は極めて重要かつ喫緊の課題であるため、以下の4つの課題への対応が期待される。
　・取締役会の役割再定義とアジェンダ見直し
　・取締役のリーダーシップ発揮
　・取締役会構成の見直し
　・指名機能の更なる強化
上記の評価結果及び取締役会における議論も踏まえ、取締役会の役割とアジェンダの見直し、取締役会構成の見直し及び指名機能の更なる強化を課題として取り組むこととしました。
詳細につきましては、本報告書末尾の「2020年度 当社取締役会の実効性評価結果の概要について」をご参照ください。

⑪九州旅客鉄道

「コーポレートガバナンス・コードの各原則に基づく開示」

【補充原則4-11-3】
　当社は、取締役会の実効性の確保が中長期的な企業価値向上につながると認識しており、当該実効性に関する分析・評価に資する取締役に対するヒアリング又はアンケート等による調査を実施し、その結果の概要の開示をコーポレート・ガバナンス報告書において開示いたします。

　2020年12月から2021年2月にかけて、第三者機関に委託して、全ての取締役に対するアンケート、個別インタビュー及び取締役会へのオブザーバー参加による調査を実施しました。その後、第三者機関からの調査結果の報告内容を踏まえ、取締役会において取締役会の実効性について分析・評価しました。その評価結果の概要は以下のとおりです。

1．評価結果の概要
(1)結論
総じて、取締役会は実効的に機能していると評価しています。
(2)評価プロセス
①評価対象
　　取締役全員
②評価方法
　　第三者機関に委託して、以下のとおり調査を実施しました。
　　・アンケート（無記名方式）
　　・取締役会へのオブザーバー参加
　　・個別インタビュー
③評価項目
　　アンケートの大項目は、以下のとおりです。

Ⅰ 取締役会の構成と運営
　　　Ⅱ 経営戦略と事業戦略
　　　Ⅲ 企業倫理とリスク管理
　　　Ⅳ 経営陣の評価・報酬
　　　Ⅴ 株主等との対話
(3)評価結果
①2019年度の実効性評価で認識された課題に対する進捗状況
・2019年度に実施した実効性評価では、後継者計画の策定、社外取締役に対する事業理解のための研修機会の充実等の課題が挙げられました。
・このうち、後継者計画については、指名・報酬諮問委員会における議論のうえ策定しました。
・また、社外取締役に対する事業理解のための研修機会の充実については、社外取締役を対象とした事業説明や施設見学会等の実施により、取締役会の実効性向上のための課題改善を図りました。
・なお、取締役に対する事業理解のための研修機会の更なる充実について、社外取締役からの要望の確認等を通じ、継続して改善すべきと認識しています。

②2020年度の実効性評価で新たに認識された主な内容
・望ましい取締役会構成(スキルセット)が設定され、スキルセットに基づく取締役の選任が行われていることで、多様な視点からの議論が行われていることを認識しています。
・また、2020年6月にESGに関して知見のある社外取締役1名を増員したことにより、ESG情報等の開示がさらに適時適切となったことを認識しています。加えて、ESG情報等の開示が株主との建設的な対話に有用であること及び株主との対話を通じて得られた意見が適切にフィードバックされていることを認識しています。
・さらに、グループ会社の内部監査規程の整備等による内部監査体制の構築が進められており、グループ全体の内部監査の水準が向上していることを認識しています。
・新たな課題として、取締役会における中長期的な戦略に関する議論の一層の充実が認識されました。

2. 今後の取組み
当社の取締役会において、本実効性評価を踏まえ、以下の事項を中心に更なる改善を図り、取締役会の機能をさらに高めてまいります。
・取締役に対する事業理解のための研修機会について、社外取締役からの要望を確認すること等により、更なる充実を図ってまいります。
・中長期的な戦略について、取締役会において協議事項として付議する等の機会を通じて議論の一層の充実を図ってまいります。

⑫沖電気工業

「コーポレートガバナンス・コードの各原則に基づく開示」

(補充原則4-11-3)
　当社は、取締役会の目指すべき方向性およびその方向性に対する課題を認識し、共有、改善することにより、取締役会の実効性向上を実現することを目的として、毎年、評価・分析を実施しております。
[取締役会の実効性評価の方法]
取締役会において、2020年度の実効性評価の方法について議論しました。

(1)当社の事情に即した調査・評価を行うためには自己評価が適切であると判断しました。他方、評価プロセスの客観性、妥当性を検証するために、数年に一度は第三者評価を導入すべきであると判断し、信託銀行に評価プロセス、アンケート内容の検証を委託しました。

(2)実施方法は昨年と同じく、アンケート、個別ヒアリング、取締役会による審議の三段階とし、すべての取締役、監査役を対象として、取締役会事務局が事務局を務めました。

(3)アンケートは、昨年と同様のものとしました(「コーポレートガバナンス・コード」及びその関係資料をベースとしました)。
　なお、上記会社から、改めて「社外取締役の在り方に関する実務指針」(経済産業省2020年)を役員に説明すべきとの助言を受け、実施しました。

[取締役会の実効性に関する評価結果]
　2020年度の評価の結果、当社の取締役会の実効性は全体的に向上しているものの、他方で、更に改善すべき事項もあることが確認されました。その詳細は以下のようになります。
　新型コロナ発生の前後に渡って「中期経営計画2022」を議論した結果、社内外役員の間で、当社の存在価値、経営戦略等に関する認識が強く共有された。今後は、セグメント別管理指標、事業ポートフォリオの定量評価の精度を高め、計画の進捗を監督する。「社長等の後継者育成計画」は、社外取締役を主たる委員とする人事・報酬諮問委員会における審議が進捗した。2021年度は取締役会で審議を行い、その実施を監督する。取締役会の運用が効率化し、討議の時間が増加した。
　今後は、より有益な討議ができるよう運用の改善を進める。前年度に課題とした「社外役員とミドルレベルとの接触機会の増加」、「社外役員へ現場情報を提供する機会の増加」の進捗は乏しかった。今後は、ウィズ・コロナにおける実施方法を再構築する。

　当社は企業価値の向上を実現することを目的として、継続的に取締役会の実効性向上に取り組んでまいります。

補充原則4-11③

⑬バンダイナムコホールディングス

「コーポレートガバナンス・コードの各原則に基づく開示」

【補充原則4-11-3:取締役会・監査役会の実効性確保のための前提条件】
　当社では、取締役会が適切に機能しているかを、客観的な視点から評価することを目的に、独立役員会を組成しております。独立役員会は、独立社外取締役及び独立社外監査役全員をもって構成され、事務局機能も第三者専門機関に設置しております。これにより、取締役会におけ

Ⅱ ガバナンス報告書

る、より実効性の高い監督機能の保持を行っております。
　また、当社では取締役会の実効性を高め企業価値を向上させることを目的として、取締役会の実効性に関する評価を定期的に実施することとしています。具体的には、質問票(注)に対する回答を全ての取締役と監査役から得たうえで、「独立役員会」において、結果に基づく分析・検証を行い、取締役会への提言を行うこととしております。それを受け、取締役会にて現状の評価結果及び課題の共有と今後のアクションプランにおいて建設的な議論を行っております。評価結果の概要に関しては、当社ウェブサイト上での情報開示等により開示いたします。
(注)取締役会評価の大項目
企業戦略の決定とゴール設定　潜在的リスクの理解と対応　健全な意思決定　ステークホルダーへの対応　経営資源、執行のモニタリング　役割貢献、リーダーシップ　取締役会の構成　取締役会の運営　ボードカルチャー　自由記述

⑭ アマノ

「コーポレートガバナンス・コードの各原則に基づく開示」

【補充原則4-11-3】
　当社では、2020年度において、取締役9名(うち社外3名)、監査役4名(うち社外2名)計13名に対し、アンケート調査を実施し、その回答結果を踏まえ、取締役会において議論を行った結果、取締役会全体の実効性は適切に確保されていると判断しております。
(1) 取締役会の構成について
　取締役会の人員は、業務経験の豊富な社内出身者、財務・法律等の専門的知見を有する独立性の高い社外取締役など知識、経験、能力は全体としてバランス良く適切に確保されております。
　なお、ガバナンスの更なる強化のため取締役会の社外比率を三分の一とし、また、ダイバーシティをより進展させるため女性社外取締役及び女性社外監査役を選任しております。
(2) 取締役会の運営
　現在の取締役会の開催頻度は適時に適切な意思決定を行うのに十分な頻度であります。
　取締役会への取締役の出席率は100%(うち社外取締役の出席率は100%)であります。
　議題・議案に関する情報・資料については、全取締役に対して事前に提供され、十分な検討時間が与えられております。
(3) 取締役会の議題等について
　議題・議案の内容については、当社グループにおける重要な情報(定量情報・定性情報)は月次ベースにて全取締役に共有され、その他の重要な事項については、適宜取締役会の議題として議論し、意思決定を行っております。
(4) 取締役会を支える体制について
　取締役・監査役は、情報の提供を求める機会が適切に確保されており、内部監査部門と取締役・監査役の連携は確保されております。
　また、社外役員に必要な情報を適確に提供するために、経営企画部門等のスタッフが適宜サポートしております。
　役員へのトレーニングの機会については、役員向けの研修を定期的に行うなど役員に求められる役割と責務を十分に理解する機会が与えられております。
(5) 実効性の更なる向上について
　分析・評価を行う過程で、各取締役からはウィズコロナ時代における経営や情報セキュリティ問題への対応等についての意見も出されました。こうした意見や議論を踏まえ、当社の取締役会の実効性確保のための課題等をしっかりと共有・認識し、取締役会の実効性の更なる向上を目指してまいります。

⑮ 三菱自動車工業

「コーポレートガバナンス・コードの各原則に基づく開示」

補充原則4-11-3　取締役会の実効性についての分析・評価
当社は、コーポレート・ガバナンスの実効性向上を図るため、全取締役に対するアンケート調査の方法により、取締役会実効性評価を年に1度実施しております。
2020年度においては、取締役会の監督機能充実をはかる観点から、主に「取締役会及び各委員会の構成」、「取締役会及び各委員会の審議事項」、「取締役会及び各委員会の監督機能」、「取締役会及び各委員会における審議の状況」の4つの点を軸に、取締役会実効性評価を実施いたしました。
評価の結果、取締役会の実効性に関する重大な懸念等はないと評価しておりますが、今回認識した主要な課題は以下のとおりです。
・取締役会が監督の立場からの大局的な議論に重点を置くための付議・報告事項の整理
・取締役会の判断の前提となる執行側の検討・意思決定の経緯に関する情報、取締役会の監督機能を発揮するための会社や事業の情報及び知識習得の機会の提供

当社は取締役会に関する分析・評価により認識した主要な課題への取組みを含め、更なる取締役会の実効性向上を図り、継続的にコーポレート・ガバナンスの強化に取り組んでまいります。

⑯ エーザイ

「コーポレートガバナンス・コードの各原則に基づく開示」

【補充原則4-11-3　取締役会・監査役会の実効性確保のための前提条件】
　hhcガバナンス委員会では、毎年、取締役会の経営の監督機能の実効性を評価し、運営等の課題を抽出するとともに、取締役会および執行部門に改善の要請や提案を行っています。コーポレートガバナンス評価では、前年度の課題認識等に基づき、取締役会等の活動状況を点検・評価し、次年度に向けた課題抽出および改善策を示すことでPDCA(Plan-Do-Check-Action)のサイクルを回しています。なお、2017年度より、継続的、定期的にコーポレートガバナンス評価の適正性と妥当性を確保するため、そのプロセスおよび結果について、外部機関によるレビューを3年に1回実施することとしており、2020年度は本レビューを実施しました。2021年4月26日、当社取締役会は、hhcガバナンス委員会がとりまとめた、「取締役

会評価」、「コーポレートガバナンスガイドラインの自己レビュー」および「内部統制関連規則の自己レビュー」の結果について審議し、「2020年度コーポレートガバナンス評価」を決議しました。

1. 取締役会評価
  (1)取締役会評価は、取締役会の担う経営の監督機能について取締役会全体としての実効性等を評価するものです。
  (2)取締役会評価は、指名・監査・報酬委員会およびhhcガバナンス委員会も対象としています。
  (3)取締役会評価は、取締役一人ひとりによる評価をもとに検討されます。
  ※2019年度より、取締役会を実施する毎に、当該取締役会における議論や運営等を各取締役が評価、記録できる仕組みを導入しました。
  (4)取締役会評価は、評価の客観性を確保する観点から、hhcガバナンス委員会がその結果をとりまとめ、取締役会において決定します。

2. コーポレートガバナンスプリンシプルの自己レビュー
  (1)コーポレートガバナンスプリンシプルは取締役会が定めたコーポレートガバナンスの行動指針です。
  (2)取締役会は、取締役会等の職務執行が、本プリンシプルに沿って整備・運用されているかについて毎年レビューを行います。

3. 内部統制関連規則の自己レビュー
  (1)内部統制関連規則は、監査委員会の職務の執行のために必要な事項および執行役の職務の適正を確保するために取締役会が定めた規則です。
  (2)取締役会は、両規則に沿った体制の整備・運用がなされているかについて毎年レビューを行います。

4. 外部機関を活用した「取締役会評価」の改善および適正性の担保の仕組み
  (1)「取締役会評価の適正性の担保」を企図し、外部機関による取締役会評価の改善とその適正性の担保の仕組みを2017年度より導入しました。なお、外部機関による評価プロセスの調査、評価、改善提案、評価結果の点検等は3年に1回実施します。
  (2)外部機関は、当社の過去の評価方法、評価の決定プロセス、各取締役の評価、最終評価等を分析のうえ、制度およびその運用について、指摘や助言を行います。
  (3)外部機関の指摘、助言にもとづき、hhcガバナンス委員会および取締役会は、制度および運用の改善をはかることとします。
  (4)外部機関は、hhcガバナンス委員会がとりまとめる取締役会評価について、評価プロセス、評価結果等を点検し、取締役会に報告書を提出します。
  (5)取締役会は、hhcガバナンス委員会がとりまとめた評価にもとづき、外部機関による報告書を参考の上、当該年度のコーポレートガバナンス評価を決定します。
  ＊2020年度は外部機関によるレビューを実施しました。

5. 2020年度コーポレートガバナンス評価結果
  コーポレートガバナンスガイドラインおよび内部統制関連規則については、規定を逸脱した運用等は認められず、取締役および執行役等がコーポレートガバナンスの充実に向け、適切に職務を執行していることを確認しました。
  取締役会評価については、以下のとおり、2019年度取締役会評価で抽出された2020年度の課題に対し、2020年度における対応状況を確認、評価し、次年度に向けた課題等を認識しました。
  なお、外部機関による点検結果は、後述の「6. 取締役会評価の第三者レビー報告書（概要）」のとおりでした。
  (1)取締役会の役割と運用等
    ①Plan（計画）「2020年度の課題」
      1. 取締役会の重要な役割である経営の監督責任を果たすために、中長期的な経営課題および経営を取り巻くビジネス環境の変化を把握するとともに、守りにとどまらない攻めのリスクマネジメントなど、継続的に適切な議題選定を行い、効率的な会議運営の工夫をはかる。また、社外取締役が監督機能を発揮するために必要な情報提供の一環として、執行役と緊密な意思疎通をはかり、相互理解を深める場の設定を行う。
      2. 四半期業務執行報告は、わかりやすく簡潔な記載を工夫し、今以上にコンパクトな内容にとりまとめる。また、中長期的な観点でのリスク認識とその対応について、進捗状況を含めた報告のあり方を検討、実施する。。
      3. サクセッションプランは、今後も定期的なCEOとの情報共有と議論を継続する。また、当該プランの検討を行うための情報収集および後継者育成に取締役がより積極的に関与するということを企図し、候補者と接する機会を増加させる。
      4. 緊急対応を含め、ITを活用した取締役会等の運営の具現化をはかるとともに、ペーパーレス化等の課題についても検討を進める。。

    ②Do（実行）&Check（評価）「2020年度の対応状況の確認と評価」
      1. ・中期経営計画である「EWAY Future & Beyond」の取締役会における決議に先立ち、取締役は、「EWAY2025」前半のレビューと中長期的視点での経営環境の分析を踏まえ、戦略ビジョンの骨子と概要について執行役より説明を受け、複数回にわたる議論を行った。
        ・取締役会の議題は、前年度のコーポレートガバナンス評価で抽出した課題に基づき、hhcガバナンス委員会における議論を経て決定した。リスク関連の優先度の高いテーマとして、①認知症／がん領域におけるビジネス戦略とリスクとその対応、②海外子会社の内部統制および本社による管理体制の整備とその運用状況、③グローバルな内部通報制度の整備と充実を議題として取りあげた。また、取締役会による経営の監督機能の強化を企図し、外部有識者を招いて、最近の世界経済の環境変化に関する情報提供が行われた。
        ・執行役とのコミュニケーションは、取締役会、hhcガバナンス委員会をはじめ様々な機会を通してなされたが、COVID-19禍の影響下において、直接の対話の機会は減少した。今後は、ウェブ会議等も活用し、より多くの執行役との意思疎通の機会の場の設定が求められる。
      2. 四半期業務執行報告は、リスクに焦点を当てたコンパクトな内容とし、議論のポイントが明確になるように改善された。一方、中長期的な観点でのリスク認識およびその対応策の報告については、形式、内容ともに十分な検討がなされず課題が残った。
      3. CEOのサクセッションプランについては、社外取締役のみで構成するhhcガバナンス委員会において検討する仕組みを確立しています。
      4. ・COVID-19禍の影響下において、取締役会および各委員会のリモート開催が定着した。取締役会の議案の事前説明や執行役との情報共有等もウェブ会議または電話会議で実施され、時間の制約や移動等に係る負担は減少した。一方、ウェブシステムや電話を使った通信の安定性、利便性の向上や効率的かつ円滑な会議運営に関して早急に改善すべき課題が認識された。
        ・クラウドサービスを利用した情報提供の運用が定着し、迅速な情報共有が可能となった。押印、サインの見直し・廃止、電子認証の利用も一部の業務において進んだが、資料等のペーパーレス化への取り組みは引き続き検討課題となった。

    ③Action（改善）「2021年度に向けた課題」
      1. 取締役会は、優先順位を考慮した適切な議題設定、分かりやすい議案・資料等の作成、事前説明の充実および取締役会当日の要領を得た簡潔な補足説明等、効率的に運用すべく一層の工夫を凝らし、重要議題における審議時間を十分に確保して議論を尽くす。
      2. 取締役会は、リスクマップ等を利用してリスクを「見える化」し、経営の重要課題であるサステナビリティへの取り組みをはじめ、企業価値に影響を及ぼすリスクを適時に捉えて執行役に対応を求める等、そのモニタリングに努める。
      3. 取締役会と執行役との情報共有と議論を通じてさらなる緊密な意思疎通、相互理解をはかる機会を増やす。
      4. 安定的かつ利便性の高いウェブ会議、電話会議の運用に努め、効率的な会議運営をはかるとともに、ペーパーレス化への取り組みを進める。

補充原則 4-11③

Ⅱ　ガバナンス報告書

(2) 社外取締役・hhcガバナンス委員会
①Plan（計画）「2020年度の課題」
1. hhcガバナンス委員会の、①CEOサクセッションプランの検討、②取締役会評価、③機関投資家との対話、をはじめとしたコーポレートガバナンスに関する幅広い役割や機能、運用を整理し、コーポレートガバナンスのさらなる充実策を検討する。
　2020年度のコーポレートガバナンス評価は、3年に一度の外部機関によるレビューを実施する。レビューの結果に加え他社における手法、工夫等の事例を収集の上、制度の評価を行い、必要に応じて制度の改定を実施する。
2. 社外取締役による研究・生産・営業の各事業所への訪問、新任社外取締役研修および製薬業界や当社事業活動に関する情報のアップデートを継続的に実施する。
3. 経営の監督に関する新たな課題や視点を発見することを企図し、テーマを設けないフリーディスカッションを継続的に実施する。
4. 指名委員会、監査委員会、報酬委員会は、今まで以上に積極的に、それぞれの委員会における課題や情報をhhcガバナンス委員会で共有・議論し、相互の意思疎通をはかる。
5. 社外取締役からの要望に基づき、経営の監督機能を高めるために執行役との情報共有を、優先順位を付けて企画・実施する。

②Do（実行）＆Check（評価）「2020年度の対応状況の確認と評価」
1. ・hhcガバナンス委員会は、サステナビリティやESGに関する議論の潮流を捉え、年間を通してコーポレートガバナンスのさらなる充実に向けた議論を行った。その結果、従来のコーポレートガバナンスガイドラインを「コーポレートガバナンスプリンシプル」に名称変更し、その内容を大幅に改正した。今回の改正の概要は以下のとおりである。
　(1) 株主のみならず、定款に規定した主要なステークホルダーズとの関係を含めた規定内容とした。
　(2) ステークホルダーとともに価値を共創していくことを規定した。
　(3) コーポレートガバナンス向上に向けた当社の取り組みの実態と、東証コーポレートガバナンス・コード等を踏まえて、規定内容を充実した。
・CEOサクセッションプランの検討は、2020年9月、10月、2021年3月に実施した。hhcガバナンス委員会ではCEOから提出されたサクセッションプランについて取締役全員で情報共有するとともに、社外取締役とCEOによる議論を実施した。今後、候補者と取締役とが接する機会を増加させる必要性を確認した。
・コーポレートガバナンス評価は、3年に一度の外部機関によるレビューを実施した。外部機関によって、過去3年のコーポレートガバナンス評価の結果やプロセスの分析、他社事例も踏まえた検証がなされ、当該評価が、網羅性・公正性・適正性の観点から適切に実施されていることが確認された。また、同外部機関により、2020年度の取締役会評価のプロセス、評価結果等が点検され、その結果が取締役会に報告された。
・機関投資家との対話については、2020年12月に約70名の機関投資家等と社外取締役との意見交換会（ラージミーティング）を実施した。また、機関投資家7社と、のべ10回の個別対話を行い、情報共有と意見交換を実施した。なお、これらはCOVID-19禍の影響により、いずれもウェブ会議または電話会議で実施した。今後、機関投資家との対話を通じて得た知見を、コーポレートガバナンスの継続的な充実に向けて、さらに活かしていく必要性を確認した。
2. ・社員とのエンゲージメントについては、社外取締役全員と労働組合の代表メンバーとの意見交換会を初めて実施した他、筑波研究所および川島工園の中堅・若手の社員・研究員と社外取締役との情報共有と意見交換をウェブ会議で実施した。
・新任社外取締役研修会は、当社への理解を深めることを目的に、事業活動、医薬品業界の動向、経営環境等について、担当する執行役による説明（のべ11回）を実施した。本研修会は、情報のアップデートを目的に新任以外の取締役も任意で参加した。
3. 今年度は、テーマを設けないフリーディスカッションの場を設定することができなかった。今後、hhcガバナンス委員会で取り上げる議題の優先順位をより明確にし、フリーディスカッションの機会を設定する時間を確保する必要性を確認した。
4. 指名委員会における諸課題（取締役会の構成や取締役の多様性、社外取締役の独立性・中立性の要件等）および報酬委員会における諸課題（取締役と執行役の報酬水準、非業務執行取締役の株式報酬、執行役報酬制度改定等）について、hhcガバナンス委員会で情報共有と議論を実施した。引き続き、各委員会相互の意思疎通をはかることを確認した。
5. 財務・経理担当執行役と「企業価値を高めるESG戦略の理論と実践」について情報共有と議論を実施した。執行役との情報共有の場の設定はこの1回のみであり、今後は、より多くの執行役との意思疎通、相互理解の機会の設定が望まれる。

③Action（改善）「2021年度に向けた課題」
1. 主要なステークホルダーズ（患者、株主、社員）と社外取締役とのエンゲージメントの機会を継続的に設けるとともに、対話を振り返り、議論する場を設定し、対話の結果を取締役会の監督機能に活かす工夫に努める。
2. 経営の監督に資する新たな課題や視点を発見することを企図し、テーマを設けないフリーディスカッションを、hhcガバナンス委員会において継続的に実施する。
3. サステナビリティやESG等の非財務資本に係る諸課題を取締役会においてモニタリングするため、hhcガバナンス委員会において、当該テーマに関し、執行役との情報共有と議論の場を設定する。
4. CEOのサクセッションプランについては、候補者と取締役とが接する機会を増加させ、候補者の育成と評価について取締役の関与を高めるとともに、サクセッションのプロセス等、今後必要となる事項についても検討を深める。

(3) 指名・監査・報酬委員会
①Plan（計画）「2020年度の課題」
1. 指名委員会は、取締役候補者選任に関する諸課題として、取締役会の構成や取締役の多様性、社外取締役の独立性・中立性の要件等について、hhcガバナンス委員会における議論も踏まえ、検討を進める。
2. 監査委員会は、取締役会に報告される監査情報について、議論のポイントを明確にし、より取締役会の実効性向上に資する報告とする。
3. 報酬委員会は、執行役の報酬体系について、その水準や報酬等の構成、業績連動型報酬比率等、報酬体系の基本的な考え方から見直しを開始し、具体的な検討を進める。

②Do（実行）＆Check（評価）「2020年度の対応状況の確認と評価」
1. 取締役候補者選任に関する諸課題として、取締役会の構成や取締役の多様性、社外取締役の独立性・中立性の要件などに関する情報共有と議論を2020年11月のhhcガバナンス委員会において行い、その後、指名委員会において検討を行った。
2. 執行役から監査委員会に報告された事項については、引き続き、随時、監査委員以外の取締役へも情報共有がなされており、取締役会における監査委員会報告では、論点を明確にした説明が行われている。
3. 役員報酬に関する諸課題として、取締役と執行役の報酬水準、非業務執行取締役の株式報酬、執行役報酬制度改定に関する情報共有と議論を2021年2月のhhcガバナンス委員会において行い、その後、報酬委員会において検討を行った。執行役報酬制度改定については、具体的な検討を進めることができず、引き続き次年度に検討を行うこととした。

③Action（改善）「2021年度に向けた課題」
1. 指名委員会は、取締役の多様性および優れた社外取締役候補者の継続的な確保に向けた取り組みについて、hhcガバナンス委員会における議論を踏まえ、具体的な検討を進める。
2. 監査委員会が監督機能を発揮できるよう取締役会への報告内容の質的向上をはかる。また、COVID-19禍の影響下における国内外の子会社の監査のあり方を検討する。
3. 報酬委員会は、執行役の報酬制度の改定について、hhcガバナンス委員会における議論を踏まえ、具体的な検討を進める。

(4) 内部統制・リスク・その他のコーポレートガバナンスに関する事項
①Plan(計画)「2020年度の課題」
1. 海外子会社の内部統制および本社による管理体制の整備とその運用の状況について、取締役会が十分に監督する。
2. 監査委員会への直接内部通報が可能な仕組みをはじめ、グローバルな内部通報制度の整備と充実をはかる。
3. 内部統制とリスクに関して、各リージョン担当執行役との情報共有と議論の機会を継続して設定する。
4. 取締役会は、開示された「事業等のリスク」への対応を監督する。中でも今年度は、「EWAY 2025」の達成に重要なデジタルトランスフォーメーションへの取り組みと進捗状況について十分な報告を受ける。

②Do(実行)&Check(評価)「2020年度の対応状況の確認と評価」
1. 海外子会社の内部統制および管理体制の整備・運用状況およびアジアリージョンの内部統制体制の強化について、2021年2月の取締役会において担当執行役から報告を受け、議論がなされた。
2. 監査委員会への内部通報の窓口を新たに設置し、2020年7月よりの運用を開始した。当社では、これまでも、日本、米国、欧州、中国、アジア等の各リージョンにおける内部通報の相談・通報窓口、および各国から日本へ直接、相談・連絡ができるグローバル窓口を設置し、不正等の早期発見・早期是正をはかっている。
3. 2020年度は、各リージョンの担当執行役との内部統制とリスクに関する情報共有および議論の場を設定できなかった。
4. ・デジタルトランスフォーメーション(DX)への取り組みと進捗状況については、四半期業務執行報告の中で定期的に報告を受けた。また、取締役は、DXに関する中期経営計画「EWAY2025」前半のレビュー、および「EWAY Future & Beyond」におけるDXに係る戦略や具体的な取り組みの方向性について、担当執行役より説明を受け、議論を行った。
・取締役会は、有価証券報告書等で開示した「事業等のリスク」について、執行役による四半期毎の業務執行報告において対応状況の報告を受けており、今後も当該モニタリングを継続する。

③Action(改善)「2021年度に向けた課題」
1. 内部統制とリスクに関して、各リージョン担当執行役との情報共有と議論の機会を継続して設定する。
2. 当社が販売する製品の品質保証体制を強化するため、製造などの委託先企業におけるコンプライアンスや品質管理等に対する監督、内部監査のあり方について引き続き検討する。

6. 取締役会評価の第三者レビュー報告書(概要)
エーザイ株式会社が自社で実施している取締役会評価につき、以下の観点からレビューを行った。
・取締役会評価のアンケート項目の網羅性の検証
・評価手法における公正性・妥当性の検証
・hhcガバナンス委員会における議論の公正性・妥当性の検証
・取締役会評価結果の開示内容の公正性・妥当性の検証
なお、レビューを行うに際し、エーザイ株式会社から提供された過去2年分の取締役会評価に関する資料や開示文書等を分析するとともに、hhcガバナンス委員会に陪席し、レビューのための必要な情報を確保している。
<レビュー結果>
・リスクマップを活用しリスクを適時に捉えることができるようモニタリングを強化するなど、ガバナンス体制の弛まぬ深化が窺える。
・評価手法において定期的に(外部の)第三者のチェックを組み込み、透明性を高める工夫を行っており、企業価値向上を支えるガバナンス改善に真摯に対応していることが窺える。
・2020年度の取締役会評価全体に関しては、網羅性・公正性・適正性の観点から適切に実施しているものと判断できる。
・取締役評価のアンケート項目については、機関投資家等が重視する項目について、改めて明示的な確認を行うことがステークホルダーズからの支持を高める視点から有効であり、より実効性の高いガバナンス体制の改善が図られると思料する。

⑰ＳＯＭＰＯホールディングス

「コーポレートガバナンス・コードの各原則に基づく開示」

【補充原則4-11-3 取締役会の実効性評価】
当社は、取締役会の実効性を高めるための取組みについて、取締役会議長をはじめ全取締役がその必要性を強く認識しており、一年を通じて絶えず議論が行われ、実行に移されるサイクルを確立しています。また、監督の側からも主体的に執行部門の実態を把握できる手段を常時確保しているほか、各取締役の自己評価を含むアンケートを年1回実施して取締役会全体の実効性についての分析・評価を総括する機会を設けるなど、取締役の意見を積極的に取り入れるための取組みも重視しています。
当社の取締役会は、監督の実効性が確保されるよう社外取締役が多数を占める構成とし、かつ十分な多様性が発揮されるようジェンダーや国際性などを考慮するとともに、各経営者、学識者および法曹・財務・会計に関する専門的知見を有するメンバーを選任することで、高い透明性と公正性の向上を実現していく統治体制を構築しています。また、当社では取締役会において建設的で充実した議論が行われるよう、開催の都度、社外取締役全員を対象に事前説明会を開催し、取締役会ではそこでの意見や質疑を踏まえて議論を行うこととしています。このように事前説明会と取締役会を一体的に運営することで、効率的かつ充実した議論がなされ、社外取締役の見識や視点が取締役会に直接的に反映される仕組みが確保されています。
また、当社が経営の監督強化と業務執行の迅速化を図るために2019年6月に指名委員会等設置会社へ移行してから2年が経過しました。本体制においては、取締役会での重要な経営テーマについての集中的な審議、指名・監査・報酬の各法定委員会での、役員の選任や報酬決定、職務執行の適法性・妥当性の監督など、それぞれの役割をより忠実に遂行しステークホルダーへの説明責任を果たすための議論が深められています。更に、当社では、権限委譲後も取締役会と執行部門の間に距離感を生まず、十分な意思疎通が保たれるよう、取締役が執行状況を把握するための情報連携を強化するなど、監督のガバナンス機能の発揮に資する取組みも意欲的に行うこととしています。
具体的には、取締役会において事業オーナーとグループ・チーフオフィサーが一堂に会して行う業務執行報告、執行部門の会議体であるGlobal Executive Committeeおよび経営管理協議会(Managerial Administrative Committee)への取締役の陪席やその他会議体へのアクセス、執行の現場の状況をタイムリーに社外取締役に報告する情報共有会の開催、社外取締役と代表執行役の意見交換等が行われています。
当社のこうした取組みや現在の当社のガバナンス体制について、当社の取締役は、執行部門における意思決定機能や執行部門に対する監督機能・モニタリング機能も含めたガバナンス体制は当社の経営戦略や事業戦略に合致し最適なものとなっており、重要な経営方針についての議論や毎時の取締役会における事前説明会の充実など、取締役会の実効性を高める仕組みも十分に確保されていると総括しています。
2020年度の大きな取組としては、重要な経営方針である中期経営計画の策定について、取締役会において最終的な付議に至るまでに、取締役会以外の場も含め当社の経営戦略の根幹となる「SOMPOのパーパス」や「規模と分散の追求」「新たな顧客価値の創造」「働き方改革」といった基本戦略に関して自由闊達な議論がなされ、社会的見地と各取締役の見識が反映されています。
また、前年度において取締役会において議論を深めていくべきテーマとして掲げた以下のテーマについては、充実した議論ができたとの意見のほ

補充原則
4-11③

か、特に重要なテーマである「働き方改革」はしっかりと時間をかけて有意義な議論がなされ、包括的なテーマでありながら具体的・実行フェーズに進展していることを実感したなどの評価もある一方、ESGへの取組などについては更に議論を深めていくべきとの意見や、「安心・安全・健康のテーマパークの実現」や中期経営計画の検討については、今後の経営方針論議の在り方もにらみ、執行部門との認識共有や論議をより一層深められる進め方がなかったかといった指摘もなされています。

<2020年度、議論を深めていくべきとされた重要テーマ>
・「安心・安全・健康のテーマパーク」の実現
・当社グループにおけるESGの課題と対策
・ウィズ・コロナ、アフター・コロナを含む将来環境を見据えた改革
・次期中期経営計画の策定

更に、当社の取締役が今後の取締役会において議論を深めていく必要があると考えているテーマや、取締役会がさらなる機能発揮を果たしていくうえで有効である可能性がある取組みには次のようなものがあります。当社ではこれらを念頭に置きながら、引き続き実効性を高める取組みを実施していきます。

<2020年度提示した課題に加えて更に議論を深めていくべきテーマ>
・目に見えない資産（ブランド、エンゲージメントなど）の評価および価値向上
・ESG関連課題への対応方針
・資本市場との建設的なコミュニケーションのあり方
・リアルデータプラットフォームの構築

<取締役会の更なる機能発揮を実現するために重視すべき取組み>
・対面とリモート併用による取締役と執行役の十分な意思疎通
・重要性の高いテーマにおける計画的な審議
・取締役会本会議で審議すべき事項の明確化と事前説明会の有効活用
・現場視察や複数のレポートライン機能など、執行状況の把握に資する仕組みの確保
・取締役間や各法定委員会間のコミュニケーション・情報連携

最後に、当社の取締役は、執行の最高意思決定機関であるGlobal Executive Committee等について、経営戦略の根幹となる中期経営計画や安心・安全・健康のテーマパークの実現に向けて、その理解が共通のものとして明確になっている、それは先進的なガバナンス体制が機能し、積極的な審議が継続的になされてきた成果である、などと評価しています。当社の執行部門では、これからも様々な意見や助言を能動的に受け止め、意思決定の質を高める取組みを重ねるとともに、重要な経営テーマについては取締役とのフリーディスカッション等も実施しながら、株主をはじめとするステークホルダーの期待に応えていく方針としています。

<新型コロナウイルス対応下における取締役会運営について>
当社の取締役会では、新型コロナウイルスへの対応として、全面的なリモート運営を行った中においても、事前説明会および取締役会において議論できる時間は十分に確保され、きわめて効率的、効果的に議事運営を行うことができ、議案に関する執行部門からの説明や審議、決議の適正性としては十分に確保されたとの評価がなされています。一方で、コロナ対応下における全面的なリモート運営のもとでは執行部門とのコミュニケーションの課題も見られたほか、中期経営計画策定の議論を経て、今後全ての取締役で認識をさらに深く共有すべきテーマが残存していることなど、さらなる実効性の向上に向けて対策を講じていきます。

⑱ＳＭＣ

「コーポレートガバナンス・コードの各原則に基づく開示」

【補充原則4-11③ 取締役会全体の実効性の分析・評価】
年に1回、取締役会全体の実効性に関する自己評価を実施し、評価結果の概要を当社ウェブサイト上で公開しています。
https://www.smcworld.com/ir.htm

「取締役会の実効性に関する自己評価アンケートの結果について」

取締役会の実効性に関する自己評価アンケートの結果について

当社は、下記のとおり取締役会の実効性評価のためのアンケート調査を実施いたしましたので、その結果の概要をお知らせいたします。

記

1）アンケートの実施要領

対象者	取締役及び監査役の全員（取締役10名、監査役3名）
方式	記名式アンケート 各設問に対し「1（そうは思わない）」～「5（そう思う）」の5段階評価、1～10の10段階評価と自由記述
実施時期	2021年4月～5月

2）評価結果の概要

（1）取締役会の構成

Q1． 取締役会の規模

取締役の員数（10名）は、実質的な議論を行うという観点から、適切だと思いますか？

←そうは思わない　1　2　3　4　5　そう思う→

【昨年度の回答】

| 8% | 8% | 25% | 25% | 33% |

（平均値＝3.67）

【本年度】昨年度と同数（総数10名、うち社外取締役2名）

【本年度の回答】

| 8% | 31% | 15% | 38% | 8% |

（平均値＝3.08）

［自由記述欄］　○　比率として30～40％を社外とすべきだ。

Q2． 取締役会メンバーの知識・経験等のバランス

取締役会は、各事業分野、法律、会計等の知識・経験を備えたメンバーで、バランスよく構成されていると思いますか？

←そうは思わない　1　2　3　4　5　そう思う→

【昨年度の回答】

| 8% | 17% | 25% | 42% | 8% |

（平均値＝3.25）

【本年度】昨年度と同数（総数10名、うち社外取締役2名）

【本年度の回答】

| 24% | 38% | 38% |

（平均値＝3.15）

Q2-1．

取締役会全体として、補充すべきと思われる知識・経験を具体的に挙げてください。（複数選択可）

トップとしてのマネジメント	4票（昨年：5票）	研究開発	1票（昨年：3票）
業界知識	2票（昨年：1票）	IT	6票（昨年：6票）
国際ビジネス	2票（昨年：4票）	財務・会計	1票（昨年：3票）
販売・マーケティング	2票（昨年：1票）	その他（法務、人事）	2票（昨年：3票）

［自由記述欄］
○　法律、ITなどの分野の知見が不足している。
○　他社トップを経験した人材でないと、経営者へのアドバイスが重みや説得力を欠く。

Ⅱ ガバナンス報告書

Q3. 取締役会が果たすべき機能

取締役会が果たすべき機能は、執行と監督、どちらに比重を置くべきだと思いますか？

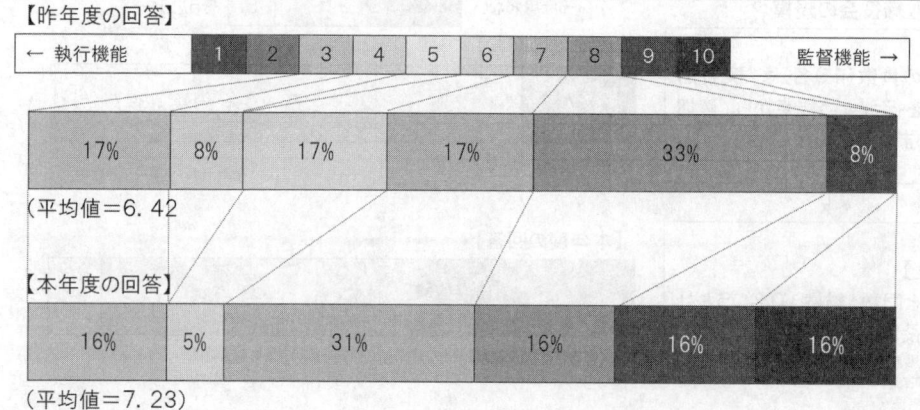

(2) 取締役会の準備

Q4. 取締役会の付議基準

取締役会の付議基準は、適切に設定されていると思いますか？

【本年度】昨年度と同様

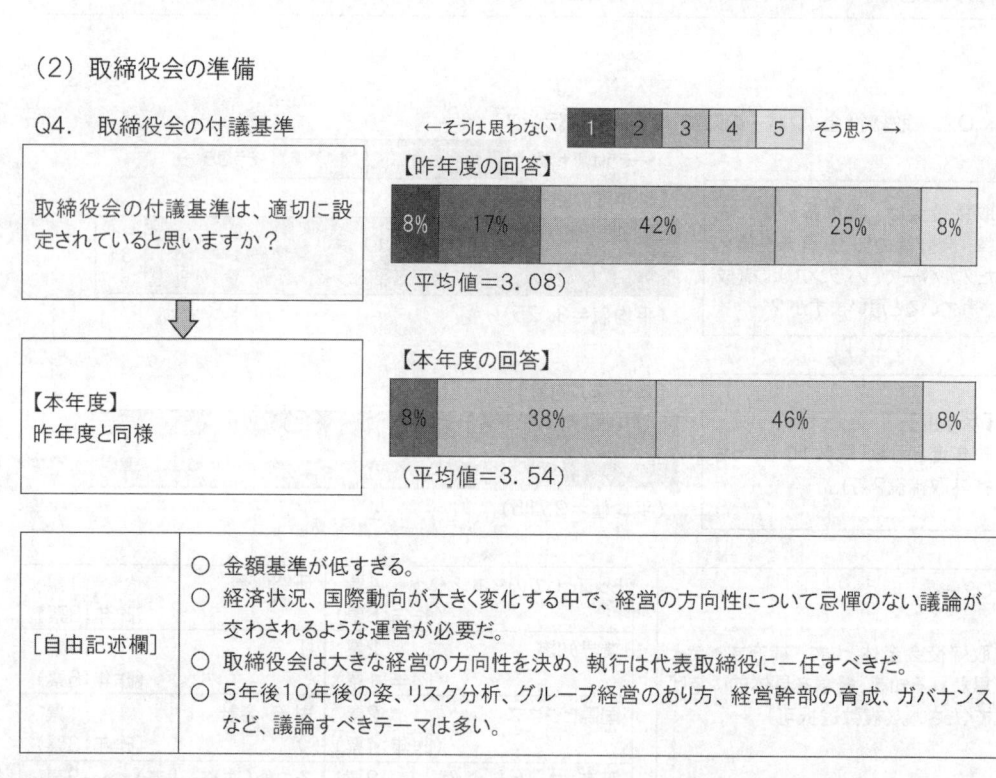

[自由記述欄]
- 金額基準が低すぎる。
- 経済状況、国際動向が大きく変化する中で、経営の方向性について忌憚のない議論が交わされるような運営が必要だ。
- 取締役会は大きな経営の方向性を決め、執行は代表取締役に一任すべきだ。
- 5年後10年後の姿、リスク分析、グループ経営のあり方、経営幹部の育成、ガバナンスなど、議論すべきテーマは多い。

Q5. 取締役会の資料

取締役会で配布される資料には、必要・十分な情報が記載されていると思いますか？

←そうは思わない　1　2　3　4　5　そう思う→

【昨年度の回答】
8% | 8% | 42% | 25% | 17%
（平均値＝3.33）

【本年度の改善点】
ファイル共有システムを導入し、資料の事前共有のセキュリティを強化

【本年度の回答】
8% | 31% | 53% | 8%
（平均値＝3.62）

[自由記述欄]
○ 決算分析の内容を充実させるためにも、決算の集計を早める必要がある。
○ もう少し早いタイミングで、資料の事前共有をお願いしたい。
○ 開示資料のみを配付資料とし、説明は口頭で行うというパターンも多い。もっと丁寧な説明をすべきだ。

（3）取締役会の運営

Q6. 取締役会の開催頻度

取締役会の開催頻度は、適切に設定されていると思いますか？

←そうは思わない　1　2　3　4　5　そう思う→

【昨年度の回答】
17% | 25% | 25% | 17% | 17%
（平均値＝2.92）

【本年度の状況】
取締役会の開催回数は9回
（昨年は8回）

【本年度の回答】
8% | 8% | 23% | 53% | 8%
（平均値＝3.46）

[自由記述欄]　○ 最低でも毎月一回は開催する必要がある。

補充原則
4-11③

Ⅱ　ガバナンス報告書

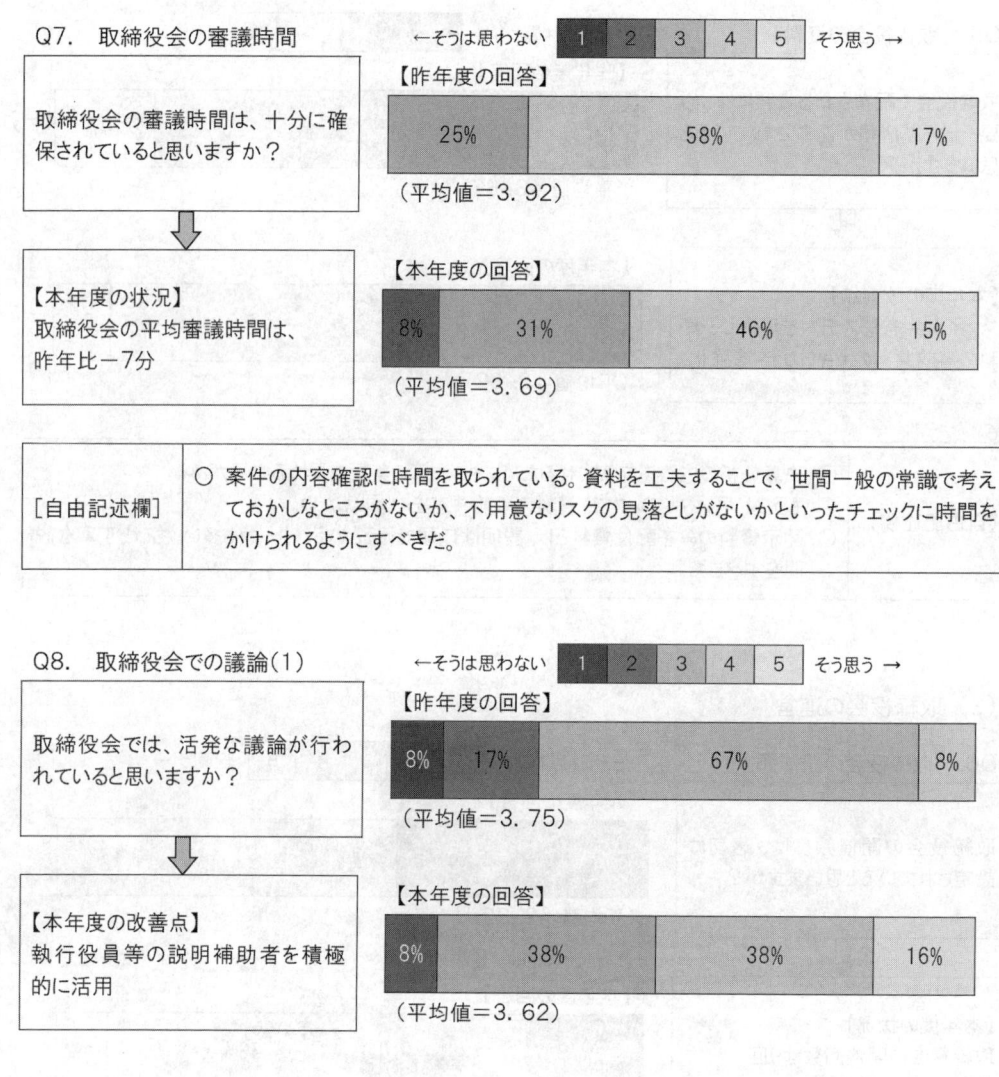

(4) その他の設問

Q10.　資本コストを意識した経営

自身の職務において、資本コストをどの程度意識していますか？

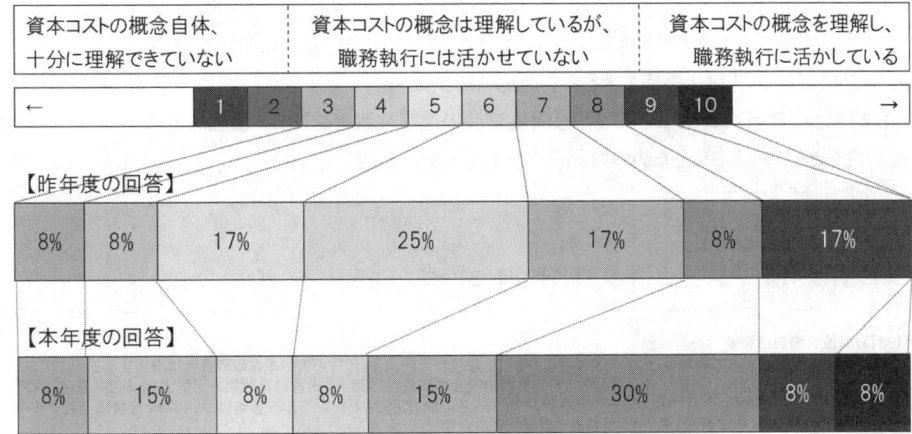

Q11. ESG課題

次のESG課題のうち、当社にとって優先度が高いと思うものを、3位まで挙げてください。
（1位＝3ポイント、2位＝2ポイント、3位＝1ポイントとしてカウント）

環境（自社事業） 5P （昨年：6P）	社会貢献 3P （昨年：2P）	ガバナンス・企業倫理 7P （昨年：19P）
環境（環境配慮型製品開発） 6P （昨年：8P）	人権 3P （昨年：0P）	情報公開 2P （昨年：2P）
製品の品質・安全管理 6P （昨年：5P）	労働安全衛生 6P （昨年：1P）	リスクマネジメント 8P （昨年：11P）
サプライチェーン管理 14P （昨年：9P）	研修・教育 5P （昨年：3P）	その他 1P （昨年：0P）

［その他の自由記述］	○ 委員会等設置会社への移行を検討すべきだ。 ○ 取締役会で資本コストについての説明会を実施し、各部門の業務運営における資本コストの意識を高めていく取組みを行う必要がある。

3）総　括

　本日開催の取締役会において、上記のアンケート結果を報告して審議を行い、

①取締役会の構成については、一層の改善を求める意見が多かったこと。
②取締役会での議論は活発化したとの評価は多いが、議論すべき事項の抜本的な見直し、

Ⅱ ガバナンス報告書

　　　　開催頻度の増加や運営面の改善を求める意見も多いこと。
　　　③社外取締役の数を増やし、監督機能の強化を図るべきだとの意見が多いこと。
　　　④複数の取締役会メンバーから、委員会等設置会社に移行すべきだとの意見があったこと。

　　等の分析結果を共有し、改善すべき点は未だ多く残されているものの、現状において、当社取締役会は有効に機能していると評価できる旨を確認いたしました。
　　今後とも取締役会、執行役員会及び指名・報酬委員会の運営の改善を進め、意思決定の機動性と透明性をともに向上させるための取組みを継続してまいります。

⑲青山商事

「コーポレートガバナンス・コードの各原則に基づく開示」

【補充原則4-11-3】取締役会の自己評価
当社取締役会は、取締役会の有効性、自らの取締役としての業績等について、毎年自己評価を行い、その結果を取締役会に提出することとしており、本年3月に全取締役及び監査役に対し、以下10項目（36問）からなる取締役会の実効性に関する内容の質問票を配布し、その回答を基に4月の取締役会において、取締役会の実効性についての分析・評価を行いました。その中で決議された以下の改善点については、今後の当社グループのより高度なガバナンス体制構築につながるよう、実現に努めて参ります。
＜取締役会の実効性に関する分析及び評価結果＞
1. 取締役会の構成
(1)現在、社外役員のメンバーは、弁護士と経営者による社外取締役と弁護士・税理士・公認会計士による社外監査役で構成されており、各役員がそれぞれの見地から適宜発言を行うことで取締役会に求められる多様性は一通り確保できていると評価しております。
(2)今後のグループ経営体制の整備に向けて、より一層の知見・多様性等が必要と認識しており、随時その検討は行って参ります。
2. 取締役会の運営
(1)取締役会の開催頻度及び審議時間は適切であると評価しております。
(2)取締役会に提供される情報・資料の共有方法について改善は見られるものの、さらなる改善が必要であるとの認識のため、適宜改善を行って参ります。
3. 取締役会の議論
(1)経営理念やビジョン及び企業戦略については中期経営計画の策定も含め取締役会で議論されており、今後グループ経営視点によるビジョンの浸透に努めて参ります。
(2)各取締役の役割は業務執行について明確化しておりますが、戦略のPDCAサイクルの徹底と成長戦略の具体化及び投資効果検証等を一層意識して議論して参ります。
(3)最高経営責任者(CEO)の選解任及び後継者候補の育成については、指名諮問委員会を中心に議論を継続して参ります。
4. 取締役会のモニタリング機能
現時点で取締役相互でのモニタリングは十分に機能していると認識しておりますが、関係会社に対するモニタリング機能について改善は見られるもののさらなる改善の余地があるため、今後は、関係会社への経営陣の派遣等も含めて、有効性の拡大を行って参ります。
5. 社外取締役のパフォーマンス
現状で十分なパフォーマンスであると認識しており、今後もより専門性の高いパフォーマンスを行って参ります。
6. 取締役会・監査役に対する支援体制
人的、費用に対するサポートは十分であると認識しており、執行部門以外の情報共有においても概ね十分であると認識してるが、提供される情報・資料の共有方法について適宜改善を行って参ります。
7. トレーニング
社内役員に対するトレーニングは随時実施されておりますが、社外役員に対するトレーニングについて一層の改善を今後の課題と認識しております。
8. 株主（投資家）との対話
社長を中心とした経営陣により、積極的なIRを実施し、その内容につきましては、経営陣幹部や取締役会メンバーに適切にフィードバックされております。
9. 取締役会参加者の取組み
各役員において役員間でのコミュニケーション、取締役会内での積極的な発言が実施されております。
10. 委員会の運営
必要に応じて適宜開催しております。

⑳大東建託

「コーポレートガバナンス・コードの各原則に基づく開示」

当社では、コーポレートガバナンス・コードの各原則に基づく開示事項を含め、基本原則・原則・補充原則の各78原則すべてに対する当社の取り組み状況や取り組み方針について、「コーポレートガバナンス・コードに関する当社の取り組み」として、次の当社ホームページに掲載しております。
　また、「コーポレートガバナンス・コードに関する当社の取り組み」の英文を当社英語版ホームページに掲載しております。
　・「コーポレートガバナンス・コードに関する当社の取り組み」：https://www.kentaku.co.jp/corporate/ir/governance/top.html
　・「コーポレートガバナンス・コードに関する当社の取り組み」（英文）：https://www.kentaku.co.jp/e/ir/library.html

第二部　各原則に基づく開示事項（必要的開示）　第16

「コーポレートガバナンス・コードに関する当社の取り組み」

　　当社では、代表取締役、社外取締役全員及び監査役全員で構成されるガバナンス委員会が中心となり、毎年第3四半期に業務執行取締役同士の相互評価やガバナンス委員会委員によるヒアリングを行うとともに、ガバナンス委員会による相互評価等の結果確認を通じ、取締役会の実効性の分析や評価を行っています。
　　2021年3月期における当社取締役会全体の実効性の分析・評価結果につきましては、ガバナンス委員会での事前協議を踏まえ、取締役会にて分析・評価結果及び指摘された課題について共有をしております。
　　なお、2021年3月期における当社取締役会全体の実効性の分析・評価結果の概要につきましては、以下のとおりとなります。

（取締役会全体の実効性の分析・評価結果の概要）
　　当社取締役会では、2021年3月期の取締役会全体の実効性の分析・評価について、取締役会の経営機能・監督機能、社外取締役の活動と貢献、取締役・執行役員の選任プロセスの客観性とシステム化、組織トップのリーダーシップなどの観点から確認した結果、概ね良好に構築・運用されており、現時点で大幅な改善に着手すべき事項はないものと評価しております。
　　当社では、ステークホルダーの皆様に一層ご満足いただけるよう、並びに将来起こり得る事業環境の変化にも対応できるよう、取締役会全体の実効性の更なる向上に努めてまいります。

㉑任 天 堂

「コーポレートガバナンス・コードの各原則に基づく開示」

【補充原則4-11-3 取締役会全体の実効性の分析・評価】
当社は、毎年1回、事業年度末である3月末から5月にかけて取締役会の実効性の分析・評価を実施しております。
分析・評価の方法としては、各取締役に対してアンケート調査を行い、取締役会事務局において結果を取り纏めた上、取締役会において分析・評価の内容を確認しております。
昨年度に係る取締役会実効性評価の結果、取締役会の構成及び運営、社外取締役への情報提供等に関する全ての項目について取締役会が実効的に機能していた旨の評価がなされました。今後対応が必要な事項につきましては、取締役会評価を通じて把握してまいります。

㉒カ ネ カ

「コーポレートガバナンス・コードの各原則に基づく開示」

＜補充原則4-11-3　取締役会の実効性と分析・評価＞
　　当社は、取締役会議長が、独立社外役員会議からの報告や、社内役員からの意見を定期的に確認して、現在の取締役会のあり方や運営に関する分析・評価を行い、その結果の概要を開示します。
　　今年度の取締役会の状況については、取締役会の運営（開催回数や頻度、開催時間、事前に提供される情報の内容、議事の内容、審議等）、社外取締役の役割、社外役員への必要な情報提供、リスクマネジメント等を中心に、独立社外役員会議において議論を行いました。その結果を踏まえて自己評価を行った結果、取締役会は、リスク管理を考慮した当社グループの重要事項の意思決定と業務執行の監督について有効に機能しており、実効性が確保されていることが確認されました。
　　当社は、今後も取締役会の実効性評価を行うことにより、取締役会の実効性の確保に努めてまいります。

㉓日本郵船

「コーポレートガバナンス・コードの各原則に基づく開示」

＜補充原則4-11-3　取締役会・監査役会の実効性確保のための前提条件＞
当社は2015年度より、取締役会の実効性のさらなる向上を目的として、全役員を対象に実効性に係る自己評価のアンケートを継続して実施しています。取締役の自己評価アンケートにより、2019年度に認識された課題と2020年度の取組に対する評価、並びに今回認識された課題は以下の通りです。

1. 2019年度に認識した課題と取り組み
(1) 時間管理と説明内容の改善
・事前説明会の充実：社外役員を対象とした取締役会議案等の事前説明会の改善による説明内容の充実
・報告スケジュールの改定：各本部からの取締役会報告のスケジュールを見直す事での時間管理の改善
・説明内容の改善：審議に有益な情報を整理した形での説明内容の改善
・役員懇談会(*)の活用
(*)取締役、監査役、本部長で構成し、中長期的な経営課題に関する議論を行うため、定例取締役会後に各回テーマを選定して開催

2. 2020年度取組への評価
2020年度の取締役会については、その実効性に関する重大な懸念等はなく、取締役会全体としての実効性が確保されているとのアンケート結果

補充原則
4-11③

が得られています。また、課題とされていた時間管理と説明内容についても社外役員と社内役員双方から、大きく改善されたとの評価を受けております。

3. 今回認識された課題
(1) 運営と議論の質の向上（継続）
(2) モニタリング機能の強化
(3) 多様性・人材戦略等

㉔富士フイルムホールディングス

「コーポレートガバナンス・コードの各原則に基づく開示」

【補充原則4-11-3 取締役会全体の実効性についての分析・評価及びその結果の概要】
ガイドラインの第5章6「取締役会の実効性評価」をご参照ください。
なお、2021年1月～3月に実施した取締役会の実効性評価の結果の概要については、下記をご参照ください。
http://www.fujifilmholdings.com/ja/about/governance/boardofdirectors/index.html

㉕みずほフィナンシャルグループ

「コーポレートガバナンス・コードの各原則に基づく開示」

【補充原則4-11③】（取締役会の実効性確保のための前提条件）
　取締役会は、毎年、取締役会全体の実効性について評価・分析を行い、その結果の概要を開示することとし、少なくとも3年に一度は第三者評価機関による評価を実施します。
　なお、取締役会の実効性評価の運営方針については、「コーポレート・ガバナンスガイドライン」第9条第4項に記載しております。
　（日本語：https://www.mizuho-fg.co.jp/company/structure/governance/g_report.html#guideline）
　（英語：https://www.mizuho-fg.com/company/structure/governance/g_report.html#guideline）

口評価方法
　2019年度（2019年7月から2020年6月）の「取締役会の実効性評価」においては、当社の「コーポレート・ガバナンスガイドライン」をベースとし、国内外の法令・慣行も踏まえて評価いたしました。
　評価にあたっては、全取締役とカンパニー長を対象に、取締役会・各取締役の機能発揮状況や、取締役会運営面等に関するアンケートを実施しました。その上で、2020年9月の取締役会において、取締役会の実効性に関する自己評価および今後に向けた取組み課題を議論しました。

口評価結果の概要
　当社取締役会は、2019年度は5ヵ年経営計画初年度であり、ビジネス・財務・経営基盤の三位一体の構造改革を進める重要な一年であると認識しておりました。斯かる認識の下、取締役会では経営計画の進捗について重点的にモニタリングを行う等、適切に監督機能が発揮されていることを確認しました。加えて、各委員会においても、取締役会を補完する形で各々の役割を十分に果たしており、取締役会全体の実効性は相応に高いと評価いたしました。一方、取締役会の実効性を一層向上させるための課題についても明らかになり、一段と踏み込んだ対応が必要であると認識いたしました。具体的に取り組む課題は、以下の2点です。
　(1)中長期的な経営課題に関する議案の更なる拡充
　(2)充実した議論の礎となる基盤整備
　当社は、従来よりガバナンス向上に向け不断の改善を続けてまいりました。今後も、取締役会が監督機能を最大限発揮するために必要な更なる工夫を継続的に検討・実施してまいります。

　「取締役会の実効性評価」の結果の詳細につきましては、当社ホームページ「取締役会の実効性評価結果について」をご参照ください。
　（日本語：https://www.mizuho-fg.co.jp/company/structure/governance/g_report.html#evaluation）
　（英語：https://www.mizuho-fg.com/company/structure/governance/g_report.html#evaluation）

　なお、2020年6月から2021年6月を対象期間とした「取締役会の実効性評価」の結果につきましては、2021年10月に公表予定です。

㉖カゴメ

「コーポレートガバナンス・コードの各原則に基づく開示」

【補充原則4-11-3：取締役会・監査役会の実効性確保のための前提条件】
当社は、2020年10月に取締役を対象に取締役会の実効性に関する評価を実施しました。その結果の概要は以下の通りです。

1. 評価の実施方法
　取締役に対するアンケート（全6区分・31項目）の実施
　　アンケートの区分は以下の通りです
　　　① 取締役会の設計（開催頻度、規模、構成、遠隔会議の活用　等）
　　　② 取締役会の運営（時間（説明・審議）、情報提供、事務局のサポート　等）
　　　③ 取締役会の議案（テーマの網羅性、付議のタイミング、進捗報告　等）

第二部　各原則に基づく開示事項（必要的開示）　第16

　　　④　取締役会の議論の質（議論の客観性・多面性、説明責任、議長のリーダーシップ　等）
　　⑤　コーポレート・ガバナンス体制（選任・報酬決定プロセス、ステークホルダーとの対話　等）
　　　⑥　総合評価（企業価値向上、意思決定、機能の有効性、判断の妥当性　等）

　報酬・指名諮問委員会に対するアンケート（5項目）の実施
　監査等委員会に対するアンケート（7項目）の実施
　取締役会議長及び社外取締役のディスカッション
　上記を踏まえた取締役会における審議

2. 評価結果の概要
　当社取締役会は、上記を踏まえて議論した結果、取締役会は、①～⑥の全ての区分において、概ね適切であり、その実効性は十分確保されていると評価しました。

特に評価が高かった項目は、以下の通りです。
・取締役会の開催時期、開催頻度は適切である。
・取締役会の規模（員数）、社内外の比率は適切である。
・取締役会は、その実効性を確保するのに必要なジェンダー、国際性、専門領域、経験等面での多様性をバランスよく備えたメンバーで構成されている。
・議案の説明に要する時間は適切である。
・重要な議案を審議する時間が十分に確保できている。
・議案の優先度に応じた時間配分がなされている。
・議案の事前送付や事前説明のタイミングは適切で、議題審議に適切な情報が十分提供されている。
・遠隔会議や書面決議の活用、資料の電子化等により、効率的かつ効果的な運営がなされている。
・重要な個別案件について審議、付議のタイミングが適切である。
・重要案件や経営計画の進捗の状況はタイムリーに報告され、適切にフォローアップがなされている。
・議長は、適切なリーダーシップを発揮し、また、中立的な立場で議事進行することで、明確な結論へと導いている。
・自社にあわせたガバナンスへの取組がなされている。
・経営幹部（役員）の選解任、評価、報酬決定のプロセスは適切である。
・取締役会では、迅速かつ柔軟な意思決定がなされている。
・取締役会において、重要な意思決定に対するアドバイスと業務執行のモニタリング機能を両立し、有効に機能している。
・取締役会は、継続的に運営の見直し、改善がなされている。

今回の実効性評価において、更なる改善の必要性を認識した課題は、「重要なテーマの網羅的な審議」「業務執行状況の報告（計画性があり、優先順位をつけた議案設定）」「会社や事業全般についての情報提供」です。本評価では、当社取締役会において「審議すべきテーマ」について、各取締役の意見を聴取しており、それらの意見をもとに、取締役会議長と社外取締役の間で意見交換会を行ったうえで、次年度審議すべきテーマや業務執行状況の報告すべきことは何かを取締役会で議論し、審議時期のスケジュール化に努めます。また、会社や事業全般についての情報提供については、任期や役割の差異による社外取締役間の情報格差を埋めるために取締役会以外で社外取締役が会する場を設定し、その場において社内からの情報提供や社外取締役間の情報交換等を実施することで改善を図ります。

また、報酬・指名諮問委員会に関しては、中長期的なサクセッションプランの整備についての意見が、監査等委員会に関しては、守りの機能にとどまらずより能動的・積極的な権限行使をはかるべきとの意見がありました。当社取締役会は、これらについても課題として認識し、取り組みを進めます。

当社は、今回の取締役会実効性評価の結果を踏まえ、更なる取締役会の実効性向上を図っていきます。

㉗ KDDI

「コーポレートガバナンス・コードの各原則に基づく開示」

【補充原則4－11－3】
■取締役会評価の実施目的
　当社は、取締役会の現状を正しく理解し、継続的な改善に取り組むため、毎年定期的に取締役会の自己評価を行います。

■評価プロセスの概要
　当社は、各取締役・監査役による取締役会の評価を基に、その実効性を確認しています。評価手法はアンケート形式であり、4段階評価と自由記述を組み合わせることで、定量的評価と定性的評価の2つの側面から、取り組みの効果検証と改善点の発見に取り組んでいます。
　評価対象期間は直近1年間とし、毎年定期的に実施しています。評価結果は取締役会で報告し、今後の対応策等を検討しています。
　主な評価項目は以下のとおりです。
　　・取締役会運営（メンバー構成、資料・説明、情報提供等）
　　・経営陣の監督（利益相反、リスク管理、子会社管理等）
　　・中長期的な議論（中期経営計画への参画、計画執行のモニタリング等）

■評価結果の概要
【総括】
　当社取締役会は適切に運営されていることが確認されました。
　新型コロナウイルス感染症の影響下においてもオンライン会議等を活用し、予定どおり開催することで、取締役会としての意思決定や監督が十分に機能したと評価されました。
　特に、以下の2点が高く評価されています。
　　・意志決定の透明性確保

補充原則
4-11③

Ⅱ　ガバナンス報告書

専門分野の異なる人材が社外役員に就任し、取締役会では多岐にわたる発言がなされている。
執行側は積極的に応答しており、オープンな議論により意思決定の透明性が確保されている。
・社外役員への情報提供の充実
各事業の責任者との議論の場の提供、施設見学・現場視察の実施などにより、社外役員が当社事業の理解を深める機会が多く提供されている。

【前回からの改善点】
2020年においては、特に子会社等のモニタリングが重要との認識のもと、出資先企業の経営監督プロセスを再整理し、財務状況のみならず、シナジーの実現・事業貢献度などを加味して評価した上で、各社のよりよい事業運営に向けた議論を行うこととしました。
また、グループ全体のリスク情報をより迅速・確実に把握できるよう、報告基準を明確化しました。
これにより、前回の評価において課題として指摘された「グループとしての適時・適切なモニタリング、よりよい監督」に向けた改善がなされたことを確認しました。

【今後の課題】
今回の評価において、各取締役・監査役から、激変する経営環境の中、当社の持続的成長のため議論すべき様々なテーマについて、大局的視点からの提案がありました。
次期中期経営計画の策定プロセスの中でこれらのテーマを取り上げ、取締役・監査役各々の、多様な経験・知見を活かした活発な議論を行うことで、取締役会の実効性のさらなる向上を図って参ります。

■監査役監査に関する実効性評価について
当社では、監査役監査及び監査役会の運営の現状と課題を確認し、より実効性の高い監査役監査を目指すために、2020年度においても引き続き監査役監査に関する実効性評価を実施しました。
(1) 評価結果
監査役監査及び監査役会の活動は概ね実効的に行われていることを確認しました。但し、コロナ禍の状況のなかで子会社に対する取締役による監督状況について、より一層の監視の充実が必要であると認識しました。
(2) 今後の活動
上記を踏まえ、内部監査部門及び会計監査人と密接に連携してコロナ禍における監査を一層充実させるほか、子会社の監査役とも更なる連携を図り当社グループ全体の監査の実効性を高めることにより、当社グループ全体の健全な経営と社会的信頼の向上に向けて取り組んでまいります。

㉘ 花　王

「コーポレートガバナンス・コードの各原則に基づく開示」

１２　取締役会全体の実効性についての分析・評価及びその結果の概要（原則 4-11-3）

少なくとも毎年１回、取締役会において評価を実施し、実効性を高めるための改善につなげています。取締役会の役割・責務は取締役会全体で共有する必要があるという考えの下、取締役会に参加している監査役を含めたメンバー全員が自ら意見を述べ、自由闊達な議論を行うことによって評価を実施することが有効であると考えており、現時点では第三者による評価は実施せず、取締役会出席メンバー自身による自己評価により実効性の評価を行っております。しかしながら、第三者の客観的な視点での評価の有用性も考慮し、取締役会の実効性をさらに高める活動に繋げるため、第三者評価の導入も継続的に検討していきます。

2020年度の評価では、2021年１月度取締役会における自己評価の意見交換に先立ち、取締役全８名及び監査役全５名に対し以下の観点のアンケートを実施し、結果を事前にフィードバックした上で取締役会において議論・意見交換を行いました。その概要は以下のとおりです。

(a) 昨年度の取締役会実効性評価で指摘された課題への取り組み
1. 会社の大きな方向性に関する議論：2020年度当期は次期中期経営計画「K25」の策定に多くの時間を使い、その議論の一環として、当社の目指すべき姿やビジネスモデル等の大きな方向性についての議論も十分に行うことができた。今後、グローバル戦略、Ｍ＆Ａ戦略、特に人財戦略については、必要に応じて外部の意見も取り入れながら、さらに議論を深める必要がある。
2. 人財戦略：「K25」の議論の中で方向性とツール（新人財活性化制度「OKR」）についての議論はあったが、人財戦略に特化した議論をする時間は十分に確保できなかった。「K25」の中での議論を進展させながら、その達成に向けて、必要な人財要件の特定、「OKR」の活用実態の把握、次世代育成等の議論を深めることが必要。
3. 法令遵守を実現するための内部統制：悪い情報が取締役、監査役に早く上がるようになってきており、また発生原因の深掘りや、拡大調査などの取り組みが始められている点においては改善がみられる。しかし、内部統制に対する社員の自分事化、そのモニタリングなど体制・運用面ではさらなる改善が必要であり、また、内部統制上の課題の重要種別を明確にして、目指すレベルに対して現在はどの程度にあるのか、重大事象を未然に防ぐ機能が働いているのかについての議論も必要。

(b) 中期経営計画に関する議論の状況
1. 中期経営計画「K20」の達成に向けた議論や監督
2020年度は中期経営計画K20の最終年であったため、４月に「K20」の課題対応と達成イメージ、そして６月に事業活動計画について執行側から報告を行い、また毎月の定例報告で進捗状況を報告するなど達成に向けた議論を行ったが、新型コロナウイルス感染症対応の監督が中心となったため、十分であったとは言えない。しかし、「K20」の結果については新型コロナウイルス感染症由来のものとそうでないものを切り分けた議論が適切に行われており、今後の議論にうまくつなげられると考える。
2. 次期中期経営計画「K25」策定についての議論
十分な時間をかけて活発な意見交換がなされ充実した議論ができた。４月に「K25」のイメージを議論し、６月には全社外役員も含めて集中的な

議論を丸 1 日かけて行い、その後 8 月と 11 月に取締役会でさらに深い議論を行って「K25」をまとめ上げており、このプロセスは高く評価できる。これらの議論を通じて経営の大きな方向性について賛同が得られた。今後、計画の具体性についてはさらなる議論が必要。
  3. 中期経営計画「K25」の実現に向けて、今後の議論や監督のあるべき姿
    計画の具体化及びその進捗を適時にモニタリングできる仕組みをつくり、今後も社外役員の知見や見識を最大限活用し、またステークホルダーの意見も踏まえて継続的に議論をすべき。「K25」を実現するために必要とされる大型投資の判断と実効性、大型戦略施策に関する議論、推進を阻む事象の解決策の議論も必要。また、「K25」の実現に向けて社員が一丸となって取り組めているかのモニタリングも必要。
  4. 中期経営計画「K25」の実現に向けた取締役会の構成
    コンパクトな人数、社内と社外の構成比、バックグラウンドなどバランスも良く、適正レベルの範囲にある。しかし、ジェンダーや国際性を含む多様性に関しては、今後も議論を継続して改善を図るべき。執行役員についても、外部からの招聘を含め、若手や女性、海外事業で実績のある人の登用も検討すべき。

(c) 取締役会の構成、運営状況、審議状況、会社からの支援
  1. 運営状況：取締役会における充実した議論に資するため、取締役会の開催前に資料を配布し、議題の提案の背景、目的、その内容等について理解の促進が図られている。また、経営会議に陪席している取締役会議長（社外取締役）から、適宜経営会議での議論について社外役員に補足が行われ、議論の効果と効率を高めている。開催頻度も適切に設定されている。
  2. 審議状況：審議事項は適切に設定されている。質疑や議論の時間を十分に確保するよう議事進行がなされており、自由闊達で建設的な議論・意見交換が活発に行われている。執行サイドと取締役会の意思疎通も良くできている。但し、発表資料については、分量が過剰であることも多くあり、シンプル化してコアとなる議論に集中できるようにすべき。
  3. 会社からの支援：取締役会における情報提供のほかに、事業場訪問の機会、研究発表会への参加等を通じて情報が適宜提供されており、適切な支援が行われている。

(d) 取締役・監査役選任審査委員会及び取締役・執行役員報酬諮問委員会の運営
    取締役・監査役選任審査委員会においては、2020 年度は社長交代の議論が行われたが、必要な情報の提供と十分な議論時間が確保されており、また候補者の選定、候補者との接点の工夫、議論の進め方、社長の議論への関わり方など、プロセスの面でも適切であった。審議結果については選任の理由も含めて取締役会で適切に報告されている。
    取締役・執行役員報酬諮問委員会においては、「K25」に基づく新役員報酬制度について適切な議論が行われた。但し、非財務面における貢献度の評価の在り方についてはさらなる議論が必要。審議結果については取締役会で適切に報告されている。

(e) 取締役会における今後の課題
  1. 中期経営計画「K25」の実現に向けて、具体的な取り組みの状況が適時に共有され、取締役会において多様な視点を踏まえた議論が継続されるべき。
  2. 人財戦略については、尽きることなく、継続的に議論することが必要。あるべき方向性についての議論を深め、「K25」で求められる人財の要件に沿って人財の確保や育成等についても議論を行うべき。
  3. 内部統制については、全社的に統制がさらに有効に機能するよう、体制整備と運用が適正になされているかを常に監督しなければならない。

<監査役会の実効性評価>
　監査役会は、毎年 1 回、監査役・監査役会の活動の実効性について評価を実施しています。
2020 年度は、2021 年 2 月に開催された監査役会にて、「監査役・監査役会の実効性の自己評価」に関する着目視点リストも参照し、2020 年度の活動について各監査役が意見を述べ、それに基づき監査役全員で議論し、評価しました。その結果は、取締役会へ報告し、2021 年度の監査計画に組み入れ活動を一層充実させていきます。主な評価結果は、以下のとおりです。
  <現状>
  ・監査役は、取締役会に出席し、経営意思決定プロセスや内部統制環境の整備・運用状況等を適法性・妥当性の観点から監査し、必要により意見表明を行っている。
  ・常勤監査役は、経営会議、内部統制委員会及び傘下の委員会などの重要会議に出席し、執行状況および内部統制の整備・運用が適切に実行されているかを確認している。また、工場・研究所・事業部門・機能部門の監査及び国内外の子会社への調査（第一ディフェンス・ライン）、並びに各委員会事務局及び法務・コンプライアンス、人財開発、会計財務部門等の内部統制関連部門監査（第二ディフェンス・ライン）を実施し、社外監査役も適宜出席している。2020 年度は、新型コロナウイルス感染症の感染拡大防止措置に基づき、リモート監査を併用して監査品質を維持した。
  ・これらの監査活動を通じて得た所見・所感に基づき、当社及び当社の重要な子会社の代表取締役との意見交換会並びに社外取締役との意見交換会を実施し、必要に応じて提言を行っている。
  ・監査役会では、それぞれの経験や専門性に基づいて、客観的な視点も取り入れながら忌憚ない意見交換がなされており、総じて有効に機能している
  ・取締役会においても、監査役会の活動を逐次発信する機会を持っている。
  ・関係会社監査役連絡会では、社外監査役からの講演の機会を持ち、グループ各社の監査役業務・内部統制に関する意見の交換を実施している。

  <活動実績>
  ・重要会議への出席：69 回
  ・取締役との意見交換会：6 回
  ・第一ディフェンス・ライン（現場監査）：90 回
  ・第二ディフェンス・ライン（内部統制関連部門監査）：15 回
  ・三様監査関連（経営監査室や会計監査人とのミーティング等）：44 回

  <課題>
　花王グループ中期経営計画「K25」の開始にあたり、事業環境の変化や事業拡大に適切かつ柔軟に対応するために、以下の提言や検討などを行う。
  ・グローバルに内部統制の整備・運用の両面から実効性と効率性が図れるよう、提言を行う。

Ⅱ　ガバナンス報告書

- 子会社監査役がより有効に機能するための仕組みを強化していく。
- 監査の進め方を継続的に検討していく。

第17　補充原則4－14②に基づく開示

補充原則4－14②

> 上場会社は，取締役・監査役に対するトレーニングの方針について開示を行うべきである。

1　背景・趣旨

　上場会社の取締役・監査役が，会社の事業・財務・組織等に関する知識を有するとともに，取締役・監査役に求められる役割と責務（法的責任を含む）を十分に理解している必要があると考えられること（原則4－14第1文，補充原則4－14①）を踏まえ，そのための適切な支援等を上場会社に求めるものである。また，こうした支援等の方針が明らかになっていることは，株主等のステークホルダーからの信認を深めることにも資すると考えられることから，本補充原則において，取締役・監査役に対するトレーニングの方針の開示を求めている[注54]。

(注54)　油布志行＝渡邉浩司＝髙田洋輔＝浜田宰「『コーポレートガバナンス・コード原案』の解説〔Ⅳ・完〕」商事法務2065号（2015）52頁。

2　開示対象

　本補充原則に基づく開示対象は，「取締役・監査役に対するトレーニングの方針」である。本補充原則においては，トレーニングの具体的な実施方法は特定されておらず，プリンシプルベース・アプローチの下，各社の合理的な判断により，適切な方法により実施すれば足りると考えられる。

3　分類

　本補充原則に基づく開示においては，「トレーニングの方針」として，トレーニングの対象事項，トレーニングの対象者，トレーニングの方法やトレーニングの状況等を開示する例がある。

(1)　トレーニングの対象事項

　トレーニングの対象事項は，(i)会社の事業・財務・組織・歴史等に関する知識といった各社

Ⅱ　ガバナンス報告書

特有の事項と，(ⅱ)取締役・監査役に求められる役割と責務（法的責任を含む）といった一般的な事項の双方を含むものと理解されており，開示事例においてもこれらを区別して開示する例がある。

　上記(i)に関する開示としては，社外取締役・社外監査役に会社の事業・財務・組織等に関する説明の機会を設けると共に事業場の視察，顧客・提携先，展示会の見学を行うことにより当該会社特有の事項を提供する旨開示する例（①**島津製作所**）がある。また，会社の各種役員関連規定等の説明会を実施する旨開示するもの（②**凸版印刷**），会社に特有の業務内容をトレーニングの対象事項とする旨開示するもの（③**ＡＮＡホールディングス**）もある。

　上記(ⅱ)に関する開示としては，取締役に対して，その就任に際して，会社法等の重要な法令に基づく責務や業務に関連する制度について，改めて説明する旨開示するもの（④**ニチレキ**），社内出身の新任役員は，取締役及び監査役の役割および責務の理解を深めるために外部セミナーの受講をする旨開示するもの（⑤**小野薬品工業**）がある。

(2) トレーニングの対象者

　トレーニングの対象者の属性（役職や，新任かどうか等）によって必要となるトレーニングの内容も異なってくることから，開示事例においても，対象者の属性を踏まえた開示がなされている。

　まず，新任の役員に対して，取締役・監査役に求められる役割と責務を理解する機会を提供するため，必要に応じて社内外の研修会等への参加や開催を推進している旨を開示する例（⑥**四国化成工業**）がある。また，新任取締役候補者及び新任監査役候補者に対して研修を行う旨を開示する例（⑦**資生堂**）もある。さらに，補充原則4－14①では，「就任後においても，必要に応じ，これらを継続的に更新する機会を得るべきである。」とされていることから，就任後も，会社の事業・財務・組織等に関する知識として法律・規制，会計や製品安全など経営上有益となり得る時宜を得たテーマについて，定期的かつ継続的に第三者による集合研修を行うこととしている旨開示する例（⑧**ダイキン工業**）もある。また，トレーニングはそれを受ける者の資質等により内容が異なると考えられることを踏まえた開示例として，選任された役員の知見等に言及するもの（⑨**ＪＰホールディングス**）や，社外役員について個々のバックグラウンド等を踏まえて個別に対応する旨開示するもの（⑩**東レ**）がある。

　次に，社内役員と社外役員を区別し，それぞれのトレーニングの方針を開示するもの（③**ＡＮＡホールディングス**，⑪**花王**，⑫**みずほフィナンシャルグループ**）や，取締役全体に共通するトレーニングと社外取締役に対してのみ行われるトレーニングとを区別して開示するもの（⑬**カシオ計算機**）がある。

　また，取締役とは区別して，監査役のトレーニングの方針として，外部機関主催の研修会や社外の講習会に参加する旨を開示する例（⑭**豊田自動織機**）もある。

他方で、各取締役はその能力等が職務を遂行するにふさわしいかを判断した上で指名し、株主総会の承認を得ていることから、トレーニングを行う必要はないと考えている旨開示する例（⑮カルビー）もある。

(3) トレーニングの方法

上記のとおり、トレーニングの方法は各社の合理的な判断に委ねられており、多様な開示事例が見られる。

まず、社内での対応として、取締役に対しては就任時に社内で法令遵守に関する啓発機会を設け、社外取締役に対しては就任時に会社の事業への理解を深めるため、国内外の主要拠点の見学も含めた社内各部門によるオリエンテーションプログラムを行うとするもの（⑯いすゞ自動車）や、トレーニングの一環として役員合宿を行うとするもの（⑰ヤオコー）がある。さらに、現場・施設・事業拠点等の視察等を行うとするもの（③ＡＮＡホールディングス、⑱富士電機）もある。

また、利用する外部機関の具体的な名称を記載するもの（⑲日産東京販売ホールディングス）もある。さらに、原則4－14では、上場会社がトレーニングの費用の支援を行うべきものとされていることを踏まえ、取締役及び監査役がその役割を果たすために必要な費用を会社負担とする旨を開示する例（⑳昭和電工）もある。

(4) トレーニングの実績

本補充原則が開示を求めている事項ではないが、直近の事業年度におけるトレーニングの実績を開示する例がある。この点、役員の一定の区分ごとのトレーニングの方針をトレーニングの実績とともに開示する例（⑫みずほフィナンシャルグループ、㉑コニカミノルタ）があるほか、実績の開示を行っている事例としては、社外取締役と監査役についてそれぞれ実績を記載する例（㉒クボタ）、「テクノロジーによる社会変革と経営」など研修で取り上げたトピックを開示する例（㉓大和証券グループ本社）などがある。

4 その他の開示事項

本補充原則で開示が求められるのは「取締役・監査役」についてのトレーニングの方針であるが、それら以外の役職者に対するトレーニングについても、併せて開示する例が存する。例えば、執行役員についてもトレーニングを行うと開示するもの（㉔セブン＆アイ・ホールディングス）や、執行役員候補となる幹部社員についてトレーニングを行う旨開示するもの（⑦資生堂）、グループ会社の経営陣について研修を実施する旨開示するもの（㉕永谷園ホールディングス）もある。

補充原則
4-14②

Ⅱ ガバナンス報告書

5　開示事例

①島津製作所
「コーポレートガバナンス・コードの各原則に基づく開示」

【補充原則4-14-2 取締役・監査役のトレーニング方針】
当社は、取締役・監査役がその役割、責任を果たすため必要な知識等の習得のために、有識者・専門家を招いたセミナーを開催し、また社外セミナーや業界団体などの社外交流会への参加などの機会も設けています。また社外取締役・社外監査役に対しては、当社グループの事業内容の理解を深めることを目的に、当社の事業・財務・組織等に関する説明の機会を設けると共に事業場の視察、顧客・提携先、展示会の見学を行うなど、必要な知識・知見の提供を適正行っています。

②凸版印刷
「コーポレートガバナンス・コードの各原則に基づく開示」

【補充原則4-14-2 取締役・監査役のトレーニングの方針】
当社は、定期的に当社の経営課題への対応をテーマとした役員研修を実施し、率直な意見交換を行うことにより、取締役の研鑽がなされる体制を構築しております。また、新任取締役候補者に対しては、取締役としての法的責任、財務知識、当社の経営課題、各種関連規程の説明を中心とした内容の研修を実施しております。
監査役は外部機関における研修・情報収集や当社事業所への訪問を通じ、当社事業の特性を理解するとともに、監査機能の向上に努めております。

③ＡＮＡホールディングス
「コーポレートガバナンス・コードの各原則に基づく開示」

【補充原則4-14-2】(取締役・監査役に対するトレーニングの方針)
社内取締役については、就任時に財務・会計、コンプライアンスに関連する外部セミナーを受講し、就任後においても、対象者の知識・経験等を勘案した外部セミナー・研修の受講、個別コーチングを通じた知識の習得等を継続的に実施することとしており、会社がこれらの自己研鑽に必要な支援を行います。また、役員集合研修や社外講師による講話・意見交換等を定期的に実施し、取締役に求められる役割を果たすために必要となる情報や知識を提供します。
社内監査役については、経理・財務部門未経験者が就任した際には、財務会計に関連する外部セミナーを受講し、就任後においても、監査手法・CSR・リスクマネジメント・コンプライアンス等のセミナーの中から、対象者の知識・経験等に応じた内容を受講することとしており、会社がこれらの自己研鑽に必要な支援を行います。
社外取締役及び社外監査役については、当社グループや航空業界に対する理解を深めるために、就任時に当社グループの業務内容の説明を行い、就任後においても空港・整備・運航・客室等の現場や施設の視察をする機会を設けています。また、航空業界の基本知識に係わる講習や、主要なグループ各社の事業内容の説明等を継続的に実施しています。

④ニチレキ
「コーポレートガバナンス・コードの各原則に基づく開示」

【補充原則 4-14-2】(取締役・監査役に対するトレーニングの方針)
　当社は、社外取締役および社外監査役に対し、就任の際に、当社グループの企業理念、経営方針、事業活動および組織等に関する説明を行うとともに、就任以降、当社支店・工場等の視察の機会を設けています。また、社内の業務執行取締役および監査役に対しても、その就任に際して、会社法等の重要な法令に基づく責務について改めて説明するとともに、必要な知識習得および役割と責任に対する理解を深めるために、外部研修を受講することとしています。その他、取締役・監査役がその役割および責務を果たすうえで必要とする、事業・財務・組織等に関する知識の取得については、都度、機会の提供や費用の支援を行っています。

⑤小野薬品工業
「コーポレートガバナンス・コードの各原則に基づく開示」

【補充原則4-14-2 取締役・監査役に対するトレーニングの方針】
　当社では、社外役員を含め、取締役および監査役に期待される役割と責務を全うできると考える者を候補者として選定しています。その上で、社内出身の新任役員は、取締役および監査役の役割および責務について理解を深めるために外部セミナーを受講しています。一方、社外取締役・社外監査役に対しては、各役員の背景を踏まえながら、当社の事業や業界動向等の理解を深めるための研修等を実施しています。また、就任

第二部　各原則に基づく開示事項（必要的開示）　第17

後、各取締役・監査役が個別に必要とする研修については、研修機会等の提供や斡旋を行い、その費用を負担しています。

⑥四国化成工業

「コーポレートガバナンス・コードの各原則に基づく開示」

【補充原則4-14-2　取締役・監査役に対するトレーニング方針】
当社は、新任の役員に対しては、取締役・監査役に求められる役割と責務を理解する機会を提供するため、必要に応じて財務・会計、会社法その他の関連法令、コーポレートガバナンス、コンプライアンス、CSR等を主題とした社内外の研修会等への参加や開催を推進しております。また、新任の社外役員に対し、上記に加え、当社の事業説明、事業所視察等により当社事業への理解を深める機会を提供しております。

⑦資生堂

「コーポレートガバナンス・コードの各原則に基づく開示」

○9. 取締役、監査役および執行役員のサクセッションプランならびに研修　＜補充原則4-1(3)：執行役員社長のサクセッションプラン、補充原則4-14(2)：取締役・監査役に対するトレーニングの方針＞
当社では、社長 兼 CEOの後任候補者の選定には現任者自身の関与が必要であり、そのサクセッションプランの立案責任も現任者が負うものと考えています。一方で、現任の社長 兼 CEO自身の再任という選択肢を含む場合には、審議の公正性を確保するため、再任の要否の検討は、指名・報酬諮問委員会において委員長および社外取締役である委員のみで行います。また、指名・報酬諮問委員会は、社長 兼 CEOよりサクセッションプランや具体的な後任候補者の指名について十分な報告を受け、意見を交換し、独立した立場からの社長 兼 CEOに対する評価や当社の経営課題も踏まえて検討を加え、フィードバックを行います。具体的な後任候補者の評価については、社長 兼 CEOが選定した候補者案に対し、社外取締役および社外監査役で構成されるCEOレビュー会議が、独立かつ客観的な立場からその妥当性について判断します。CEOレビュー会議を含む指名・報酬諮問委員会の機能は、取締役会の機能の重要な部分を担うものであるため、取締役会はその判断を尊重します。また、実際に後任の社長 兼 CEOを選定する際は、指名・報酬諮問委員会は最終候補者および最終候補者選定のプロセスにつき十分に審議したうえでその意見を答申し、取締役会は当該答申を最大限尊重して選定決議を行います。なお、当社の社長 兼 CEOが後任候補者を選定する際に支障がある場合等には、指名・報酬諮問委員会が主導的な役割を担うこともあり得ます。
2019年度に、現任の魚谷社長 兼 CEOの任期延長および具体的サクセッションプランの枠組み等が取締役会で承認されたことを踏まえ、2020年度は、当該サクセッションプランの遂行を開始するとともに、その進捗状況について役員指名諮問委員会（当時）や監査役への報告を行いました。

当社は、社長だけでなく、経営に対する監督機能の鍵となる社外取締役および社外監査役のサクセッションプランも重要であると考えています。このことから、就任期間や後継者候補の要件の明確化、多様性の一層の強化を含むサクセッションプランについて、指名・報酬諮問委員会の検討の対象としています。
また、当社では、取締役や監査役、エグゼクティブオフィサーに必要とされる資質を備えた人材を登用することに加え、必要な研修や情報提供を実施することも重要であると考えています。新任取締役候補者および新任監査役候補者に対し、法令上の権限および義務等に関する研修を実施しているほか、社外取締役および社外監査役を新たに迎える際には、当社が属する業界、当社の歴史・事業概要・戦略等について研修を行っています。
さらに、次世代の経営幹部の育成のため、エグゼクティブオフィサー候補となる幹部従業員には、トップマネジメントに求められるリーダーシップや経営スキルを習得する研修を行っています。

⑧ダイキン工業

「コーポレートガバナンス・コードの各原則に基づく開示」

［原則4-14　取締役・監査役のトレーニング］
補充原則4-14-2
■取締役・監査役の就任時は、その役割や責務を適切に果たすために必要な知識・情報を取得・更新するための機会を提供しています。特に社外役員に対しては就任時に加え必要都度、当社の経営理念、事業内容、財務状況、組織等を理解する機会を積極的に提供しています。
■就任後も、会社の事業・財務・組織等に関する知識として法律・規制、会計や製品安全など経営上有益となり得る時宜を得たテーマについて、定期的かつ継続的に第三者による集合研修を行うこととしています。

⑨ＪＰホールディングス

「コーポレートガバナンス・コードの各原則に基づく開示」

【原則4-14-2】取締役に対するトレーニングの方針
　取締役がその役割・責務を適切に果たすために必要なトレーニング及び情報提供を適宜実施しており、それに生じる費用は当社が負担しております。
　具体的には、取締役が新たに就任する際は、関連規程や法律及びコーポレート・ガバナンスに関する研修等を、取締役の経歴や知見に応じて適宜行い、新たに就任する取締役が社外の場合は、当社及び当社グループの経営戦略や事業内容及び状況等の理解を深めるために、必要な情報提供を行うとともに、各施設への視察を行う等の施策を適宜実施しております。
　また、就任後も法改正や経営管理、経営課題に関する研修の提供を行う等、継続的に実施しております。

補充原則4-14②

Ⅱ　ガバナンス報告書

⑩東　　レ

「コーポレートガバナンス・コードの各原則に基づく開示」

【補充原則4-14-2（取締役・監査役に対するトレーニングの方針）】
当社は取締役および監査役が職務に必要な知識を習得し、その役割を適切に果たすことができるよう、トレーニングの機会を提供しています。具体的には、社内で研修会を開催している他、社外のセミナーや研修への出席を奨励しています。社外取締役および社外監査役については、専門分野や企業経営に関わった経験の度合いがそれぞれ大きく異なることから、個々のバックグラウンド等を踏まえて個別に対応しています。取締役会の運営については、「ガバナンス委員会」が継続的に評価することで、一層の改善を図っています。

⑪花　　王

「コーポレートガバナンス・コードの各原則に基づく開示」

１３　取締役・監査役がその役割・責務を果たすために必要な理解と知識を向上させるための施策（原則　4-14-2「取締役・監査役に対するトレーニングの方針」）
　取締役・監査役が、それぞれの役割や責務を果たす上で必要になる事業・会社環境の理解やコーポレート・ガバナンス等に関する知識を向上させるために必要な機会の提供、費用の支援などを行います。特に、社内役員に対しては、経営者や監査役としての素養、会社法やコーポレート・ガバナンス等に関する知識、法令の順守及び経営に関する有用な情報等を提供します。また、社外役員に対しては、当社グループの経営戦略や事業の内容・状況等の理解を深めるため、就任時にこれらの説明を行うとともに、その後も適宜、工場・事業場見学、担当役員からの説明等を行います。
　　＜現状の取組内容＞
　・将来の取締役・監査役候補者である執行役員に対して、外部機関の主催する経営者に必要な深い洞察力等の素養・知識・スキル習得のための教育プログラムへの参加
　・就任時の会社法やコーポレート・ガバナンス等に関する説明
　・就任時の経営戦略等、事業の内容、運営体制等に関する説明
　・主力工場・主要事業場等の訪問
　・経営者としての幅広い人格・見識を涵養するための講演
　・専門家による会社法、コーポレート・ガバナンス等に関する講演や他社の経営者や有識者等による経営に関する有用な情報等に関する講演
　・インサイダー取引防止等コンプライアンスに関する説明会

⑫みずほフィナンシャルグループ

「コーポレートガバナンス・コードの各原則に基づく開示」

【補充原則4-14②】（取締役のトレーニング）
　当社の取締役は、その役割を果たし、取締役会がモニタリング機能・アドバイジング機能を発揮できるよう、当社グループを取り巻く経営環境や事業の状況等に関して、常に能動的に情報を収集し、研鑽を積んでおります。当社は取締役に対して、期待される役割・責務を果たす上で必要となる「知識習得・向上の機会」を継続的に提供・斡旋しております。
　新任取締役に対し、その就任に際し、会社法および関連法令やコーポレート・ガバナンスに関する情報等、取締役に求められる役割と責務を果たすために必要な知識を習得できる機会を提供し、就任後も必要に応じて、各取締役に応じた機会を提供しております。
　さらに、社外取締役に対しては、その就任の際、また、就任後も継続的に、当社グループの事業・財務・組織等に関する必要な知識を習得できるよう、各社外取締役に応じた機会を提供することとしております。
　なお、取締役に対するトレーニングの方針については、「コーポレート・ガバナンスガイドライン」第6条第6項に記載しております。
　（日本語：https://www.mizuho-fg.co.jp/company/structure/governance/g_report.html#guideline）
　（英語：https://www.mizuho-fg.com/company/structure/governance/g_report.html#guideline）

□主な取り組み内容
１．全取締役への「知識習得・向上の機会」
・当社および中核3社等の新任取締役向けに、外部講師（弁護士）による、取締役の義務と責任を中心とした研修を実施
・取締役会における各種付議/報告等により、当社グループの経営全般を俯瞰
・システム障害を踏まえ、リスク管理に係る外部講師による研修会を実施（当社および中核3社の取締役および執行役が対象）
・「コンプライアンス・お客さま保護」および「人権啓発」に係る外部講師による研修会を毎年定期的に開催（当社グループの全役員が対象）
・職務執行上必要な場合には、担当役員等からの個別説明、外部専門家の助言・外部研修（当社が費用負担）等の機会を提供

２．社外取締役への「知識習得・向上の機会」
　＜就任時＞
　・新任の社外取締役に対し「就任時集中説明」を個人別に実施
　　－担当執行役および取締役会室長等から、企業理念、事業内容、経営戦略、経営計画、財務、ガバナンス態勢等を説明
　＜就任後（2020年度実績）＞
　・社外取締役会議（※）
　　－2020年度は1回開催し、社外取締役が互いに情報交換して認識の共有を行い、経営上の課題、ガバナンス体制のあり方等に関する意見交換等を実施
　　※「社外取締役会議」の役割・構成・運営については、「Ⅱ経営上の意思決定、執行及び監督に係る経営管理組織その他の

「コーポレート・ガバナンス体制の状況」の「2.業務執行、監査・監督、指名、報酬決定等の機能に係る事項（現状のコーポレート・ガバナンス体制の概要）□監督 ○社外取締役会議」に記載しておりますので、ご参照ください。
・経営状況オフサイトミーティング（2020年4月～2021年3月、のべ9回）
  − 執行役社長、カンパニー長、グループ長、海外地域本部長等の執行ラインが社外取締役とフリーディスカッションを行い、社外取締役との相互理解を深める
・取締役会議案の事前説明の徹底および事後フォローの実施（取締役会の都度）
  − 関連する金融専門用語や業務内容も説明することにより、議案の理解を深め、取締役会での議論の充実を図る

3. 社内役員への「知識習得・向上の機会」
　執行役等の社内役員に対しても、取締役同様、各役員に期待される役割・責務に応じて必要な「知識習得・向上の機会」を、以下の研修等を行うことにより継続的に提供しております。
・「新任常務向けケーススタディ研修」の実施
  − 過去の危機事象の真因分析を踏まえ、危機管理に求められる役員・リーダーの意識と行動について体感し、理解を深める
・「危機管理広報の基礎知識」研修の実施
・「事業継続管理研修」を毎年定期的に実施
  − 過去の危機事象における教訓や経験を風化させずに受け継ぎ、グループにおける事業継続管理の枠組みおよび緊急事態への対応態勢・危機管理態勢に対する理解を深めるべく毎年定期的に実施
・新任執行役員向けのコンプライアンス研修等

⑬ カシオ計算機

「コーポレートガバナンス・コードの各原則に基づく開示」

【原則4−14. 取締役・監査役のトレーニング】
■補充原則4−14−2　取締役・監査役に対するトレーニングの方針
　取締役は、その責務や役割を十分に果たすためにはスキルや知識を常に高め続ける必要があると考えており、自己研鑽に努めております。会社は、研鑽のための情報提供・機会提供、費用等の必要な支援を継続的に実施しております。特に、社外取締役については、就任時だけでなく就任後においても、社内の重要会議への出席、国内外の工場・事業所の視察、社内の研究発表会への参加など、当社事業に関する知識を取得するための情報提供を継続的に企画、実施しております。また、監査等委員である取締役は、日本監査役協会を通じた情報収集・セミナー参加等、役割・責務に必要なレベルアップを図っております。

⑭ 豊田自動織機

「コーポレートガバナンス・コードの各原則に基づく開示」

【原則4−14. 取締役・監査役のトレーニング】
　補充原則4−14(2)
　取締役および監査役には、求められる役割と責務（法的責任を含む）を十分に果たしうる人物を、また特に社内から選任する取締役および監査役には、当社の事業・財務・組織等を熟知した人物を選任しています。
　取締役については、会社法および時々の情勢に適した内容で社外の専門家による講習会を定期的に実施し、また社外講習会や交流会に参加する機会を設け、取締役として必要な知識の習得および取締役の役割と責務の理解促進に努めています。
　また、監査役については、必要に応じ、社外講習会や交流会に参加し、監査役として必要な知識の習得および監査役の役割と責務の理解促進に努めています。

⑮ カルビー

「コーポレートガバナンス・コードの各原則を実施しない理由」

＜補充原則4−14−2　取締役・監査役に対するトレーニングの方針＞
各取締役・各監査役はその能力、経験及び知識が職務を遂行するにふさわしいかどうかを判断した上で指名し、株主総会の承認を得たものであり、'いわゆる'トレーニングを行う必要はないと考えているため、方針を定める予定はありません。ただし、社外取締役・社外監査役に対しては、就任時においてビジョン、経営戦略や事業内容についての詳細な説明を行い、必要に応じて工場・事業所の見学等の機会を設けています。取締役会では、決議事項、報告事項に直接かかわる情報だけでなく、意思決定する上で必要と思われる情報提供を行っています。

⑯ いすゞ自動車

「コーポレートガバナンス・コードの各原則に基づく開示」

補充原則 4-14②

【補充原則4−14−2　取締役に対するトレーニングの方針】
取締役に対しては就任時に社内で法令遵守に関する啓発機会を設けておりますほか、社外取締役の就任に際しましては、当社の事業への理解を深めるため、国内外の主要拠点の見学も含めた社内各部門によるオリエンテーションプログラムを実施しております。また、監査等委員である取締役は日本監査役協会が開催する講習会等に適宜参加し、必要な知識・情報の習得に努めることとしております。当社は今後も取締役がその責

務役割をより適切に果たすことができるよう、必要十分なサポートをしてまいります。

⑰ヤオコー

「コーポレートガバナンス・コードの各原則に基づく開示」

【補充原則4-14-2 取締役・監査役に対するトレーニング】
　取締役には、原則として毎年2日間の集中合宿を実施しております。社外取締役・社外監査役には、当社グループの沿革・企業理念等について社内研修を実施しております。

⑱富士電機

「コーポレートガバナンス・コードの各原則に基づく開示」

【補充原則4-14-2】(取締役、監査役のトレーニング方針)
当社では、常勤役員に対しては就任前に法務・税務を含むコンプライアンス研修を実施し、就任後も継続的に必要な知識を習得する機会を提供しています。また、社外役員に対しては就任前に会社状況・役割期待についての説明を行っております。また、就任後においても社内向け技術成果発表会、事業拠点の視察会等に参加しております。

⑲日産東京販売ホールディングス

「コーポレートガバナンス・コードの各原則に基づく開示」

【補充原則4-14-2】取締役・監査役に対するトレーニングの方針
当社は取締役・監査役に対し次のトレーニングを行います。
(1)就任時講習
　会社の事業・財務報告・組織等に関する必要な知識を講習します。
(2)更新講習
　上記就任時講習の内容のアップデートのための講習を行います。
(3)セミナー・講習等への機会提供・費用負担
　東京証券取引所が推奨する役員向けのeラーニングをはじめ、会社法等の法令、会計、内部統制、経済情勢や業界動向等、個々の取締役・監査役に適合したトレーニングの機会を提供・斡旋し、その費用は会社負担とします。

⑳昭和電工

「コーポレートガバナンス・コードの各原則に基づく開示」

(原則4-14(2):取締役・監査役のトレーニングの方針)
当社は、取締役、監査役に対して、新任研修を実施するとともに、就任後も経営戦略、法令改正、コーポレート・ガバナンス等に関する知識の定期的な更新を目的に、社内研修または外部研修の機会を提供し、必要な費用を負担します。

㉑コニカミノルタ

「コーポレートガバナンス・コードの各原則に基づく開示」

【補充原則4-14-2　取締役・監査役のトレーニング】
　当社は、取締役選任基準に従い、取締役に求められる資質を有する者を指名委員会において取締役候補者に選定しますが、新任取締役の知識、経験等の実情に合わせてトレーニングの必要性を確認し、必要な場合はその機会を適宜、提供いたします。
（1）新任の独立社外取締役には、就任に当たり当社グループの組織、事業及び財務をはじめ、中期経営計画の内容及び進捗状況などの情報提供を行います。また、各事業及びコーポレート横断機能に関する基本情報の提供を行います。
（2）独立社外取締役には、当社各事業の開発、生産、販売及びサービス等の現場への視察を実施し、担当の執行役から最新の情報提供を行います。

なお、2020年度の実績は以下のとおりです。また、全てテレビ会議システム等により開催しました。
(a) 国内視察（生産拠点、開発拠点。）
　　合計2回実施。延べ8名の社外取締役が参加。
(b) 社内発表会
　　延べ14名の社外取締役が4つの事業領域の社内発表会（価値創造フォーラム）に参加。
　　2名の社外取締役が社内発表会（プロセス改善グローバル大会）に参加。
　　5名の社外取締役が社内発表会（ボトムアップイノベーション活動発表会）に参加。
(3) 社内取締役には、外部機関が実施するガバナンスに関する研修の機会を提供するとともに、社外取締役・社内取締役に各種セミナーの情報を連絡し、適宜参加する機会とします。

㉒ クボタ

「コーポレートガバナンス・コードの各原則に基づく開示」

【原則4-14 取締役・監査役のトレーニング】

取締役、監査役および執行役員全員を対象に、毎年SDGs、人権、安全衛生、環境、品質、また本年度よりデジタルトランスフォーメーション推進のため、ICTをテーマにした役員フォーラムを開催しています。
当期は、オンライン配信を活用することで計4回、外部講師を招く等で、経営の監督に必要な知識の取得・更新の機会を付与しています。
また、新任執行役員については全員を対象に、外部機関主催の法令やコーポレートガバナンスに関する研修を行っています。
さらに、当社の事業活動についての理解を深め、適切な経営判断が行えるよう、社外取締役、社外監査役も含めて、海外関係会社・国内事業所の視察、現場幹部とのディスカッションを実施しています。
社外取締役は、2020年度においては、オンラインを活用してより多くの会議へ出席し、「2025年中期経営計画・長期ビジョン(GMB2030)検討会」、「取締役会実効性評価についての監査役とのディスカッション」や「コロナ禍における事業戦略」などについて、ディスカッションを行いました。

監査役については、定期的に社長が参加するミーティングで経営課題の共有を図るとともに、社外取締役ともガバナンス向上に向けた意見交換を定期的に行っています。

＜2020年度実績＞
社長ミーティング：計4回実施。社長、監査役全5名が全ての回に参加。
社外取締役ミーティング：計2回実施。社外取締役全3名と監査役全5名が全ての回に参加。

㉓ 大和証券グループ本社

「コーポレートガバナンス・コードの各原則に基づく開示」

【補充原則4-14-2】取締役に対するトレーニング方針
・当社では、取締役がその役割や責務を実効的に果たせるよう、新任の取締役への役員就任時の研修および説明を行うとともに、就任以降もその役割を果たすための情報・知識の取得を継続的に支援することとしています。
・また社外取締役については、社内の情報を充分に共有するとともに、社外取締役がその役割を果たす上で必要な費用を負担します（外部専門家利用等）。
・研修の内容としては、当社の事業内容、法令・コンプライアンス、コーポレート・ガバナンス、役員の役割・責務など幅広く提供しており、取締役がその機能を十分果たすことができるようサポートしています。
＜2020年度の主な研修実施状況＞
・新任役員研修（4月）
　-対象：大和証券グループの新任役員
　-内容：経営方針、役員の権限・責任、ガバナンス体制、役員の法的位置づけ、労働行政と社会の動き　等
・役員研修（7月）
　-対象：大和証券グループ本社および大和証券役員
　-内容：テクノロジーによる社会変革と経営、コンプライアンスを巡る最近の動向、ハラスメント防止の基本と実務　等
・新任社外取締役研修
・社外取締役研修（10月）
　-対象：大和証券グループ本社社外取締役
　-内容：グローバルリスクについて、証券ビジネスの課題と目指すべき方向性
・役員コンプライアンス研修（12月）
　-対象：大和証券グループ役員
　-内容：インサイダー取引未然防止、反社会的勢力の排除、マネー・ローンダリング/テロ資金供与対策の強化、情報セキュリティ
・国内拠点訪問
　-対象：大和証券グループ本社社外取締役
　-内容：大和証券株式会社の営業店訪問、視察および社員との意見交換を通じた業務内容の把握

補充原則4-14②

Ⅱ ガバナンス報告書

㉔セブン＆アイ・ホールディングス

「コーポレートガバナンス・コードの各原則に基づく開示」

当社は、コーポレートガバナンス・コード（2018年6月1日改訂）の趣旨・精神を踏まえ、当社のコーポレートガバナンスの体制・取組みをコードにより「特定の事項を開示すべきとする原則」とされる原則に対する対応を含め、全て当社ウェブサイト「コーポレートガバナンス」に集約して開示しております。
同サイトについては、下記URLよりご参照ください。
https://www.7andi.com/ir/management/governance.html

特定開示項目に関する各々の記載場所については、上記サイトの「コーポレートガバナンス・コード特定開示項目対照表」をご覧ください。

「同社ホームページ」

4．役員トレーニング【CGC補充原則4-14②】

当社では、取締役、監査役、執行役員をはじめその他役職員について、当該役職に応じた教育体制を構築・実施しています。
取締役においては、コーポレートガバナンス、および会社法・金融商品取引法等の関連法令についての研修を開催しており、管理部門を担当している執行役員についても対象としています。なお、当該研修にかかる費用は会社負担としています。
この他、当社役員はあらゆる機会を利用し、自己研鑽に努め、当社は向上機会を提供するよう便宜を図ることとしており、当該役員のトレーニング方針を、役員ガイドラインにおいて定めています。
なお、社外役員については、当社グループのビジネスの実態について理解を深めるために、主要な子会社の事業所を訪問する等の機会を設けています（社外役員との意見交換参照）。

参考情報「役員ガイドライン」「6．能力開発と向上機会の提供」[PDF:171KB]

㉕永谷園ホールディングス

「コーポレートガバナンス・コードの各原則に基づく開示」

【補充原則4-14-2】取締役・監査役のトレーニング
当社は、取締役、監査役及び執行役員に対し、会社法や金融商品取引法、会計ルール等、職務遂行上必要となる法令知識の習得のために、随時、関連部門や専門家等による情報提供の場を設けることを方針としております。
また、取締役、執行役員及びグループ会社の経営陣に対し、より高いリーダーシップ力と経営戦略を培う能力を開発するため、外部機関等を活用し、経営スキルを習得する研修を実施することを方針としております。

第18 原則5－1及び補充原則5－1②に基づく開示

原則5－1

　上場会社は，株主からの対話（面談）の申込みに対しては，会社の持続的な成長と中長期的な企業価値の向上に資するよう，合理的な範囲で前向きに対応すべきである。取締役会は，株主との建設的な対話を促進するための体制整備・取組みに関する方針を検討・承認し，開示すべきである。

補充原則5－1②

　株主との建設的な対話を促進するための方針には，少なくとも以下の点を記載すべきである。
　(ⅰ) 株主との対話全般について，下記(ⅱ)～(ⅴ)に記載する事項を含めその統括を行い，建設的な対話が実現するように目配りを行う経営陣又は取締役の指定
　(ⅱ) 対話を補助する社内のIR担当，経営企画，総務，財務，経理，法務部門等の有機的な連携のための方策
　(ⅲ) 個別面談以外の対話の手段（例えば，投資家説明会やIR活動）の充実に関する取組み
　(ⅳ) 対話において把握された株主の意見・懸念の経営陣幹部や取締役会に対する適切かつ効果的なフィードバックのための方策
　(ⅴ) 対話に際してのインサイダー情報の管理に関する方策

1　背景・趣旨

　原則5－1は，株主総会以外の場でも株主との間で建設的な対話を行うべきとする基本原則5を受けたものであり，上場会社にとっても，株主との対話が「経営の正統性の基盤を強化し，持続的な成長に向けた取組みに邁進する上で極めて有益である」との考え方に基づくものである（基本原則5の「考え方」）。その上で，原則5－1第2文は，株主との建設的な対話を促進するための体制整備・取組みに関する方針を検討・承認し，開示すべきとする。

2　開示対象

　原則5-1第2文で開示が求められる方針には，少なくとも，補充原則5-1②に列挙された事項を含む必要がある。

　その概要は，(i)経営陣又は取締役のうち株主との対話全般を統括する者の指定，(ii)対話を補助する社内の各部門が有機的に連携するための方策，(iii)個別面談以外の対話の手段の充実に関する取組み，(iv)対話を通じて把握した株主の意見等を経営陣幹部や取締役会に適切かつ効果的にフィードバックするための方策，(v)対話に際してのインサイダー情報の管理に関する方策である。

　なお，各社から投資家に向けた情報開示の在り方については，いわゆるディスクロージャー・ポリシーという形で定められることがある。その内容としては，情報開示に関する社内体制の整備や，インサイダー取引の未然防止等，補充原則5-1②に掲げられた事項に関連するものも含まれることがあるため，方針の策定に当たって参考となり得る。しかし，ディスクロージャー・ポリシーは，一般的に，上場会社からの情報開示の指針・ガイドラインを定めるものである。これに対して，原則5-1第2文において求められている方針は，株主との建設的な対話（いわゆるエンゲージメント）を念頭に置いており，ディスクロージャー・ポリシーとは必ずしも一致しない。したがって，方針の策定に当たっては，このような違いを意識し，建設的で双方向的な対話を念頭に置いた検討を行うことが必要と考えられる。

3　分　類

　本原則に基づく開示においては，補充原則5-1②において，記載すべき事項が比較的詳細に特定されていることから，多くの会社で，これに沿った形で開示が行われている。また，上記のように，本原則で開示が求められる「株主との建設的な対話を促進するための体制整備・取組みに関する方針」は，ディスクロージャー・ポリシーとは必ずしも一致しないが，これと重なる部分や，これが参考になる部分もある。そのため，上記方針の一部を成すものとして，ディスクロージャー・ポリシーを参照することを記載する開示事例も多い。

(1)　経営陣又は取締役のうち株主との対話全般を統括する者の指定

　対話全般を統括する者の指定としては，担当する取締役の役職（ＩＲ担当取締役）を開示するもの（①ＧＭＯグローバルサイン・ホールディングス）や，担当する役職を開示した上で，現在その役職に就任している者の個人名を注記として開示するもの（②ＭＳ＆ＡＤインシュアランスグループホールディングス）がある。他方，対話全般を統括する取締役の具体的な役職には言

及せずに，IR管掌の取締役及び執行役員を指定する旨を開示するもの（③ディップ）もある。

担当する取締役の役職を開示するものの中では，対話全般を統括する者として取締役社長又は代表取締役社長を指定する旨開示するもの（④サックスバー　ホールディングス，⑤図研）がある。また，取締役社長又は代表取締役社長以外の役職で，対話全般を統括する者としては，CFO（財務・経理担当役員等，CFOに相当する役職を含む。）を指定するもの（⑥パナソニック），IRを担当する役員を指定するもの（⑦シナネンホールディングス等）が比較的多く見受けられる。上記のほか，具体的な役職として，総務担当役員，広報担当役員，経理担当役員，経営企画担当取締役や経営企画担当役員を統括者として指定する例（⑧フジ・メディア・ホールディングス，⑨ユアサ商事，⑩日本新薬）も複数見受けられた。

また，統括者を補佐する取締役や担当者を開示するもの（⑧フジ・メディア・ホールディングス，⑪東プレ）や，対話の統括者と対話の担当者を区別して開示するもの（⑫オリックス）もある。

(2) 対話を補助する社内の各部門が有機的に連携するための方策

社内の各部門の連携としては，IR担当役員が社内の各部門と連携する旨を簡潔に開示するもの（⑬三菱ＵＦＪリース）のほか，財務部がグループ各社の各部門と連携の上，対話者を補助する旨を開示するもの（⑭りそなホールディングス）がある。また，対話を受けた当該担当取締役は，対話の内容に応じ，経営企画部，総務人事部，経理部等の関連部門と連携する旨開示する例（⑮澤藤電機）もある。

また，連携の内容・方法については，資料の作成等において連携する旨開示するもの（⑯Hamee，⑰住友金属鉱山），IR活動を通して得られた株主・投資家からの意見や経営課題を経営幹部や社内関連部門へ共有する旨開示するもの（⑥パナソニック），経営企画，広報，IRの各担当者が月1回，情報連絡会議を開催し，今後の予定や発表準備等を共有する旨開示するもの（⑱味の素）がある。また，一部部員の相互兼務等を通じて有機的な連携を図る旨開示するもの（⑲三井化学）もある。

さらに，連携の前提となる各部署の組織上の関係について，例えば，IR担当部署が社長直轄であることを示すもの（⑳荏原実業）もある。

(3) 個別面談以外の対話の手段の充実に関する取組み

個別面談以外の対話の手段の内容としては，投資家・アナリスト向け説明会や個人投資家向け説明会を開催する旨開示するもの（㉑四国化成工業等多数），決算電話会議を含む説明会や工場見学会を行う旨開示するもの（㉒ダイキン工業），個別事業に関する見学会を実施している旨開示するもの（⑥パナソニック）がある。また，株主総会前に個別議案について主要機関投資家への追加説明を行う旨開示するもの（㉓三菱ＵＦＪフィナンシャル・グループ）もある。さら

に，対話を担当する者に言及する例として，説明会において社長自らが説明することや施設の見学会等の実施の際に出来る限り経営陣が参加することを明記するもの（㉔リオン）がある。

また，海外の投資家との対話の手段としては，必要かつ合理的な範囲において英語での情報開示を行う旨開示するもの（㉕いちよし証券），海外における説明会について，地域ごとの担当者を開示するもの（㉖花王），開示資料の大半を英文で作成し，北米・英国・アジアを中心に海外在住の投資家への訪問を実施している旨開示するもの（㉗フジクラ），外部機関によってアレンジされる国際的な投資家との交流の機会も積極的に活用する旨開示するもの（㉘日本板硝子）もある。

さらに，統合報告書等の発行に言及するもの（㉙日本取引所グループ，㉚フクシマガリレイ），オンラインによる説明会やオンデマンド配信（英語音声のものも含む）を行う旨を開示するもの（⑭りそなホールディングス）がある。また，会社からの情報発信だけでなく，投資家からの意見を聴取する手段として，ホームページにおいて投資家による意見投稿の機会を確保する旨開示するもの（㉛東ソー）もある。

これらのIR活動の前年度実績（開催回数等）について，社長執行役員，CFO，CSO，インベスターリレーションズ部のそれぞれにつき開示するもの（㉜住友商事）も見られる。

(4) 取締役会等へのフィードバックの方策

対話を通じて把握した株主の意見等を経営陣幹部や取締役会に適切かつ効果的にフィードバックするための方策としては，フィードバックの頻度・時期に言及する例が多い。例えば，定期的にフィードバックする旨開示するもの（㉝日東電工），適時にフィードバックする旨開示するもの（㉞オービック）があるほか，株主や投資家との対話内容を広報IR部より月次で役員会等にフィードバックするとし，フィードバックの具体的な周期について開示するもの（㉟雪印メグミルク）もある。

また，フィードバックの方法としては，レポートにより報告する旨開示するもの（㊱テイクアンドギヴ・ニーズ），経営会議等において報告を行うとするもの（㊲東邦金属），取締役会がIR主管部門に対して，いつでも株主等との対話の詳細の説明を求めることができる旨を開示するもの（㊳ヴィスコ・テクノロジーズ）がある。また，経営陣や業務執行役員にもフィードバックを行う旨を開示するもの（㊴やまや）もある。

さらに，客観的な視点からの課題認識のために，主要関係役員，経営陣幹部又は取締役とは区別して，社外役員に対するフィードバックを適時適切に行う旨開示するもの（㊵大和ハウス工業，㊶浜井産業）がある。

(5) 対話に際してのインサイダー情報の管理に関する方策

対話に際してのインサイダー情報の管理に関する方策としては，問い合わせ等に対する説明

をすでに公開された情報と周知となった事実に限定する旨開示するもの（⑬**三菱ＵＦＪリース**），会社の持続的成長や中長期における企業価値向上に資する事項等を株主との対話のテーマにすることでインサイダー情報管理に留意する旨開示するもの（㊷**東祥**），四半期決算発表予定日前の一定の期間（各四半期決算日の翌日から当該四半期決算発表まで等）を沈黙期間とし，当該決算に関するコメント及び質問への回答を控える旨開示するもの（㊸**ユナイテッドアローズ**等多数）がある。さらに，沈黙期間外であっても決算についてのプレビュー取材には応じておらず，未公表の業績見通しに関する対話は差し控えている旨開示するもの（⑥**パナソニック**）もある。

以上に加えて，平成29年金融商品取引法改正により新たに導入されたフェア・ディスクロージャー・ルール（同法27条の36）に対応し，選択的開示とならないための配慮や情報開示の公平性に言及するもの（⑰**住友金属鉱山**，㊹**三井不動産**）や，同ルールの対象となる重要情報の管理又は公開に言及するもの（㊺**ヤクルト本社**，㊻**アルフレッサ　ホールディングス**）もある。

また，情報開示に関する社内の体制を示す例として，情報開示委員会を設置している旨開示するもの（㊼**インターネットイニシアティブ**）や，インサイダー情報の守秘義務を徹底するため関連部門に定期的な教育を実施する旨開示するもの（㊽**藤倉化成**），株主等との対話に際しては，相互監視の観点から，原則として2人以上で対応する旨開示するもの（㊾**川崎重工業**）がある。

さらに，重要情報の扱いについて，内部情報管理票を作成するなど情報の統括管理を実施し，インサイダー情報の管理に努める旨開示するもの（㊿**日本テレビホールディングス**），重要な未公表情報に関与する場合は案件ごとに，会社と当該個人が秘密保持契約を事前に締結している旨開示するもの（⑱**味の素**）がある。

(6)　社外取締役・監査役の関与

株主との対話の対応に従事する取締役は，通常，業務執行取締役である場合が多いが，補充原則5－1①は「株主との実際の対話（面談）の対応者については，株主の希望と面談の主な関心事項も踏まえた上で，合理的な範囲で，経営陣幹部，社外取締役又は監査役が面談に臨むことを基本とすべきである。」としており，状況等に応じて，社外取締役や監査役が面談に臨む場面も考えられる。2021年のコード改訂により，社外取締役がより明確に対応者として位置づけられるとともに，監査役も対応者として追記された。

近時，社外取締役や監査役，特に社外取締役との対話を求める機関投資家が増加しており，会社側においても積極的に社外取締役との対話の機会を設定する例も増えている。

開示例としては，例えば，株主からの対話（面談）の申し込みに対して，株主の希望と面談の主な関心事項も踏まえた上で，合理的な範囲で，社外取締役を含む取締役等が臨むとする例（㊵**大和ハウス工業**）だけでなく，会社側から自発的に社外取締役と機関投資家との対話の機会を設定している旨の例（51**エーザイ**，52**乾汽船**）が増えている。

原則5-1
補充原則
5-1②

Ⅱ　ガバナンス報告書

(7) その他

　補充原則5－1②では，「少なくとも」同補充原則の(ⅰ)～(ⅴ)の事項を記載すべきとされているが，「株主との建設的な対話を促進するための体制整備・取組みに関する方針」の内容として，それ以外の事項を開示する例も存する。

　例えば，株主との対話方針について基本的な考え方を開示するもの（②ＭＳ＆ＡＤインシュアランスグループホールディングス）や，株主からの対話の申込みに対する体制や申込みを検討する際の考慮要素を開示するもの（㊿インプレスホールディングス，㊾ヤマハ発動機）がある。

4　その他の開示事項

　本原則で開示が求められるのは「株主との建設的な対話を促進するための体制整備・取組みに関する方針」であるが，かかる方針に加え，株主との建設的な対話の前提として，株主構造・構成の把握に努める旨を開示するもの（㊺ツルハホールディングス）がある。これは，株主構造の把握に努めることを求める補充原則5－1③を念頭に置いたものと思われる。

5　開示事例

①ＧＭＯグローバルサイン・ホールディングス

「コーポレートガバナンス・コードの各原則に基づく開示」

【原則5-1 株主との建設的な対話に関する方針】
当社では、IR担当取締役を選任すると共に、社長室をIR担当部署とする。株主・投資家に対しては、決算説明会を毎年年2回以上開催し、その際に説明会に参加できない株主・投資家に対しインターネットを通じた動画配信を実施する等、合理的かつ可能な範囲において、フェア・ディスクロージャーに努める。また、当社の株主構成に鑑み、個人投資家に対しては年に2回以上、地方政令都市を中心に個人投資家向けの説明会を開催する。

(1)基本的な考え方
持続的な成長・中長期的な企業価値向上のためには、株主・投資家との間で持続的かつ建設的な対話を実施し、当社の状況について経営トップの理解と資本市場からの理解との間に溝を作らないことが重要と考える。
かかる対話実現のため、代表取締役およびIR担当取締役を中心にIR体制を構築し、株主・投資家との対話の場を積極的に設けている。また、株主・投資家との対話にあたっては、代表取締役が説明を行い、質疑応答に対しても経営トップ自らが回答することを基本方針とする。

(2)株主との対話全般を統括する取締役の指定および対話を補助する社内部門の有機的な連携のための方策
株主・投資家との対話については、IR担当取締役がIR担当部署である社長室に対して指示、管理を行い、日常的な連携を図っている。

(3)個別面談以外の対話の手段
機関投資家およびアナリストに対しては、決算説明会を年2回以上開催し、代表取締役とIR担当取締役が参加する。その際には、代表取締役自らが説明を行い、また質疑応答に対しても代表取締役自らが回答することを基本方針としている。なお、説明会会場に来場できない株主・投資家に対しては、後日インターネットを通じた動画配信を実施する等、合理的かつ可能な範囲において、フェア・ディスクロージャーに努める。
個人投資家に対しては、地方政令都市を中心に個人投資家向けの説明会を開催することで当社に対する理解度向上に努める。

(4)フィードバックのための方策
IR担当取締役、社長室は、株主との対話を通じて把握された意見・懸念および改善点等を定期的に経営幹部に報告している。

(5)インサイダー情報の管理に関する方策
株主との対話においては、IRポリシーに基づき、情報の管理を適切に行い、インサイダー情報を伝達しないことを配慮する。
〔IRポリシー〕
https://www.gmogshd.com/ir/policy/policy/

②ＭＳ＆ＡＤインシュアランスグループホールディングス

「コーポレートガバナンス・コードの各原則に基づく開示」

(14)［原則5-1、補充原則5-1-2］株主との建設的な対話を促進するための方針

＜株主との建設的な対話に関する方針について＞
(14)-1. 基本的な考え方
当社は、当社の持続的な成長と中長期的な企業価値向上を図るべく、株主との建設的な対話に積極的に取り組み、経営に活かすことにより、さらなる価値創造に努めます。
また、その基盤となる信頼される情報開示のための社内体制の整備・拡充及び対話内容の経営陣幹部・取締役会へのフィードバックをより効果的にするための仕組み作りに取り組みます。

(14)-2. 建設的な対話に関わる統括責任者［補充原則5-1-2(i)］
広報・IR部担当役員（注）とします。
（注）現在は樋口哲司代表取締役副社長執行役員（グループCFO、総合企画部、広報・IR部担当）となります。

(14)-3. 株主との建設的な対話に関する具体的取組み
a. 対話を補助する広報・IR部と、社内各部門との有機的な連携のための方策及び対話手段の拡充の取組み［補充原則5-1-2(ii)(iii)］
・広報・IR部から関係部門へ定例フィードバック会の開催
・各事業部門トップによる投資家向け事業説明会の開催
・経営陣幹部と投資家との対話を目的とした投資家意見交換会の開催
・建設的な対話のツールである統合報告書の拡充

b. 対話内容の経営陣幹部、取締役会へのフィードバックの方策［補充原則5-1-2(iv)］
・グループ経営会議、取締役会へのIR活動及び株式市場の当社に対する見方の報告（年2回）
・経営陣幹部への当社株価状況の報告（四半期ごと）
・経営陣幹部に対し、海外IR出張、決算発表等における投資家の関心事や評価等を報告

c. 対話に際してのインサイダー情報管理に関する方策［補充原則5-1-2(v)］
・当社ウェブサイトを最大限活用した即時・公平な情報開示
・インサイダー取引等防止規程等の順守と、IRポリシーに定める沈黙期間（クワイエット・ピリオド）における決算関連の対話自粛

③ディップ

「コーポレートガバナンス・コードの各原則に基づく開示」

【原則5-1（株主との建設的な対話のための体制整備・取り組みに関する方針の開示）】
　当社は、重要なステークホルダーである株主・投資家の皆様との双方向のコミュニケーションが、当社の持続的な成長と中長期的な企業価値向上にとって必要不可欠であると認識しております。当社では、このような認識のもと、当社コーポレートサイトにおける情報開示等を充実させることにより、当社の経営戦略、事業環境に関する情報を積極的に発信し、理解を深めていただけるよう努めます。さらに、代表取締役社長兼CEO及びIR部門を管掌する取締役・執行役員が投資家の皆様に対して、決算説明会や個別のミーティングにおいて当社の事業状況や戦略について説明を行っております。こうした株主・投資家の皆様との対話を通じて得られたご意見やご要望については、IR部門が取りまとめたうえで、定期的に経営陣へ報告するとともに、当社従業員に共有しております。

④サックスバー　ホールディングス

「コーポレートガバナンス・コードの各原則に基づく開示」

【原則5-1】
当社は、株主との建設的な対話を行なうため、株主との対話全般については代表取締役社長が統括し、会社の経営戦略、経営計画、業績等についてIR担当役員を中心に企画室、経理部、管理部、総務部等と連携しIR活動の充実に努めます。株主との個別面談については、総務部が窓口となり面談の趣旨などを踏まえて合理的な範囲で適切な対応を行ないます。対話によって把握された意見、懸念は取締役会などに報告されフィードバックを行ないます。株主との対話については、法令や内部情報にかかる社内規程に基づき適切に管理を行なっています。

⑤図　研

「コーポレートガバナンス・コードの各原則に基づく開示」

【原則5-1】
当社は、株主との建設的な対話を促進するため、以下の方針を定めております。
株主との対話全般につきましては、代表取締役社長が統括することとし、この指揮の下、取締役社長を中心に関連部門である総務（法務を含む）、財務、コーポレートマーケティング部門が有機的に連携し、IR活動の充実を図っております。また、株主の建設的な意見等につきましては、適宜役員に報告することとしております。
なお、株主との対話の際には、株主間の公平性に留意しつつ、インサイダー情報を法令及び社内規程に従い慎重に管理することとしております。

Ⅱ　ガバナンス報告書

⑥パナソニック

「コーポレートガバナンス・コードの各原則に基づく開示」

【原則5-1 株主との建設的な対話に関する方針】
(1) 基本的な方針
当社は、「企業は社会の公器」という基本理念のもと、透明性の高い事業活動を心がけ、ステークホルダーに対する説明責任を果たすことに努めています。当社の情報開示に関する基本的な考え方は、当社グループの経営理念を実践するために順守すべき具体的項目を制定した「パナソニック行動基準」で定めるとともに、これと実務上の基準・方法・社内体制等を合わせて「ディスクロージャーポリシー」として当社の公式企業サイトにおいて公表しており、当社の公正かつ正確な財務情報や、経営方針、事業活動、ESG活動などの企業情報を、適時適切にわかりやすく提供することを基本方針としています。この方針に沿って、株主・投資家と積極的に建設的な対話を行っています。

(2) 建設的な対話を促進する体制
イ) 経営陣と株主との対話
グループ・チーフ・ファイナンシャルオフィサー（グループCFO）がIR活動についてその統括を行っており、決算発表や個別面談を含む株主・投資家との対話は、グループCEO、グループCFO、事業本部長、各社内分社社長を中心に行っています。

ロ) IR担当部署の設置
財務・IR部 ディスクロージャー・IR渉外課が、IR活動全般の企画・立案および株主・投資家との日常的なコミュニケーションを担っています。

ハ) 関連部門との連携
株主・投資家との対話促進にあたり、財務・IR部 ディスクロージャー・IR渉外課が中心となって、経理・財務センター、全社戦略グループ、コーポレート広報センターおよび、各社内分社等の経理、経営企画、広報などの部門（以下、総称して「IR担当部門」という）と連携し、社内情報を収集・統合する横断的な体制を構築しています。

ニ) 情報開示体制
国内外の関係諸法令および金融商品取引所規則等により開示が義務づけられている事項は、速やかに財務・IR部 ディスクロージャー・IR渉外課または経理・財務センターに報告され、適時適切に開示される体制を整備しています。当社では、当社グループの企業情報等の公正、正確かつ適時適切な情報開示を実施するため開示統制手続を整備しています。有価証券報告書、四半期報告書等の作成や確認作業にあたっては、グループCEOおよびグループCFOの監督のもと、記述内容の妥当性および開示に関する手続の適正性を、当社の主な情報取扱部門の責任者で組織された「ディスクロージャー委員会」において確認しています。

(3) 個別面談以外のIR活動の充実
イ) 機関投資家・証券アナリスト向け
四半期毎の決算発表、年度毎のグループおよび社内分社等の事業方針に関する説明会、個別事業に関する見学会を実施しています。また、海外機関投資家を対象として、金融機関主催のカンファレンスを活用した説明会等を実施しています。

ロ) 個人投資家向け
個人投資家へのタイムリーな情報発信のために、当社公式企業サイト等を通じて当社の経営情報の積極的な発信を実施しています。

(4) 株主の意見の経営へのフィードバック
IR活動を通して得られた株主・投資家からの意見や経営課題については、PHD戦略会議等の社内会議の場で、経営幹部に対して適切にフィードバックを行っています。また、これらの情報は、IR担当部門を通して、社内分社等の社内関連部門へも共有しており、経営の質的向上に役立てています。

(5) インサイダー情報管理
当社は、パナソニック行動基準に、国内外の証券関連法令・規則を順守し、インサイダー取引を断じて行わないことを掲げるとともに、IR担当部門の役職員を含む、当社グループ会社の全役職員等を対象とした、インサイダー取引防止規程を制定し、その順守の徹底を図っています。また、投資家との対話の際、グループCEOを含む経営陣、IR担当部門の担当者は、インサイダー情報の取扱いについて十分に認識するとともに、決算に関するコメントや質問に関する回答を差し控えて、「選択的な開示（※）」とならないよう、公平な対話をこころがけています。具体的には、決算発表日の15営業日前から決算発表日までを沈黙期間に設定しているほか、沈黙期間外であっても決算についてのいわゆる「プレビュー取材」には応じておらず、未公表の業績見通しに関する対話は差し控えています。

（※）未公表の重要な会社情報を特定の取引先、投資家、証券アナリストまたは報道機関等に、意図したものであるか否かにかかわらず、個別に提供してしまうこと

⑦シナネンホールディングス

「コーポレートガバナンス・コードの各原則に基づく開示」

(原則5-1) 株主との建設的な対話に関する方針
当社では、IR担当役員が株主との対話全般について統括を行い、建設的な対話の実現を図っております。具体的には総務部・財務経理部他主要な担当部署に情報提供を求め、各々の担当部署はIR担当者に協力する体制を構築しております。
株主との対話・面談につきましては、代表取締役社長又はIR担当役員が直接面談に臨むことを基本としております。これは上場企業としての説明責任を全うするとともに、株主との建設的な対話を通じて得られた知見及び考えをその後の経営判断に確実に反映させていくことを目的としたものです。それらの対話において、インサイダー情報（未公表の重要事実）を伝達することはいたしません。
また、当社グループの経営方針・基本戦略や財務状況等をより深くご理解いただくために当社ホームページ等でIR情報開示を積極的に実施しており今後も充実を図って参ります。

⑧ フジ・メディア・ホールディングス

「コーポレートガバナンス・コードの各原則に基づく開示」

【原則5-1 株主との建設的な対話に関する方針】
株主との建設的な対話を促進するための体制整備・取組みに関する方針は以下のとおりです。
(1) 当社は、株主・投資家の皆様との前向きで建設的な対話を通じて、当社事業の持続的な発展と成長に向けたご意見やご要望等を、経営幹部が共有することを目指します。
(2) 株主・投資家への対応は、経営企画担当役員及び総務担当役員が統括し、これを補佐するIR担当部門と株主対応担当部門が、経営企画、総務、財経、広報及びグループ各社と連携して進めてまいります。
(3) 機関投資家・証券アナリスト向けの決算説明会を年間2回程度開催するほか、海外の主要機関投資家を対象にしたIR訪問やオンライン等による対話を行っています。また、決算説明会の概要・IR関連資料を速やかに自社ホームページに掲載するなど、積極的な情報発信に努めています。
(4) 対話において把握したご意見等は分析を行い、担当役員を通じて経営幹部が共有することで、株主・投資家の視点を当社の経営にいかしてまいります。
(5) インサイダー情報の扱いについては社内規程を策定しており、厳重な管理によりインサイダー取引の未然防止の徹底を図ります。また、各四半期の決算発表前1か月間は、決算情報に関連する対話は控えさせていただきます。

⑨ ユアサ商事

「コーポレートガバナンス・コードの各原則に基づく開示」

【原則5-1. 株主との建設的な対話に関する方針】
当社は、会社の持続的な成長と中長期的な企業価値の向上のために、株主との建設的な対話を促進し、当社の経営方針を分かりやすい形で明確に説明するとともに、株主の理解が得られるように努めております。
(1) 対話全般を統括する経営陣または取締役の指定
株主との対話全般については、経営管理部門の担当役員が統括しており、代表取締役社長による決算説明会をはじめとした様々な取組みを通じて、ステークホルダーとの建設的な対話が実現できるような積極的な対応を心がけております。
(2) 対話を補助する社内各部門の連携方法
経営管理部門の各部署において積極的に連携を図り、IR情報・知識の共有、IRの方向性の検討及び開示資料の作成等を行っております。
(3) 投資家説明会やIR活動の充実
個別面談以外の対話の手段としては、アナリスト・機関投資家向けの決算説明会を原則として年に2回定期的に行うこととしております。また、適宜機関投資家とのスモールミーティングの機会を設けるとともに一般投資家を対象とした説明会にも参加するなど、今後も積極的なIR活動に取り組んでまいります。
(4) 株主の意見の社内へのフィードバック
株主との対話を通じて得られた株主の意見等は適宜集約し、経営陣及び関係部署へフィードバックし、情報の周知・共有を図っております。
(5) 対話に際してのインサイダー情報管理
インサイダー情報の管理に関する規程(内部者取引防止規程、情報セキュリティポリシー規程)を策定し、管理しております。また、窓口となる経営管理部門は、株主との対話に際してインサイダー情報及びフェアディスクロージャールールを十分認識し、対応しております。

⑩ 日本新薬

「コーポレートガバナンス・コードの各原則に基づく開示」

【原則5-1】
株主との建設的な対話を促進するための方針については、「コーポレートガバナンスに関する基本方針」の別紙3「株主との建設的な対話に関する方針」に記載しております。

「コーポレートガバナンスに関する基本方針　別紙3　株主との建設的な対話に関する方針」

「株主との建設的な対話に関する方針」

当社は、持続的な成長と中長期的な企業価値の向上を図るべく、信頼される情報開示のための社内体制の整備、株主との対話内容を適切に経営に取り入れるための仕組み作りなどを行い、株主との建設的な対話に積極的に取り組みます。

1. 建設的な対話に関わる統括責任者

原則5-1
補充原則
5-1②

Ⅱ　ガバナンス報告書

　　　　　IR担当部署である経営企画部を管掌する経営企画担当取締役を責任者とします。
２．対話を補助する社内のIR担当と各部門との有機的な連携のための方策
　　　　　建設的な対話の実現のため、経営企画部、経理・財務部、研開企画部等が連携して対応します。
３．個別面談以外の対話の手段の充実に関する取組み
　　　　　決算説明会を年２回５月、11月に開催し、経営トップの他、経営企画、研究開発、営業、機能食品の業務執行取締役が出席し投資家と直接対話します。また８月、２月には経営企画担当取締役を責任者とし、決算カンファレンスコールを実施します。
４．対話内容の経営陣幹部、取締役会へのフィードバックの方策
　　　　　決算説明会の情報を踏まえた証券アナリストのレポートを経営陣幹部に速やかにフィードバックします。また、必要に応じて対話内容を経営陣幹部にフィードバックします。
５．対話に際してのインサイダー情報管理に関する方策
　　　　　情報開示規程、内部者取引の規制および内部情報の管理に関する規則に基づき、インサイダー情報が外部へ漏洩することを防止します。なお決算情報の漏洩を防ぐため、各四半期の決算期日の翌営業日から決算発表日までを沈黙期間として定めています。

⑪東プレ

「コーポレートガバナンス・コードの各原則に基づく開示」

【原則5-1　株主との建設的な対話に関する方針】
　当社は、株主との建設的な対話を促進するための体制整備・取組みに関する方針を次のとおりとしております。
(1)株主との対話全般に関して統括し、建設的な対話を実現するための目配りを行う経営陣はIR管掌取締役とし、社長、IR担当役員が中心となり、IR活動を積極的に展開しております。
(2)IR活動を展開するにあたっては、総務、法務、経理、財務担当等が少なくとも月に1回情報交換を行い、IR活動を補佐しております。
(3)当社は、個別面談以外の対話の手段として、アナリスト向け決算説明会の開催や個人投資家向け会社説明会を通じて株主との対話を促進する機会を積極的に設けております。
(4)株主との対話において把握された重要な意見・懸念においては、IR担当役員を通じて取締役会への報告を実施いたします。
(5)インサイダー情報については、当社グループの行動指針により、適時・適切に開示を行うとともに、インサイダー取引防止規則により、未公表の重要事実の管理を行っております。

⑫オリックス

「コーポレートガバナンス・コードの各原則に基づく開示」

【原則5-1　株主との建設的な対話に関する方針】
・株主との建設的な対話を促進するための体制整備・取組みについては、「Ⅲ-2. IRに関する活動状況」をご参照ください。

「Ⅲ株主その他の利害関係者に関する施策の実施状況　２．IRに関する活動状況」

補足説明	代表者自身による説明の有

第二部　各原則に基づく開示事項（必要的開示）　第18

		無
個人投資家向けに定期的説明会を開催	個人投資家向けIRイベントに参加しているほか、個人投資家向け説明会を開催しています。	なし
アナリスト・機関投資家向けに定期的説明会を開催	決算発表後、四半期ごとに1回開催しています。この他定期的に投資家ミーティングを開催しています。	あり
海外投資家向けに定期的説明会を開催	決算発表後、四半期ごとに1回開催しています。この他定期的に海外にて投資家ミーティングを開催しています。	あり
IR資料のホームページ掲載	当社ホームページに年次報告書、決算短信、株主通信等のIR資料を掲載しています。 （ご参照：https://www.orix.co.jp/grp/company/ir/）	
IRに関する部署（担当者）の設置	IR・サステナビリティ推進部	
その他	＜株主との建設的な対話を促進するための方針＞ CEOが株主との対話全般について統括を行い、CFOならびにIR・サステナビリティ推進部が株主との対話を担当しています。インサイダー情報の管理を含めた適時適切な情報発信については、CFO、経営計画部門、IR・サステナビリティ推進部門、広報・渉外部門、財務部門、経理部門、審査部門、法務部門、コンプライアンス部門、人事・総務部門および監査部門等を管掌する役員で構成されるディスクロージャー・コミッティで必要な対応を行っています。また、四半期の決算発表ごとに日本語、英語の両方で決算説明会を実施するなど、個別の面談以外にも対話の手段の充実を図っています。対話において寄せられた株主からの意見・懸念については、CFOから定期的に取締役会に報告し、社外取締役も含め活発に議論を行っています。	

⑬三菱ＵＦＪリース

「コーポレートガバナンス・コードの各原則に基づく開示」

原則5-1
■株主との建設的な対話に関する方針
当社は、会社の持続的成長と中長期的な企業価値の向上を図ることに主眼を置きつつ、透明かつ健全な経営を行うことが社会的責任の一つと認識し、株主の皆様との積極的な対話に努めております。
株主の皆様との対話につきましては、エンゲージメント本部長が統括を担当、コーポレートコミュニケーション部とガバナンス統括部を対応窓口とし、これを中心に企画、経理など社内の関係各部門と連携する体制を整備しております。
株主の皆様との対話は大変に重要であるとの認識のもと、以下の取り組みを行っております。
・決算説明会を第2四半期決算と通期決算の年2回開催し、経営陣幹部が説明を行い、質疑にも対応。
・経営陣幹部、コーポレートコミュニケーション部、ガバナンス統括部による国内外の機関投資家との個別面談、および説明会、各種カンファレンスへの参加等のIR、SR活動の実施。
・ウェブサイト上に個人投資家向けのページを設け、業績、事業内容、経営方針などを分かりやすく掲載するとともに、証券会社や証券取引所が主催する個人投資家向けIRイベント、各種説明会にも参加。
株主の皆様との対話で寄せられたご意見・ご懸念などにつきましては、適宜対応窓口であるコーポレートコミュニケーション部から経営陣幹部に対して、速やかにフィードバックを実施し、情報共有を図っております。
インサイダー情報に関しては、当社インサイダー取引未然防止規程に基づき、適切かつ慎重に管理するとともに、開示については情報開示方針に基づき実施しております。なお、情報開示方針は当社ウェブサイトで公表しております。
https://www.mitsubishi-hc-capital.com/corporate/csr/index.html

「IRポリシー」

情報開示方針

１．基本方針

当社は、株主・投資家をはじめとした当社を取り巻く多様なステークホルダーの皆様からの信頼と適切な評価を得るため、積極的かつ継続的な情報の開示に努めます。また、当社の

原則5-1
補充原則
5-1②

経営方針、事業戦略、事業活動、財政状況等に関する情報を正確、迅速かつ公平に開示するための社内体制の整備を行い、さまざまなコミュニケーション活動を通じてステークホルダーの皆様に公正かつ責任ある運用を行います。

2．基本原則

当社が「重要な情報」を開示するにあたって、<u>以下の5点を基本原則</u>とします。

（1）透明性

内容の如何に関わらず、事実に即して情報を開示すること。

（2）適時性

情報の開示は、開示すべき事実が発生した後、適時かつ遅滞なく行うこと。

（3）公正性

さまざまなステークホルダーに対して、情報が公正に伝播されるよう努めること。

（4）継続性

情報開示の内容について、継続性を持たせること。

（5）機密性

会社として公式に開示を行うまでは、社外の第三者に情報を漏洩しないこと。

3．情報開示の基準

当社では、証券取引所の規則や金融商品取引法等の諸法令で開示が定められている項目はもとより、ステークホルダーの皆様にとって有用と思われる情報を自主的・積極的に開示します。

4．情報開示の方法

適時開示に該当する会社情報は、東京証券取引所の適時開示情報伝達システム（TDNet）、プレスリリースで公表するとともに、情報開示の適時性、公開性の観点から当社のウェブサイトでも公開します。また、株主の皆様には、当社の事業活動を報告書類にてお知らせするほか、投資家の皆様向けに説明会を開催するなど、当社の事業展開全般について理解を深めていただけるように努めます。これらの情報開示にあたっては、金融商品取引法等の諸法令を遵守します。

5．未公開の重要情報について

当社への問い合わせや取材、当社が主催または参加する決算説明会、ミーティング等においては、既に公開された情報や周知となった事実に関する説明に限定し、未公開の重要情報について言及することはありません。当社はインサイダー情報管理を厳重に行い、情報漏洩防止と開示の公平性を保ちます。

6．沈黙期間

当社は通期、四半期の業績公表直前の概ね1カ月間は、業績見通し関連のコメントは行わないものとします。但し、証券取引所の適時開示規則や臨時報告書に関する開示を行うべき重要事実が発生した場合は、この限りではありません。

7．社内体制の整備

当社は、上記の方針・情報開示を適切に行えるよう、コミュニケーション担当役員およびコミュニケーション担当部門を中心に、関係各部門の有機的な連携と社内体制の最適化に努めます。

当社は、ステークホルダーの皆様との対話から得た企業価値向上に資する意見については、必要な範囲で社内に共有し、議論します。

8．選択的開示の禁止

当社は、株主・投資家・証券アナリスト等の資本市場参加者に対して、公平・公正かつ適切に情報を開示するため、選択的開示を行わないものとします。

選択的開示とは、重要性のある非公開情報を一般公開に先立ち特定の人物あるいは集団を選別して開示することであり、当社は一定の守秘義務契約により情報の秘匿性が担保されている場合を除き、選択的開示を行いません。

9．風説の流布への対応

市場での風説に対する問い合わせには、原則として当社はコメントを行いません。但し、放置した場合に当社に重大な影響があり得ると判断される際には、適切に対処します。

制定：　2021年　4月　1日

⑭りそなホールディングス

「コーポレートガバナンス・コードの各原則に基づく開示　Ⅲ株主その他の利害関係者に関する施策の実施状況　2．IRに関する活動状況」

	補足説明	代表者自身による説明の有無
ディスクロージャーポリシーの作成・公表	https://www.resona-gr.co.jp/holdings/investors/ir/guideline/ 情報開示及び財務報告に関する基本方針を定め、ディスクロージャー誌ならびに当社ホームページに掲載しております。	
個人投資家向けに定期的説明会を開催	以下のような取組みを通じて、りそなグループの概要、決算内容、経営戦略等についてご説明しております。 ・代表者（社長）によるオンライン会社説明会（インターネットによるライブ中継）及びオンデマンド配信の実施 ・財務部担当役員等による証券会社支店等を通じた会社説明会（インターネットによるライブ中継）の実施 ・YouTubeを活用した会社説明動画の配信	あり

原則5-1
補充原則
5-1②

Ⅱ ガバナンス報告書

アナリスト・機関投資家向けに定期的説明会を開催	通期決算と中間決算後（年2回）、セルサイドアナリスト・機関投資家向けに会社説明会を開催し、代表者（社長）及び財務部担当役員が、経営戦略や決算内容等をご説明しております。 決算発表当日（年4回、四半期決算毎）には、カンファレンスコールを実施し、財務部担当役員が決算内容をご説明しております。 また、個別事業戦略に関する説明会も実施しております。 上記のほか、セルサイドアナリストや機関投資家との個別ミーティングやグループミーティングを随時実施しております。	あり
海外投資家向けに定期的説明会を開催	国内で開催される証券会社主催の海外投資家向けカンファレンスに参加し、りそなグループの概要、決算内容、経営戦略等についてご説明しております。 また、通期決算と中間決算後（年2回）の国内機関投資家向け会社説明会については、事後にホームページで英語音声によるオンデマンド配信を実施しております。 上記に加えて、代表者（社長）及び財務部担当役員等が海外投資家との（WEB会議システムの活用等による）個別ミーティングを数多く実施しております。	あり
IR資料のホームページ掲載	（URL）https://www.resona-gr.co.jp/holdings/investors/ir/index.html、IRプレゼンテーション資料、決算短信、有価証券報告書、ディスクロージャー誌（統合報告書）、格付情報、バーゼル3関連データ（自己資本関連）、情報開示及び財務報告に関する基本方針、株主・投資家等との建設的な対話を促進するための基本方針等を掲載しております。 上記の決算後の説明会につきましては、資料の掲載に加えてプレゼンテーションの動画もしくは音声をホームページにてオンデマンド配信すると共に、プレゼンテーションの要旨及び質疑応答の要旨を掲載しております。	
IRに関する部署（担当者）の設置	（IR担当部署）財務部、（IR担当役員）太田成信 （IR事務連絡責任者）財務部 斉藤宏	

「株主・投資家等との建設的な対話を促進するための基本方針」

株主・投資家等との建設的な対話を促進するための基本方針

りそなグループは、持続的成長と中長期的な企業価値向上の観点から、「株主・投資家等との建設的な対話を促進するための基本方針」を定め、株主・投資家等との建設的な対話を積極的に進めていきます。同方針の主な内容は以下の通りです。

目的

株主・投資家等（以下、株主等）との建設的な対話を促進するための基本方針は、以下を目的に、当社の体制・取組みに関する方針を定めるものです。

1. 当グループの経営戦略や財務状況等に関して、株主等から的確に理解され、信頼と正当な評価を得ること
2. 株主等との建設的な対話を通じて、当グループの持続的な成長と中長期的な企業価値の向上を図ること

株主等との対話者

執行役社長及び財務部担当執行役は、株主等との対話全般について統括し、建設的な対話の実現に努めてまいります。株主等との実際の対話は、上記の者の他、株主等の希望と面談の主な関心事項も踏まえた上で、上記の者から指名された者が行います。

対話を補助する社内体制

株主等との建設的な対話に際しては、中長期的な視点による株主等の関心事項等を踏まえ、正確な情報を提供すべく、財務部がグループ各社の各部門と連携の上、対話者を補助します。

対話の手段の充実に関する取組み

株主等との建設的な対話は、株主総会及び個別面談以外に、決算説明会、決算説明電話会議、並びに株主向けセミナー等を通じて実施します。また、中長期的な視点による株主等の関心事項等を踏まえて多様な視点で取組み、その充実に努めてまいります。

社内へのフィードバック

財務部担当執行役は、株主等の意見・関心・懸念等を取締役会に定期的かつ適時・適切に報告します。また、取締役会は、財務部担当執行役に対して、いつでも株主等との対話の詳細の説明を求めることができます。

インサイダー情報の管理

株主等との対話に際しては、別途定める「情報開示規程」に従い、未公開の重要情報を特定の者に選別的に開示しません。

⑮澤藤電機

「コーポレートガバナンス・コードの各原則に基づく開示」

【原則5－1 株主との建設的な対話に関する方針】
当社は、持続的な成長と中長期的な企業価値向上のためには、常日頃から株主を含む投資家と積極的な対話を行い、その意見や要望を経営に反映させ、当社を成長させていくことが重要と認識し、以下の体制整備を行っております。
(1) 対話全般を統括する者として総務人事担当取締役を指定しております。
(2) 対話を受けた当該担当取締役は、対話の内容に応じ、経営企画部、総務人事部、経理部等の関連部門と連携を図り、対話に臨んでおります。
(3) 株主総会招集通知、株主通信、CSR報告書等の資料を適時適切に当社ホームページに公開している他、株主総会終了後に工場見学会を実施しております。
(4) 当該担当取締役は、対話において把握した情報を業務執行役員会等の役員会へフィードバックし、必要に応じ取締役会に報告を行うようにしております。
(5) 対話の実施にあたって、対話に臨む役員、社員は「内部情報管理規程」「機密情報管理規程」等の社内規程に基づくインサイダー情報の管理を図っております。

⑯Hamee

「コーポレートガバナンス・コードの各原則に基づく開示」

【原則5-1】
当社は、その持続的な成長と中長期的な企業価値の向上に資するため、株主等との建設的な対話を重視しており、経営陣及びIR担当執行役員並びに経営企画部を中心に様々な機会を通じて株主や投資家との対話を持つように努めております。なお、IR担当執行役員の管掌部門に経理・財務部門を含めているため、会計数値の取りまとめと開示資料の作成機能が有機的に連携する体制となっております。
現在のところ、経営陣が出席する決算説明会を年に2回開催しているほか、四半期決算発表後から次の四半期決算期末までの約1か月半の間国内外の機関投資家とのミーティング（電話取材への対応を含む）を実施するほか、オンラインで開催されるIRカンファレンスに参加することで、海外機関投資家との対話も積極的に行っております。それらの結果は、適宜、取締役会に報告しています。なお、株主との対話に際してはインサイダー情報の漏洩防止を徹底しています。

⑰住友金属鉱山

「コーポレートガバナンス・コードの各原則に基づく開示」

【原則5－1：株主との建設的な対話に関する方針】
当社は、株主・投資家の皆様のご理解とご支援をいただくことは、会社の持続的成長と中長期的な企業価値向上のために不可欠であると考えます。そのため、中長期的な企業価値向上の観点から株主・投資家の皆様との対話に向け、当社へのご理解を深めていただくべく次のとおりIR活動を展開します。

Ⅱ　ガバナンス報告書

(i) 株主・投資家の皆様との対話および情報開示は、社長が統括し、広報IR部所管執行役員を担当役員とします。
(ii) 開示すべき情報か否かは、情報開示の責任者（広報IR部長）が判断を行います。
(iii) 開示資料の作成にあたっては、広報IR部が関係部門と連携を取り、公平・適時・適切な開示を行います。
(iv) 機関投資家および証券アナリストを対象に、社長による決算や経営戦略に関する説明会を開催するほか、個人投資家を対象とした説明会を開催するなど、当社事業に対する理解を深めていただくための施策を実施します。また、当社ウェブサイトに個人投資家向けのコーナーを設け、IR情報のわかりやすい開示に努めます。
(v) 株主・投資家の皆様とのコミュニケーションを通じてもたらされるご意見・ご要望は、定期的に経営陣に報告し、当社の経営に生かします。
(vi) 決算発表の準備期間中に株価に影響を与える情報の漏洩を防ぎ、公平性を確保するため、年間および各四半期決算発表の前、概ね2週間を「沈黙期間」として設定し、決算に関するコメントや質問への回答を控えます。また、社内稟議書には情報開示に関する事項を記載して、情報管理について確認するほか、株主・投資家の皆様との対話にあたっては担当部門がインサイダー情報の開示およびフェア・ディスクロージャー・ルールに基づき未公表の重要情報の選択的開示を行わないことを徹底します。またもし、未公表の重要情報が選択的に開示されたと認識した場合は、原則として速やかに当該情報を開示します。

⑱味の素

「コーポレートガバナンス・コードの各原則に基づく開示」

【原則5－1】（株主との建設的な対話に関する方針）については、「コーポレート・ガバナンスに関する基本方針」の「第3章2．株主・投資家との対話」に記載のとおりです。

「コーポレート・ガバナンスに関する基本方針　第3章」

2．株主・投資家との対話（CGC原則5-1）
　　当社は、株主・投資家との建設的な対話を促進するため、以下のとおり体制整備を行います。
　1) IR担当執行役を株主・投資家との対話全般についての統括責任者とし、取締役および執行役ならびに経営企画部長、グローバル財務部長、IRグループ長、グローバルコミュニケーション部長、法務・コンプライアンス部長、サステナビリティ推進部長を対話におけるスポークス・パーソンとします。
　2) 公表が必要な会社情報を漏れなく、遅滞なく公表できるよう、必要に応じて経営企画、広報、IRの各担当者が情報連絡会議を開催し、今後の予定や発表準備の状況などを共有します。
　3) 決算説明会、中期経営計画説明会、事業説明会、ESG説明会その他の説明会を開催するとともに、味の素グループへの理解を深めていただくために個人株主向けの施設見学会や個人投資家向けのIRセミナーを開催します。
　4) グローバル財務部IRグループは、株主・投資家などと対話を行い、これらにより把握した株主・投資家らの意見や懸念などを纏め、これを月次報告として経営陣や経営企画、広報の担当者と共有します。
　5) 株主・投資家との対話に関わる担当者に対して、インサイダー情報の管理に関する教育を実施します。また、役職員が重要な未公表情報に該当する案件に関与する場合は、案件毎に、事前に当該役職員に対して秘密保持誓約書の提出を求めます。

⑲三井化学

「コーポレートガバナンス・コードの各原則に基づく開示」

（原則5-1：株主との建設的な対話に関する方針）

1.当社グループは、株主等との建設的な対話を重視し、経営トップを始めとした経営陣幹部を中心に様々な機会を通じて対話を持つように努めています。
　これらの対話を通じて、当社グループの経営戦略や経営計画にかかる理解を得る努力を行うとともに、株主等の声を傾聴し、また真摯に受け止め、資本提供者の目線からの経営分析や意見を吸収及び反映し、当社グループの持続的な成長と中長期的な企業価値向上につなげてまいります。

2.当社グループは、持続的な成長と中長期的な企業価値向上に資する建設的な対話を目的とする株主等からの面談の申し込みに対し、その面談の目的も踏まえ、合理的な範囲で、経営陣幹部や役員が対応することとしています。

3. 当社グループは、IR、総務・法務部、経理部を担当する役員が、株主等との対話を全般的に統括する役割を担うものとしています。
また、関係するIR、経営企画、総務・法務、経理の部門においては、一部部員の相互兼務や定期的な情報共有等を通じ、有機的な連携を図ってまいります。

4. また、アナリスト・機関投資家向け説明会、個人投資家向け説明会、事業説明会、施設見学会、海外IR等の機会を積極的に設け充実を図るとともに、株主等との対話で把握した意見・懸念については、速やかに経営トップをはじめとする社内関係部門にフィードバックを行います。

5. 当社グループでは、インサイダー取引管理規則、会社情報管理規則に基づき、対話におけるインサイダー情報の漏えい防止に努めています。

⑳荏原実業

「コーポレートガバナンス・コードの各原則に基づく開示」

【原則5-1】
社長直轄組織である総合企画室をIR担当部署とし、総合企画室長をIR担当者に選任し、IRを経営トップと密接な関係にあるものとしております。株主・投資家に対しては、年2回決算説明会を開催し、経営トップが出席し、自らの声で会社の経営戦略・現状等を語っております。また、出席できない株主・投資家等に対しては、当社ウェブサイトにおいて決算説明会の動画配信を行っており、ディスクロージャーの充実に努めております。さらに、証券会社等主催のカンファレンスやマスコミ等による取材にも積極的に応じております。

㉑四国化成工業

「コーポレートガバナンス・コードの各原則に基づく開示」

【原則5-1 株主との建設的な対話に関する方針】
当社では、株主や投資家との間で建設的な対話を促進するために以下の方針を策定しております。
(1)株主との対話は、社長室が主管し、企画本部担当役員が統括する。
(2)社長室は、関連各部とその内容を検討し、対応者の選定も含め適切な対応を行うように努める。
(3)株主・投資家の当社事業の理解を深めていただくため、機関投資家向けのスモールミーティングや個人投資家向け説明会の開催、及び当社ホームページを通じたタイムリーな情報提供に努める。
(4)対話において把握された株主の意見等は、取締役会等で情報共有し、経営戦略に反映するよう努める。
(5)株主との対話を行う際しては、対応者を限定するとともに、インサイダー情報を特定し、当該情報は一切開示しない。

㉒ダイキン工業

「コーポレートガバナンス・コードの各原則に基づく開示」

[原則5-1 株主との建設的な対話に関する方針]
■基本方針
当社は、グループ経営理念で「タイムリーで適切な情報開示」「説明責任のいっそうの高度化」をめざすと定めております。経営方針や経営姿勢、企業風土などをご理解いただくべく、株主・投資家の皆様との建設的な対話に必要な措置を適宜講じてまいります。
■IR体制
IR担当役員、総務担当役員(SR)を配置しております。
また、代表取締役社長兼CEOが決算説明会や経営戦略説明会に出席し、株主・投資家の皆様の関心事に対して自身の考え方を直接説明しております。決算発表等に際しては、社内関連部門や主要海外拠点などと発信内容について協議しているほか、その内容の妥当性・適正性を確保するべく、「情報開示委員会」の事前承認を得ております。
■株主・投資家との対話方法
機関投資家・アナリストの皆様に対しては、決算説明会や事業説明会・工場見学会(適宜)を開催しております。
個人投資家の皆様に対しては、ウェブサイト上に個人投資家向けページを設け、業績や事業内容を掲載するとともに、メールでの問合せ窓口も設置しております。
■社内へのフィードバック
対話において把握した株主・投資家の皆様の意見等については、必要に応じて取締役を含む経営陣及び関係部門へフィードバックし、ディスカッションを実施しております。
■インサイダー情報の管理
株主・投資家の皆様との対話に際しては、統一した情報提供に努めるとともに、決算情報に関しての対話を控える「沈黙期間」(決算日翌日から決算発表日まで)を設定し、公平性を確保しております。また、インサイダー情報の管理につきましては、社内規程を定め、その運用の徹底に努めております。

㉓三菱ＵＦＪフィナンシャル・グループ

「コーポレートガバナンス・コードの各原則に基づく開示」

【原則5-1】
■株主との対話方針
・当社は、株主との対話を通じて、当社の経営戦略等に対する理解を得るとともに、株主の立場に関する理解を踏まえた適切な対応に努めており

原則5-1
補充原則
5-1②

Ⅱ ガバナンス報告書

・株主との対話にあたっては、財務企画部、総務部、経営企画部、経営企画部広報室等が適切に情報交換を行い、有機的に連携しております。また、グループCFOが財務企画部担当役員として「IR活動全般を担当するIR室」、「財務・資本運営全般を担当するCFO室」、「決算・経理を担当する主計室」を一体的に統括する体制としております。

・株主との建設的な対話を促進するため、以下の取組みを行っております。
(1) MUFGの戦略や価値への理解を深めるための統合報告書の発行
(2) 決算発表後の国内外主要機関投資家宛個別面談
(3) 株主総会前の個別議案に係る国内外主要機関投資家宛追加説明
(4) 定期的な社長等が出席する個人投資家向け説明会
(5) 年2回の社長及びグループCFOによるアナリスト・機関投資家宛決算説明会
(6) 年1回の事業本部長が事業戦略等をアナリスト・機関投資家宛説明するInvestors Dayの開催　等

・対話の場において主要株主や投資家から寄せられた意見や要望については、取締役会及び経営陣に報告しております。
・情報開示にあたっては、公平かつ迅速に情報を開示するよう努めております。証券市場の公正性と健全性の確保の観点から、投資判断に影響を及ぼすべきインサイダー情報の管理の重要性を認識し、厳格に管理しております。

㉔ リオン

「コーポレートガバナンス・コードの各原則に基づく開示」

【原則5-1】（株主との建設的な対話に関する方針）
株主・投資家に正確な情報を公平に提供しつつ建設的な対話を行い、長期的な信頼関係を構築してまいります。
(1) IR担当役員及び組織
経営企画本部担当役員を責任者とし、企画部がIR活動を推進しております。また、経理部門、営業部門、技術部門などが連携し、開示資料の作成等にあたっております。
(2) 対話の手段
証券アナリスト・機関投資家に対し、半期ごとの決算説明会や個別のミーティングを随時実施しております。一方、個人投資家に対しては、会社説明会を適宜実施するほか、毎年株主向け会社見学会や当社の主要製品工場見学会（「リオネット補聴器工場見学会」）等を実施しており、これらの対話には社長をはじめ経営陣が参加することとしております。
また、ホームページには、事業内容、経営方針、業績などの資料や決算説明会の動画を掲載し、情報の開示を行っております。
さらに、年1回の株主向けアンケートの実施により、広く株主の意見等を把握することに努めており、その意見や要望を元に、IR活動の改善や対話の充実等を図っております。
(3) 取締役会等へのフィードバック
株主・投資家との対話内容は、必要に応じて、経営企画本部担当役員が取締役会等にフィードバックしております。
(4) インサイダー情報の管理
当社に係る情報の適時、公正かつ公平な開示を図り、当社に対する適正な投資判断に資することを目的として、「内部者取引防止管理規定」を制定し、情報取扱責任者、担当部署、適時開示推進委員会を設置することにより、インサイダー情報の適切な管理に努めております。
また、当社の情報開示に対する姿勢を明確にするため、「開示方針（ディスクロージャー・ポリシー）」を定め、当社ホームページに公表しています。
https://www.rion.co.jp/ir/disclosure_policy.html

㉕ いちよし証券

「コーポレートガバナンス・コードの各原則に基づく開示」

【原則5-1．株主との建設的な対話に関する方針】
・株主からの問い合わせ等についての体制
　広報室を担当する役員及び総務部を担当する役員が任にあたります。個人の株主からの電話による問い合わせに応答する場合、あるいは面談する場合は、広報室と総務部が窓口となって対応しています。スチュワードシップコードが適用される機関投資家からの問い合わせやIRミーティングについては、広報室が窓口になり、広報室担当役員、事案に応じて社長が対応します。
・個人の株主の方々向け直接的IR活動
　定時株主総会での社長によるIRを加味した「事業のご報告」を行い、質疑応答にも十分時間をかけています。そしてその後に開催される懇談会での「当社役員とのコミュニケーション」があります。さらに、定期的ではございませんが、個人投資家向けの会社説明会に参加したり、また「ビジネスレポート」（半期毎の会社の概況やトピックスについてまとめた冊子）を送付しています。
・機関投資家株主向け直接的IR活動
　国内機関投資家向けに半期に1度「機関投資家向け決算説明会」を開催しています。また、財務担当役員が直接訪問し説明を行っています。海外の機関投資家向けには、「海外IR」として社長が年1回直接訪問し、説明やディスカッションを行っています。さらに、海外の機関投資家とテレフォンカンファレンスを設営したり、内外の機関投資家の当社への訪問を受けて説明やディスカッションを行っています。なお、「インベスターズガイド」（日本語版、英語版）を毎年作成し、それぞれ内外の機関投資家への配布やIRミーティングに使用しています。
・情報開示会議の設置
　これらの情報開示に際して、「情報開示会議」が設置されており、当社がプレスリリースや適時開示を行う場合に、その開示される書類を、この会議に諮り承認を得る手続きとしています。情報開示会議規程に定めをおくこの手続きを経ることによって、タイムリーで透明性の高い情報開示が図られています。

第二部　各原則に基づく開示事項（必要的開示）　第18

㉖花王

「コーポレートガバナンス・コードの各原則に基づく開示」

１６　株主との建設的な対話を促進するための体制整備・取り組みに関する方針（原則5-1）　更新

　株主・投資家を重要なステークホルダーの一つと考え、企業価値の向上のための建設的な対話を重視しており、双方の考えや立場についての理解を深め、これを踏まえた適切な対応を採ることが重要と考えています。
　株主・投資家との企業価値向上に向けた建設的な対話の実現に資するために、法定開示に加え、花王グループに関する社会的に有用な情報についても、積極的に開示します。情報開示及びインサイダー取引防止に関する規程を定め、情報開示は公平に行い特定の者に選別的な開示は行わないこと及びインサイダー情報の守秘義務を明記すると共に、これらを徹底するための定期的な教育を実施します。
　機関投資家との対話に関する取組については、国内外の機関投資家との日常のミーティング対応のほか、経営戦略等の概略・進捗、業績や事業の状況及び株主還元等に関する説明会等を行います。企業価値向上に向けた長期的な視点での対話ができる機関投資家と直接の対話の機会を持ち、対話結果の経営や経営の監督・監査への反映を容易にするため、出来る限り社長執行役員をはじめ役員が参加します。
　上記の説明会等の際の質疑内容や機関投資家から寄せられた意見等は、必要に応じて取締役会や執行役員会または監査役会に報告し、当社の今後の経営や経営の監督・監査に活かします。
　主に個人株主との対話に関する取組については、当社の事業内容を理解し、より長期目線で当社株式を保有いただくために工場及び当社の事業内容を紹介する施設の見学会や会社説明会等を行います。さらにこれらの実施の際には、出来る限り経営陣が参加し、株主との対話の機会を持ちます。また、株主総会の運営については、株主の貴重かつ重要な対話の機会と捉え、十分な質疑の時間を取る等の対応を行います。
　財務情報の説明に加えて、コーポレート・ガバナンスやサステナビリティに対する考え方等非財務情報の説明の更なる充実を図り、株主との建設的な対話を促進するため、IR、会計財務、法務・コンプライアンス、コーポレート戦略、ESG等を担当する関連部門が、当社ウェブサイトへの掲載や説明会の実施等、非財務情報の説明方法、株主との対話への対応体制等を連携して検討し、実施します。コーポレート戦略及び法務・コンプライアンスの責任者である経営陣等が連携し、これらの活動を統括し推進します。

「Ⅲ株主その他の利害関係者に関する施策の実施状況　２．IRに関する活動状況」

アナリスト・機関投資家向けに定期的説明会を開催	年次と半期の決算発表日と同日に決算説明会を開催しており、社長から経営の概況や経営方針を、会計財務部門統括から業績の実績及び予想について報告・説明しています。第1・第3四半期の決算発表時には、電話会議を実施しています。企業価値向上のための建設的な対話の一環として、フェアディスクロージャールールに留意しながらアナリスト・機関投資家と社長とのスモールミーティングを定期的に開催しています。また、工場見学会や事業説明会を適宜開催しています。	あり
海外投資家向けに定期的説明会を開催	北米及び欧州については、議決権行使の促進の目的を含め、企業価値向上のための建設的な対話のため、社長が定期的に訪問するほか、多様な機関投資家との対話のために適宜訪問しています。また、アジアにおいては経営幹部が適宜訪問して、経営方針や経営環境、業績、今後の見通し等について説明し、その後投資家からの質問に答えています。なお、新型コロナウイルス感染症拡大により海外への渡航が難しい状況においても、オンラインツールを活用しながら絶やすことなくミーティングを実施しています。さらに、証券会社が主催するカンファレンスには、担当の執行役員やIR担当者が適宜参加し、多様な機関投資家に対して経営方針や業績に関する対話を実施しています。	あり

㉗フジクラ

「コーポレートガバナンス・コードの各原則に基づく開示」

【原則5-1　株主との建設的な対話に関する方針】
(1) 当社では、株主・投資家との建設的な対話を通じた継続的かつ中長期的な企業価値の向上を図るため、社長をはじめとする経営幹部による株主・投資家との対話等の取組みを推進しています。

(2) 当社では、対話・情報開示の実効性を確保するため、IR担当取締役を置き、その下に経営企画室IRグループを設置し、関連部署と連携しながら、適時かつ公正、適切に情報開示を行っております。

(3) 当社では、四半期毎（5月、8月、11月、2月）の決算説明会や工場見学、事業報告書・アニュアルレポート等の発行により情報開示を行っております。海外では、社長及びIR担当取締役（2021年4月1日以降、取締役社長CEOがIR担当取締役を兼任）が直接欧州、北米、アジアに赴き、海外機関投資家へ当社の事業概況、決算説明、中期経営計画の説明を行っています。また、適宜投資家を訪問し、株主総会議案、コーポレート・ガバナンス体制、ESG等についての意見交換の場を持つなど対話の充実を図っています。

(4) 取締役社長CEO及びIR担当取締役（現在、取締役社長CEOが兼任）は、上記の株主・投資家との面談結果等を適宜他の取締役等へフィードバックしています。

(5) 当社では、決算情報の漏えいを防ぎ、公平性を確保するために、サイレントピリオドを設定し、この期間中に決算にかかわるお問い合わせへ

原則5-1
補充原則
5-1②

Ⅱ ガバナンス報告書

の回答やコメントを控えることとしています。また、内部情報管理規程にて、重要な情報の漏えい防止及びインサイダー取引の防止を図っています。

㉘日本板硝子

「コーポレートガバナンス・コードの各原則に基づく開示」

【原則5-1 株主の皆様との建設的な対話に関する方針】
　当社グループは、株主・投資家の皆様とのオープンで建設的かつ効果的なコミュニケーションを重視します。
　当社グループは、法令を遵守しつつ、通常のコミュニケーションや投資家向けの活動、株主総会といった多くの方法や機会を最大限活用して、株主・投資家の皆様との目的を持った対話を目指します。
　その詳細は、当社ホームページで開示しています。
　https://www.nsg.co.jp/~/media/NSG JP/sustainability/images used in sustainability section/corporate governance/Principle_5_1_1812.pdf
　また、当社のIR活動については、「Ⅲ 株主その他の利害関係者に関する施策の実施状況」中の「2. IRに関する活動状況」に記載しています。

同社ホームページ「株主の皆様との建設的な対話に関する方針」

株主の皆様との建設的な対話に関する方針

基本方針

　NSGグループ（当社グループ）は、株主・投資家の皆様とのオープンでフェアかつ、積極的・継続的・建設的なコミュニケーションを重視します。当社グループは、インサイダー取引規制、公平かつ適時な情報開示に関する法令、ガイドライン、及び証券取引所が定める規則並びに当社グループの社内規程を遵守しつつ、通常のコミュニケーションや投資家向け広報活動、株主総会といった多くの方法や機会を最大限活用して、株主・投資家の皆様との目的を持った対話を目指します。

事業戦略についてのコミュニケーションとコミットメント

　当社グループは、経営戦略、経営計画の策定、公表にあたり、資本コストを十分に勘案の上、中長期の株主価値の増大を図るため、収益計画や資本政策の基本的な方針を示すとともに、当社グループの状況を踏まえ、その重要な経営課題と適切にリンクした収益力・資本効率等に関する目標を提示し、その実現のために必要または有効と考えられる事業ポートフォリオの見直しや経営資源の配分等について適確かつ明確な説明を行うことを企図します。

　取締役会は、上記の観点から、当社グループの明確な「長期戦略ビジョンと中期経営計画」を策定し、当社グループに代わりその実現にコミットします。取締役会は、当該「長期戦略ビジョンと中期経営計画」を有効に達成させることについて究極的な責任を負います。

　取締役会は、定期的に、また必要に応じて、「長期戦略ビジョンと中期経営計画」を見直します。取締役会が、当該「長期戦略ビジョンや中期経営計画」の有効性が失われ、またはその実現が不可能になったと判断した場合、当社グループは、株主の皆様に対して、その判断の背景にある原因のみならず、事態の打開に向けた施策についてご説明します。取

締役会は、そのような状況から得た事実や教訓を、現行の「長期戦略ビジョンや中期経営計画」の改訂や新たな「長期戦略ビジョンや中期経営計画」の策定に役立てます。

当社グループは、株主の皆様に当社グループの状況や業績について効果的に評価いただけるよう、「長期戦略ビジョンや中期経営計画」の進捗について、適切な媒体を通じてご報告します。

定例のご報告

当社グループは、四半期ベースで業績のご報告（決算短信および四半期報告書）を行い、年に1度、有価証券報告書および統合報告書を発行します。また、当社グループは、環境、社会およびコーポレートガバナンスにかかる事項も上記統合報告書において年に1度ご報告いたします。さらに、株主の皆様には、年に2度、当社グループの最新トピックスや半期または通期の業績をハイライトした小冊子「株主の皆様へ」（「株主通信」）が送付されます。株主総会において議決権をお持ちの株主様には、株主総会招集ご通知が送付されます。

これらすべての文書は、当社ウェブサイトで公開されます。（http://www.nsg.co.jp/）

株主／投資家向け広報活動

株主／投資家向け広報活動については、当社グループのCEOが全体的なリーダーシップを取り、COOやCFOといった当社グループの経営陣幹部も必要に応じて積極的に参加します。

1) 戦略、業績およびビジネス

CEOやその他の経営陣幹部は、IR部門の支援を受け、株主・投資家向け広報活動を実施します。このため、IR部門は、アナリストや機関投資家の皆様向けに、年度・四半期決算、長期戦略ビジョンや中期経営計画およびそれらの進捗、およびその他重要な事項に関するプレゼンテーションを、経営企画部、経理部等の関係部門とも連携して準備し、適確、円滑に実施するように取り計らいます。これらの説明資料は当社のウェブサイトで公開されます。（http://www.nsg.co.jp/）

第2四半期および年度の業績については、アナリストや機関投資家の皆様向けに、決算説明会を実施し、また第1四半期および第3四半期の業績については、電話会議を通じた説明会を実施します。加えて、アナリストの皆様向けには、適宜、事業所説明会やスモールミーティングを実施します。

当社グループは、投資家カンファレンスや海外ロードショーなど、広く国際的な投資家の皆様とお会いし交流できる機会を積極的に活用します。

取締役会は、当社グループの戦略、経営計画、業績等に関する投資家の皆様の重要な反応についてIR部門より説明を受けます。また、取締役会は、その責任に関して、株主・投資家の皆様から提起された課題や事項等、株主／投資家向け広報活動の重要な動きについてIR部門より最新の情報を受領します。

IR部門は、東京本社を拠点に、戦略や業績、事業に関する事項につき、株主・投資家の

原則5-1
補充原則
5-1②

Ⅱ　ガバナンス報告書

皆様とのコミュニケーションの窓口としての役割を担います。

2) コーポレートガバナンスとサステナビリティ

総務法務部は、コーポレートガバナンスに関する事項に関するコミュニケーションの窓口としての役割を担います。

サステナビリティ委員会は、サステナビリティ部門の支援を受け、当社グループのサステナビリティに関する戦略、方針および報告をまとめます。

株主総会

定時株主総会は毎年6月に開催され、臨時株主総会は必要に応じて開催されます。通常、CEOが株主総会の議長を務め、総務法務部が議長を支援します。総務法務部は、他の関連部門と連携し、株主総会の企画、開催に関する業務を行います。株主総会は、取締役および執行役が直接株主の皆様と対話を持てる他にはない有意義な機会です。株主の皆様は、株主総会で直接取締役および執行役に対して質問し、問題を指摘することができます。また、そこでは、取締役および執行役は一般の株主の皆様から直接フィードバックをいただくことができます。

㉙日本取引所グループ

「コーポレートガバナンス・コードの各原則に基づく開示」

【原則5-1. 株主との建設的な対話に関する方針】
当社は、公正かつ透明で使い勝手の良い市場の発展を図ることを通じて、当社の企業価値が持続的に向上することを目指しています。この実現には多様なステークホルダーの声に耳を傾けることが重要であり、株主・投資家と対話を積極的に行い、長期的な信頼関係を確保していきたいと考えています。
株主・投資家との対話については、IR担当執行役が統括します。また、実際の面談については、面談目的に応じて、取締役、執行役、IR担当部門のいずれかが適宜対応します。
対話の実効性を高めるため、IR担当部門が中心となり、財務部、総合企画部、総務部等のコーポレート部門のほか、子会社である金融商品取引所を始めとしたグループ全体各部門を含めて密接な情報連携を図ります。
建設的な対話の前提として、以下のような取組みを行います。
・当社への中長期的な視点での理解を深めるための統合報告書の発行
・個人投資家向け説明会の実施
・機関投資家向け決算説明会や機関投資家訪問の実施
・決算・会社説明会資料等のウェブサイトでの提供
・業務関連統計としての市場情報のウェブサイト等での提供
対話を通じて得られた知見等について、経営判断に役立てるよう経営陣及び取締役会に定期的に報告します。
会社情報の開示は、別途制定している「ディスクロージャー・ポリシー」に則り、迅速性、正確性及び公平性を旨として行います。特にインサイダー取引規制に抵触する行為は、金融商品市場全体の信頼性を著しく損なうことを強く認識し、情報漏えい等が生じないよう情報管理を徹底します。
【ディスクロージャー・ポリシー】
https://www.jpx.co.jp/corporate/investor-relations/shareholders/disclosure-policy/index.html

㉚フクシマガリレイ

「コーポレートガバナンス・コードの各原則に基づく開示」

【原則5-1】
1. 基本的な考え方
当社は、株主や投資家の意見を経営に反映するため、適時適切な経営情報の開示を推進するとともに、建設的な対話を通じて、持続的な成長と中長期的な企業価値の向上を図ることに努めています。

2. IR体制
当社は、代表取締役をトップとして、総務部 経営企画GのIR担当者のもとに財経部門、営業戦略部門と連携し開示資料の作成を行い、株主・投資家との対話を充実させています。

第二部　各原則に基づく開示事項（必要的開示）　第18

3. 対話の方法
株主・投資家との建設的な対話を促進するため、以下のとおり、説明会や事業報告書、当社ホームページを活用し、分かりやすい情報開示に努めています。
・個別面談（総務部　経営企画G　IR担当者）
・スモールミーティング
・定時株主総会：年1回
・決算説明会：年2回
・取材対応：随時（サイレント期間除く）
・株主通信の発行：年1回
・統合報告書の発行：年1回
・当社ホームページの企画・運営
・経営計画や決算内容等、関心の高い事項に関する機関投資家向け説明会

また、IR活動の実績や、株主とのコミュニケーションにより得られた意見等は報告書にて代表取締役へ報告する仕組みをとっております。

㉛東ソー

「コーポレートガバナンス・コードの各原則に基づく開示」

【原則5-1：株主との建設的な対話に関する方針】
1. 基本方針
・持続的な成長と中長期的な企業価値の向上に資するよう、株主・投資家及び証券アナリスト（以下、「株主・投資家」という）に対し、経営戦略及び財務・業績状況等に関する情報を適時・適切に開示する体制を整備する。
・当社の経営戦略等を的確に理解して頂けるよう対話に努めることで、株主・投資家から信頼と適切な評価を得ることを目指す。
・株主・投資家から頂いたご意見・ご要望について、会社経営の参考として、企業価値の向上を図る。

2. 情報開示・対話のための体制
・経営陣幹部を筆頭にIR活動を展開する。
・IR部門担当役員を統括責任者とし、その管理下にIR活動を展開する担当部署を配置する。
・IR部門は、経営企画部門・会計財務部門・法務部門・総務部門・その他関係部門と適時情報交換を行い、有機的な連携体制を取り、対話の方法・内容等を検討し、適切な情報開示を実施する。また、各部門の責任者である経営陣が連携して、これらの活動を統括・推進する。

3. 対話手段の充実
・対話の手段として、以下の取組みを実施し、対話の充実に努める。また、対話の際には公平性・正確性・継続性を重視し、双方向なIR活動に努める。
ⅰ）アナリスト・機関投資家向け説明会、工場見学会、スモールミーティングの実施
ⅱ）アナリスト・機関投資家の個別面談の実施、個人投資家向け説明会の実施
ⅲ）国内外の証券会社カンファレンスを活用した会社説明会
ⅳ）個人株主向け工場見学会の実施
ⅴ）ウェブサイトでの国内外の投資家へ向けた情報開示と意見投稿の機会の確保
ⅵ）ウェブサイトでの株主向けアンケートの実施

4. IR自粛期間
・決算発表日前の一定期間をIR自粛期間とし、業績に関する問い合わせへの対応及び個別ミーティング等の開催は控える。ただし、業績数値が会社予想から大きく乖離する可能性がある場合には、適宜情報開示を行う。

5. フィードバックの方法
・株主・投資家との対話を通じて把握した意見・懸念事項等は、取締役会にて適時報告し、経営陣及び関係部門へのフィードバックを行う。

6. インサイダー情報の管理
・インサイダー取引防止規程に則り、未公表の重要事実の管理を徹底する。
・株主・投資家との対話の際には、インサイダー情報漏えいが発生しないよう、細心の注意を払う。
・インサイダー情報管理の徹底を図るため、定期的な教育を実施する。

7. 株主構造の把握
・定期的に実質株主調査を実施し、株主構造の把握に努める。

㉜住友商事

「コーポレートガバナンス・コードの各原則に基づく開示」

（原則5－1）
【株主との対話の基本方針】
株主・投資家とのコミュニケーションの機会として、株主総会をはじめ、四半期ごとの決算説明会、個別ミーティングなどを開催し、当社の企業経営や事業活動についての説明に努めます。
株主・投資家との対話に関する責任者として指定された執行役員が株主・投資家との対話を統括し、社内関係部署が連携して情報発信及び株主・投資家の意見の収集に取り組みます。
株主・投資家との対話に際しては、社内規則「内部者取引防止規程」に則りインサイダー情報を適切に管理します。

【取組体制と活動状況】

原則5-1
補充原則
5-1②

Ⅱ　ガバナンス報告書

　当社では、会社の持続的な成長と中長期的な企業価値の向上を図るため、株主・投資家の希望や主な関心事項を踏まえた上で、社長執行役員をはじめとする経営陣幹部による、各種ダイレクトコミュニケーションの場で、株主・投資家をはじめとしたステークホルダーとの対話を推進しています。

　上記の株主・投資家との対話に関する推進体制として、より実効性の高いIR・SR活動を推進することを目的にIR委員会を設置しています。本委員会は、CSO(※1)を委員長、CFO(※2)、CAO(※3)、他関連コーポレート部長を委員とし、月例会議にてIR・SR活動方針や課題、施策等を議論し、より充実した株主・投資家との対話を目指しています。そして、本委員会を通じて、IR・SR活動により得られた社外の意見・要望を経営層に適時にフィードバックする体制を整えています。また、IR・SR活動を専任する部署としてインベスターリレーションズ部を設置し、他の関連コーポレート部署と有機的に連携しながら、様々なIR・SR活動を企画・運営して、株主・投資家からの期待に沿う情報開示を実施し、またIR・SR活動にて得られた社外の意見等を吸い上げ、適時に経営品質の向上に役立てるよう、体制を整えています。

(※1) CSO (Chief Strategy Officer) 企画担当役員
(※2) CFO (Chief Financial Officer) 財務・経理・リスクマネジメント担当役員
(※3) CAO (Chief Administrative Officer) 人材・総務・法務担当役員

・株主総会
　株主総会招集通知において、法定の記載事項だけではなく、環境・社会・ガバナンス(ESG)やコーポレートガバナンスに対する取組などの情報を積極的に開示するとともに、当日の総会の場では株主からの質問に対する丁寧な説明に努めています。

・機関投資家(国内)
　社長執行役員、CFOによる四半期ごとの国内機関投資家向けの決算説明会を実施し、半期ごとに社長執行役員、CFO主催のスモールミーティングを開催しています。個別に株主・投資家から面談の依頼があった場合には、社長執行役員・CFO・インベスターリレーションズ部により、可能な範囲で個別面談を実施しています。また、定期的に営業部門による事業戦略説明会、国内および海外における当社事業のサイトツアー、ESG説明会等を実施しています。加えて、2019年度からは、当社の中長期的な成長に向けた取り組みへの理解を目的に「Investor Day」を開催し、機関投資家との対話を深めています。

・機関投資家(海外)
　欧米やアジア諸国を中心に機関投資家を訪問し、社長執行役員、CFO、インベスターリレーションズ部による個別ミーティングを継続して実施しています。また、国内および欧米の機関投資家の議決権行使担当者との個別面談(SR活動)も、インベスターリレーションズ部と文書総務部が共同で実施しています(2020年度はオンラインにて実施)。

・個人投資家
　国内の複数都市にて、説明会を継続的に実施していることに加え、オンライン説明会も年に複数回実施しています。(2020年度はすべてオンラインにて実施)。

　なお、株主・投資家には、財務情報のみならず、ESG関連情報を含む非財務情報も開示し、当社グループの中長期的な企業価値向上への取組みを示すことにより、対話の充実を図っています。

＜2020年度活動実績一覧＞
社長執行役員：株主総会、決算説明会(4回)、国内・海外機関投資家との対話(7回)
CFO：決算説明会(4回)、国内・海外機関投資家との対話(28回)、
CSO：決算説明会(2回)、国内・海外投資家との対話(1回)、ESG説明会(1回)
CAO：決算説明会(1回)、ESG説明会(1回)
インベスターリレーションズ部：
国内・海外機関投資家、アナリスト等との対話(約180回)、個人投資家向けオンライン説明会(4回)、
文書総務部との共同によるShareholder Relations活動における株主との対話(国内1社、海外4社)

㉝日東電工

「コーポレートガバナンス・コードの各原則に基づく開示」

【補充原則5-1　株主との建設的な対話に関する方針】
　当社は、持続的な成長と中長期的な企業価値の向上のため、分かり易い形での説明とともに、株主との建設的な対話を促進し、株主の理解が得られるよう努めます。そのため、次の方針を定めています。
　(1) 当社は、IR活動を経営上の重要課題のひとつとして位置づけ、CEOを責任者、CFOを担当役員とし、経営幹部自らが、株主との対話を推進する。
　(2) 対話の実効性を確保するためIR専任部署を設置する他、法務、経営企画、経理財務、総務、広報、グループ会社管理、CSR推進等の各担当部署と有機的な連携を図り、IR情報の共有や情報開示について社内横断的な体制を構築するとともに、情報取扱責任者を設置し、情報の適時適切な開示に努める。
　(3) 個別面談以外の対話の手段として、四半期ごとに決算説明会を開催し、CEOまたはCFOが説明を行う。加えて米国、欧州、アジアにおいて海外IRを年1回以上行う。
　(4) 株主との対話を通じて把握された意見や経営課題について、経営幹部や関連部門へ定期的にフィードバックして周知・共有を行い、経営に反映する。
　(5) インサイダー情報の管理に関して「日東電工グループインサイダー取引防止規程」を制定し、情報管理の周知徹底を図る。また、決算発表前の期間は沈黙期間として株主・投資家との取材を制限する。

㉞オービック

「コーポレートガバナンス・コードの各原則に基づく開示」

【原則5-1．株主との建設的な対話に関する方針】
　当社は、株主との建設的な対話を促進するため、経営企画室を主管部門としてIR(インベスターズ・リレーションズ)活動を実施しております。

機関投資家・アナリスト向けの決算説明会を年2回開催し、代表者による説明・質疑応答を実施しております。また、個別面談については経営企画室にて対応しており、対話において把握された株主の意見等については、取締役へ適時にフィードバックし、情報共有を図っております。なお、株主との対話に際してはインサイダー情報の漏洩防止に努めております。

㉟雪印メグミルク

「コーポレートガバナンス・コードの各原則に基づく開示」

【原則5-1】株主との建設的な対話に関する方針
1. 当社は、持続的な成長と中長期的な企業価値の向上のためには、株主、投資家の皆様のご理解とご支援が不可欠と認識しております。株主、投資家の皆様と建設的な対話を行ない、長期的な信頼関係を構築していきたいと考えております。
2. 株主、投資家の皆様との対話につきましては、広報IR担当役員が統括し、広報IR部のIR担当者が総合企画室、総務部、財務部と連携して行ないます。
IR担当者は対話を充実させるため、内容に応じて、各テーマの担当部署に情報提供を求め、各担当部署はIR担当者に協力いたします。
3. 報道機関、アナリスト、機関投資家の皆様に対して、四半期ごとに決算に関する説明会を実施いたします。また、アナリスト、機関投資家の皆様に対して、四半期ごとにスモールミーティングを実施するとともに、必要に応じて個別に対話を実施いたします。
個人投資家の皆様に対しては、説明会を適宜実施いたします。そのほか、業績、事業内容、経営方針などを当社ホームページ上のIR情報サイトに掲載いたします。
4. 株主、投資家の皆様との対話内容は、広報IR部より月次で、役員会等にフィードバックいたします。
5. 株主、投資家の皆様との対話において、インサイダー情報(未公表の重要事実)を伝達することはいたしません。

㊱テイクアンドギヴ・ニーズ

「コーポレートガバナンス・コードの各原則に基づく開示」

【原則5-1 株主との建設的な対話に関する方針】

1. 株主との対話の統括を行う取締役
当社では、IR担当取締役を選任すると共に、総合企画部をIR担当部署としております。株主や投資家に対しては、原則として代表取締役が説明を行う決算説明会を半期毎開催しております。

2. 社内の関係部署との連携
当社はIR活動が建設的かつ有意義なものとなるよう、「適時開示体制」を構築し、各部門との連携を図り、重要情報の適時・適切な情報開示に努めております。また広報部門とも連携し、TDnetやEDINETによる情報開示に加え、当社ホームページやプレスリリース等を活用し、より広範な情報開示に積極的に取り組んでおります。決算説明会などのIR活動で使用する資料につきましても、代表者をはじめ、各部門から情報を集約しながら説明内容を互いに検討し、株主・投資家のみなさまに分かり易く、有益な資料を提供できるよう取り組んでおります。

3. 個別面談以外の対話の手段の充実
当社は、株主・投資家に対する情報提供として、四半期毎の業績説明をオンデマンド配信し、説明動画は当社ホームページに掲載することで、公平かつ迅速な情報配信に努めています。また、海外の機関投資家に対しましても、重要情報の英語でのタイムリーな情報提供を行っております。個別面談のほか、取締役による経営方針説明会や施設見学会なども開催し、IR活動の充実を図っております。

4 株主の意見・懸念のフィードバック
当社では、株主・投資家の皆様から頂いたご意見・ご懸念等につきましては、IR担当部署よりレポートを作成し、取締役及び経営幹部など、定期的に報告し、フィードバックを実施しております。

㊲東邦金属

「コーポレートガバナンス・コードの各原則に基づく開示」

【原則5-1】株主との建設的な対話に関する方針
当社は株主から寄せられた意見を経営会議等において直接報告する等、株主との建設的なコミュニケーションを図ることに取り組み、経営にフィードバックしたいと考えております。コミュニケーションは管理部門担当役員のもと総務部が中心に応対し、メール、電話、面談によっても受け付けております。なお、IRにつきましてはホームページ上での情報提供を中心に実施しております。なおインサイダー情報は、当社規定に基づき、適切に管理しております。

㊳ヴィスコ・テクノロジーズ

「コーポレートガバナンス・コードの各原則に基づく開示」

【原則 5-1:株主との建設的な対話に関する方針】
当社は、当社ホームページによる情報開示の実施のほか、定期的に投資家説明会を開催するなど、株主に対し、当社の経営戦略や事業環境に関する理解を深めていただけるよう努めております。
また、当社をとりまくステークホルダーの皆様に対して、当社の企業価値を的確に判断していただくために必要な情報を、適時、適切、かつ公正

Ⅱ　ガバナンス報告書

に提供するために、取締役会において基本方針を定め、当該方針に基づいてIR活動を行っております。

【補充原則 5-1②：株主との建設的な対話に関する方針】
（1）当社は株主・投資家との対話のための活動を円滑に企画・実行するために、管理本部経営管理部をIR担当部門としております。また、IR活動の責任者として取締役副社長兼管理本部長がその責務を遂行致します。
（2）株主・投資家の皆様との建設的な対話に際しては、中長期的な視点による株主・投資家の皆様の関心事項等を踏まえ、適時、適切、かつ公正な情報を提供すべく、IR担当部門が関連部門と連携の上、対話者を補助致します。
（3）株主・投資家の皆様との建設的な対話は、株主総会や個別面談のほか、第2四半期決算及び通期の決算発表時における定期的な決算説明会等を通じて実施致します。また、当社ホームページ内に開設しているIRサイトに有価証券報告書、適時開示書類、決算説明会資料、IRニュース等を積極的に掲載致します。
（4）IR担当部門は、株主・投資家の意見、懸念等を必要に応じて適宜取締役会に報告致します。また、取締役会は、IR担当部門に対しいつでも株主・投資家の皆様との対話の詳細説明を求めることができ、株主・投資家と効果的な対話が実現できるよう努めます。
（5）当社は、株主・投資家の皆様との対話に際しては、各種法令及びインサイダー取引規制に関する規程を遵守し、未公開の重要情報を特定の方に開示することは致しません。

㊴やまや

「コーポレートガバナンス・コードの各原則に基づく開示」

【基本原則5　株主との対話】
当社は、持続的な成長と中長期的な企業価値の向上に資するため、株主総会以外においても、経営陣幹部や取締役は株主と建設的に対話を行い、自らの経営方針を株主に分かりやすく説明し、その理解を得ることが重要であると認識しています。そのため、IR管掌取締役を中心とするIR体制の整備に努め、当社への理解を深めてもらうために、定期的に機関投資家との面談を行う場を設けています。
【原則5-1 株主との建設的な対話に関する方針】【補充原則5-1-1、5-1-2、5-1-3】
当社は、経営の透明性を高め、社外の意見を経営に反映するため、適確かつ迅速な経営情報の開示を推進するとともに、株主・投資家・ステークホルダーとの建設的な対話を通じて、持続的な成長と中長期的な企業価値の向上を図ることに努めております。
1,2 面談主旨や関心事項の把握に努め、IR・広報担当の総務部を窓口とし、代表取締役会長を対話を統括する経営陣としております。
　　必要に応じ、経理・財務担当執行役員や総務・法務担当執行役員等の経営陣が株主との対話に参画させていただいています。
3 アナリスト・機関投資家・報道メディア向けの決算説明会を、中間期・期末の年2回開催しております。また、ホームページ等の情報インフラを活用し、決算短信や決算説明会資料、月次業績速報、事業報告書等を開示し、積極的な情報開示に努めています。さらに、IR個別訪問や電話会議などのご希望にも対応しています。
4 対話によって得られたみなさまの関心事項を適時当社経営陣や業務執行役員にフィードバックし、共有することにより、IR活動の充実を図っています。
5 各四半期決算期末翌日から、決算短信開示までの期間をIR自粛期間（サイレント期間）と定め、決算内容に関してコメントすることやご質問にお答えすることを控えています。

㊵大和ハウス工業

「コーポレートガバナンス・コードの各原則に基づく開示」

【原則5-1　株主との建設的な対話に関する方針】
当社は、株主との目的を持った対話を実現するため、双方向のコミュニケーションの充実に努め、株主との建設的な対話を促進するための方針を定めております。

≪株主との建設的な対話（エンゲージメント）を促進するための方針≫
当社は、株主との建設的な対話が、会社の持続的な成長と中長期的な企業価値の向上に資するよう、
1. 株主からの対話（面談）の申し込みに対して、株主の希望と面談の主な関心事項も踏まえた上で、合理的な範囲で、社外取締役を含む取締役または経営幹部が臨むことを基本とする。
2. IR担当役員は、建設的な対話の実現のため、社内部門と協力して対応する。
3. 中長期的な企業価値を判断するための情報開示に努め、株主との対話（エンゲージメント）を通じて企業価値を高める。
4. IR担当役員は、個別面談のほか、経営説明会や施設見学会などを開催し、IR活動の充実を図る。
5. IR担当役員は、自社の考えていることを、対話を通じて株主に伝え、株主から頂いた意見・要望について、経営幹部または取締役へフィードバックするとともに、社外役員にもフィードバックを適時適切に行い、独立・客観的な視点からの課題認識を共有する。
6. IR担当役員は、未公表の重要な内部情報（インサイダー情報）が外部へ漏洩することを防止するため、「内部者取引に関する規則」に基づき、情報管理責任者と連携を図り情報管理を徹底する。
（コーポレートガバナンスガイドライン第48条3項）

㊶浜井産業

「コーポレートガバナンス・コードの各原則に基づく開示」

【原則5-1　株主との建設的な対話に関する方針】
　株主との建設的な対話を促進するためのIR活動を含む情報開示に取り組んでおり、株主との対話に関する基本方針として下記のように規定しております。

（株主等との対話者）
　管理担当取締役が、当社における株主等との対話全般について統括し、建設的な対話の実現に努める。株主等との対話は、株主等の希望と面

第二部　各原則に基づく開示事項（必要的開示）　第18

談の主な関心事項も踏まえたうえで、合理的な範囲で、管理担当取締役や総務部長等が行う。
（対話を補助する社内体制）
　株主等との建設的な対話に資するよう、社内のIR、企画、財務、経理、営業等の各部門が定期的に協議する等、有機的に連携する体制を構築する。
（対話の手段の充実に関する取り組み）
　株主等の中長期的な視点による関心事項等も踏まえ、株主総会や年2回の決算発表に合わせた記者会見や当社ホームページにおける開示等の充実のほか、必要に応じて投資家向け説明会を実施し、建設的な対話の充実に努める。
（社内へのフィードバック）
　IR部門と担当役員は、対話により把握した株主等の意見、関心事や懸念等を社外役員を含む取締役会にて定期的かつ適時に報告し、情報共有する。
（インサイダー情報の管理）
　株主等との対話を行うにあたり、インサイダー情報の管理については、役員及び従業員等による重要事実の管理に関する規則を定め、情報管理の徹底に努める。

㊷東　　祥

「コーポレートガバナンス・コードの各原則に基づく開示」

【原則5-1.株主との建設的な対話に関する方針】
　当社では、IR担当取締役を選任するとともに、IR室を担当部署としています。
　IR室は、決算説明会等において株主や機関投資家等との対話（面談）を前向きに対応する方針であり、合理的な範囲で社長又はIR担当取締役が面談に対応する方針であり、投資家からの電話取材やスモール・ミーティング等のIR取材を積極的に受け付けるとともに、アナリスト・機関投資家向けに年4回の決算説明会を開催し、IR活動によりもたらされた投資家からの質問、意見等の結果については、取締役会へ報告を行い、取締役や監査役との情報共有を図っております。
　また、投資家との対話の際は、決算説明会やスモールミーティングを問わず、当社の持続的成長、中長期における企業価値向上に関わる事項を対話のテーマとすることとし、社内規則に基づき、インサイダー情報管理に留意しております。

㊸ユナイテッドアローズ

「コーポレートガバナンス・コードの各原則に基づく開示」

【原則5-1.株主との建設的な対話に関する方針】および【原則5-2.経営戦略や経営計画の策定・公表】
　当社は積極的なIR活動の推進により経営の透明性を高めるとともに、株主・投資家の皆様とのコミュニケーションを図ることで、企業経営の健全性の向上、株主価値の創造を目指します。また、中期経営計画を公表し、戦略に加え収益性や資本効率（ROE）等の定量的な目標値を示すことで、情報開示の充実を図っているほか、資本コスト等を踏まえた投資基準・撤退基準を設けることで、収益性の維持・向上を図っています。
　「株主・投資家との建設的な対話および情報開示の充実」に向け、ディスクロージャーポリシーを策定し、開示しています。
　会社法や金融商品取引法等で定められた適時開示に対する方針、体制整備は、同ポリシーの「開示情報の基準および方法」「適時情報開示の体制」「沈黙期間」「将来予測に関する記述についてのご注意事項」に記載しています。
　株主・投資家との建設的な対話に向けた方針、体制整備等は、同ポリシーの「コミュニケーションの充実」「IR活動の適切なフィードバック」「株主・投資家との建設的な対話に向けて」に記載しています。
　当社では3年ごとに中期経営計画（中期ビジョン）を策定・公表しています。中期経営計画では、戦略に加え、収益性や資本効率（ROE）等の定量的な目標値を示すことで情報開示の充実を図っています。なお、ROEの目標値については、中長期的な企業価値の向上に向け、社内で把握する資本コストを上回る値としています。
　当社では営業活動の結果得たキャッシュの有益な活用に向け、新規の営業設備投資や大型改装に当たっては、社内で設定した資本コストを勘案した投資回収年数、正味現在価値（NPV）や内部収益率（IRR）の算定を行い、自社が設定したハードルレートを超過することを条件として投資判断を行っています。また、新規事業については、原則として3年目で単年度黒字化、5年目で累積損失解消が不可能と見込まれた場合、収益改善に向けた全社的なバックアップを行いながら、改善不可能な場合には撤退に関する検討を行います。

※ディスクロージャーポリシーは以下に開示しています。
http://www.united-arrows.co.jp/ir/strategy/disclosure.html
※なお、当コーポレートガバナンスポリシーの付帯資料2として添付しています。

「ディスクロージャーポリシー」

沈黙期間

当社は、決算情報の漏えいを防ぎ、公平性を確保するために、各四半期決算期日の翌日から決算発表日までを沈黙期間とし、決算、業績に関するお問い合わせに対するコメントのご提供、個別IRミーティングの実施を控えています。ただし、沈黙期間中に発生した事象が適時開示に該当する場合には、適時開示規則に従い開示を行います。

原則5-1
補充原則
5-1②

㊹三井不動産

「Ⅲ株主その他の利害関係者に関する施策の実施状況」

> 当社は、IR活動を行うにあたって、株主・投資家・証券アナリストといった市場参加者の理解を促進し、市場参加者の皆様との長期的な信頼関係の構築に向けた取組みを通じて適切な評価の獲得を目指しています。その目的達成に向けて、当社に関する経営戦略や財務状況等の情報の適切な開示を行います。
>
> 開示にあたっては、情報取扱責任者である総務部長の管理のもと、当社各本部・部門及びグループ会社からの情報を総務部にて集約し、金融商品取引法等の関係法令及び東京証券取引所の定める適時開示規則等に基づき、適時開示の必要性について関係部署と協議し、開示の判定を行います。また、金融商品取引法に定められた「フェア・ディスクロージャー・ルール」を遵守し、迅速かつ公平な情報開示の実現に努めます。

㊺ヤクルト本社

「コーポレートガバナンス・コードの各原則に基づく開示」

> 【原則5-1】(株主との建設的な対話に関する方針)
> 　当社は、持続的な成長と中長期的な企業価値の向上に資するため、以下の方針のとおり、株主との建設的な対話の促進に努めています。
> ・開かれた株主総会を運営し、株主との対話の時間を十分に確保するとともに、個別の問い合わせなどへの対応を適宜行っています。
> ・IR専任部署である「IR室」を管掌する担当執行役員を選任しています。
> ・IRに関連する部署間の連携、情報共有化に努めています。
> ・決算説明会や事業説明会などの充実に積極的に取り組んでいます。
> ・対話において把握された株主の意見・要望について、経営陣幹部に適宜フィードバックを行っています。
> ・対話に際してのインサイダー情報を含むフェア・ディスクロージャー・ルールの重要情報の管理には十分留意しています。

㊻アルフレッサ　ホールディングス

「コーポレートガバナンス・コードの各原則に基づく開示」

> 【原則5-1 株主との建設的な対話に関する方針】
> 株主との建設的な対話の方針
> (1)基本方針
> 　当社は、ディスクロージャーポリシーに則って、透明性・公平性・継続性・適時性・双方向性を確保した、タイムリーな情報の公開を行います。具体的には、会社法、金融商品取引法等の諸法令ならびに東京証券取引所の「有価証券上場規程」に定める会社情報の適時開示に関する規定等を遵守して情報の公開を行います。また、諸法令や適時開示に関する規定等に該当しない情報についても株主・投資家の皆様が当社を理解する一助となると判断した情報については、適切な方法により積極的かつ公平に公開してまいります。
> (2)フェア・ディスクロージャー
> 　当社は、フェア・ディスクロージャーの観点から株主・投資家の皆様に対して、当社の経営状況等の財務情報、環境・CSR・コーポレートガバナンス等の非財務情報等を積極的かつ公平に情報公開いたします。
> (3)体制
> 　情報公開の一貫性や統一性を確保するため、代表取締役、情報開示部門を主管する情報取扱責任者、および情報開示担当部門(コーポレートコミュニケーション部)を、情報公開に係る当社の役職員として定めます。情報開示担当部門が社内の関係部門と連携して、株主・投資家の皆様との建設的な対話に必要な情報を収集いたします。「フェア・ディスクロージャー・ルール」で定める重要情報の公開については、必要に応じて代表取締役、情報取扱責任者、情報開示部門担当者(コーポレートコミュニケーション部門長)等から構成される開示委員会での審議等を行い、適宜、取締役会へ付議いたします。
> (4)対話
> 　当社は、情報取扱責任者を対話に関する責任者とし、合理的な範囲内で経営幹部が対話に対応するように努めます。IRに関する活動状況は、当社のコーポレートガバナンス報告書で開示いたします。対話を通じて得られた株主・投資家の皆様の意見等は、情報開示担当部門より、経営幹部へ適宜、情報共有いたします。
>
> 当社のディスクロージャーポリシーについては、当社ホームページ(https://www.alfresa.com/ir/disclosure/)をご覧ください。

㊼インターネットイニシアティブ

「コーポレートガバナンス・コードの各原則に基づく開示」

【原則5-1】
当社は、持続的な成長と中長期的な企業価値の向上に資するよう、以下のとおり、株主の皆様との建設的な対話を促進するための体制整備及び取組みに関する方針を決定しております。

（ⅰ）株主との対話全般に関する取締役の指定
　　　株主及び投資家の皆様との建設的な対話を促進するため、CFOをIR業務を統括する取締役と指定しております。

（ⅱ）社内担当部署間の有機的な連携のための方策
　　　当社は、取締役、監査役及び執行役員を構成員とし、情報開示の内容を検証し承認する「情報開示委員会」を設置しております。また、情報開示業務の運営にあたり、CFOを責任者とし、社内のIR企画、予算、財務、経理、法務部門を構成員とする「開示検討準備ワーキンググループ」を設置しております。「情報開示委員会」と「開示検討準備ワーキンググループ」との連携により、適切適時な情報開示を行っております。

（ⅲ）個別面談以外の対話手段充実に関する取組み
　　　アナリスト及び機関投資家の皆様向けには、決算説明会の開催、投資家カンファレンスへの参加、技術等に関する個別説明会の開催他を、個人投資家の皆様向けには、会社説明会の開催他を適宜実施しており、これらを継続していく考えです。

（ⅳ）株主の意見及び懸念について、経営陣幹部に対するフィードバックのための方策
　　　株主及び投資家の皆様からの意見及び懸念を含む対話内容は、定例会議他により経営陣幹部へ都度報告されております。

（ⅴ）インサイダー情報の管理に関する方策
　　　当社は、連結グループ全社員を対象者とする「内部者取引（インサイダー取引）防止規程」を制定し、インサイダー取引防止の管理運営を徹底しております。また、株主及び投資家の皆様との対話にあたっては、ディスクロージャ・ポリシーを制定し、コンプライアンスに則った適切な開示及び情報提供を行っております。

㊽藤倉化成

「コーポレートガバナンス・コードの各原則に基づく開示」

【原則5-1】
当社は、株主との建設的な対話を積極的に促進するため以下の方針を定めております。
（ⅰ）株主との対話の統括責任者を、取締役管理本部長が担当しております。
（ⅱ）社内のIR担当窓口を、管理部長が兼務しております。
（ⅲ）決算説明会(アナリスト向け)を、年2回(決算期、第2四半期決算期)開催いたしております。
（ⅳ）IR活動等によって把握された情報については、必要に応じて取締役会へ報告を行い、取締役との情報共有を図っております。
（ⅴ）内部情報管理規程を定め、グループ会社に対して定期的な教育を行うなど、インサイダー情報管理に留意しております。

㊾川崎重工業

「コーポレートガバナンス・コードの各原則に基づく開示」

【原則5-1 株主との建設的な対話に関する方針】
　当社は株主と積極的に対話を行い、当社の事業戦略や経営方針を説明するとともに、対話を通じて得た知見を経営に活かすことで、中長期的な企業価値を向上させたいと考えています。そのため、株主からの対話申込みに対しては、スケジュール上の都合など、やむを得ない場合を除き、株主の希望や持株割合に応じて、社長を含む取締役や経営陣幹部など、適切な応対者が面談することとしています。
　株主との建設的な対話を促進するための体制整備・取組みに関する方針は以下のとおりです。
・株主との対話は、IR担当役員が総括し、投資家からの取材への対応や各種説明会の実施などの取組みを積極的に行っています。
・対話を補助する社内各部門は定期的に連絡会議を開催するなど連携を取りながら、建設的な対話のための支援を行っています。
・四半期ごとの決算説明会（電話会議形式を含む）、事業説明会、工場見学会などを継続的に実施しています。
・対話において把握された株主の意見・懸念などは、取締役会に適時・適切に報告しています。
・決算発表前にサイレント期間を設け、投資家との対話を制限するとともに、対話に際しては相互監視の目的からも、原則として2人以上で対応することにより、インサイダー情報の漏えいを防止しています。

㊿日本テレビホールディングス

「コーポレートガバナンス・コードの各原則に基づく開示」

【原則5-1】
株主との建設的な対話を促進し、中長期的な企業価値の向上に向けた実効的なコーポレート・ガバナンスの実現を図るため、以下のような施策を実施しています。
（ⅰ）株主との対話促進は、IR担当の取締役を置く他、経理担当取締役、総務担当取締役も協力することとしています。

原則5-1
補充原則
5-1②

Ⅱ　ガバナンス報告書

(ⅱ) 社内関連部署による横断的な委員会、ワーキンググループを設置し、適宜密接に連絡を取り、情報の共有や開示資料の作成等を行っています。
(ⅲ) 個別面談以外の対話として、テレフォン・カンファレンスや決算説明会を開催している他、ホームページ上で四半期ごとの決算説明資料の掲載と、経営陣等による説明会開催時の動画配信を行い、個人投資家にも出席者と同等の情報を開示しています。
この他株主情報として、株式の状況、外国人持株比率、適時開示情報等を掲載しています。また、「コーポレートレポート」を発行しホームページに掲載している他、株主総会においては丁寧な回答を心掛けています。
https://www.ntvhd.co.jp/ir/library/report/

(ⅳ) 株主、投資家からのご意見等は、内容に応じて担当部署間で共有すると共に、IR・SR部が適宜担当取締役にフィードバックを行っています。
(ⅴ) 株主、投資家の皆様との対話において、一部の株主、投資家の皆様に対してのみ重要情報を提供することが無いよう、情報管理の徹底に努めています。当社においては役職員等を対象とした「インサイダー取引防止規程」を設けており、取締役につきましては就任時の研修でインサイダー取引防止についての注意喚起を図るほか、職員については毎年インサイダー取引防止研修を行っています。また、社内での重要情報の扱いについては、当社内部情報管理規則に基づき、内部情報管理票を作成するなど情報の統括管理を実施し、インサイダー情報の管理に努めています。

㉑ エーザイ

「コーポレートガバナンス・コードの各原則に基づく開示」

【原則5－1　株主との建設的な対話に関する方針】
　取締役会は、当社のコーポレートガバナンスの基本的な考え方を定めた「コーポレートガバナンスプリンシプル」に、長期的な企業価値の向上に向け、ステークホルダーズとの良好かつ円滑な関係の維持に努めることを規定しています。この基本的な考え方にもとづいて、機関投資家と社外取締役との意見交換会の定期的な開催に加え、社外取締役が機関投資家へ訪問し対話する等、相互理解を深める施策を継続しています。
　また、当社は情報開示ガイドラインを定め、その中で、当社の情報開示の一貫性、統一性を確保するために、情報開示担当者は当社のCEO、CFO、IR／PR担当役員、IR／PR責任者およびこれら担当者に指名された当社グループの役員ならびに社員としています。
　当社は、株主・投資家の皆様に、当社の経営・財務状況を積極的かつ公正、公平、タイムリーに情報開示し、企業価値のさらなる向上に資するIR活動を推進しています。IR担当部署は、社内関係部署と日々のオペレーションにおける連携をとり、個別面談以外の対話の取り組みとして、四半期決算を年4回、CEOによるインフォメーションミーティングを年1回開催しています。また、建設的な対話のためのツールのひとつとして、2015年度より統合報告書を作成しています。
　取締役会へは投資家の皆様からのフィードバックを含むIR活動が定期的に報告されており、株主構成についても定期的な調査にもとづき、その結果が取締役会に報告されています。
　なお、株主の皆様との対話におけるインサイダー情報の管理については、社内研修、秘密保持誓約等で情報管理を徹底しています。

㉒ 乾　汽　船

「コーポレートガバナンス・コードの各原則に基づく開示」

【原則5－1　株主との建設的な対話に関する方針】
　当社では、株主からの面談の申込については対応方針を定め、面談の目的及び内容の重要性、面談者の属性等を考慮のうえ対応を検討することとしております。また、年2回決算説明会を行い、当社ウェブサイトにおける動画及び資料を公表しております。2019年度に初めて社外取締役による機関投資家への訪問と対話の機会を設けるなど、適宜IRに関する取材に応じることとしております。
　株主との対話全般については、社長を統括責任者とし、コーポレートマネジメント担当執行役員を情報取扱責任者として、その他関係各部が有機的に連携して対応しております。対話において把握された株主の意見等は、取締役会、経営会議等で報告しております。また、乾汽船グループ内部情報管理及び内部者取引管理要領において、対話に際してインサイダー情報が適切に管理されるための方策を講じております。

㉓ インプレスホールディングス

「コーポレートガバナンス・コードの各原則に基づく開示」

【原則5-1】（株主との建設的な対話に関する方針）
　当社は株主様と積極的に対話を行い、当社の事業戦略や経営方針を説明するとともに、対話を通じて得た知見を経営に活かすことで、中長期的な企業価値を向上させたいと考えております。
　IRにつきましては、取締役副社長山手章弘および情報取扱責任者である執行役員二宮宏文の2名が担当しております。株主様・投資家の皆様ならびに機関投資家およびアナリスト等との対話の窓口は、社長室広報担当および経営戦略室、当社グループの経営管理を担う子会社である株式会社Impress Professional Worksのグループ総務部が共同で対応しております。
　経営層へのご面談のお申し込みに対しましては、面談の目的および内容の重要性、ご面談希望者様の属性等を考慮し対応いたします。また、当社は、個別面談を重視しているため、決算説明会等につきましては、株主様・投資家の皆様ならびに機関投資家およびアナリスト等のご要望等に応じて、今後検討いたします。
　なお、インサイダー情報の厳格な管理を行う目的から、当社規定に準じ、決算発表前等の一定期間において面談や電話交信をはじめすべての対話のお申し込みはお受けしておりません。また、ご面談の際にいただきましたご意見や質疑応答につきましては、上記の担当取締役への報告はもとより、取締役会へフィードバックするなど経営の改善に役立ててまいります。

(54)ヤマハ発動機

「コーポレートガバナンス・コードの各原則に基づく開示」

【原則5-1】（株主との建設的な対話に関する方針）
当社は株主様と積極的に対話を行い、当社の事業戦略や経営方針を説明するとともに、対話を通じて得た知見を経営に活かすことで、中長期的な企業価値を向上させたいと考えております。
IRにつきましては、取締役副社長山手章弘および情報取扱責任者である執行役員二宮宏文の2名が担当しております。株主様・投資家の皆様ならびに機関投資家およびアナリスト等との対話の窓口は、社長室広報担当および経営戦略室、当社グループの経営管理を担う子会社である株式会社Impress Professional Worksのグループ総務部が共同で対応しております。
経営層へのご面談のお申し込みに対しましては、面談の目的および内容の重要性、ご面談希望者様の属性等を考慮し対応いたします。また、当社は、個別面談を重視しているため、決算説明会等につきましては、株主様・投資家の皆様ならびに機関投資家およびアナリスト等のご要望等に応じて、今後検討いたします。
なお、インサイダー情報の厳格な管理を行う目的から、当社規定に準じ、決算発表前等の一定期間において面談や電話交信をはじめすべての

(55)ツルハホールディングス

「コーポレートガバナンス・コードの各原則に基づく開示」

【原則5-1. 株主との建設的な対話に関する方針】
当社は、当社グループの持続的な成長と、企業価値向上を図るべく、株主との対話に積極的に取り組み、強固な信頼性の構築に努めております。
1.経営陣または取締役のうち株主との対話全般を統括する者の指定
当社は広報・IR担当役員を統括責任者といたします。
2.対話を補助する社内の各部門が有機的に連携するための方策
社内の各部門の連携としては、経理部IRグループが社内の各部門、グループ各社と連携し、株主との対話が有機的に行える資料の作成を行なうとともに、内容についての社内でのディスカッションの場を設けております。株主および国内外機関投資家との面談のスケジュール調整、プランニングも同グループが行なっております。
情報開示については総務部総務グループが担当し、ステークホルダーに当社に関する情報を適時適切に開示できる体制をとっております。
3.個別面談以外の対話の手段の充実に関する取り組み
当社は個別面談以外にも多様な方法で、ステークホルダーとの対話促進に努めております。
①投資家・アナリスト向け説明会の開催
②国内・海外機関投資家との電話会議の実施
③全国各地での個人投資家説明会の開催
④機関投資家向け店舗見学会の実施
4.取締役会等へのフィードバックの方策
当社は、各四半期ごとに決算短信に関する決算説明会、機関投資家訪問を行なっており、実施直後の取締役会において、担当役員より投資家の反応等に関する報告を行なっております。
5.対話に際してのインサイダー情報の管理に関する方策
当社はインサイダー取引規程を制定しており、厳格な運用を行なっております。未公開の重要情報を特定の者に個別的に開示することはいたしません。
6.その他
当社は、株主との建設的な対話の前提として、株主構造・構成の把握が重要との認識から、定期的に株主判明調査を実施しております。

第三部　ガバナンス報告書における新たな開示の動向

第1　コンプライ・アンド・エクスプレイン

　コードはコンプライ・オア・エクスプレインの手法を採用している。すなわち，コードの適用を受ける各社は，あくまでコンプライしない原則についてエクスプレインすることが求められ，コンプライしている原則をエクスプレインすることは求められない。

　もっとも，投資家と企業の対話ガイドラインの前文脚注1にて「機関投資家と企業の建設的な対話を充実させていく観点からは，各原則を実施する場合も，併せて自らの具体的な取組みについて積極的に説明を行うことが有益であると考えられる。」と明記されている。これを踏まえ，任意の対応として，コンプライ・アンド・エクスプレインを行う例がみられる。

　以下，このようなコンプライ・アンド・エクスプレインの例を紹介する。

1　コードの全原則について開示する例

　株主・投資家との建設的な対話の促進につながることを意図して，自主的な判断により，コンプライする原則を含め全原則について方針等を開示する例（①双日，②バンダイナムコホールディングス）がある。

①双　日

　「コーポレートガバナンス・コードの各原則に基づく開示」

> コーポレートガバナンス・コードの各原則に基づく開示事項を含め、基本原則・原則・補充原則の83原則全てに関し、「コーポレートガバナンス・コード各原則に関する当社の取組みについて」として、本報告書の末尾に記載しております。

　「コーポレートガバナンス・コード各原則に関する当社の取組について」

> コーポレートガバナンス・コード各原則に関する当社の取組について
>
> 第1章　株主の権利・平等性の確保
>
> 【基本原則1】
> 　上場会社は、株主の権利が実質的に確保されるよう適切な対応を行うとともに、株主がその権利を適切に行使す

> ることができる環境の整備を行うべきである。
>   また、上場会社は、株主の実質的な平等性を確保すべきである。
>   少数株主や外国人株主については、株主の権利の実質的な確保、権利行使に係る環境や実質的な平等性の確保に課題や懸念が生じやすい面があることから、十分に配慮を行うべきである。

(1) 当社は、持続的な成長と中長期的な企業価値の向上のために、株主との間で建設的な対話を行うことを基本方針としております。この方針のもと、全ての株主の権利が実質的に確保され、また、行使することができるよう、対応しております。
(2) フェアディスクロージャールールを意識し、全ての株主に対して公正かつ平等に情報発信を行うことを基本としており、英文の開示についても取り組んでおります。

> 【原則1-1.】
>   上場会社は、株主総会における議決権をはじめとする株主の権利が実質的に確保されるよう、適切な対応を行うべきである。

(1) 当社は、全ての株主の権利が実質的に確保されるよう、株主の権利行使に対して、会社法に照らして適法・適正に対処しております。
(2) 株主総会の議決権行使については、当日出席による行使、書面による行使、インターネットによる行使など多様な方法を整備しており、株主総会招集通知などを通じた行使方法の説明を丁寧に行っております。

> 【補充原則1-1①】
>   取締役会は、株主総会において可決には至ったものの相当数の反対票が投じられた会社提案議案があったと認めるときは、反対の理由や反対票が多くなった原因の分析を行い、株主との対話その他の対応の要否について検討を行うべきである。

(1) 当社は、株主の意見を適切に経営に取り入れるべく、株主総会議案の賛否結果を毎年分析の上、取締役会にて議論し、反対票が多かった議案を含め必要な対応を検討しております。

<後　略>

②バンダイナムコホールディングス

「コーポレートガバナンス・コードの各原則に基づく開示」

当社は、コーポレートガバナンス・コードの趣旨・精神を尊重しており、各原則に関する当社の取組みをまとめたものを「コーポレートガバナンス・コードに関する当社の取組みについて」として当社ウェブサイトにて開示しております。

その内容は下記のとおりとなります。(抜粋)

II　ガバナンス報告書

<中　略>

「コーポレートガバナンス・コードに関する当社の取組みについて」（全文）は、当社ウェブサイトをご確認ください。
https://www.bandainamco.co.jp/social/governance/pdf/code.pdf

「コーポレートガバナンス・コードに関する当社の取組みについて」

コーポレートガバナンス・コードに関する当社の取組みについて

株式会社バンダイナムコホールディングス

　当社及び当社グループは、商品・サービスを通じ、「夢・遊び・感動」を提供することをミッションとし、ビジョンである「世界で最も期待されるエンターテインメント企業グループ」となることを目指しています。このミッション・ビジョンを達成するために、当社に関わる様々なステークホルダーの重要性を十分理解し、当社の企業価値ひいては株主共同の利益を中長期的に最大化することを経営の基本方針としております。
　また、変化の速いエンターテインメント業界でグローバル規模の競争に勝ち抜くためには、強固な経営基盤（コーポレートガバナンス）を構築することが不可欠であると考えております。
　当社におけるコーポレートガバナンス・コードの各原則に対する取組み状況や取組み方針は以下の通りとなります。

第1章　株主の権利・平等性の確保

【基本原則1】
　上場会社は、株主の権利が実質的に確保されるよう適切な対応を行うとともに、株主がその権利を適切に行使することができる環境の整備を行うべきである。
　また、上場会社は、株主の実質的な平等性を確保すべきである。
　少数株主や外国人株主については、株主の権利の実質的な確保・権利行使に係る環境や実質的な平等性の確保に課題や懸念が生じやすい面があることから、十分に配慮を行うべきである。

　当社は、株主が会社を取り巻く重要なステークホルダーであり、株主との長期的な信頼関係を構築することが経営の重要な課題の一つであると認識しております。そのため、少数株主や外国人株主を含む全ての株主の実質的な平等性を確保するための体制整備に努めるとともに、株主の権利が適切に行使できる環境整備に努めております。

【原則1-1．株主の権利の確保】
　上場会社は、株主総会における議決権をはじめとする株主の権利が実質的に確保されるよう、適切な対応を行うべきである。

当社は、全ての株主が、その権利行使が実質的に確保されるよう配慮するとともに、議決権行使や対話を促進する環境整備に努めております。

【補充原則1－1①】
　取締役会は、株主総会において可決には至ったものの相当数の反対票が投じられた会社提案議案があったと認めるときは、反対の理由や反対票が多くなった原因の分析を行い、株主との対話その他の対応の要否について検討を行うべきである。

　当社取締役会は、株主総会における株主の議決権行使結果を真摯に受け止め、その行使結果をもとに株主の意思を具体的に把握するとともに専門家を使って議案に対する賛否の分析を行っております。また、その分析結果をもとに今後の経営に活かすべく株主との積極的な対話を促進しております。

<後　略>

2　多くの原則について任意開示する例

「現時点で実施しているものの、その取組みを開始してまだ間もない原則」、「従前から方針・考え方等は存在していたものの、これまでは明文化・公表されていなかった原則」、「従前から実施しているものの、さらにその実質的な内容を充実させなければならないと考えている原則」及び「コーポレートガバナンスに関する現時点の当社の取組み状況」として、全原則ではないものの、多くの原則について任意に開示する例（③**丸井グループ**）がある。

なお、コーポレート・ガバナンスに関する基本方針として、コーポレートガバナンス・ガイドラインなどを定め開示する企業では、同ガイドラインの中で、開示が求められる原則以外の原則に関連する基本方針を定めている場合も多く、この方法による開示も、コンプライ・アンド・エクスプレインの一種といえる。

③丸井グループ

「コーポレートガバナンス・コードの各原則に基づく開示」

<前　略>

原則2－2　会社の行動準則の策定・実践
補充原則2－2①　取締役会における行動準則の定期的なレビュー
　当社すべての役員及び社員は、「グループ行動規範」の実践を自らの重要な役割であると認識し、着実に遂行するとともに、グループ内に周知徹底いたします。
　また、行動規範の浸透・実践について、取締役会で適宜レビューを行います。
　行動規範の改廃については、取締役会で十分に議論をした上で決定しており、直近では、2020年7月に行動規範の改定を実施しております。

Ⅱ ガバナンス報告書

[2020年7月 行動規範改定のポイント]
・共創サステナビリティ経営の更なる推進に向け、「将来世代」の記載を追加
・既存条文をステークホルダーとのパートナーシップ強化を表現する内容に変更
・当社環境方針改定をふまえ、「環境の配慮」の条文を刷新

コーポレートガバナンス・ガイドラインの詳細につきましては、当社ウェブサイトに掲載の「丸井グループ コーポレートガバナンス・ガイドライン」をご参照ください。

丸井グループ コーポレートガバナンス・ガイドライン
(https://www.0101maruigroup.co.jp/pdf/cgg_20210805.pdf)

原則2-3 社会・環境問題をはじめとするサステナビリティを巡る課題
補充原則2-3-1 サステナビリティを巡る課題への取り組み
補充原則3-1-3 自社のサステナビリティへの取り組み、人的資本・知的財産への投資などの情報開示

当社では、2016年から環境への配慮、社会的課題の解決、ガバナンスへの取り組みがビジネスと一体となった未来志向の共創サステナビリティ経営への第一歩を踏み出しました。それまで取り組んできた「すべての人」に向けたビジネスを「インクルージョン(包摂)」というテーマでとらえ直し、重点テーマを整理し、取り組みを進めてきました。これらは、国連の持続可能な目標「SDGs(Sustainable Development Goals)」の実現にも寄与するものです。

そして、2019年には本格的な共創サステナビリティ経営に向け、2050年を見据えた長期ビジョン「丸井グループビジョン2050」を策定し、「ビジネスを通じてあらゆる二項対立を乗り越える世界を創る」ことを宣言しました。

また、共創サステナビリティ経営の推進を目的に、2019年5月、取締役会の諮問機関としてサステナビリティ委員会を設置し、委員会内に関連リスクの管理および委員会が指示した業務を遂行する機関、環境・社会貢献推進分科会を設置しました(環境・社会貢献推進分科会は、2021年4月よりESG・情報開示分科会と名称を改めています)。

2021年3月期は、8月と3月に委員会を開催し、3月には、委員会で議論された、今後の丸井グループらしいグリーンビジネスやサステナビリティガバナンスについて取締役会に報告いたしました。今後も定期的に、グループ全体を通じたサステナビリティ戦略および取り組みを取締役会に報告、提言を行う予定です。

サステナビリティ委員会は、取締役会が執行役員の中から選任したメンバーおよびその目的に照らし取締役会が適切と認めて選任したメンバーにより構成しており、2021年6月からは、グローバルレベルのサステナビリティ経営に関する高い知見を有しているピーター D. ピーダーセン氏を新たに社外取締役に迎え、サステナビリティ委員会のメンバーに加わることで、一層の取り組み強化を図っています。

事業戦略の策定や投融資等に際しては、こうした体制を基に、「グループ行動規範」や「丸井グループ環境方針」をはじめとした関連する方針、社会・環境問題にかかわる重要事項を踏まえ、総合的に審議決定することで、社会・環境問題に関するガバナンスの強化を進めていきます。

2021年には新たに2026年3月期を最終年度とする5ヵ年の中期経営計画の策定に際し、「丸井グループビジョン2050」に基づき、サステナビリティとウェルビーイングに関わる目標を「インパクト」として定義しました。インパクトは「丸井グループビジョン2050」に定める取り組みをアップデートして、「将来世代の未来を共につくる」「一人ひとりの幸せを共につくる」「共創のプラットフォームをつくる」という共創をベースとする3つの目標を定め、それぞれ重点項目、取り組み方法、数値目標に落とし込んでいきます。このうち主要な取り組み項目は、中期経営計画の主要KPIとして設定しています。

気候変動は、もはや気候危機としてとらえるべきことであり、当社は、重要な経営課題と認識し、パリ協定が示す「平均気温上昇を1.5℃に抑えた社会」の実現をめざしています。「丸井グループ環境方針(2020年4月改定)」に基づき、パリ協定の長期目標を踏まえた脱炭素社会へ積極的に対応すべく、ガバナンス体制を強化するとともに、事業への影響分析や気候変動による成長機会の取り込みおよびリスクへの適切な対応への取り組みを推進しています。当社はFSB(金融安定理事会)により設立されたTCFD(気候関連財務諸表開示タスクフォース)による提言に賛同し、有価証券報告書(2019年3月期)にて、提言を踏まえ情報を開示しました。さらに分析を重ね、有価証券報告書(2020年3月期)にて、気候変動による機会および物理的リスクなどの内容を拡充しました。今後も情報開示の充実を図るとともに、TCFD提言を当社の気候変動対応の適切さを検証するベンチマークとして活用し、共創サステナビリティ経営を進めていきます。加えて、当社ウェブサイトでは、環境・社会・ガバナンスの各項目におけるデータを「ESGデータブック」としてとりまとめ、レビューとともに開示、また、「丸井グループビジョン2050」に定めた取り組みの進捗についても開示をしております。

当社の「共創サステナビリティ経営」の取り組み、および「グループ行動規範」、各方針の詳細につきましては、当社ウェブサイトに掲載の「共創経営レポート」「VISION BOOK 2050」「丸井グループ方針一覧」「長期目標の進捗」をご覧ください。また、人的資本への投資等の無形投資に関する情報は、「FACTBOOK」にて開示しております。
(知的財産への投資は特に該当しないため、開示は行っておりません)。

共創経営レポート
(https://www.0101maruigroup.co.jp/ir/pdf/i_report/2020/i_report2020_a3.pdf)

VISION BOOK 2050
(https://www.0101maruigroup.co.jp/sustainability/pdf/s_report/2018/s_report2018_a3.pdf)

長期目標の進捗
(https://www.0101maruigroup.co.jp/sustainability/vision2050/progress_01.html)

丸井グループ方針一覧
(https://www.0101maruigroup.co.jp/sustainability/theme04/risk.html#risk1URL)

有価証券報告書
(https://www.0101maruigroup.co.jp/pdf/settlement/0210gfe0.pdf)

ESGデータブック
(https://www.0101maruigroup.co.jp/sustainability/lib/databook.html)

FACTBOOK
(https://www.0101maruigroup.co.jp/pdf/settlement/factbook_2021g.pdf)

3 特定の原則について任意開示する例

実施する場合も開示は求められていないものの、開示が求められる原則とも密接な関係にある原則や、各社が開示に何らかの意義を見出した原則について、任意に開示する例が存する。任意開示が比較的多い原則毎に事例を掲載する。

原則1－3（資本政策の基本的な方針）

④中国銀行

「コーポレートガバナンス・コードの各原則に基づく開示」

> （特定の事項を開示すべきとする原則以外の説明）
> 【原則1－3】
> 　当行は、銀行業としての公共性と健全性に鑑み、いかなる厳しい環境にも耐え得る財務体質を維持するため、内部留保の充実を図りつつ安定した配当を維持することを基本方針としております。（『コーポレート・ガバナンスに関する基本方針』第30条）
> 　具体的には、配当と自己株式取得による総還元率を親会社株主に帰属する当期純利益の35%以上としております。
> 　資本効率の面では、中長期的なROE目線を5%以上と考えております。実現のためには、収益力の強化が必須であると考えており、そのための施策を期間10年の経営計画に掲げて重点的に注力しているところであります。
> 　また、資本側からの観点では、更なる株主還元の強化や戦略的な資本投資も有効な施策の一つと考えております。しかし一方では、バーゼル規制改革や今後の経済環境変化等の不透明要素があるのも事実であり、これらのリスクを見極めたうえ、適切な資本政策をおこなっていくことが肝要であると考えております。

⑤東海理化電機製作所

「コーポレートガバナンス・コードの各原則に基づく開示」

> 【原則1－3. 資本政策の基本的な方針】
> 　当社は、株主の皆様の利益を重要な経営方針の一つとし、安定的な配当の継続を基本に、連結配当性向30%を目安として収益状況や財務状況等を総合的に勘案して決定することを利益配分の基本方針としております。

補充原則1－4①，補充原則1－4②

⑥宇部興産

「コーポレートガバナンス・コードの各原則に基づく開示」

> 【補充原則1－4－1】
> 　当社は、株式を保有する政策保有株主から売却の意向が示された場合には、売却等を妨げるようなことはせずに承諾します。
>
> 【補充原則1－4－2】
> 　当社は、政策保有株主との間で、取引の経済合理性を十分に検証しないまま取引を継続するなど、会社や株主共同の利益を害するような取引はしておらず、今後も行いません。

⑦TIS

「コーポレートガバナンス・コードの各原則に基づく開示」

> （補充原則1－4(1)、1－4(2)　政策保有株主との関係）
> 　当社の政策保有株主から当社株式の売却等の意向が示された場合には、売却を妨げることなく適切に対応いたします。また政策保有株主と経済合理性を欠くような取引は行いません。

Ⅱ　ガバナンス報告書

原則2－2（会社の行動準則の策定・実践），補充原則2－2①

⑧J．フロント　リテイリング

「コーポレートガバナンス・コードの各原則に基づく開示」

【原則2-2、補充原則2-2-1】会社の行動準則の策定・実践

　当社はグループビジョン策定とともに、このビジョンを実現するためのグループ全体の行動基準として、「JFR Way」を策定しています。(本報告書Ⅰ．コーポレート・ガバナンスに関する基本的な考え方及び資本構成、企業属性その他の基本情報 1．基本的な考え方をご覧ください。)
　グループビジョンの理解・浸透をはかり、行動として定着させるために、経営陣からのメッセージや従業員の行動宣言を当社社内サイトや社内広報誌において発信するとともに、2017年5月から従業員が自発的に発案した発明アイデアを、上司に対して通年で表明できる「チャレンジカード」という取組みを実施しています。2020年度は、商品・サービスに関するアイデアや新規事業プランに加えて業務改善提案なども含めると約6,700件の提案があり、グループビジョンの浸透に一定の手ごたえを感じております。

原則2－3（社会・環境問題をはじめとするサステナビリティを巡る課題）

⑨日　　油

「コーポレートガバナンス・コードの各原則に基づく開示」

【原則2-3．社会・環境問題をはじめとするサステナビリティを巡る問題】

　当社は、これまでのCSR活動をSDGsを含むESG（環境・社会・ガバナンス）の観点から見直し、外部ステークホルダーのご意見・評価をもとに、最終的に11項目のマテリアリティを特定いたしました。これを「豊かで持続可能な社会実現のための新たな価値の提供」「事業基盤の強化」「レスポンシブル・ケア活動の推進」の3つに大別し、項目毎にKPI・目標値を設定いたしました。これに基づき、社内の各部門はそれぞれ活動を実施します。また、11項目のマテリアリティは定期的にレビューしてまいります。

　カーボンニュートラルへの対応に関しては、現在当社グループは、2030年度のCO_2排出量/売上高原単位を2013年度対比30％削減する目標を掲げて温室効果ガスの削減（低炭素化）の取り組みを継続しております。昨年10月の首相によるカーボンニュートラルの宣言を受け、現行の活動に併行して2050年のカーボンニュートラルへの対応について具体的な施策立案を開始しております。
　当社グループは、各種化学品を製造して顧客企業の製品の原料として供給する「BtoBビジネス」を行う化学メーカーであり、排出する温室効果ガスの約9割は「エネルギー」に起因していることから、製造プロセスの低炭素化・脱炭素化を主軸に、温室効果ガスの削減対策に取り組んでまいります。

---

⑩日産化学

「コーポレートガバナンス・コードの各原則に基づく開示」

【原則2-3 社会・環境問題をはじめとするサステナビリティーを巡る課題】

　当社は、「CSR基本方針」のもと、CSR委員会、リスク・コンプライアンス委員会、環境安全・品質保証委員会を設置しております。各委員会は、年度の活動総括および次年度の活動計画を審議し、取締役会の決議を経て決定された計画に従って活動しております。当社は、各委員会が連携しながらこのPDCAサイクルを確実に回すことにより、CSR活動の推進強化を図っております。
　また、企業存続に関わる最重要課題を「コーポレート・ガバナンス、リスクマネジメント、コンプライアンスの強化」としたうえで、「人々の豊かな暮らしに役立つ新たな価値の提供」「自社の事業基盤の強化」「レスポンシブル・ケア活動の継続的強化」に大別される、19項目のマテリアリティ（重要課題）を特定しております。さらに、当社の強みである「人材」「研究開発力」「財務基盤」などの経営資本を活かしながら、精密有機合成をはじめとする当社の5つのコア技術をもとに、「情報通信」「ライフサイエンス」「環境エネルギー」「基盤」の4事業領域で活動を展開し、マテリアリティへの取組みを推進することで社会とともに持続的に成長する、価値創造プロセスを提示しております。
　さらに、ビジネスを取り巻く環境を考慮して13項目の「グループ重要リスク」を選定し、2019年度を初年度とするリスク対策3ヵ年計画を立案の上、リスクに関するPDCA管理を着実に実施しております。また、気候変動に係るリスク・機会に関しても、シナリオ分析により当社への影響を評価するとともに、当該評価に基づき当社が取り組むべき戦略等を整理しております。
　CSRマネジメントの詳細は当社ホームページ(https://www.nissanchem.co.jp/csr_info/index.html)に掲載しております。

補充原則4−1③

⑪ADEKA

「コーポレートガバナンス・コードの各原則に基づく開示」

【補充原則4-1-3】最高経営責任者(CEO)等の後継者計画の策定・運用、育成
　当社では、当社グループを取り巻く経営環境と経営課題に対応して、グループ全体の持続的成長と中長期的な企業価値の向上を図ることができる最適な人材を最高経営責任者(CEO)に登用するための後継者計画を、代表取締役自身が策定しています。後継者計画自体について、取締役会での承認決議や報告は行っていませんが、役員候補者(最高経営責任者の候補者を含む)を指名する議案の取締役会への上程に先立ち、指名・報酬委員会において、代表取締役社長が、役員候補者として指名される予定の者が後継者計画及び役員候補者の指名に関する基準に適合していることを、事前に説明し、指名・報酬委員会の意見・助言を踏まえて、取締役会決議により、役員候補者を決定しています。これにより、経営トップの後継者を指名する役員人事の透明性・客観性を確保しています。

⑫ロート製薬

「コーポレートガバナンス・コードの各原則に基づく開示」

■補充原則4−1−3 代表取締役の後継者計画
　代表取締役は、自らの後継者の育成を最も重要な責務のひとつであると認識しており、経営理念や目指すビジョンの実現を見据え、取締役およびその他経営幹部を後継者候補として育成します。取締役会は、その育成プロセスの策定と運用を適切に監督し、指名委員会はその育成プロセスを把握して必要な助言を行います。後継者の決定は、指名委員会において、社外を含む候補者が代表取締役に相応しい資質を有するかを審議し、原案を策定し取締役会に提案し、取締役会にて原案を審議して決定します。

⑬りそなホールディングス

「コーポレートガバナンス・コードの各原則に基づく開示」

【補充原則4−1−3　後継者計画】
　当社では、持続的な企業価値向上を図るべく、当社及び関西みらいフィナンシャルグループ、並びに子会社である銀行の社長をはじめとする役員の役割と責任を継承するメカニズムとして2007年6月にサクセッション・プランを導入し、役員の選抜・育成プロセスの透明性を確保しております。当社のサクセッション・プランは当社及び関西みらいフィナンシャルグループ、並びに子会社である銀行の「社長」から「新任役員候補者」までを対象とし、対象者を階層ごとに分類した上で選抜・育成プログラムを計画的に実施しております。各々の選抜・育成プログラムは外部コンサルタントから様々な助言を得ることで客観性を確保しており、それらの評価内容は全て指名委員会に報告される仕組みとなっております。また、指名委員会の活動としては評価内容の報告を受けることに留まらず、個々のプログラムに参加することなどを通じ、各役員と直接接点を持つことでより多面的に人物の見極めを行っております。さらに、それらの指名委員会の活動状況は社外取締役が過半数を占める取締役会に報告され多様な観点で議論されており、そうした全体のプロセスを通じ役員の能力・資質の把握と全体の底上げが極めて高い透明性のもとで図られております。
　なお、当社では「役員に求められる人材像」として7つのコンピテンシーを定めております。指名委員会や役員が「求められる人材像」を具体的に共有することで、評価・育成指標を明確化させるとともに中立的な育成・選抜に努めております。

⑭みずほフィナンシャルグループ

「コーポレートガバナンス・コードの各原則に基づく開示」

【補充原則4−1③】(後継者計画(サクセッション・プランニング))
(1)基本的考え方と概要
・当社は、グループ全体の持続的成長と中長期的な企業価値の向上を図るべく、最適な人材をグループCEOやグループCEOを支える主要な経営陣(カンパニー長等)、中核3社のトップ等に登用できるよう、十分な時間と資源をかけて後継者計画(サクセッション・プランニング)に取り組んでいます。同時に、グループCEOの不測の事態にも備えるとともに、"次の次の"グループCEOの候補者についても検討を行います。
・グループCEO等の後継者計画の策定・運用状況については、指名委員会および人事検討会議(以下、「指名委員会等」という)に報告がなされます。
・グループCEO等の後継者計画においては、①求められる人材要件、②交代時期、③候補者プールの設定と時間をかけた候補者の適切な育成(候補者の重要なキャリア選定を含みます)、④指名委員会等の各委員による候補者の人物把握、⑤候補者の決定等について、現グループCEOの意見も踏まえつつ、指名委員会等で審議することを基本的な取り組み内容としています。
・指名委員会等においては、360度評価や外部評価機関による第三者評価等、多面的な人材評価情報を活用し、徹底的に候補者のプロファイリングを行い、現グループCEOの意見も徴した上で、年次順送りなどの形式的な人事運用を排した人物本位での選定について、十分な議論を行います。現グループCEOは、指名委員会等の各委員が候補者の能力・資質等を直接に把握するプロセスを設ける等、指名委員会等による候補者の人物把握に最大限の協力を行います。
・執行役を兼務する取締役であるグループCEOについては、指名委員会により、プロセスの客観性や透明性の確保を図りつつ決定を行うこととしています。
(2)グループCEOの人材要件

Ⅱ ガバナンス報告書

・当社グループCEOには『日本を代表する、グローバルで開かれた総合金融グループ』のトップとして、以下の通りの人材であることが求められます。
　①強い意志と謙虚さを兼ね備え、オープンでフェア、真摯且つ誠実で、グローバルに多様なステークホルダーから信頼、信用される人物であること
　②不確実な環境や困難な状況に直面しても、揺るぎない信念と変化に対する柔軟さを持って果断に立ち向かい、グループを統率して持続的成長を成し遂げて行くリーダーであること
　③豊かな知見と経験、グローバルな視点で時代の先を見通す力を備え、お客さまや経済・社会の未来に貢献する新たな価値の創造や変革に情熱を注ぎ続けるチャレンジャーであること
・上記に加え、グループCEOの選任にあたっては、その時点における時代認識や、当社を取り巻く経営環境の変化、将来に亘るグループ戦略の方向性等を踏まえ、重視する、または追加で考慮すべき資質や能力要件につき検討を行います。

補充原則4−2①

⑮ニトリホールディングス

「コーポレートガバナンス・コードの各原則に基づく開示」

【補充原則4−2−1 中長期的な業績と連動する報酬】
当社は、取締役(監査等委員である取締役その他の非業務執行取締役を除きます。)の中長期インセンティブプランとして、対象期間中の会社業績等の数値目標をあらかじめ設定し、当該数値目標の達成率等に応じて、対象期間終了後に株式報酬として当社普通株式を支給する業績連動型株式報酬制度を導入しております。
なお、取締役報酬の構成については、【原則3-1(ⅲ)取締役の報酬を決定するに当たっての方針と手続】の「2. 報酬の構成」に、業績連動型株式報酬制度の詳細は本報告書【原則3-1(ⅲ)取締役の報酬を決定するに当たっての方針と手続】の「3. 報酬決定に関する手続」の(3)業績連動型株式報酬(中長期インセンティブ報酬)に記載のとおりであります。

⑯ＭＳ＆ＡＤインシュアランスグループホールディングス

「コーポレートガバナンス・コードの各原則に基づく開示」

(8)[補充原則4−2−1]経営陣の報酬
ガバナンス強化及び中長期的な企業価値向上を目的とし、役員報酬と会社業績との連動性を高め、持続的な成長への適切なインセンティブとなる役員報酬制度を実現するため社外取締役以外の取締役に対して、譲渡制限付株式を支給する役員報酬制度を2019年度より導入しております。
詳細は下記Ⅱ 3.【インセンティブ関係】をご覧ください。

「インセンティブ関係」

【インセンティブ関係】

取締役へのインセンティブ付与に関する施策の実施状況	業績連動報酬制度の導入、その他

該当項目に関する補足説明

役員報酬体系に業績連動報酬(会社業績・個人業績)を導入しています。下記「報酬の額又はその算定方法の決定方針の開示内容」をご覧ください。
当社グループのガバナンス強化及び中長期的な企業価値向上を目的とし、役員報酬と会社業績との連動性を高め、持続的な成長への適切なインセンティブとなる役員報酬制度を実現するため、取締役(社外取締役を除きます。)を対象に譲渡制限付株式報酬制度を導入し、会社業績連動報酬の一部を、金銭報酬債権を現物出資させることにより、自己株式又は新株を付与すること(譲渡制限付株式の割当)としています。
また、当社の執行役員並びに直接出資するグループ国内保険会社の取締役(社外取締役を除きます。)、執行役員等に対しても、上記と同様の制度を導入し、会社業績連動報酬の一部を金銭報酬債権を現物出資させることにより、自己株式又は新株を付与すること(譲渡制限付株式の割当)としています。

ストックオプションの付与対象者

該当項目に関する補足説明

補充原則 4 − 3 ②, 4 − 3 ③

⑰ 花　王

「コーポレートガバナンス・コードの各原則に基づく開示」

> **8　取締役・監査役候補の指名と解任・経営陣幹部の選解任に関する手続（原則3-1(iv)、補充原則 4-3-2、4-3-3）**
> 　社長執行役員となる取締役候補者を含め全取締役候補者が上記 6 記載の考え方に則っていることを客観的に確認するために、全社外取締役及び全社外監査役のみで構成する取締役・監査役選任審査委員会を設置します。同委員会は、通常年 3 回から 4 回開催していますが、必要に応じて適時開催が可能であり、かつ現任の構成員はすべて独立役員であることから高い客観性を維持しております。同委員会では、まず指名方針等の妥当性について審議します。そして、取締役及び監査役の新任及び再任の際にはその適格性につき、事前に取締役・監査役候補者を個別審議し、取締役会に意見する機能を果たします。当社は取締役の任期を 1 年に短縮しているため、再任候補者も含めた取締役候補者は毎年厳格な審査を受けます。
> 　2021 年 1 月の社長交代に当たっては、選任審査委員会で、最初に次期社長に求められる資質について議論を行いました。次に、幅広い選択肢の中から候補者を絞り込み、委員会メンバーとそれらの候補者との直接の接点が得られる機会を設けるなど、候補者への理解を深め、そして次期社長に求められる資質と照らして候補者を絞り込んで取締役会に答申しました。取締役会では、それまでのプロセスや審議結果を共有したうえで議論が行われ選任案が承認されました。
> 　監査役候補については、監査役会において 3 名の独立社外監査役を含む独立した客観的な視点をもって、上記 6 記載の考え方及び監査役会で決定した監査役候補者の選任方針に基づきその適正さ、適格性等を審議し、選任審査委員会の意見も踏まえて、最終的に監査役会の同意をもって取締役会において、株主総会招集議案における監査役候補者として決定しています。
> 　取締役及び監査役の解任の決定手続きは、会社法の規定に従って行いますが、取締役及び監査役並びに社長執行役員を解任すべき事情が生じた場合には選任審査委員会で審議を行い、取締役会において同委員会の審議内容を勘案し、審議する仕組みになっています。
> 　経営陣幹部については、取締役の選任審査の際に、全執行役員候補者の役職及び担当業務を取締役・監査役選任審査委員会に報告しており、その後取締役会において選任しています。なお、経営陣幹部を解任すべき事情が生じた場合は、適時に取締役会で審議を行います。
> （取締役・監査役選任審査委員会については、「経営上の意思決定、執行及び監督にかかる経営管理組織その他のコーポレート・ガバナンス体制の状況 1．機関構成、組織運営に関するに係る事項　取締役関係　補足説明」を参照）

⑱ 東京海上ホールディングス

「コーポレートガバナンス・コードの各原則に基づく開示」

> **3．経営陣幹部の選解任に関する方針と手続き等**
> （1）経営陣幹部の選任・指名・解任を行うにあたっての方針と手続き（原則3-1(iv)、補充原則4-3②、補充原則4-3③）
> 　当社は、取締役会の諮問機関として、指名委員会および報酬委員会を設置しております。
> 　指名委員会は、当社の社長・取締役・監査役・執行役員および主な事業子会社の社長の選任・解任ならびに当社社長ならびに当社および主な事業子会社の取締役・監査役・執行役員の選任要件および解任方針について審議し、取締役会に対して答申します。解任の手続きとしては、当社社長または当社および主な事業子会社の取締役・監査役・執行役員が、各々の選任要件を満たさない場合は、当該者の解任について審議することとしております。また、当社社長の後継者計画について審議するとともに、後継者候補の育成が計画的に行われるよう、その運用について適切に監督します。
> 　取締役会は、指名委員会の審議内容および結果等について答申を受けた後、その内容を基に役員人事について審議します。
> 　指名委員会は、5名程度の委員で構成します。原則として過半数を社外委員とするとともに、委員長は社外委員から選出します。本報告書の提出日現在において、当社の社外取締役6名全員が両委員会の委員を務めており、委員長も社外取締役が務めています。
> 　役員の選解任・指名に関する方針と手続きの詳細につきましては、基本方針第9条および第12条から第17条までに規定しております。

原則 5 − 2　（経営戦略や経営計画の策定・公表）

⑲ ＳＵＢＡＲＵ

「コーポレートガバナンス・コードの各原則に基づく開示」

> **【原則5−2．経営戦略や経営計画の策定・公表】**
> 　当社は、「資本収益性」「財務健全性」「株主還元」の3つの要素を資本政策の重要な指標としています。具体的には、中長期的に自己資本利益率（ROE）と自己資本比率のバランスを高い次元で保ちつつ、適切な株主還元を行うことを掲げています。当社の経営は「選択と集中」を特徴とし、少ないモデルラインアップで米国を中心とした先進国に集中しており、為替や市場の景気変動の影響を大きく受けるという点で、他社よりもリスクを積極的にとっていると認識しています。そのため、突然の経営環境の変化にも耐え得るよう、50％の自己資本比率を下限とし、ネットキャッシュは売上収益2月商分を確保し、経営環境を考慮しながら、株主還元も含めて適切にマネジメントしていくことを考えています。資本コストを考慮し、ROEについては、10％以上を目指しています。
> 　また、当社は、2018年7月に中期経営ビジョン「STEP」において、「連結収益計画 2018～2020年度（3カ年）」を公表しておりましたが、品質費用の抑制や、半導体不足等の不測の事態への対応において、まだ力不足であり未達となりました。今後は更に「STEP」の取り組みを推進し、付加価値

Ⅱ ガバナンス報告書

戦略を核としたビジネスモデルの追求、「SUBARUらしさ」の進化を加速させてまいります。その実現のために、今後3年間、設備投資は、売上収益比3.5〜4.0%、研究開発支出は年間1,200億円を計画します。その上で、引き続き業界高位の営業利益率の確保(8%)を目指して取り組んでまいります。
　利益還元については、すべてのステークホルダーに対してバランスの良い利益還元の配分を行うこと、株主還元は配当を主に継続的・安定的な還元を基本としつつ業績連動の考え方に基づき、毎期の業績、投資計画、経営環境を勘案して決定してまいります(連結配当性向30%〜50%)。また、キャッシュ・フローに応じて自己株式取得を機動的に実施することを検討します。

⑳カカクコム

「コーポレートガバナンス・コードの各原則に基づく開示」

【原則5-2　経営戦略や経営計画の策定・公表】
　当社は、継続的な事業拡大と経営の効率性維持のため親会社所有者帰属持分当期利益率(ROE)を重要な指標と位置付けており、ROE40%を目安としております。また、経営目標を実現するための具体的な活動につきましては、株主総会や決算説明会を通し、株主への十分な説明に努めております。

㉑電通グループ

「コーポレートガバナンス・コードの各原則に基づく開示」

【原則5-2経営戦略や経営計画の策定・公表】
　2021年2月、当社グループは中長期にわたり成長を実現していくための基本的な方針として、2021年度から2024年度までの4年間を対象とした「中期経営計画」を策定し、公表いたしました。また、策定した計画に対し、毎年進捗状況を分析した上で、必要に応じて新たな事業投資や設備投資、人材育成への投資などの経営資源の配分計画を含む修正を機動的に行います。これらについては、決算説明会や株主総会の場で、分かりやすく説明いたします。

第2　上場子会社

1　概要

　令和2年2月7日施行のガバナンス報告書の記載要領の改訂において、上場子会社や上場会社の親会社に関する開示が求められることとなった。

　そこで、以下、特に注目される上場子会社に関する開示の事例を紹介する。

2　上場子会社に関する開示の内容

　上場会社が上場子会社を有する場合には、グループ経営に関する考え方及び方針を記載するとともに、それらを踏まえた上場子会社を有する意義及び上場子会社のガバナンス体制の実効性確保に関する方策を記載することが求められている。また、上場子会社との間で、グループ経営に関する考え方及び方針として記載されるべき内容に関連した契約（その他の名称で行われる合意を含む。）を締結している場合は、その内容を併せて記載することが望まれている。

　これらのうち、グループ経営に関する考え方及び方針については、各社各様の記載がされているが、上場子会社を有する意義等については、以下のとおり、ある程度の類型化が可能である。

(1)　上場子会社を有する意義

　上場子会社を有する意義については、上場子会社ごとに、グループとしての企業価値の最大化の観点を踏まえて記載することが求められている。これを踏まえ、上場子会社を有することがグループの企業価値の最大化に資する旨を説明する観点から、各上場子会社との事業上のシナジーに言及する例（①**ヤマダホールディングス**）や、連結業績への貢献に言及する例（②**ブラザー工業**）などがある。

　また、子会社を上場させることの意義について、優秀な人材の確保や従業員のモチベーションの維持など人材の観点から説明する例（①**ヤマダホールディングス**、②**ブラザー工業**、③**住友倉庫**）が多くみられるほか、一般株主が存在することによるガバナンスの確保を挙げる例（④**トヨタ自動車**）、独立性による事業上のメリットに言及する例（⑤**伊藤忠商事**）、市場からの資金調達に言及する例（⑥**古河電気工業**）等がみられる。

Ⅱ ガバナンス報告書

①ヤマダホールディングス

5．その他コーポレート・ガバナンスに重要な影響を与えうる特別な事情 更新

1．グループ経営に関する考え方及び方針
当社は、家電販売を中心に家具・インテリア、リフォーム、住宅関連、環境等の「住」に関するビジネスを「暮らしまるごと」のコンセプトでつながり力を発揮する「つながる経営」を基本的な考え方としており、各社が独自で企業価値向上を図り、さらにつながる経営でグループシナジーを発揮し、グループ全体として企業価値の向上を目指しております。

2．上場子会社を有する意義及びガバナンス実効性確保
当社は、株式会社大塚家具、株式会社ヒノキヤグループ、株式会社日本アクアの3社を上場子会社として有しております。
当社は、上場子会社が上場を維持する意義として、優秀な人材を確保しやすいこと、ブランド維持、取引先からの信用確保及び受注拡大効果、従業員のモチベーション向上等のメリットがあると考えており、現在の企業文化や経営の自主性を維持することが当社グループの価値向上に向けて適切であると考えております。
また、当社は、上場子会社のガバナンス体制の構築及び運用については、各上場子会社が独立社外役員の選任等を通じて主体的に対応しており、親会社の不適切な介入により少数株主の利益を毀損しないよう、各社の独立性を尊重しております。
一方で当社は、「事業会社管理規定」に基づき、必要に応じて報告会を開催し、子会社の企業価値向上に向けて助言・支援を行っており、ガバナンス体制を維持しつつグループシナジーの創出・拡大に努めております。
なお、当社は、上場子会社との資本関係について、当社グループの経営資源の活用や当社及び当社グループ会社とのシナジー効果等を基に経営会議にて毎年議論し、保有方針を決定しており、継続して最適な協業の在り方を検討してまいります。

【株式会社大塚家具】
同社は、国内外の家具、インテリアの企画・開発・販売等を主な事業領域とし、当社グループのその他事業のうち家具・インテリア事業を担う子会社です。なお、同社との連携を強化しシナジーを追求する一方、当社は同社との間で、互いの経済合理性を追求することを前提とした取引関係を構築しております。

【株式会社ヒノキヤグループ】
同社は、住宅事業・不動産投資事業・断熱材事業・リフォーム事業・介護保育事業を主な事業として営むとともに、住宅に関わる包括的な事業活動を展開しており、当社グループの住建事業を担う子会社です。また、上場会社である、株式会社日本アクアの親会社でもあります。なお、同社との連携を強化しシナジーを追求する一方、当社は同社との間で、互いの経済合理性を追求することを前提とした取引関係を構築しております。

【株式会社日本アクア】
同社は、建築断熱用硬質ウレタンフォーム「アクアフォーム」の販売・施工や住宅省エネルギー関連部材の開発・製造・販売を行っております。なお、同社との連携を強化しシナジーを追求する一方、当社は同社との間で、互いの経済合理性を追求することを前提とした取引関係を構築しております。

②ブラザー工業

5．その他コーポレート・ガバナンスに重要な影響を与えうる特別な事情 更新

当社は、上場子会社として株式会社 ニッセイを有しております。
同社は主に減速機および歯車の製造・販売を行っており、同社を子会社として有することにより、当社グループのFA・マシナリー事業の拡大、及び事業ポートフォリオの安定化に寄与し、ひいては当社グループの連結業績への貢献につながると考えています。また、同社を上場会社として維持する事は、同社社員のモチベーションおよび自主性の維持ならびに優秀な人財の確保に資するため、十分な合理性があると考えています。
日常の経営判断や業務執行等については同社が独自に行っており、当社は同社の独立性を尊重しております。
同社の一般株主保護および独立した意思決定の確保のため、同社取締役8名のうち3分の1以上を占める3名の社外取締役が、東京証券取引所が規定する独立役員となっております。

③住友倉庫

5．その他コーポレート・ガバナンスに重要な影響を与えうる特別な事情

当社の子会社のうち、2006年9月に当社が株式公開買付けにより子会社化した遠州トラック株式会社は上場しております。当社は、同社の経営の独立性を尊重しており、また、これにより同社及び当社グループの企業価値の最大化を図ることができるものと考えております。
遠州トラック株式会社は、静岡県を中心に独自の営業基盤を有する運送会社であり、当社は、同社従業員のモチベーションの維持・向上、優秀な人材の採用、顧客との取引における同社信用力の維持等を考慮すると、今後とも同社の上場を維持するべきであると考えております。また、上場を維持することにより、同社経営の自主性・機動性及び独自の企業文化の継続が確保され、陸上運送業界における競争力の維持を図ることができ、ひいては当社グループの企業価値の向上に繋がるものと考えております。
同社におけるガバナンス体制の実効性確保に関する方策としては、当社は、原則として同社経営陣の判断や意思決定を尊重するほか、同社においては取締役のうち3分の1以上の独立社外取締役を選任するなど、同社株主その他のステークホルダーの利益が損なわれることがないように努めております。

④トヨタ自動車

5．その他コーポレート・ガバナンスに重要な影響を与えうる特別な事情 更新

自動車事業は、素材から新技術まで総合力が試される事業であり、世界規模で競争に勝ち抜き、持続的に成長を続けていく上で、開発・調達・生産・物流・販売まで、安定的なパートナーの存在が不可欠です。また、重要な取り組み分野であるCASE対応の加速・カーボンニュートラルの実現に向けて、グループ各社との連携強化が必要です。価値観を共有し、社会の発展を目指すパートナーとして、長期的かつ継続的な協業関係を構

第三部　ガバナンス報告書における新たな開示の動向　第2

築いていくということが仲間づくりの基本スタンスで、中長期的観点から企業集団としての企業価値向上を目指します。
　当社と上場子会社は、ビジョン、事業戦略を共有しつつ、上場子会社は、株主共同の利益のため、自主的な経営判断で、企業価値を向上するよう事業を運営しています。また、上場子会社では、独立役員が業務執行役員を監督し、一般株主と利益相反がないよう取締役会の独立性を確保しています。
　上場子会社を含む子会社には、当社基本理念や行動指針を展開し、経営理念を共有、併せて人的交流、情報交換や、各社の経営上の重要事項については、各社との間で合意した規程に基づき当社の事前承認または報告を求めることにより、企業集団のガバナンス体制の実効性を確保しています。
　当社は、上場子会社として日野自動車株式会社（東証・名証第一部）を有しています。同社の商用事業基盤に当社のCASE技術を組み合わせることで、CASEの社会実装・普及に向けたスピードを加速し、輸送業が抱える課題の解決やカーボンニュートラル社会の実現に貢献することを目指します。事業運営においては、当社の他に一般株主によるガバナンスを入れ、均衡のとれた規律のもと企業価値向上が進むよう、上場を維持しています。同社は、取締役9名中　独立社外取締役3名を選任しており、一般株主との利益相反のないよう独立性を確保しています。

⑤伊藤忠商事

5. その他コーポレート・ガバナンスに重要な影響を与えうる特別な事情

　当社は199社の連結子会社（2021年3月末日現在）を有し、日本及び世界各国において広範な事業を展開しておりますが、グループの中核を担う当社は、経営方針や短期・中期の経営計画をグループベースで策定し、セグメントごとに定期的にその進捗状況をモニタリングするとともに、多様なリスクにグループとして適切に対処するため、取締役の職務の執行が法令及び定款に適合することを確保するための体制並びにその他業務の適正を確保するために必要な体制（内部統制システム）をグループベースで整備しております。

　具体的には、各子会社に対して原則として取締役及び監査役を派遣し、当該取締役及び監査役が各子会社における職務執行の監督・監査を行うことにより、子会社における取締役等及び使用人の職務執行が法令及び定款に適合するよう努めております。また、当社グループの市場リスク、信用リスク、カントリーリスク、投資リスク、環境・社会リスクその他様々なリスクに対処するため、各種の社内委員会や責任部署を設置するとともに、必要なリスク管理体制及び管理手法をグループベースで整備し、リスクを総括的かつ個別的に管理しています。更に、当社は、グループコンプライアンスプログラムを策定し、法令違反等の事案発生を未然に防止するために必要な体制及び制度を構築・運用の上、定期的なレビューを通じて、その継続的改善に努めております。

　当社は、上記連結子会社のうち、上場子会社である伊藤忠テクノソリューションズ（株）、伊藤忠エネクス（株）、伊藤忠食品（株）、コネクシオ（株）、タキロンシーアイ（株）、及びプリマハム（株）につき、各社の独立性をはじめとする規律を尊重し、かつ株主平等の原則から反するような行為は行いません。特に、当社と当該上場子会社の一般株主との間に利益相反リスクがあることを踏まえ、当該上場子会社としての独立した意思決定を担保するために、当該上場子会社に対して、独立社外取締役を有効に活用した実効的なガバナンス体制の構築を促しております。
　2021年の各社定時株主総会時点において、上述の上場子会社においては、社外取締役比率や独立性のある取締役会諮問委員会の設置等各社において、実効性のあるガバナンス体制を構築・維持しておりますが、引き続き（株）東京証券取引所の「コーポレートガバナンス・コード」の改訂内容等も踏まえ、更なるガバナンス体制の向上を促してまいります。
　なお、各上場子会社との連携を強化しシナジーを追求する一方、各上場子会社との間で取引を行う場合には、互いの経済合理性を追求することを前提として、市場価格を勘案する等公正かつ適切な取引条件を決定しております。

　当社における上場子会社の保有意義としては、各上場子会社に共通のものとして、①知名度、信用力及び当社からの独立性に基づく取引先の拡大、②当社と上場子会社間をはじめとするグループ内シナジーの拡大、③当該上場子会社に対する当社資金負担の軽減、④優秀な人材の確保等が挙げられますが、当社グループの経営戦略における位置付けや営業的な視点に立った各上場子会社の保有意義は以下のとおりです。

【伊藤忠テクノソリューションズ（株）】
同社は、当社グループの出資先・取引先等の有する最先端技術製品・サービスの販売チャンネルとしての機能等を担うとともに、当社グループの幅広いネットワークを活用しております。また、同社は新たな事業領域における有望な出資先への共同出資や共同提案等を行う等当社との協業を通じ業容を拡大しております。従って、当社と同社は事業パートナーとして相互に企業価値向上に資する関係にあります。
なお、同社は当社が過去に行っていた情報産業ビジネスの一部を継承して独立した企業であり、当社事業とは競合関係にはありません。

【伊藤忠エネクス（株）】
同社は、国内の幅広い顧客基盤を活かし、既存エネルギー事業、電力事業に加え、新燃料販売、物流効率化事業、次世代ビジネス等を展開しており、同社は当社グループが国内外で安定収益基盤を構築していく上で、重要かつ不可欠な存在です。また、同社は当社グループの幅広い国内外ネットワークを活かし、SDGs達成に向けた新エネルギー分野での取組みや当社グループ企業への燃料供給事業等を推進しており、当社と同社は事業パートナーとして相互に企業価値向上に資する関係にあります。

【伊藤忠食品（株）】
同社は、酒類・加工食品の販売を主要事業としており、同社の存在により、当社は国内の多様な小売業との安定的な顧客接点を有するに至っており、この販売チャネルを活用し、食品流通分野における当社収益を最大化しております。また、「販売先に対するDX等を活用した売り場づくりの貢献等」、同社の成長戦略の実践において当社グループの有する様々な顧客基盤・知見を活用し、当社は同社が提供するサービスの拡充化に貢献しております。従って、当社と同社は事業パートナーとして相互に企業価値向上に資する関係にあります。

【コネクシオ（株）】
同社は、携帯アクセサリー販売事業の海外展開、当社グループ内の異業種企業との連携による店舗資産や個人顧客への商品・サービス販売ウハウ等の経営資源の有効活用等において、当社グループの幅広い国内外ネットワークを活用し業容を拡大しており、当社と同社は事業パートナーとして相互に企業価値向上に資する関係にあります。
なお、同社は当社が過去に行っていた携帯端末販売ビジネスを継承して独立した企業であり、当社事業とは競合関係にはありません。

【タキロンシーアイ（株）】
同社は、高度な技術力と大規模な生産キャパシティを有し、当社グループの合成樹脂事業における中核を担う企業です。同社は、同社の機能ルム事業等における海外展開や競争ある原材料の安定調達、更に、多岐にわたる同社製品の拡販において、当社グループが持つ幅広いトワークを活用しており、当社と同社は事業パートナーとして相互に企業価値向上に資する関係にあります。

【プリマハム（株）】
同社は、食肉販売及び畜産加工品の製造販売を主要事業としており、当社の畜産バリューチェーンの中で最終製品の供給という重要な役割います。同社主力商品にかかる高品質な輸入原料の安定供給の確保や当社海外出資先との豚肉ブランドの共同開発等において、同社は当ループの幅広い国内外のネットワークを活用しており、当社と同社は事業パートナーとして相互に企業価値向上に資する関係にあります。
また、当社は、同社とのシナジーを追求する一方、他社とも幅広く取引を行うことでバリューチェーンをより強固なものとしております。

Ⅱ　ガバナンス報告書

> なお、グループ全体の企業価値の向上のため、当社は親会社・大株主として当該上場子会社の法令遵守体制・状況につき、常に十分な注意を払い、必要に応じてコンプライアンスに係る一定の事項や、内部統制システムの構築等について助言・支援を適宜行っております。
>
> また、各上場子会社の経営安定化と収益拡大に寄与するべく、各上場子会社と協議の上、当社から各上場子会社に対する財務経理や法務等の専門知識を有する者及び各上場子会社の海外展開・海外拠点の経営人材の派遣、並びに各上場子会社から当社営業部署・管理部署への人材の受入れを中心とする人材交流を図っております。

⑥古河電気工業

> **5．その他コーポレート・ガバナンスに重要な影響を与えうる特別な事情** 更新
>
> 　当社では、各関係会社の経営の独立性を尊重する一方、コンプライアンスやリスク管理を含む経営全般の状況を把握し、各社の法令遵守体制・内部統制システムの構築等に関する助言・支援等、適切な経営指導を実施することで、各社の経営の健全性を確保するとともに、当社からの取締役等の派遣等により、当社グループ全体の経営体制の強化および企業価値向上に努めております。
> 　また、当社子会社である古河電池株式会社および東京特殊電線株式会社は、東京証券取引所に上場しております。
>
> ・古河電池株式会社
> 　当社の持つ素材に対する知見の提供や共同での研究開発活動の推進、品質や安全推進に関する活動などの事業基盤の整備に向けた連携、人材の派遣などを通じて事業活動上のシナジーを追求しております。また、同社を上場会社として維持することは、同社の重要な経営資源である優秀な人材の獲得、役職員のモチベーション維持向上、資本市場からの柔軟な資金調達等に資するため、十分な合理性があると考えています。
>
> ・東京特殊電線株式会社
> 　当社の持つ素材に対する知見の提供や共同での研究開発活動の推進、共同でのマーケティング・拡販活動による事業機会の拡大、一部製品の製造委託、品質や安全推進に関する活動などの事業基盤の整備に向けた連携、人材の派遣などを通じて事業活動上のシナジーを追求しております。また、同社を上場会社として維持することは、同社の重要な経営資源である優秀な人材の獲得、役職員のモチベーション維持向上、資本市場からの柔軟な資金調達等に資するため、十分な合理性があると考えています。
>
> 　当社では、当社グループとしての企業価値最大化を目指し、上場子会社の保有意義については、当社グループ全体での経営資源の適切な配分という観点も踏まえた分析を継続的に行っております。
> 　なお、当社と当該上場子会社の少数株主との間には構造的な利益相反リスクがあることを踏まえ、上場子会社において少数株主の利益確保のための方策を講じております。具体的には、上場子会社の定時株主総会において、取締役会における独立社外取締役（東京証券取引所へ独立役員として届け出る社外取締役）の比率を3分の1以上に高めた構成としております。加えて、親会社との取引についてその合理性・公正性等を審査する機関として、独立社外取締役が過半数を占める「利益相反管理委員会」を、古河電池株式会社および東京特殊電線株式会社において設置しております。上場子会社における独立社外取締役を有効に活用する実効的なガバナンス体制の構築・強化に向けた取組みについて、引き続き上場子会社と連携してまいります。

(2)　上場子会社のガバナンス体制の実効性確保に関する方策

　上場子会社のガバナンス体制の実効性確保に関する方策については，上場子会社におけるガバナンス体制の構築及び運用に対する親会社としての関与の方針並びに少数株主保護の観点から必要な上場子会社における独立性確保のための方策等を記載することとされている。

　これを受け，まず，上場子会社の経営の独立性を尊重する方針である旨を記載する例（①**日本水産**，②**三菱瓦斯化学**）がある。また，一般的な契約条件によることとしている等，上場子会社との間の取引条件について記載する例（③**日本製鉄**，④**北海道電力**）もある。

　さらに，近時，上場子会社の実効性あるガバナンス体制の構築のために，親会社からの独立性を有する社外取締役を中心とした委員会を活用すべきとの議論があること（例えば，経済産業省コーポレート・ガバナンス・システム研究会「グループ・ガバナンス・システムに関する実務指針」（2019年6月）6.3.4や，2021年改訂コードの補充原則4-8③等参照）も踏まえ，独立社外取締役を中心とした委員会の活用に言及する例（⑤**KDDI**）もある。また，上場子会社の機関設計として監査等委員会設置会社制度を採用している旨を記載する例もある（⑥**三菱UFJフィナンシャル・グループ**）。委員会による審議以外に，独立社外取締役の数や割合に言及するもの（⑦**帝人**，⑧**ENEOSホールディングス**）もある。

①日本水産

5．その他コーポレート・ガバナンスに重要な影響を与えうる特別な事情 更新

【グループ経営に関する考え方および方針】
当社は、当社グループの経営方針および経営戦略の浸透をベースに、グローバルリンクス(*1)と、それを支えるローカルリンクス(*2)を尊重して、グループ経営を行うこととしております。そして、当社は、①自立経営・責任の明確化の原則、および②共存共栄、グループ利益優先の原則を軸として、子会社による経営の独自性を尊重するとともに、当社による子会社に対する実効的な監督を行うこととしています。
当社は、上場子会社として日水製薬株式会社(以下「日水製薬」)を有しています。当社は、上記グループ経営に関する方針に従い、日水製薬の独立性を確保し、その意思決定への関与を限定的な場合にとどめつつも、グループとしての企業価値の最大化を目指しております。
*1：グローバルリンクスとは、ニッスイグループと志を共有し、WIN-WINの関係を通じて、共に価値を創造する企業ネットワークをいう。
*2：ローカルリンクスとは、グローバルリンクスをさらに進化させるために、それぞれの「ローカル」にある様々な機能が結び合うことで、その「ローカル」で独自のパフォーマンス(競争優位)を実現することをいう。
【上場子会社を有する意義】
日水製薬は当社ファインケミカル事業における中核子会社であり、同社の食品衛生技術・ノウハウと当社の食品事業とのシナジーを進化させることで企業価値向上に資すると考えております。同社技術・ノウハウを高めるには医薬品メーカーとしての人材確保に加え、知名度の向上による販売力の強化、従業員のモチベーションの維持が不可欠との認識を持ち、上場子会社としています。
【上場子会社のガバナンスの実効性確保に関する方策】
当社は日水製薬の経営の独立性を尊重しており、2020年4月に改定した子会社管理規程においても同社は対象外とし、また、同社の取締役会決議等重要事項について事前承認等は求めないなど少数株主保護の観点から独自の意思決定・経営判断に基づいた事業展開ができる体制としています。さらには、同社の取締役6名のうち3名は独立社外取締役、2名は同社内の取締役、1名は当社からの派遣取締役、また、監査役3名のうち2名は独立社外監査役、1名は同社内の常勤監査役とし、独立性を保ったガバナンス体制を構築しております。

②三菱瓦斯化学

5．その他コーポレート・ガバナンスに重要な影響を与えうる特別な事情 更新

当社は、グループ全体の企業価値の向上のため、親会社・大株主として上場子会社を含めたグループ会社の法令順守等の体制及びその状況について十分な注意を払っており、これを継続していく方針です。
上場子会社である株式会社JSPについて、当社は、互いの国内外の事業基盤、ノウハウ及び技術情報等を踏まえた連携など、成長戦略を推進する有効な相互シナジー効果の向上と、それによるグループ企業価値の向上を図ることを目的として子会社化しております。
当社は、同社の企業価値創造の源泉が、上場に裏付けられた経営の自主独立性や、役員及び従業員の自主性並びに創造性にあるとの認識の下、同社の独立性を尊重して、その実効的なガバナンス体制の構築と運用を期待しつつ、必要に応じて支援してまいります。
なお、当社は、支配的な株主を有する上場会社一般において少数株主との間に利益相反リスクがあることを認識しており、株主平等の原則に反するような行為を行いません。

③日本製鉄

5．その他コーポレート・ガバナンスに重要な影響を与えうる特別な事情 更新

（上場子会社を保有する意義等）
当社は、「日本製鉄グループ企業理念」に基づき、当社グループの健全で持続的な成長と中長期的な企業価値の向上を図りつつ、社会から信頼される企業の実現を目指しております。また、関連法規を遵守し、財務報告の信頼性と業務の有効性・効率性を確保するため、当社グループの事業に適した内部統制システムを整備し適切に運用するとともに、その継続的改善に努めております。
この基本方針のもと、当社及びグループ会社は、各社の事業特性を踏まえつつ、事業戦略を共有し、グループ一体となった経営を行っております。当社は、グループ会社の管理に関してグループ会社管理規程において基本的なルールを定め、その適切な運用を図るとともに、各グループ会社は、自律的内部統制を基本とした内部統制システムを構築・整備し、当社による支援や指導・助言も踏まえ、内部統制に関する施策の充実を図っております。
上場子会社の独立性確保については、親子間の取引条件において、他の顧客との一般的な契約条件や市場価格等に基づき合理的に決定しており、各社の利益を害していないことを上場子会社各社にて確認しております。
また、上場子会社各社における独立した意思決定を確保するため、上場子会社各社においては、取締役に占める独立社外取締役の割合が3分の1以上を満たす体制となっており、自律的な経営がなされているものと認識しております。

その上で、当社は現在、上場子会社5社を有しており、その意義について次のように考えております。

・日鉄ソリューションズ(株)
同社の主要事業は、コンピュータシステムに関するエンジニアリング・コンサルティング、ITを用いたアウトソーシングサービスその他の各種サービスです。
2001年4月に当社情報システム部門の分社化（完全子会社との統合）後、業界におけるプレゼンス確立、人材確保及び成長資金調達を目的として、2002年10月に新規株式公開を致しました。
製鉄事業におけるコンピュータシステムは、受注・生産・出荷・品質管理等、事業活動全般を支え、多様なデータを活用するための重要な基盤であり、同社を子会社としてノウハウの蓄積や人材供給の継続性を担保することは、鉄鋼業において当社が差別化を図り、競争力を維持するために不可欠です。また同社による高度ITの製鉄事業への実装及びDX（デジタルトランスフォーメーション）推進は当社との間に大きなシナジーを生み出しております。

・山陽特殊製鋼(株)
同社の主要事業は、特殊鋼製品の製造販売です。
当社、欧州の主要特殊鋼メーカーであるOvako、同社の3社連携による特殊鋼事業の競争力強化を目的として、2019年3月、当社は同社を第三者割当増資により子会社化するとともに、同社はOvakoを完全子会社化いたしました。
同社及び当社が手がける特殊鋼製品は、自動車・産業機械等の様々な産業における重要部品の素材として使用されており、今後も堅調な伸びが期待されるとともに、高品質な特殊鋼製品のニーズはより一層高まっていくものと考えられます。同社の子会社化により、当社、Ovakoも含めた3社の連携による事業基盤と技術力の強化及びグローバル事業展開に向けた体制整備を進め、特殊鋼事業の中長期的な競争力

Ⅱ　ガバナンス報告書

強化を図っております。

・大阪製鐵(株)
同社の主要事業は、形鋼・棒鋼・鋼片の製造販売です。
1990年に当社との連携推進のため同社を子会社化いたしました。
同社の鉄鋼製品は、建築・土木・造船・産業機械を主な向け先としており、当社及びグループ会社との連携により、お客様のニーズに対応した製品の供給を行っております。また、製鋼から圧延までの各工程における生産・技術等、当社との各種連携の取り組みを通じて、同社を子会社として事業運営を行うことが、同社及び当社グループの価値最大化に資するものと考えております。

・黒崎播磨(株)
同社の主要事業は、耐火物の製造販売、築炉工事です。
当社は2019年3月より、国際財務報告基準の適用開始にあたり、より一層の密な連携を目的に同社を子会社化しました。
同社が担う耐火物の製造・販売、築炉工事作業は、当社の鉄鋼事業にとって不可欠であり、その品質と商品開発力の向上、各種の連携課題の共同検討の深化など、同社を子会社として業務運営を行うことが同社及び当社グループの価値最大化に資するものと考えております。

・ジオスター(株)
同社の主要事業は、土木コンクリート製品・金属製品の製造販売です。
当社グループにおけるセグメント(トンネル覆工部材)製造部門を一元化し、経営資源の融合・製造部門の効率化による連携強化、当社グループの企業価値向上を目的として、2011年10月にジオスター(株)(持分法適用会社)が東京エコン建鉄(株)(連結子会社)を吸収合併し、同社は当社の連結子会社となりました。
同社を子会社として保有することで、当社が培ってきた鋼材の生産・利用技術と同社の有するコンクリートの生産・利用技術の共有を図ることにより、土木建材分野向けセグメント製品等において高い商品競争力を実現するとともに、両社の連携により、セグメント全仕様を揃えてお客様の使用条件に応じた最適製品の提案など、お客様の幅広いニーズへの対応や迅速な営業活動が可能となり、このことは当社グループの土木建材製品とのシナジー発揮、当社建材事業における価値向上に寄与しております。

④北海道電力

5. その他コーポレート・ガバナンスに重要な影響を与えうる特別な事情

当社は、ほくでんグループ全体の機能最適化や各社の経営全体を把握する経営管理を通じて競争力の強化を進め、ほくでんグループの企業価値最大化を図っていくことをグループ経営の方針としております。
グループ各社のうち北海電気工事株式会社(札幌証券取引所上場。以下、北海電工)の経営については、自社が策定する経営計画に基づき、自主的・自律的に事業運営を行っており、経営の独立性を確保しています。
当社は、北海電工が上場による知名度と信用度および株式市場での資金調達手段の確保等の上場メリットを活用しながら、ほくでんグループのトータルソリューションの一翼を担い推進することが、ほくでんグループ全体の企業価値向上につながるものと考えております。
また、当社は、北海電工の独立社外取締役の選任にあたり、候補者の指名に関与していないほか、同社とは一般の取引と同様の条件で取引しており、少数株主に不利益を与えることがないように対応しています。
今後も引き続き、ほくでんグループを取り巻く経営環境の変化を踏まえながら、上場子会社として維持することが最適なものであるかについて検討してまいります。

⑤ＫＤＤＩ

5. その他コーポレート・ガバナンスに重要な影響を与えうる特別な事情

当社子会社のうち、沖縄セルラー電話株式会社(以下、「沖縄セルラー」)は東証JASDAQ市場に上場しております。
1. グループ経営に関する考え方及び方針を踏まえた上場子会社を有する意義
(1) グループ経営に関する考え方及び方針
当社は、中期経営計画における事業戦略の1つに「グループとしての成長」を掲げております。当社のアセットを最大限活用し、グループ会社の成長を支援することで、相互シナジーの最大化とグループ全体での新たな成長基盤の拡大・強化を目指しております。

(2) (1)を踏まえた上場子会社を有する意義
沖縄セルラーは、琉球石油株式会社(現 株式会社りゅうせき)、株式会社琉球銀行、株式会社沖縄銀行、沖縄電力株式会社、琉球放送株式会社、オリオンビール株式会社など、複数の地元有力企業の多大なご協力をいただいて設立された経緯があり、地元に貢献する地域密着型の企業としての色彩が強い会社です。
こうした経緯を踏まえ、沖縄セルラーが上場企業であることに以下のメリットがあると考えております。

①出資者への還元
沖縄セルラーは、上場企業としての資本政策や株主還元施策を実施することで、設立時にご協力いただいた地元企業などの出資者及び上場以来ご支援いただいた投資家のみなさまへの還元が可能となります。
なお、沖縄セルラーの資本政策や株主還元方針については、中長期的な事業成長と株主還元のバランスを勘案し、全ての株主の利益を考慮した上で決定すべきと考えており、実施については独立した上場企業として同社の判断により決定することとしております。

②沖縄県の雇用への貢献、優秀な人材の確保
現在、多くの沖縄県出身者が沖縄セルラーに入社し、活躍しています。地理的な特性を踏まえると、沖縄セルラーが、業務区域を沖縄県のみとしていることが地元就職を希望する沖縄県出身者のニーズに合致しており、かつ、沖縄セルラーが上場企業であることが優秀な人材の採用にもつながっていると考えております。

③沖縄県民の信頼獲得による沖縄セルラーのサービス利用促進・契約増加
沖縄セルラーは、当社同様のサービスに加え、地域の実情を踏まえた独自のサービスも提供しております。
地域密着型の上場企業として地元の期待を背負って事業運営に取り組んでいることで、沖縄県民の信頼を獲得することができ、それが沖縄セルラーのサービス利用促進および契約増加につながっていると考えております。

上記により、引き続き沖縄セルラーを上場子会社として有する意義があると考えております。

2. 上場子会社のガバナンス体制の実効性確保に関する方策
沖縄セルラーの業務運営については、発足時に以下の協定を締結し、これを遵守した経営を続けてまいりました。

・利便性が高く、良質かつ低廉な情報伝達手段である携帯電話サービスを、地域に密着した事業として広く顧客に提供することにより、豊かな国民生活の実現と地域経済振興に貢献することを基本理念とする。
・当社は、携帯電話事業の発展の見地から、協力して必要な諸施策を検討、実施する。

沖縄セルラーは、地域の実情を踏まえつつ、自主的な事業運営に当たる。
なお、利益相反のおそれがある取引については、沖縄セルラーにおいて、独立社外取締役および独立社外監査役による多面的な議論を経て、取引の実施の可否を決定しております。また、沖縄セルラーでは、取締役会の諮問機関として独立社外取締役が中心となって役員の指名・報酬を審議する任意の委員会も設置されており、経営者の指名・報酬に関しても、沖縄セルラーの独立役員による議論を経て決定し、透明性を確保しております。

こうした取り組みにより、少数株主保護の観点から経営の透明性を確保したうえで、企業価値向上と株主還元により株主の皆さまの期待にお応えしてまいります。
当社はこれからも、沖縄セルラー電話株式会社と相互に独立性、自主性を尊重しながら、協力して事業運営を行い、グループとしての発展を目指してまいります。

⑥三菱ＵＦＪフィナンシャル・グループ

5. その他コーポレート・ガバナンスに重要な影響を与えうる特別な事情

当社子会社のうち、アコム株式会社は国内の金融商品取引所に上場しております。
当社グループは、「MUFG Way」にて中長期的にめざす姿として掲げている「世界に選ばれる、信頼のグローバル金融グループ」の実現に向け、各種事業を展開しております。その中で同社は、当社および当社子会社である株式会社三菱UFJ銀行との業務・資本提携に関する合意に基づき、当社グループにおける消費者金融事業の中核企業として当社グループの企業価値向上に貢献しております。
同社は、監査等委員会設置会社として、社外取締役が過半を占める監査等委員会が監査・監督機能を行使することで経営の透明性・客観性の向上を図るなど、ガバナンス体制の実効性確保に向け取り組んでおります。当社は、同社経営の独立性を尊重しつつ同社の経営管理を行っており、同社との経営管理に関する契約に基づき同社経営の重要事項に関し協議・報告等を受けております。

⑦帝　　人

5. その他コーポレート・ガバナンスに重要な影響を与えうる特別な事情 更新

(1) グループ経営に関する考え方及び方針
当社は、持続可能な社会実現に向け、「環境価値ソリューション」「安心・安全・防災ソリューション」「少子高齢化・健康志向ソリューション」の3つのフィールドで、社会に価値を提供し、「未来の社会を支える会社」となることが、当社グループの持続的成長と中長期的な企業価値の向上につながるものと考えています。
2020年2月に公表した中期経営計画では、当該期間を「成長基盤確立期」と位置づけました。中期経営計画では、将来の収益獲得のために育成が必要な事業を「Strategic Focus」、既に収益を上げており、さらなる成長を目指す事業を「Profitable Growth」として位置づけ、積極的に投資を進める方針を掲げています。
これまで培ってきたマテリアル系とヘルスケア系の2大事業領域にIT事業も有する当社のユニークな事業構成の強みを活かすべく、ヘルスケアとITのシナジーの追求、ヘルスケアとマテリアルに、当社グループが持つエンジニアリングの技術基盤を融合する新事業創出などにも着実に取り組んでいくことで、企業価値のさらなる向上を目指しています。
当社のグループ会社に対する出資は、直接または間接的に株式の過半数を保有することを原則とし、支配権をもつ出資比率の獲得を可能な限り目指すこととしています。一方、グループ会社の事業の特殊性や、当該事業領域でのブランド力、独自の企業文化、人財採用力、意思決定の迅速性などの観点などから、高い独立性を保持することが合理的と判断し、上場を維持しているグループ会社が2社(インフォコム株式会社(以下、インフォコム)、株式会社ジャパン・ティッシュ・エンジニアリング(以下、J-TEC))存在します。
当社は、上場グループ会社につき、上場を維持することの合理性を定期的に点検するとともに、当社グループとしての企業価値の最大化の観点から、各判断の合理性及び上場グループ会社のガバナンス体制につき説明責任を果たします。

(2) 上場子会社を有する意義
①インフォコム株式会社
当社は、東京証券取引所市場第一部上場のインフォコムの議決権を57.99%(2021年3月31日現在)保有し、連結子会社としています。
インフォコムは、企業・医療・公共機関向けにシステム構築やパッケージ製品を提供するITサービス分野と、一般消費者向けに電子コミック配信サービス等を提供するネットビジネス分野を展開しています。当社グループを特徴づけるIT事業を推進するグループ会社として、その高い収益性と成長力により、グループ全体の収益拡大と事業価値向上への貢献が、今後も期待されています。
また、インフォコムは、ヘルスケアとITのシナジーによる地域包括ケアシステム関連新事業の創出、当社グループのIT基盤の構築・運用から、その高度化及びデジタルトランスフォーメーション(DX)推進を担うことにより、当社グループの経営基盤確立に貢献しています。当社グループのビジネス創出・拡大や、経営基盤確立のためには、加速度的に進化するIT技術を活用することの重要性が益々高まっており、当社がインフォコムを保有する意義は大きいと考えています。
当社グループのIT事業におけるイノベーションの創出には、迅速な意思決定と資源投入の実行が特に重要であり、また、IT業界での社会的信用度・認知度の向上が優秀な人財の確保につながることから、インフォコムの経営と資金調達の自主性・独立性を保持した上で上場を維持することが、インフォコム及び当社グループ双方の企業価値向上の観点で最適であると考えています。
②株式会社ジャパン・ティッシュ・エンジニアリング
当社は、2021年1月29日開催の取締役会において、東京証券取引所JASDAQ(グロース)上場のJ-TECを連結子会社化することを目的に、同社の普通株式を金融商品取引法による公開買付けにより取得することを決議し、2021年2月1日から2021年3月2日を取得期間とする本公開買付けを実施しました。本公開買付けの結果、2021年3月9日付で、発行済み株式の57.72%の株式取得が完了し、J-TECを当社の連結子会社としました。
J-TECは、再生医療等製品の開発、製造、販売を行う再生医療製品事業、再生医療に関する開発及び製造等を受託する再生医療受託事業、研究用ヒト培養組織の開発、製造、販売を行う研究開発支援事業を展開しています。日本の再生医療のパイオニアであるJ-TECの行う事業や、当社とJ-TECが共同で推進する再生医療等製品CDMO事業は、経営資源を積極的に投入すべきStrategic Focus分野に該当し、J-TECの連結子会

Ⅱ ガバナンス報告書

化により、当社が再生医療等製品CDMO事業に参入する絶好の機会とするとともに、当社グループの化学合成、高分子化学、加工、エンジニアリングなどの基盤技術及びヘルスケア事業基盤をJ-TECが保有する技術と組み合わせることで、J-TECの再生医療製品事業や再生医療受託事業拡大に寄与することが可能であることから、当社がJ-TECを保有する意義は大きいと考えています。

当社では、現時点では、J-TECを完全子会社としなくとも、双方が有する技術やノウハウの共有及び経営資源の相互補完・有効利用が可能であり、強固な協働を通して、両社のシナジーを発揮することができると考えています。また、J-TECの現在の企業文化や経営の自主性を維持することが同社の企業価値向上に資するものと考えており、J-TECの上場を維持することが、J-TEC及び当社グループ双方の企業価値向上の観点で最適であると考えています。

(注)「CDMO」とは、「Contract Development and Manufacturing Organization」の略であり、医薬品の製剤開発や製造を受託する医薬品受託製造開発機関を指します。

(3) 上場子会社のガバナンス体制の実効性確保に関する方策
当社と上場子会社の一般株主との間に利益相反リスクがあることを踏まえ、インフォコムとJ-TECの独立した意思決定を担保するため、以下の方策を通じ、実効的なガバナンス体制を構築しています。

①インフォコム
(a)インフォコムの経営判断の最終意思決定機関は同社取締役会であり、上場会社のガバナンスの基本である「株主の平等性」は確保されています。当社は、原則としてインフォコムの経営判断への直接的な関与は不可とすることを、当社規程で定めています。一方、当社は開示義務等に対応するため、当社の株主総会の議決権行使に関わるもの、当社の適時開示に影響を与えるもの、当社連結財務諸表に重要な影響を与えるものに限定して、インフォコムに事前報告を求めています。
(b)インフォコムは少数株主保護の観点から、一般株主との間で利益相反が生じるおそれのない独立性を有する社外役員4名(社外取締役3名、社外監査役1名)を選任し、東京証券取引所の定める独立役員に指定しています。なお、インフォコムの取締役会は7名で構成され、親会社から派遣している取締役1名を含みますが、独立社外取締役を3名選任しており、一般株主との間で利益相反がないよう取締役会の独立性を確保しています。
(c)インフォコムは、当社グループの中でIT事業を推進するグループ会社と位置づけられており、当社グループに対して、情報通信システムの開発及びその運用サービス等を提供していますが、当社グループに属する他の各事業と類似しないため、インフォコムの事業活動に関する経営判断の独立性は確保されています。また、インフォコムにおける、当社グループとの取引に関する価格や取引条件の決定については、市場価格等を勘案し、インフォコム取締役会での決議を経て決定しており、一般株主の権利は保護されていると考えています。

②J-TEC
(a)J-TECの経営判断の最終意思決定機関は同社取締役会であり、上場会社のガバナンスの基本である「株主の平等性」は確保されています。当社は、原則としてJ-TECの経営判断への直接的な関与は不可とすることを、当社規程で定めています。一方、当社は開示義務等に対応するため、当社の株主総会の議決権行使に関わるもの、当社の適時開示に影響を与えるもの、当社連結財務諸表に重要な影響を与えるものに限定して、J-TECに事前報告を求めています。
(b)当社は、2021年3月に成立した当社によるJ-TEC株式に対する公開買付けにあたり、J-TECとの間で2021年1月29日付で資本業務提携契約を締結し、当社との事前協議事項及び当社による事前承諾事項を定めています。当該事項は、一般株主との利益相反に配慮したうえで、当社グループの経営に影響を与える可能性のある重要な事項に限定されています。
本契約の中で、①子会社又は関連会社の異動、②上場廃止基準に該当する若しくはそのおそれのある行為又は上場廃止の申請、③公開買付者(当社)との業務提携に類似する業務提携(合弁会社の設立及びライセンスの付与を含む)、④組織変更、合併、株式交換、会社分割、事業の全部若しくは一部の譲渡又は譲受その他これらに準ずる行為を行い又は決定する場合に限定して、J-TECは当社の事前承諾を取得するものとしています。
(c)J-TECの取締役会の構成について、当社がJ-TECの取締役のうち過半数を指名する権利を有する旨を、本資本業務提携契約において定めています。なお、J-TECの取締役会は7名で構成され、取締役4名が当社から派遣されていますが、取締役はJ-TECの企業価値向上を図るべく業務執行を監督する立場であり、原則としてJ-TECの経営陣の判断を尊重することとし、J-TEC及び一般株主の利益が不当に損なわれることがないよう最大限配慮しています。今後の当社による指名権の行使の有無及び指名員数については、J-TECの上場会社としての独立性を尊重した適切なガバナンスと、当社とのシナジーを最大限実現できる体制作りを目指して、適宜見直す予定です。
(d)J-TECからの当社に対する再生医療等製品CDMO事業のノウハウ等の提供は、J-TECと当社との市場における競合等の観点から利益相反が生じ得るため、本資本業務提携契約において、当社とJ-TECの一般株主との間の利益相反に関し必要な配慮を行った上で実施することを前提とする旨を定めています。また、J-TECにおける、当社グループとの取引に関する価格や取引条件の決定については、市場価格その他公正価格等を勘案し、J-TECの経営陣が独自に意思決定を行っており、一般株主の権利は保護されていると考えています。

⑧ENEOSホールディングス

5. その他コーポレート・ガバナンスに重要な影響を与えうる特別な事情

当社は、主要な事業会社であるENEOS株式会社、JX石油開発株式会社およびJX金属株式会社を完全子会社とし、それ以外のグループ会社は、事業の維持・拡大の必要性に応じて完全子会社、上場子会社等として保有することとしています。上場子会社については、グループ全体として企業価値向上及び資本効率性の観点から、上場子会社として維持することが最適なものであるかを定期的に点検するとともに、その合理的理由や上場子会社のガバナンス体制の実効性確保について取締役会で審議することを方針としています。

当社は、上場会社である株式会社NIPPOの親会社です。同社については、規模および収益性の観点から道路舗装業界トップの会社であり、当社グループの事業ポートフォリオにおいても重要な位置づけにあるため、子会社としています。同社グループの事業特性上、資源価格の変動によって経営成績が大きく左右され、財務状況に重大な影響を受けるリスクがあるところ、同社は、安定的に高い利益をあげており、当社グループ全体の企業価値の最大化に貢献しています。

また、舗装・建築事業における高い技術力を有する同社とは、再生アスファルト改質剤の開発協力等を進めているほか、同社が開発した太陽光で発電する舗装システムについては、当社の長期ビジョンに掲げる地域サービスへの活用が期待できることなどから、十分なシナジー効果を有しています。

他方、同社を上場会社として維持することは、業界トップ企業としての同社社員のモチベーション維持・向上および優秀な人材の採用に資するため、十分な合理性があると考えています。

当社の完全子会社であるJX金属株式会社は、上場会社である東邦チタニウム株式会社の親会社です。
JX金属は、先端素材など技術による差別化によりグローバル競争で優位に立てる事業をフォーカス事業とし、これを成長戦略のコアと位置付けています。東邦チタニウムは、薄膜材料事業における高純度チタンなど、フォーカス事業が競争力を保つために重要な品質材料のサプライヤーであり、かつ、製品のライフサイクルが短期化傾向にある先端素材分野では、同社との緊密なコラボレーションによる次世代製品群の創出・育成を迅速に行う必要があります。そのため、同社を子会社として維持することが不可欠です。

他方、同社とのシナジー効果を最大化するためには、同社が資本市場から機動的に直接資金調達を行う手段を持つ必要があり、また、同社を上場子会社として維持することは、同社社員のモチベーション維持・向上および優秀な人材の採用に資するため、十分な合理性があると考えています。

当社は、上場子会社の一般株主の利益に十分配慮し、実効性のあるガバナンス体制を確保するために、次のとおり上場子会社の独立社外取締役の選解任権限の行使に関する方針を策定しています。
(1) 選任権限の行使に関する考え方
　ア．取締役の3分の1以上を独立社外取締役とするよう求める。それが直ちに困難な場合は、重要な利益相反取引について、独立社外取締役を中心とした委員会で審議・検討を行う仕組みを導入するよう求める。
　イ．独立社外取締役については、次の要件を考慮する。
　　(ア) 高い職業的倫理観を持ち、戦略的な思考力、判断力に優れ、かつ、変化への柔軟性などを有し、併せて、上場子会社としての意思決定と経営の監督を行うことができる者かどうか
　　(イ) 過去10年以内にENEOSグループに所属していない者かどうか
　　(ウ) 独立した立場で一般株主を含む株主共通の利益の保護を考慮し、上場子会社の企業価値向上に貢献できる者かどうか
(2) 解任権限の行使に関する考え方
　次のいずれかに該当した場合、各上場子会社の取締役会の決定に従い、独立社外取締役を解任するべく議決権を行使する。
　(ア) 重大な法令違反があり、ENEOSグループまたは上場子会社グループの名誉を著しく棄損した場合
　(イ) 職務執行に悪意または重過失があり、ENEOSグループまたは上場子会社グループに著しい損害を与えた場合
　(ウ) 一般株主の利益を著しく棄損した場合

(3) グループ経営に関する考え方及び方針として記載されるべき内容に関連した契約

上場子会社との間で、グループ経営に関する考え方及び方針として記載されるべき内容に関連した契約を締結している場合は、その内容を併せて記載することが望まれている。

これを踏まえ、上場子会社との間で締結されている契約（類型や名称は様々であるが、資本（業務）提携契約、経営管理契約等がみられる）について記載する例がみられる。その内容としては、上場会社による自律的な運営を尊重する旨（①**北陸電力**）を定めるものがある一方、一定の事項について親会社への事前報告や親会社の事前承認を必要とする旨（②**ADEKA**、③**東急**）を定めるものもみられる。

①北陸電力

5. その他コーポレート・ガバナンスに重要な影響を与えうる特別な事情
　当社は、北陸電力グループの企業価値向上と繁栄を目指し、グループ各社と経営に関する方針・戦略を共有してグループ経営を行っております。
　グループ会社のうち、北陸電気工事株式会社（以下「北陸電工」といいます。）は、上場子会社であります。
　北陸電工は、主要な子会社として電力の安定供給に貢献するとともに、上場による社会的な信用力と知名度を活かして北陸域外での売上も拡大しており、北陸電力グループの企業価値向上にも貢献しております。
　当社は、北陸電工が上場会社であることに鑑み、北陸電工の自主的な経営判断による自律的な運営を尊重する旨の契約を北陸電工と締結しております。
　北陸電工は、当社と北陸電工の一般株主との間に利益相反リスクがあることを踏まえ、独立社外取締役の選任により、少数株主の保護に努めております。
　なお、当社と北陸電工との取引は、市場価格を基準とした公正な価格により取引しており、少数株主に不利益を与えることがないように対応しております。

②ADEKA

5. その他コーポレート・ガバナンスに重要な影響を与えうる特別な事情
　グループ経営の考え方・方針を踏まえた上場子会社保有の意義及び上場子会社のガバナンス体制の実効性確保策

　＜グループ経営の考え方・方針＞
　ADEKAグループは、「本業を通じた社会貢献」と「社会との共存共栄」を基本思想としたグループ経営理念を実現するため、ADEKA VISION 2030「持続可能な社会と豊かなくらしに貢献するInnovative Company」の下、グループ一丸となった経営を行っています。
　ADEKA VISION 2030の実現に向けたファーストステージとして位置づける新中期経営計画『ADX 2023』では、ADEKAグループの求心力を高めるべく、グループガバナンスを一層強化するとともに、健全な財務基盤の構築により足腰の強い企業を目指す「グループ経営基盤の強化」を基本戦略の一つに掲げています。
　また、当社グループは、環境貢献製品の提供、地球環境の保全、社会の期待に応える価値創出など、7つのCSR優先課題を掲げ、世界の豊かなくらしへの貢献を目指しています。

Ⅱ　ガバナンス報告書

　このような経営理念やビジョンを共有し、「持続可能な社会と豊かなくらしへの貢献」という共通の使命の実現に向け、グループ各社が協力・連携して取り組むことにより、グループの総合力、ひいては、グループ全体の企業価値を高めていくことを、グループ経営の基本方針としています。
　そのため、『ADX 2023』の基本戦略のうち、「グループ経営基盤の強化」では、ADEKAグループ共通の価値観の醸成や、グループガバナンスやグループコンプライアンスの強化に向けた制度・体制等の整備により、グループ経営管理の強化に努めています。

＜上場子会社　日本農薬株式会社を保有する意義＞
『ADX 2023』では、基本戦略の一つとして「収益構造の変革」を掲げ、SDGsの達成に貢献すべく、樹脂添加剤・化学品・食品・ライフサイエンスの各事業における戦略製品に、ADEKAグループ「環境貢献製品」や、社会の期待に応える価値創出を目指した「ADEKA Innovative Value製品」（AIV製品）を組み入れ、社会価値と経済価値の双方を追求しています。
　当社は、ライフサイエンス事業における連携強化、総合力発揮のための施策の一つとして、2018年9月に日本農薬株式会社と資本業務提携契約を締結し、連結子会社化しました。農薬ビジネスをポートフォリオに加え、ライフサイエンス事業の拡大を加速させることが目的です。両社の技術を結集し、融合させることで、世界の食料問題、健康や、食の安心・安全に関わる様々な社会的課題の解決に貢献していきたいと考えています。
　日本農薬株式会社は、1928年に当社の農薬部門を分離し、設立された会社であり、当社事業・組織文化との親和性が極めて高く、従前から、両社研究部門間で様々な技術交流を行ってきました。当社と同社の有機合成技術や製剤技術のシナジー効果を追求すべく、人材交流、研究開発領域の相互補完、生産技術・生産拠点等の相互利用を進め、当社グループのライフサイエンス事業の拡大に取り組んでいます。
　同社とのシナジー効果を最大化するためには、同社の経営の独立性を維持しつつ、資本市場からの機動的な資金調達を可能にしておく必要があります。また、同社を上場子会社として維持することは、同社社員のモチベーション維持・向上及び優秀な人財の採用に資すると考えています。
　そのような考えに基づき、同社と当社間の資本業務提携契約では、同社経営の自主独立性を尊重することを基本精神としております。

＜上場子会社　日本農薬株式会社のガバナンス体制の実効性確保策＞
日本農薬株式会社は、東京証券取引所に上場しています。当社は、同社との資本業務提携契約の基本精神に従い、同社経営の自主独立性を尊重することとしており、同社との取引等において、同社の少数株主の利益を損なったり、株主平等の原則に反したりするおそれのある行為は一切行いません。また、当社は、同社の親会社として、同社との間でコーポレートガバナンスやコンプライアンス体制・活動状況等について、随時、情報交換や報告聴取を行い、必要に応じ、コンプライアンスや内部統制システムの構築等について助言等を行っています。
　なお、日本農薬株式会社は、取締役会に占める独立社外取締役の比率を1/3以上とし、ガバナンス委員会を設置することなどにより、取締役会の意思決定の透明性を高め、利益相反への監視強化のための取組みを行っております。また、当社は、同社の経営の独立性確保の観点から、同社の経営の意思決定や経営判断に際して、直接的な関与は行っておりません。ただし、親会社としてのガバナンスを確保すべく、重要事項（例えば連結財務諸表や当社の適時開示に重要な影響を与える可能性のある事項）に限定して、同社から当社への事前報告を求めることとしております。

③東　　急

5. その他コーポレート・ガバナンスに重要な影響を与えうる特別な事情 更新

　当社グループ（当社および連結子会社）は、交通、不動産、生活サービス、ホテル・リゾート事業など幅広く、お客さまの日々の暮らしに密着した事業を展開しており、当社は、事業持株会社として、東急電鉄株式会社、株式会社東急百貨店、株式会社東急ストア、株式会社東急ホテルズなどの連結子会社を通じて、各事業を推進しております。
　当社の持続的成長には、高度化・多様化されたお客さまのニーズ等、各事業を取り巻く環境の変化へ一層のスピード感を持って対応することが必要であり、新たな付加価値の創造による事業拡大を図らなければならないと考えております。このような状況を踏まえ、グループ経営を担う事業持株会社と事業経営を行う各連結子会社へ機能別に再編するなど、今後の当社の持続的成長と企業価値の向上を図るにふさわしいグループ経営体制の高度化に継続的に取り組んでおります。

　当社グループは上場子会社1社を有しており、株式会社東急レクリエーションの議決権の50.3％を有しております。
■株式会社東急レクリエーション
　当社は、渋谷戦略において、地域の発展に資するエリアマネジメント、リテール・ホテル・エンタメ機能の戦略的配置を進める「エンタテイメントシティSHIBUYAのさらなる進化・深化」を掲げており、また、生活創造事業戦略においては、シネコン、劇場・ホールなどを顧客ニーズの多様化や生活スタイルの変化を先取りする事業メニュー・サービスの一つとしています。
　一方、株式会社東急レクリエーションは、当社の連結子会社となる以前より、多数の個人株主に支えられてきており、「新宿TOKYU MILANO再開発計画」などに取り組んでおります。
　このような中において、同社を当社グループにおけるエンターテイメント戦略を担う連結子会社として、円滑かつ迅速な協力関係のもとで各種施策を推進していくことが必要であると考えております。
　さらに、上場により自主性・機動性を保持しつつ、緊張感のある経営を行うことが、収益性・成長性の向上、企業価値の最大化に資するものであり、具体的には以下のような効果があると考えております。
・個人株主から得られる多様な意見の経営への反映
・資金調達手段の多様性の維持
・株主優待を通じた安定的な顧客基盤の確保
・社会的知名度及び社会的信用度の維持
また、同社とは、当社および同社の企業価値、株主価値の最大化を目的として、以下の内容を含む資本業務提携契約を締結しております。
・当社が適当と認める方法で同社に経営指導および支援を行う。
・同社の重要業務について、一定の基準に基づき、当社の取締役会・経営会議等の審議を経るものとし、同社の決議内容を尊重した上で、その承認の可否を判断する。
・同社が上場会社としての自主的で機動的な経営を尊重することを相互に確認する。
　なお、同社は独立社外取締役2名、独立社外監査役2名を選任し、少数株主の利益を十分配慮するよう監督する体制となっております。

別冊商事法務 No.464
コードに対応した
コーポレート・ガバナンス報告書の記載事例の分析
〔2021年版〕

2021年12月15日　初版第1刷発行

編　　者　森・濱田松本法律事務所

発 行 者　石　川　雅　規

発 行 所　㈱ 商 事 法 務
〒103-0025 東京都中央区日本橋茅場町 3-9-10
TEL 03-5614-5651・FAX 03-3664-8844〔営業〕
TEL 03-5614-5649〔編集〕
https://www.shojihomu.co.jp/

落丁・乱丁本はお取替えいたします。　印刷／サンパートナーズ㈱
© 2021 森・濱田松本法律事務所　　　　　Printed in Japan
Shojihomu Co., Ltd.
ISBN978-4-7857-5298-9
＊定価は表紙に表示してあります。

JCOPY ＜出版者著作権管理機構 委託出版物＞
本書の無断複製は著作権法上での例外を除き禁じられています。
複製される場合は、そのつど事前に、出版者著作権管理機構
（電話 03-5244-5088、FAX 03-5244-5089、e-mail: info@jcopy.or.jp）
の許諾を得てください。